P9-DIJ-374

Дж. К. Ролинг

Перевод с английского
С. Ильина, М. Лахути, М. Сокольской

МОСКВА • РОСМЭН • 2007

УДК 821.111-93
ББК 84 (4Вел)
Р67

В серию входят:
«Гарри Поттер и философский камень»
«Гарри Поттер и Тайная комната»
«Гарри Поттер и узник Азкабана»
«Гарри Поттер и Кубок огня»
«Гарри Поттер и Орден Феникса»
«Гарри Поттер и Принц-полукровка»

■ ■ ■ ■ ■ ■ ■ ■ ■

HARRY POTTER AND THE DEATHLY HALLOWS

J. K. Rowling

First published in Great Britain in 2007 by
Bloomsbury Publishing Plc, 36 Soho Square, London W1D 3Qy

Наш адрес в Интернете: **www. rosman.ru**

ISBN 978-5-353-02907-6

Эта книга
посвящается
семерым людям
сразу:
Нэйлу,
Джессике,
Дэвиду,
Кензи,
Ди,
Энн —
и тебе,
если ты готов
остаться
с Гарри
до самого
конца.

О, род, недужный род!
Не заживает рана,
Не высыхает кровь!
О, горя нескончаемая боль!
О, злая тяжесть муки бесконечной!

Пусть дом ни от кого
Не ждет целебных зелий.
Он сам себя спасет
Кровавою враждой.
О том поют
Согласным хором боги преисподней.

Так внемлите мольбам, помогите беде,
Этим детям, о боги подземных глубин,
Ниспошлите им, боги, победу!

Эсхил. Жертва у гроба[1]

Смерть пересекает наш мир подобно тому, как дружба пересекает моря, — друзья всегда живут один в другом. Ибо их потребность друг в друге, любовь и жизнь в ней всесущи. В этом божественном стекле они видят лица друг друга, и беседа их столь же вольна, сколь и чиста. Таково утешение дружбы, ибо хотя о них и можно сказать, что им предстоит умереть, все же их дружба и единение существуют, в наилучшем из смыслов, вечно, поскольку и то и другое бессмертно.

Уильям Пенн. Новые плоды одиночества

---

[1] Перевод С. Апта.

Глава 1

ВОЗВЫШЕНИЕ ТЕМНОГО ЛОРДА

Эти двое, появившись словно бы ниоткуда, пару секунд простояли в нескольких шагах друг против друга на узкой, освещенной луной тропе. Стояли не шевелясь, наставив один в грудь другого волшебные палочки, а затем, когда каждый понял, кто перед ним, убрали палочки под мантии и торопливо двинулись в одном направлении.

— Есть новости? — спросил тот, что был выше ростом.

— Самые лучшие, — ответил Северус Снегг.

Вдоль тропы шли слева низкие кусты дикой ежевики, а справа — высокая ухоженная живая изгородь. Длинные мантии мужчин колыхались, заплетаясь вокруг лодыжек.

— Я уж боялся, что опоздаю, — сказал Яксли, грубое лицо которого то освещалось светом луны, пробивавшимся между нависшими над тропой ветвями, то снова погружалось во тьму. — Дорога оказалась труднее, чем я ожидал. Впрочем, надеюсь, он будет доволен. Вы и вправду думаете, что прием нас ожидает хороший?

Снегг кивнул, однако в подробности вдаваться не стал. Они повернули направо, на широкую подъездную дорожку, в которую уперлась тропа. Живая изгородь, повернувшая вместе с ними, вскоре оборвалась у высоких кованых ворот, преградивших двум мужчинам путь.

Однако они не замедлили шага: оба молча подняли в подобии приветствия левые руки и прошли сквозь темный, словно обратившийся перед ними в дымку тумана металл.

Теперь звуки их шагов заглушались тянувшимися по обеим сторонам дорожки густыми тисами. Справа послышалось какое-то шуршание. Яксли снова извлек из-под мантии палочку, повел ею над головой своего спутника, но источником шума оказался всего лишь белый павлин, величаво вышагивавший по тисовой изгороди.

— А он всегда умел недурно устраиваться, наш Люциус. *Павлины...* — фыркнул Яксли, пряча под мантию палочку.

В конце прямой дорожки вырос из темноты большой, красивый загородный дом с мерцавшим в ромбовидных окнах первого этажа светом. Где-то в темном парке журчал за тисовой изгородью фонтан. Гравий похрустывал под ногами Снегга и Яксли, торопливо шагавших к парадным дверям, которые при их приближении распахнулись будто сами собой.

Почти весь каменный пол просторного, тускло освещенного и прекрасно убранного вестибюля покрывал толстый ковер. Снегг и Яксли пересекли его, провожаемые взглядами бледных людей, изображенных на висевших по стенам портретах. Двое мужчин на миг остановились, замявшись, у тяжелой деревянной двери, ведущей в следующую комнату, затем Снегг повернул бронзовую ручку.

Гостиную заполняли безмолвные люди, сидевшие вокруг длинного, пышно изукрашенного стола. Вся прочая мебель была бесцеремонно сдвинута к стенам. Освещало гостиную пламя, ревевшее в мраморном камине, над которым висело большое зеркало в резной золоченой оправе. Снегг и Яксли немного помедлили на пороге. Глаза их, постепенно привыкавшие к тусклому освещению, были прикованы к самой странной из особенностей этой комнаты: к безжизненному, судя по всему, человеческому телу, которое висело вниз головой над столом и медленно кружилось, словно на невидимой веревке, отражаясь и в зеркале, и в полированной поверхности стола. Никто из сидевших за столом на тело не смотрел, кроме бледного юноши, расположившегося почти прямо под ним. Похоже, он не мог удержаться от того, чтобы примерно раз в минуту не бросить на него взгляд.

— Яксли, Снегг, — произнес высокий, звонкий голос того, кто сидел во главе стола. — Еще немного, и вы опоздали бы.

Сказавший это сидел перед самым камином, отчего двум вошедшим в гостиную мужчинам было поначалу трудно различить что-либо, кроме общего его силуэта. Однако по мере их приближения лицо его выступало из мрака — голое, змееподобное, с узкими прорезями вместо ноздрей и блестящими красными глазами с вертикалями зрачков. Бледен он был до того, что казался светящимся, точно жемчуг.

— Северус, сюда! — приказал Волан-де-Морт, указывая на кресло справа от себя. — Яксли — рядом с Долоховым.

Двое мужчин заняли названные им места. Большинство сидевших за столом провожали глазами Снегга — к нему первому и обратился Волан-де-Морт:

— Итак?

— Мой Лорд, Орден Феникса намеревается перевести Гарри Поттера из нынешнего его укрытия в субботу, при наступлении вечера.

Это известие пробудило в сидевших вокруг стола интерес почти осязаемый: одни замерли, другие заерзали — и все не отрывали глаз от Снегга и Волан-де-Морта.

— В субботу... при наступлении вечера... — повторил Волан-де-Морт. Красные глаза его вглядывались в черные глаза Снегга с такой неистовой силой, что некоторые из смотревших на них предпочли отвести взгляды, опасаясь, похоже, обратиться под ее воздействием в пепел. Снегг, однако же, смотрел в лицо Волан-де-Морта спокойно, и спустя секунду-другую безгубый рот его господина искривился в подобии улыбки. — Хорошо. Очень хорошо. И сведения эти получены...

— Из источника, о котором мы с вами говорили, — сказал Снегг.

— Мой Лорд. — Яксли склонился над длинным столом, вглядываясь в Волан-де-Морта и Снегга. Все повернулись к нему. — Я слышал иное, мой Лорд.

Яксли замолк, ожидая ответа, однако Волан-де-Морт не произнес ни слова, и Яксли продолжил:

— Долиш, мракоборец, обмолвился мимоходом, что Поттер не стронется с места до тридцатого, до вечера, который предшествует его семнадцатилетию.

Снегг улыбнулся:

— Мой источник сообщает, что существует несколько планов, направленных на то, чтобы сбить нас с толку. Полагаю, это один из них. На Долиша наверняка наложено заклятие Конфундус. И уже не впервые — давно известно, что он легко поддается этому заклятию.

— Уверяю вас, мой Лорд, Долиш говорил с полной уверенностью, — сказал Яксли.

— При таком заклятии это вполне естественно, — отозвался Снегг. — Уверяю вас, Яксли, Мракоборческий центр уже не имеет никакого отношения к защите Гарри Поттера. Орден считает, что в Министерстве полным-полно наших агентов.

— В кои-то веки и Орден оказался прав, а? — произнес сидевший неподалеку от Яксли коренастый мужчина и издал хриплый смешок, эхом раскатившийся вдоль стола.

Волан-де-Морт даже не усмехнулся. Он возвел взгляд к телу, медленно вращавшемуся над столом, и, казалось, погрузился в раздумья.

— Мой Лорд, — продолжал Яксли, — Долиш уверен в том, что для перемещения мальчишки будут задействованы все силы мракоборцев...

Волан-де-Морт поднял большую белую ладонь, и Яксли смолк — ему осталось лишь с обидой смотреть, как его хозяин снова обращается к Снеггу:

— Где они собираются спрятать мальчишку теперь?

— В доме одного из членов Ордена, — ответил Снегг. — Согласно моему источнику, это место ограждено всеми средствами защиты, какие имеются в распоряжении Ордена и Министерства. Думаю, мой Лорд, надежды взять его там у нас практически нет, если, конечно, Министерство не падет до следующей субботы. Это даст нам возможность найти дом и снять с него столько чар, что мы сможем прорваться внутрь.

— Ну-с, Яксли, — Волан-де-Морт взглянул вдоль стола красными глазами, в которых причудливо играл горевший в камине огонь, — успеет ли Министерство пасть до следующей субботы?

И снова все повернулись к Яксли. Тот расправил плечи:

— Мой Лорд, на этот счет у меня есть хорошие новости. Мне удалось, хоть и ценой огромных усилий, наложить заклятие Империус на Пия Толстоватого.

У многих из тех, кто сидел вокруг Яксли, округлились глаза, а его сосед, Долохов, мужчина с длинным, кривым лицом, хлопнул Яксли по спине.

— Хорошее начало, — сказал Волан-де-Морт. — Однако Толстоватый — всего лишь один человек. Прежде чем я вступлю в игру, необходимо окружить Скримджера нашими людьми. Даже одна неудавшаяся попытка покушения на жизнь министра сильно отбросит меня назад.

— Да, мой Лорд, это верно, но вы же знаете, Толстоватый возглавляет Отдел обеспечения магического правопорядка и постоянно контактирует не только с министром, но и с главами всех прочих отделов Министерства. Я думаю, что теперь мы, получив контроль над чиновником столь высокого ранга, сможем подчинить себе и других, а они совместными усилиями свалят Скримджера.

— Если только нашего друга Пия не разоблачат до того, как он завербует всех остальных, — сказал Волан-де-Морт. — В любом случае вероятность того, что Министерство станет моим до следующей субботы, мала. И если мы не сможем достать мальчишку в его новом укрытии, придется сделать это, когда он будет перебираться туда.

— Тут у нас имеется преимущество, мой Лорд, — заявил Яксли, решивший, похоже, любой ценой добиться хоть какой-нибудь похвалы. — В Отдел магического транспорта уже внедрено несколько наших агентов. Если Поттер трансгрессирует или попытается воспользоваться Сетью летучего пороха, мы узнаем об этом сразу.

— Он не сделает ни того ни другого, — сказал Снегг. — Орден остерегается любого вида транспорта, находящегося в ведении или под контролем Министерства, да и вообще не доверяет ничему, что хоть как-то с ним связано.

— Тем лучше, — сказал Волан-де-Морт. — Ему придется передвигаться в открытую. А значит, нам будет легче взять его. — И, снова подняв взгляд к медленно вращавшемуся телу, он продолжил: — Я займусь мальчишкой лично. Во всем, что связано с Гарри Поттером, допущено слишком много промахов. Некоторые из них были моими. Мальчишка жив благодаря скорее моим ошибкам, чем собственным победам.

Теперь те, кто сидел вокруг стола, вглядывались в Волан-де-Морта со страхом, поскольку каждый опасался услышать обращенные именно к нему обвинения в том, что Гарри Поттер все еще жив. Однако Волан-де-Морт, казалось, разговаривал скорее с собой, чем с ними, попрежнему глядя на безжизненное тело, висевшее над столом.

— Я был небрежен и потому позволял препятствовать мне удаче и случаю, которые способны срывать исполнение даже наилучших планов. Теперь я понимаю то, чего не понимал прежде. Я должен стать тем, кто убьет Гарри Поттера, и я им стану.

При этих словах (и, похоже, в ответ на них) внезапно раздался вопль — страшный, протяжный крик страдания и боли. Многие из сидевших за столом испуганно уставились в пол, поскольку звук этот исходил из-под их ног.

— Хвост, — сказал Волан-де-Морт все так же негромко и задумчиво, по-прежнему не отрывая взгляда от тела над столом, — разве я не говорил тебе, что наш пленник должен вести себя тихо?

— Да, м-мой Лорд, — выдохнул маленький человечек, сидевший в середине стола, съежившись в своем кресле так, что оно казалось на первый взгляд пустующим. Он сполз на пол и торопливо выскочил из комнаты, оставив за собой странное серебристое свечение.

— Как я уже сказал, — продолжал Волан-де-Морт, обводя взглядом застывшие лица своих приспешников, —

теперь мне многое стало ясно. Например, прежде чем я отправлюсь убивать Поттера, мне придется позаимствовать у одного из вас палочку.

На всех лицах отразилось только одно — ужас, как будто он объявил, что хочет позаимствовать чью-то руку.

— Добровольцы отсутствуют? — осведомился Волан-де-Морт. — Ну что же... Люциус, я не вижу причин, по которым тебе может в дальнейшем понадобиться твоя палочка.

Люциус Малфой поднял на него взгляд. Кожа Люциуса казалась в свете камина желтоватой, восковой, запавшие глаза его были обведены чернотой. Он хрипло переспросил:

— Мой Лорд?

— Твоя палочка, Люциус. Я хочу получить твою палочку.

— Я...

Малфой искоса взглянул на жену. Она, такая же бледная, как муж, смотрела прямо перед собой, длинные светлые волосы свисали ей на спину. Ее тонкие пальцы на краткий миг сжали под столом запястье Люциуса. Ощутив это прикосновение, Малфой сунул руку под мантию, вытащил палочку и протянул ее Волан-де-Морту, который поднес палочку к своим красным глазам и внимательно осмотрел.

— Из чего она?

— Из вяза, мой Лорд, — прошептал Малфой.

— А внутри?

— Драконовая... сердечная жила дракона.

— Хорошо, — произнес Волан-де-Морт. Он достал собственную палочку, сравнил их длины.

Люциус Малфой произвел невольное движение — на долю секунды могло показаться, что он надеется получить от Волан-де-Морта его палочку в обмен на свою. Глаза Волан-де-Морта, заметившего это движение, злобно расширились.

— Отдать тебе мою палочку, Люциус? Мою палочку?

За столом кто-то хихикнул.

— Я вернул тебе свободу, Люциус. По-твоему, этого мало? Впрочем, я заметил, что и ты, и твои домочадцы в последнее время выглядите не очень счастливыми... Тебе что-то не нравится в том, что я присутствую в вашем доме, Люциус?

— Ничего, мой Лорд, совсем ничего!

— Какая *ложь*, Люциус...

Шипение, послышавшееся в негромком голосе Волан-де-Морта, казалось, продолжалось и после того, как его жесткий рот замер. Оно становилось все громче, и один или двое волшебников не сумели подавить охватившую их дрожь — что-то тяжелое заскользило по полу под столом.

И вот в кресло Волан-де-Морта начала забираться огромная змея. Она поднималась и поднималась, представляясь бесконечной, пока наконец не улеглась Волан-де-Морту на плечи. Шея у нее была толщиной с бедро мужчины, глаза с вертикальными прорезями зрачков не мигали. Волан-де-Морт, не отрывая взгляда от Люциуса Малфоя, рассеянно погладил эту тварь длинными, тонкими пальцами.

— Почему это вы, Малфои, выглядите недовольными своей участью? Разве вы многие годы не твердили, что жаждете моего возвращения, моего прихода к власти?

— Разумеется, мой Лорд, — ответил Люциус Малфой. Рука, которой он отер пот со своей верхней губы, дрожала. — Мы жаждали этого — и жаждем сейчас.

Замершая слева от него супруга кивнула, странно и натужно, и перевела взгляд с лица Волан-де-Морта на змею. Справа от Люциуса его сын, Драко, то и дело поглядывавший на висевшее над ним безжизненное тело, бросил на Волан-де-Морта быстрый взгляд и отвел его в сторону, боясь встретиться со своим господином глазами.

— Мой Лорд, — произнесла сдавленным от охвативших ее чувств голосом смуглая женщина, которая сидела чуть дальше от Волан-де-Морта, — то, что вы здесь, в нашем родовом поместье, честь для нас. Большей радости быть просто не может.

Она сидела рядом с сестрой, нисколько на нее не похожая, — ни темными волосами, ни тяжелыми веками, ни осанкой, ни манерами. Нарцисса сидела прямо и бесстрастно, между тем как Беллатриса склонялась над столом к Волан-де-Морту так, точно одних только слов было мало, чтобы выразить ее желание полнейшей близости к нему.

— Большей радости, — повторил Волан-де-Морт, немного склонив голову набок и вглядываясь в лицо Беллатрисы. — Из твоих уст, Беллатриса, такие слова значат немало.

Лицо ее залила краска, глаза наполнились слезами счастья.

— Мой Лорд знает, что я говорю чистую правду!

— Большей радости быть просто не может... Даже в сравнении со счастливым событием, которое, как я слышал, произошло на этой неделе в вашей семье?

Беллатриса, приоткрыв рот, уставилась на него в явном недоумении.

— Я не понимаю, о чем вы говорите, мой Лорд.

— Я говорю о твоей племяннице, Беллатриса. И о вашей, Люциус и Нарцисса. Она ведь только что вышла замуж за оборотня, за Римуса Люпина. Вы, должно быть, очень гордитесь этим.

Все, кто сидел за столом, глумливо загоготали. Многие склонились друг к другу, обмениваясь насмешливыми взглядами, некоторые застучали по столу кулаками. Огромная змея, раздраженная этим шумом, открыла пасть и сердито зашипела, однако Пожиратели смерти ее не услышали — до того обрадовало их унижение, которому подверглись Беллатриса и Малфои. Лицо Беллатрисы, совсем недавно светившееся от счастья, пошло уродливыми багровыми пятнами.

— Она не племянница нам, мой Лорд! — воскликнула Беллатриса, перекрикивая веселый гам. — После того как наша сестра вышла замуж за грязнокровку, мы — Нарцисса и я — ни разу не виделись с ней. Ее отродье не имеет ни с кем из нас ничего общего, как и животное, за которое она выскочила замуж.

— А что скажешь ты, Драко? — спросил Волан-де-Морт, и хотя голос его был тих, он легко перекрыл улюлюканье и глумливый гогот. — Ты как — будешь нянчиться с ее щенками?

Веселый гомон усилился. Драко Малфой в ужасе взглянул на отца, уставившегося себе в колени, потом поймал взгляд матери. Та почти неприметно качнула головой и снова уставилась непроницаемым взглядом в стену напротив.

— Довольно, — проронил, поглаживая рассерженную змею, Волан-де-Морт. — Довольно.

И смех мгновенно стих.

— Многие из древнейших наших семейных древес со временем заболевают, — сказал он. Беллатриса, затаив дыхание, умоляюще смотрела на него. — Вам придется подрезать ваше, чтобы оно выздоровело, не так ли? Отсечь ветви, которые угрожают здоровью всего дерева.

— Да, мой Лорд, — прошептала Беллатриса, и глаза ее снова наполнились слезами благодарности. — При первой же возможности!

— Ты ее получишь, — сказал Волан-де-Морт. — И в вашей семье, и во всем мире... мы обязаны уничтожать пятнающую нас заразу, пока не останутся только те, в чьих жилах течет чистая кровь.

Волан-де-Морт поднял палочку Люциуса Малфоя, наставил ее на медленно вращавшуюся над столом фигуру, слегка повел палочкой. Фигура ожила, застонала и забилась, как будто пытаясь порвать незримые путы.

— Ты узнаешь нашу гостью, Северус? — осведомился Волан-де-Морт.

Снегг поднял взгляд к перевернутому лицу. И все Пожиратели смерти уставились вверх, на пленницу, словно получив наконец разрешение проявить любопытство. Как только лицо несчастной повернулось к огню, она произнесла надтреснутым, полным ужаса голосом:

— Северус! Помогите!

— Да, разумеется, — произнес Снегг, едва лицо ее снова медленно отворотилось в сторону.

— А ты, Драко? — спросил Волан-де-Морт, поглаживая не занятой палочкой рукой голову змеи.

Драко резко потряс головой. Теперь, когда женщина очнулась, он, казалось, не мог больше смотреть на нее.

— Ну да, ты же не ходил на ее уроки, — сказал Волан-де-Морт. — К сведению тех из вас, кто с ней незнаком, у нас гостит сегодня Чарити Бербидж, состоявшая до недавнего времени преподавательницей в школе чародейства и волшебства Хогвартс.

Вдоль стола пронесся шумок одобрительного понимания. Полная, сутуловатая женщина с заостренными зубами захихикала:

— Да, профессор Бербидж сообщала детям чародеев и волшебников сведения о маглах... Объясняла, что они не так уж и сильно отличаются от нас...

Один из Пожирателей смерти плюнул на пол. Чарити Бербидж снова повернулась лицом к Снеггу:

— Северус... пожалуйста... пожалуйста...

— Молчать! — Волан-де-Морт снова взмахнул палочкой Малфоя, и Чарити умолкла, словно ей в рот засунули кляп. — Однако грязнить и развращать сознание детей чародеев профессору Бербидж было мало, поэтому на прошлой неделе она напечатала в «Ежедневном пророке» страстную статью, посвященную защите грязнокровок. Волшебники, говорит она, должны принять в свои объятия этих людишек, крадущих наши знания и нашу магию. Вырождение нашей чистой породы, уверяет профессор Бербидж, есть вещь самая желательная... она была бы лишь рада, если бы все мы спаривались с маглами... или же, вне всяких сомнений, с оборотнями...

На этот раз никто не засмеялся, ибо в голосе Волан-де-Морта звучали безошибочно узнаваемые гнев и презрение. Чарити Бербидж в третий раз повернулась лицом к Снеггу. Из глаз ее струились, стекая на волосы, слезы. Снегг безразлично смотрел на ее лицо, снова отворачивавшееся от него.

— *Авада Кедавра!*

Полыхнул зеленый свет, осветив каждый угол гостиной.

Чарити рухнула на стол, ударившись о него с такой силой, что он затрясся и затрещал. Несколько Пожирателей смерти отпрянули, прижавшись к спинкам своих кресел. Драко и вовсе упал на пол.

— Кушать подано, Нагайна, — негромко произнес Волан-де-Морт, и огромная змея соскользнула с его плеч на полированную поверхность стола.

Глава 2

ПАМЯТИ УСОПШЕГО

Кровь все текла и текла. Сжимая правую руку левой и негромко ругаясь, Гарри толкнул плечом дверь своей комнаты. И тут же услышал хруст раздавленного ногой фарфора: он наступил на стоявшую прямо перед дверью чашку давно остывшего чая.

— Какого...

Гарри оглянулся, но лестничная площадка дома номер четыре по Тисовой улице была пуста. Надо полагать, чашка чаю перед дверью отвечала представлениям Дадли о мине-ловушке. Держа кровоточащую руку над головой, Гарри сгреб другой рукой осколки фарфора и ссыпал их в стоявшую прямо за дверью, едва различимую в сумерках мусорную корзину. А потом протопал в ванную комнату, чтобы сунуть порезанный палец под кран.

Глупо, бессмысленно, обидно, что еще четыре дня нельзя колдовать... Впрочем, вряд ли он справился бы с порезом своими силами. Лечить раны он так и не научился, и это — если вспомнить о его ближайших планах — серьезный пробел в полученном им магическом образовании. Поставив в уме галочку — надо бы выяснить у Гермионы, как это делается, — Гарри отодрал большой ком туалетной бумаги, протер им пол в коридоре, собрав столько пролитого чая, сколько смогла впитать бумага, а затем вернулся в спальню и захлопнул за собой дверь.

Это утро Гарри провел, опустошая свой школьный чемодан, — впервые с тех пор, как он уложил его шесть лет назад. В начальные годы учебы Гарри просто выгребал из него примерно три четверти содержимого, заменяя его новыми вещами и оставляя на дне разного рода мусор: старые гусиные перья, сушеные жучиные глаза, лишившиеся пары и ставшие маловатыми носки. Так вот, несколько минут назад Гарри сунул во всю эту муть правую руку и вдруг ощутил острую боль в безымянном пальце, а вытянув руку наружу, увидел, как из него течет, и течет сильно, кровь.

Дальше Гарри действовал с большей осторожностью. Опустившись на колени, он порылся на дне чемодана, нашел старый значок, на котором потускневшая надпись: «СЕДРИКА ПОДДЕРЖИМ — ОН НАСТОЯЩИЙ ЧЕМПИОН» — еще сменялась время от времени другой, столь же потускневшей: «ГАРРИ ПОТТЕР, ТЫ СМЕРДЯК», потертый и потрескавшийся вредноскоп и золотой медальон со спрятанной в нем запиской от Р. А. Б., и наконец отыскал то, что рассадило ему палец. И сразу узнал его. Это был осколок — длиной в два дюйма — зачарованного зеркала, которое подарил ему покойный крестный отец, Сириус. Гарри отложил осколок в сторону, осторожно ощупал чемодан, пытаясь отыскать еще какие-нибудь остатки этого подарка, однако, кроме стеклянной пыли, прилипшей к прочему сору и поблескивавшей, подобно песочку, ничего не нашел.

Гарри присел на корточки, осмотрел повредивший ему палец осколок, но, кроме отражения собственных ярких зеленых глаз, ничего в нем не увидел. Тогда он положил осколок поверх лежавшего на кровати утреннего номера «Ежедневного пророка» и попытался стряхнуть с себя вызванные находкой разбитого зеркала горестные воспоминания и печаль, занявшись остатками мусора, покрывавшего дно чемодана.

На разбор его ушел еще час. Гарри выбрасывал то, от чего никакой пользы уже точно не будет, складывал в две кучки вещи, которые еще могли, хотя бы теоретически, пригодиться. Школьная форма, костюм, в котором он выходил на игру в квиддич, пергамент, перья и большая часть учебников грудой легли в углу комнаты, где им и предстояло остаться. Интересно, как поступят с ними дядя и тетка? Наверное, сбагрят куда-нибудь в самый темный час ночи, будто улики, свидетельствующие о некоем злодейском преступлении. Свою магловскую одежду, мантию-невидимку, набор для приготовления зелий, кое-какие книги, подаренный Хагридом альбом с фотографиями, пачку писем и волшебную палочку Гарри уложил в старый рюкзачок. В наружный карман его пошла Карта Мародеров и медальон с запиской от Р. А. Б. Это почетное место медальон получил не по причине его ценности, которой он, собственно говоря, и не обладал, но по причине цены, которую пришлось за него заплатить.

В итоге осталось разобраться лишь с объемистой кипой газет, лежавшей на столе рядом с белой совой Гарри, Буклей. Газет было ровно столько, сколько дней провел он этим летом на Тисовой улице.

Гарри поднялся с пола, потянулся, подошел к столу. Букля не шелохнулась. Он начал перебирать газеты, отбрасывая номер за номером на груду ненужного мусора. Сова спала или притворялась спящей — она сердилась на Гарри за то, что в последнее время он выпускал ее из клетки лишь ненадолго.

Когда газет осталось совсем немного, Гарри начал перебирать их с несколько большим вниманием — ему нужен был номер, пришедший почти сразу после его приезда сюда, тот, на первой странице которого коротко сообщалось об отставке преподававшей в Хогвартсе магловедение Чарити Бербидж. И наконец он этот номер нашел. Открыв его на десятой странице, Гарри уселся за стол, чтобы перечитать статью, которую искал.

Элфиас Дож

ПАМЯТИ АЛЬБУСА ДАМБЛДОРА

Я познакомился с Альбусом в одиннадцать лет, в первый наш хогвартсовский день. Приязнь, возникшая между нами, несомненно, объяснялась тем, что в школе мы оба ощущали себя чужаками. Я перед самым приездом туда переболел драконовой оспой, и, хотя был уже не заразен, моя рябая, зеленоватого оттенка физиономия популярности мне среди учеников отнюдь не при-

бавляла. Что касается Альбуса, он появился в Хогвартсе обремененным нежелательной известностью. Едва ли не за год до того отца Альбуса, Персиваля, посадили в тюрьму за жестокое, подробно описанное в прессе нападение на трех молодых маглов.

Альбус никогда не пытался отрицать, что его отец (которому предстояло скончаться в Азкабане) повинен в этом преступлении. Напротив, когда я набрался храбрости и спросил его о случившемся, он сказал, что считает отца повинным в преступлении. Однако рассказывать что-либо об этом прискорбном инциденте Дамблдор отказывался, хоть многие и пытались втянуть его в такой разговор. Кое-кто склонен был восхвалять поступок его отца, полагая, что и Альбус тоже ненавидит маглов. Но они сильно заблуждались. Всякий, кто знал Альбуса, подтвердит, что он не питал к маглам даже малейшей неприязни. На самом деле из-за решительных выступлений в защиту прав маглов Альбус нажил в дальнейшем немало врагов.

Впрочем, прошло лишь несколько месяцев, и известность, приобретенная Альбусом, затмила известность его отца. К концу первого учебного года его уже называли не сыном маглоненавистника, но ни больше ни меньше как самым блестящим учеником, какого когда-либо видела наша школа. Те из нас, кому выпала честь стать его друзьями, приобрели очень многое, всего лишь наблюдая за ним, — не говоря уж о помощи и поддержке, на которые он никогда не скупился. Много позже он признался мне, что даже тогда считал работу учителя величайшей радостью в жизни.

Альбус не только получал все почетные награды, какие были учреждены школой, очень скоро он вступил в деятельную переписку с самыми знаменитыми волшебниками того времени, включая прославленного алхимика Николаса Фламеля, известного историка Батильду Бэгшот и теоретика магии Адальберта Уоффлинга. Несколько написанных им статей были приняты к публикации такими научными журналами, как «Трансфигурация сегодня», «Проблемы чароведения» и «Практика зельеварения». Все полагали, что Дамблдора ожидает блестящая и стремительная карьера, единственный вызывавший споры вопрос состоял в том, когда именно он станет министром магии. В последующие годы часто ходили разговоры, что он вот-вот займет этот пост, однако подобного рода амбиций Дамблдор никогда не имел.

Через три года после нашего поступления в Хогвартс в школе появился и брат Альбуса, Аберфорт. Особым сходством они не отличались. Аберфорт не был большим книгочеем и, в отличие от Альбуса, предпочитал разрешать разногласия не разумной беседой, а дуэлью. Было бы, однако, совершенно неверным полагать, как делали многие, что дружбы между братьями не существовало. Они ладили друг с другом в той мере, в какой это возможно для столь несхожих юношей. К тому же, если говорить со всей прямотой, жизнь в тени Альбуса была для Аберфорта испытанием не самым простым. Неизменное превосходство Альбуса даже для его друзей оборачивалось своего рода травмой, а уж для брата оно было тем более неприятным.

Выйдя из Хогвартса, мы с Альбусом собрались отправиться вместе в традиционное странствие по белому свету — посетить заграничных волшебников, понаблюдать за их работой, а уже после этого начать наши собственные карьеры. Однако нам помешала трагедия. Перед самым началом задуманного нами путешествия скончалась мать Альбуса, Кендра, оставив его главой и единственным кормильцем семьи. Я отложил свой отъезд на срок, достаточный для того, чтобы почтить память Кендры присутствием на ее похоронах, а затем отправился в странствие, теперь уже одиночное. О том, чтобы не получивший в наследство сколько-нибудь значительных средств Альбус, на попечении которого остались к тому же младшие брат и сестра, сопровождал меня, теперь не могло быть и речи.

В ту пору мы с ним общались мало. Я писал Альбусу, рассказывая и, быть может, тем самым раня его, о приключениях, которые мне случилось пережить во время путешествия — начиная с чудесного спасения от греческих Химер и кончая экспериментами египетских алхимиков. Его же письма мало говорили мне о повседневной жизни Альбуса, бывшей, как я догадывался, угне-

тающе-тусклой для такого блестящего волшебника. Поглощенный новыми впечатлениями, я уже в конце своего занявшего целый год странствия с ужасом узнал о новой происшедшей в семье Дамблдоров трагедии: о смерти Арианы, сестры Альбуса.

Ариана давно уже не отличалась особым здоровьем, однако кончина ее, наступившая спустя столь недолгое время после смерти матери, стала ударом, который оставил глубокий след в душах ее братьев. Все близкие к Альбусу люди — а я считаю себя одним из этих счастливцев — согласны в том, что смерть Арианы, в которой Альбус считал повинным себя (хотя, разумеется, никакой вины на нем не было), оставила на его личности неизгладимый отпечаток.

Возвратившись домой, я встретился с молодым человеком, пережившим страдания, которые нечасто выпадают на долю и людям более зрелого возраста. Вдобавок к прочим его несчастьям, смерть Арианы вовсе не сблизила Альбуса и Аберфорта еще сильнее, но, напротив, привела к их отчуждению. (Со временем оно сгладилось, в последующие годы им удалось восстановить отношения, если и не самые близкие, то, по крайней мере, сердечные.) Однако с тех пор Альбус очень редко говорил и о своих родителях, и об Ариане, да и друзья его сознавали, что о них лучше не упоминать.

Найдется немало других перьев, которые опишут его последующие триумфы. Неизмеримым вкладом Дамблдора в сокровищницу магического знания (здесь довольно упомянуть об открытых им двенадцати способах применения крови дракона) будут пользоваться себе во благо еще поколения и поколения чародеев, как и мудрыми решениями, которые он принимал, исполняя обязанности Верховного чародея Визенгамота. Многие и по сей день считают, что в истории не было дуэли волшебников, способной сравниться с той, что состоялась в 1945 году между Дамблдором и Грин-де-Вальдом. Те, кто был ее свидетелями, описывают ужас и благоговение, которые они испытывали, наблюдая за битвой этих несравненных чародеев. Победа Дамблдора и ее последствия для всего волшебного сообщества считаются поворотной точкой магической истории, сравнимой только с введением Международного статута о секретности или падением Того-Кого-Нельзя-Называть.

Альбус Дамблдор никогда не был гордецом или тщеславцем, он умел находить нечто ценное в любом человеке, сколь бы незначительным или жалким тот ни казался, и я думаю, что утраты, которые он пережил в ранние годы, наделили его великой человечностью и способностью к состраданию. Я не стану даже и пытаться описать, до чего мне будет не хватать его дружбы, однако моя потеря — ничто в сравнении с той, которую понесло волшебное сообщество. Не приходится сомневаться в том, что Дамблдор был самым ярким и любимым из всех директоров Хогвартса. Он умер, как и жил: трудясь во имя общего блага, и до последнего своего часа сохранил способность протянуть руку помощи мальчишке, переболевшему драконовой оспой, — способность, которая была присуща ему еще в тот день, когда я впервые встретил его.

Гарри дочитал некролог до конца, но так и продолжал вглядываться в сопровождавший его портрет. Дамблдор улыбался с него знакомой доброй улыбкой, однако его глаза, смотревшие поверх полукружий очков, казалось, просвечивали Гарри — даже глядя с газетной страницы — насквозь, и оттого печаль соединялась в юноше с ощущением униженности.

Он думал, будто хорошо знает Дамблдора, но уже при первом прочтении некролога вынужден был сказать себе, что не знает о нем почти ничего. Ни единого раза не попытался он представить себе, каким был Дамблдор в детстве или в юности. Дамблдор словно бы и родился таким, каким знал его Гарри, — почтенным старцем с гривой серебристых волос. Вообразить его подростком — это казалось столь же странным, как вообразить Гермиону дурой, а соплохвоста исполненным добродушия.

Гарри никогда и в голову не приходило расспрашивать Дамблдора о его прошлом. Конечно, такие расспросы представлялись ему, мальчишке, странными и даже дерзкими, но ведь все же знали о легендарной дуэли Дамблдора с Грин-де-Вальдом, а между тем Гарри и не подумал спросить старика ни о том, на что она походила, ни об иных его прославленных достижениях. Нет, они всегда разговаривали о Гарри — о прошлом Гарри, о будущем Гарри, о планах Гарри... И теперь ему казалось, несмотря на всю опасность и ненадежность его будущего, что он упустил невозвратимую возможность, ни разу не попросив Дамблдора побольше рассказать о себе — даже при том, что на единственный личный вопрос, какой он задал старику, тот, как подозревал Гарри, дал ответ далеко не искренний:

«Что вы видите, когда смотрите в зеркало?»

«Я? Я вижу себя, держащего в руке пару толстых шерстяных носков».

Проведя несколько минут в таких размышлениях, Гарри вырвал из «Пророка» некролог, аккуратно сложил его и засунул в первый том «Практического руководства по магической защите от Темных искусств». Потом он бросил газету в кучу мусора и обернулся, чтобы еще раз оглядеть комнату. Теперь она выглядела намного опрятнее. Единственный непорядок составлял в ней сегодняшний номер «Ежедневного пророка», лежавший вместе с осколком зеркала на кровати.

Гарри пересек комнату, сдвинул с газеты осколок и развернул ее. Получив сегодня утром от почтовой совы свернутый в трубку номер, он лишь взглянул на украшавший первую страницу заголовок и отметил про себя, что о Волан-де-Морте в нем ничего не сказано. Гарри был уверен — Министерство старается не допустить распространения новостей о Волан-де-Морте и «Пророк» помогает ему в этом. И только теперь он обнаружил то, чего не заметил с первого взгляда.

Поперек нижней половины страницы над фотографией снятого на ходу Дамблдора шел заголовок поменьше:

ДАМБЛДОР. НАКОНЕЦ-ТО ВСЯ ПРАВДА?

На следующей неделе выйдет в свет шокирующий рассказ о небезупречном гении, которого многие считают величайшим волшебником его поколения. Срывая привычную всем маску невозмутимого сребробо-

родого мудреца, Рита Скитер описывает его тяжелое детство, беспутную юность, пожизненную вражду далеко не с одним человеком и позорные тайны, которые Дамблдор унес с собой в могилу. ПОЧЕМУ человек, которому предлагали пост министра магии, предпочитал оставаться простым директором школы? КАКИМ было подлинное назначение секретной организации, известной под названием «Орден Феникса»? КАК на самом-то деле встретил свой конец Дамблдор?

Ответы на эти и многие другие вопросы исследуются в новой сенсационной биографии «Жизнь и обманы Альбуса Дамблдора», написанной Ритой Скитер. Читайте на странице 13 эксклюзивное интервью, которое она дала Бетти Брейтуэйт.

Гарри рывком раскрыл газету, нашел тринадцатую страницу. Над интервью красовалось еще одно знакомое лицо — женщина с искусно завитыми светлыми волосами и в украшенных драгоценными камнями очках скалила зубы в якобы обворожительной улыбке и покачивала пальчиком перед собой. Гарри, стараясь не обращать внимания на это тошнотворное зрелище, приступил к чтению.

В жизни Рита Скитер человек куда более мягкий и обаятельный, чем думают те, кто знаком с вышедшими из-под ее пера прославленными своей резкостью портретами известных людей. Мы встретились с ней в прихожей ее уютного дома и отправились прямиком на кухню, где Рита угостила меня чаем, тортом и, разумеется, наисвежайшими слухами.

—Да, конечно, Дамблдор — это мечта биографа, — говорит Скитер. — Такая долгая, полная событий жизнь. Уверена, моя книга станет лишь первой из очень и очень многих.

Скитер определенно времени зря не теряла. Книга объемом в девятьсот страниц была закончена ею спустя всего четыре недели после загадочной кончины, постигшей Дамблдора в июне. Я спросила, как ей удалось поставить этот рекорд скорости?

— О, когда проведешь в журналистике столько времени, сколько провела я, работа в сжатые сроки становится твоей второй натурой. Я знала, что волшебный мир жаждет получить полную историю его жизни, и просто хотела удовлетворить эту жажду первой.

Я упоминаю о недавних широко разрекламированных высказываниях пожизненного друга Альбуса Дамблдора, специального консультанта Визенгамота Элфиаса Дожа, сказавшего: «В книге Скитер фактов меньше, чем на карточке от шоколадных лягушек».

Скитер, откинув назад голову, хохочет:

— Милейший Дожинька! Помню, я несколько лет назад брала у него, да благословят его небеса, интервью насчет прав водяного народа. Он уже тогда впал в полное детство. Похоже, ему казалось, будто мы с ним сидим на дне Трубного озера, — он все просил меня остерегаться форелей.

И тем не менее выдвинутые Элфиасом Дожем обвинения в неточности отозвались эхом в волшебном сообществе. Действительно ли Скитер считает, что четырех коротких недель достаточно для создания полной картины долгой, удивительной жизни Дамблдора?

— О, моя дорогая, — широко улыбается Скитер, ласково похлопывая меня по ладони, — мы обе знаем, какое обилие сведений могут породить мешок галеонов, нежелание слышать слово «нет» и Прытко пишущее перо! К тому же из желающих рассказать о Дамблдоре позорную правду уже выстроилась целая очередь. Далеко не каждый, знаете ли, считает его таким уж чудом, он умудрялся наступать на любимые мозоли множеству важных людей. Что касается старого Дожиньки Дожа, ему лучше перестать витать в облаках, потому что я получила доступ к источнику информации, за который большинство журналистов отдало бы свои волшебные палочки, — к человеку, который никогда еще не высказывался публично, но был близок с Дамблдором в самый буйный и беспокойный период его молодости.

Из предварительной рекламы написанной Скитер биографии можно с уверенностью заключить, что она преподнесет немало шокирующих сюрпризов тем, кто считает, будто Дамблдор прожил безупречную жизнь.

— Какой из этих сюрпризов является самым сногсшибательным? — спрашиваю я.

— Бросьте, Бетти, я не собираюсь пересказывать основные моменты моей книги до того, как ее начнут раскупать! — смеется Скитер. — Однако могу пообещать, что всякого, кто продолжает верить, будто Дамблдор был чист и бел, как его борода, ожидает горестная утрата иллюзий! Довольно сказать следующее: никто из слышавших его яростные тирады против Вы-Знаете-Кого и не подозревает, что в молодости он сам баловался Темными искусствами! В поздние свои годы он призывал всех нас к терпимости, однако в молодости никакой широтой воззрений не отличался! Да, у Альбуса Дамблдора было на редкость темное прошлое, не говоря уж о его сомнительной семейке, правду о которой он столь усердно замалчивал.

Я спрашиваю у Скитер, имеет ли она в виду брата Дамблдора, Аберфорта, пятнадцать лет назад осужденного Визенгамотом за противозаконное использование магии, что привело в то время к небольшому скандалу.

— О, Аберфорт — это всего лишь верхушка навозной кучи, — смеется Скитер. — Нет-нет, я говорю о вещах много худших, чем братец, любивший испытывать заклинания на козлах, худших даже, чем калечивший маглов отец. Их делишки Дамблдору скрыть не удалось, так как они оба были осуждены Визенгамотом. Нет, меня больше всего интересовали его мать с сестрой, и вот тут, стоило лишь немного копнуть, я обнаружила просто-напросто море мерзостей. Впрочем, дождитесь глав с девятой по двенадцатую, и вы узнаете все в подробностях. Сейчас же могу сказать лишь одно: нет ничего удивительного в том, что Дамблдор никогда не рассказывал, при каких обстоятельствах ему сломали нос.

Однако если оставить в стороне скелеты, таящиеся в семейных шкафах, может ли Скитер отрицать блестящие способности Дамблдора, которые позволили ему сделать немало магических открытий?

— Да, голова у него варила, — соглашается Скитер, — хотя в настоящее время многие задаются вопросом,

действительно ли предполагаемые достижения Дамблдора следует приписывать исключительно его заслугам. В главе шестнадцатой я говорю о том, что, по словам Айвора Диллонсби, именно он открыл восемь способов использования крови дракона, но тут появился Дамблдор и «позаимствовал» его записи.

И все же, решаюсь заметить я, значение некоторых достижений Дамблдора отрицать невозможно. Что может сказать Скитер о его знаменитой победе над Грин-де-Вальдом?

— О, хорошо, что вы вспомнили о Грин-де-Вальде, — с кокетливой улыбкой отвечает Скитер. — Боюсь, тех, кто простодушно верует в блестящую победу Дамблдора, ожидает новость, которую я сравнила бы со взрывом навозной бомбы. Вот уж действительно грязная история. Пока я могу сказать только, что сам факт проведения этой легендарной дуэли вызывает большие сомнения. Те, кто прочитает мою книгу, возможно, придут к заключению, что Грин-де-Вальд просто-напросто вытащил из кончика своей волшебной палочки белый носовой платок и мирно удалился!

Сообщать что-либо еще на эту интригующую тему Скитер отказывается, поэтому мы переходим к отношениям, которые, несомненно, вызовут у читателей наибольший интерес.

— О да, — говорит, живо кивая, Скитер, — я посвятила целую главу отношениям Дамблдора и Поттера. Их называли нездоровыми, даже пагубными. Конечно, для того, чтобы узнать эту историю целиком, читателям придется купить мою книгу, однако нет никаких сомнений в том, что Дамблдор с самого начала питал к Поттеру нездоровый интерес. Пошел ли он мальчику на пользу? Что ж, поживем — увидим. Однако ни для кого не секрет, что отроческие годы Поттера были очень тяжелыми.

Я спрашиваю, поддерживает ли Скитер по-прежнему связь с Гарри Поттером, у которого она взяла в прошлом году знаменитое интервью: в их сенсационной беседе Поттер говорил исключительно о своей уверенности в том, что Сами-Знаете-Кто вернулся.

— Да, конечно, мы стали очень близки, — отвечает Скитер. — У бедняжки Поттера совсем мало настоящих друзей, а мы с ним встретились в один из самых трудных моментов его жизни — во время Турнира Трех Волшебников. Вероятно, только я одна из живущих сейчас людей и могу сказать, что знаю настоящего Гарри Поттера.

И это естественным образом приводит нас к многочисленным слухам, связанным с последними часами жизни Дамблдора. Верит ли Скитер в то, что Поттер действительно присутствовал при его кончине?

— Ну, я не хочу говорить слишком многого — все это есть в книге, — однако существует свидетель, который был в то время в замке Хогвартс и видел Гарри Поттера, убегавшего с места происшествия через несколько секунд после того, как Дамблдор не то упал, не то спрыгнул, не то был сброшен с башни. Впоследствии Гарри Поттер дал показания против Северуса Снегга, человека, к которому он, как всем известно, питал вражду. Действительно ли все обстоит так, как выглядит на первый взгляд? Это должно решить сообщество волшебников — после того как оно прочитает мою книгу.

На этой интригующей ноте я и прощаюсь с писательницей. Не приходится сомневаться в том, что книга, вышедшая из-под пера Скитер, мгновенно станет бестселлером. Пока же многочисленным поклонникам Дамблдора остается с трепетом ожидать того, что им предстоит вскоре узнать о своем герое.

Гарри дочитал статью до конца, но продолжал тупо вглядываться в газетную страницу. Отвращение и гнев поднимались в нем, точно рвота. Наконец он смял газету в комок, изо всех сил швырнул его в стену, и комок, отлетев, свалился в уже переполненную мусорную корзину.

Он начал слепо расхаживать по комнате, открывая пустые ящики, беря какую-то из сложенных стопками книг лишь затем, чтобы вернуть ее на место, едва сознавая, что делает. А в голове вертелись разрозненные фразы из интервью Риты: «...посвятила целую главу отношениям Дамблдора и Поттера... их называли нездоровыми, даже пагубными... в молодости он сам баловался Темными искусствами... я получила доступ к источнику информации, за который большинство журналистов отдало бы свои волшебные палочки».

— Ложь! — внезапно взревел Гарри и увидел в окно, как сосед, пытавшийся снова запустить умолкшую газонокосилку, нервно поднял взгляд кверху.

Гарри опустился на кровать — так резко, что осколок разбитого зеркала скакнул в сторону. Он взял осколок, повертел его в пальцах, думая и думая о Дамблдоре, о лжи, которой бесчестила его Рита...

Вспышка ярчайшей синевы. Гарри замер, его порезанный палец снова скользнул по неровному краю осколка. Почудилось, не иначе. Он оглянулся через плечо, однако стена отливала тошнотворным персиковым цветом, который выбрала тетя Петунья. Там не было никакой синевы, способной отразиться в зеркале. Он снова заглянул в осколок зеркала, но снова увидел в нем лишь отражение собственных ярко-зеленых глаз.

Да, конечно, почудилось, другого объяснения быть не может. Почудилось, потому что он думал о своем мертвом Учителе. Если что-то и можно сказать наверняка, так только то, что он никогда больше не увидит пронизывающих его ярко-синих глаз Альбуса Дамблдора.

Глава 3

ДУРСЛИ ОТЪЕЗЖАЮТ

По дому пронеслось эхо от хлопка входной двери, а следом крик: «Эй, ты!»

За шестнадцать лет Гарри привык к подобной манере обращения и потому не сомневался, к кому относится этот призыв, но спешить с ответом на него не стал. Он все еще вглядывался в осколок зеркала, в котором увидел, как ему на долю секунды показалось, глаз Дамблдора. И только после того как дядя взревел: «ПАРЕНЬ!», Гарри медленно поднялся на ноги и направился к двери своей спальни, остановившись, впрочем, чтобы добавить осколок к уложенным в рюкзак вещам, которые он собирался взять с собой.

— А ты не торопишься! — прорычал Вернон Дурсль, когда Гарри появился на верху лестницы. — Спускайся, надо поговорить!

Гарри, глубоко засунув руки в карманы джинсов, сошел по ступеням лестницы.

В гостиной он обнаружил Дурслей в полном составе. Одеты они были по-дорожному: дядя Вернон в бежевую куртку на молнии, тетя Петунья в аккуратненькое розово-оранжевое пальто, а Дадли — крупный, светловолосый и мускулистый двоюродный брат Гарри — в кожаный пиджак.

— Да? — спросил Гарри.

— Сядь! — приказал дядя Вернон. Гарри слегка приподнял брови. — Пожалуйста! — прибавил дядя Вернон, поморщившись, как если бы это слово оцарапало ему горло.

Гарри сел. Он полагал, что знает, чего ему следует ждать. Дядя принялся расхаживать взад и вперед по гостиной. Тетя Петунья и Дадли провожали его встревоженными взглядами. И наконец, сосредоточенно наморщив большое багровое лицо, дядя Вернон остановился перед Гарри и объявил:

— Я передумал.

— Какой сюрприз, — отозвался Гарри.

— Оставь этот тон... — визгливо начала тетя Петунья, но дядя Вернон махнул в ее сторону рукой, и она умолкла.

— Все это полная чушь, — произнес дядя Вернон, вглядываясь в Гарри маленькими, свинячьими глазками. — Не верю ни одному слову. Мы никуда не едем, остаемся.

Гарри смотрел на дядю, ощущая одновременно и раздражение, и веселье. За последние четыре недели Вернон Дурсль передумывал каждые двадцать четыре часа и при этом всякий раз либо затаскивал вещи в машину, либо вытаскивал их из нее. Больше всего понравился Гарри тот случай, когда дядя Вернон, не знавший, что Дадли, в очередной раз укладывая чемодан, засунул в него свои гимнастические гири, попытался забросить его в багажник и рухнул на землю, ревя от боли и зверски ругаясь.

— По твоим словам, — произнес Вернон Дурсль, снова начиная расхаживать по гостиной, — нам — Петунье, Дадли и мне — грозит опасность со стороны... со стороны...

— Да, со стороны «одного из наших», — сказал Гарри.

— Ну так вот, я в это не верю, — повторил дядя Вернон, опять остановившись перед Гарри. — Я целую ночь пролежал без сна, все обдумал и понял: это заговор, ты хочешь завладеть домом.

— Домом? — переспросил Гарри. — Каким еще домом?

— Вот этим самым! — взвизгнул дядя Вернон, и на лбу его запульсировала вена. — Нашим домом! В здешнем районе цены на жилье бешено растут! Ты хочешь убрать нас отсюда, а после проделать какой-нибудь фокус-покус. Мы и опомниться не успеем, а ты уже перепишешь дом на свое имя и...

— Вы спятили? — поинтересовался Гарри. — Заговор, чтобы завладеть домом? Вы действительно настолько глупы или просто притворяетесь?

— Да как ты смеешь! — запищала тетя Петунья, однако Вернон снова махнул ей рукой: похоже, пренебрежительное отношение к его личному достоинству представлялось ему пустяком в сравнении с опасностью, которую он обнаружил.

— На случай, если вы забыли, — сказал Гарри, — у меня уже есть дом, оставленный мне крестным отцом. С какой же стати я пожелал бы вашего? Из-за переполняющих его счастливых воспоминаний?

На сей раз Вернон промолчал.

«Похоже, — подумал Гарри, — этот аргумент показался дядюшке убедительным».

— Ты уверяешь, — сказал, снова начиная расхаживать, дядя Вернон, — что этот ваш лорд, как его там...

— Волан-де-Морт, — нетерпеливо подсказал Гарри, — мы обсуждали все это уже раз сто. И тут не мои уверения, тут факт. Дамблдор говорил вам об этом еще прошлым летом, и Кингсли с мистером Уизли...

Вернон Дурсль сердито втянул голову в плечи, и Гарри понял: дядя пытается отогнать воспоминания о нежданном визите двух взрослых волшебников, случившемся в один из первых дней летних каникул. Появление в их доме Кингсли Бруствера и Артура Уизли стало для Дурслей потрясением самого неприятного рода. Впрочем, Гарри готов был признать, что, поскольку мистер Уизли разнес когда-то в пух и прах половину их гостиной, трудно ожидать, чтобы новый его визит порадовал дядю Вернона.

— ...Кингсли с мистером Уизли тоже вам все объяснили, — безжалостно продолжал Гарри. — Как только мне исполнится семнадцать лет, защитные чары, ограждающие этот дом, уничтожатся, и вы окажетесь в не меньшей опасности, чем я. Орден не сомневается в том, что Волан-де-Морт возьмется за вас — либо для того, чтобы постараться выпытать, где я, либо решив, что, если вы станете его заложниками, я приду и попытаюсь вас спасти.

Взгляды дяди Вернона и Гарри встретились. Юноша был уверен, что в этот миг оба они думают об одном. Затем дядя Вернон опять пустился в путь по гостиной, а Гарри возобновил уговоры:

— Вам необходимо спрятаться, и Орден готов в этом помочь. Вам предлагают очень серьезную защиту, лучшую из существующих.

Дядя Вернон молчал, продолжая расхаживать взад-вперед. Снаружи солнце уже висело прямо над живой изгородью из бирючины. Газонокосилка соседа снова заглохла.

— Я полагал, у вас существует Министерство магии, так? — вдруг резко спросил Вернон Дурсль.

— Существует, — удивившись, ответил Гарри.

— Ну так почему же оно не может нас защитить? По-моему, мы, безобидные жертвы, повинные только в том, что дали приют человеку, на которого кто-то охотится, вправе рассчитывать на защиту правительства!

Гарри невольно рассмеялся. Как это типично для дяди — возлагать надежды на официальное учреждение, даже если оно относится к миру, который дядя ни во что не ставит и которому не доверяет.

— Вы же слышали, что говорили мистер Уизли и Кингсли, — ответил Гарри. — Мы думаем, что в Министерство проникли вражеские агенты.

Теперь дядя Вернон прохаживался вдоль камина, вздыхая так тяжело, что подрагивали его большие черные усы. Лицо дяди так и оставалось багровым от умственных усилий.

— Ну хорошо, — произнес он, в который раз останавливаясь перед Гарри. — Хорошо, допустим на минуту, что мы примем эту защиту. Но я все равно не понимаю, почему нас не может охранять этот ваш Кингсли.

Гарри еле удержался, чтобы не завести глаза к потолку. Этот вопрос он тоже слышал уже с полдесятка раз.

— Я же вам говорил, — стиснув зубы, ответил он. — Кингсли охраняет маг... вашего премьер-министра.

— Ну да, потому что он самый лучший! — подтвердил дядя Вернон и ткнул пальцем в темный экран телевизора. Дурсли заметили в выпуске новостей Кингсли, скромно шагавшего за посещавшим какую-то больницу магловским премьер-министром. И это плюс то обстоятельство, что Кингсли сноровисто носил одежду маглов, не говоря уж об успокоительных тонах его низкого, неторопливого голоса, заставляло Дурслей относиться к нему куда лучше, чем к любому другому волшебнику. Правда, они еще ни разу не видели его с любимой серьгой в ухе.

— Ну, в общем, он занят, — сказал Гарри. — Но Гестия Джонс и Дедалус Дингл более чем способны справиться с этой работой...

— Если бы они нам хоть документики какие показали... — начал дядя Вернон, однако терпение Гарри уже лопнуло. Вскочив на ноги, он подошел к дяде и теперь сам ткнул пальцем в пустой экран телевизора.

— Эти несчастные случаи — никакие не случаи: катастрофы, взрывы, крушения поездов и все, что еще произошло с того времени, когда вы в последний раз смотрели выпуск новостей. Люди исчезают и гибнут, и за всем стоит он, Волан-де-Морт. Я говорил вам множество раз: он убивает маглов просто ради забавы. Даже туманы — и их нагоняют дементоры, а если вы не помните, что они собой представляют, спросите у вашего сына!

Руки Дадли инстинктивно вздернулись вверх, чтобы прикрыть ладонями рот. Потом, сообразив, что на него смотрят и Гарри, и родители, Дадли медленно опустил ладони и спросил:

— А их... еще больше?

— Больше? — усмехнулся Гарри. — Ты имеешь в виду больше тех двух, что на тебя напали? Конечно, больше. Их сотни, может быть, теперь уже тысячи, они же питаются отчаянием и страхом...

— Ну ладно, ладно! — гаркнул Вернон Дурсль. — Ты убедил нас...

— Надеюсь, — сказал Гарри, — потому что, как только мне исполнится семнадцать, все они — Пожиратели смерти, дементоры, может быть, даже инферналы, а это трупы, околдованные Темным магом, — отыщут вас где угодно и набросятся всем скопом. И если вы хорошо помните последнюю вашу попытку справиться с магом, то, думаю, согласитесь с тем, что вам потребуется помощь.

Наступило недолгое молчание, в котором словно прозвучало далекое эхо треска вышибаемой Хагридом входной двери, долетевшее сюда сквозь прошедшие с того дня годы. Тетя Петунья не сводила глаз с Вернона, Дадли — с Гарри. Наконец дядя Вернон выпалил:

— А как же моя работа? А школа Дадли? Я что, должен бросить все на свете ради горстки болтающихся без дела волшебников?

— Вы так и не поняли? — воскликнул Гарри. — Они будут пытать вас и убьют, как убили моих родителей!

— Пап, — громко сказал Дадли. — Пап, я лучше к этим пойду, которые из Ордена.

— Дадли, — отозвался Гарри, — впервые за всю свою жизнь ты произнес нечто умное.

Он понял, что выиграл это сражение. Если Дадли испуган настолько, что готов принять помощь Ордена, родители отправятся с ним: о расставании с Дидинькой и речи никакой идти не могло. И Гарри взглянул на дорожные часы, стоявшие на каминной полке.

— Они будут здесь минут через пять, — сказал он и, не услышав ни от кого из Дурслей ответа, вышел из гостиной. Будущее прощание — и, вероятно, навсегда — с тетей, дядей и двоюродным братом нисколько его не огорчало, однако некоторая неловкость словно бы оставалась висеть в воздухе. Что говорят при расставании люди, прожившие шестнадцать лет в прочной нелюбви друг к другу?

Вернувшись в свою спальню, Гарри бесцельно порылся в рюкзаке, затем просунул между прутьями клетки, в которой сидела Букля, несколько совиных орешков. Букля лакомством пренебрегла, и орешки со стуком упали на дно клетки.

— Мы уже скоро уедем, очень скоро, — сказал сове Гарри. — И тогда ты снова сможешь летать.

В дверь позвонили. Гарри поколебался немного, потом вышел из спальни и спустился вниз — ожидать, что Гестия и Дедалус справятся с Дурслями без его помощи, почти не приходилось.

— Гарри Поттер! — пропищал, как только он открыл дверь, взволнованный голос, и маленький человечек в сиреневом цилиндре отвесил ему низкий поклон. — Большая честь, как и всегда!

— Спасибо, Дедалус, — сказал Гарри, коротко и смущенно улыбнувшись темноволосой Гестии. — Я очень благодарен вам за приход сюда... Они здесь, мои тетя, дядя и кузен...

— Приятного вам дня, родичи Гарри Поттера! — радостно произнес, вступив в гостиную, Дедалус.

Дурслям такое приветствие удовольствия явно не доставило, и Гарри испугался, что они, того и гляди, опять передумают. Дадли, увидев волшебника и колдунью, потеснее прижался к матери.

— Вижу, вы уже уложились и готовы отправиться в путь. Превосходно! План, как наверняка рассказал вам Гарри, прост, — сообщил Дедалус, извлекая из жилетного кармана огромные часы и вглядываясь в них. — Мы отправляемся в путь раньше Гарри. Поскольку пользоваться магией в вашем доме небезопасно — Гарри еще не достиг совершеннолетия, и такой поступок может дать Министерству повод для его ареста, — мы отъедем, ну, скажем, миль на десять, а затем трансгрессируем в безопасное место, которое для вас подобрали. Вы ведь, я полагаю, машину водить умеете? — учтиво осведомился он у дяди Вернона.

— Умею ли я? Конечно, черт побери, умею! — выпалил дядя Вернон.

— Весьма разумно с вашей стороны, сэр, весьма. Лично меня все эти кнопки и рычаги совершенно сбивают с толку, — сказал Дедалус. Он явно полагал, что говорит Вернону Дурслю нечто лестное, а тот прямо на глазах, с каждым произносимым Дедалусом словом, терял доверие к так называемому плану.

— Даже рулить и того не умеет, — негромко пробормотал он, и усы его гневно встопорщились, но, к счастью, ни Дедалус, ни Гестия слов этих вроде бы не услышали.

— Вы, Гарри, — продолжал Дедалус, — подождете здесь вашу охрану. В наших приготовлениях кое-что изменилось...

— То есть? — тут же спросил Гарри. — Я думал, за мной явится Грозный Глаз и мы с ним вместе трансгрессируем.

— Нет, — сказала скупая на слова Гестия. — Грозный Глаз вам все объяснит.

Дурсли, которые слушали их разговор, но, судя по лицам, ничего в нем не понимали, разом подпрыгнули, услышав громкий голос, взвизгнувший: «Поторопись!» Гарри тоже заозирался, однако тут же сообразил, что голос этот принадлежит карманным часам Дедалуса.

— Вы правы, график у нас очень плотный, — сказал Дедалус и, кивнув часам, вернул их в жилетный карман. — Мы хотим, чтобы ваше, Гарри, отбытие из дома совпало по времени с трансгрессией ваших родичей. Таким образом, защитные чары разрушатся в тот миг, когда все вы устремитесь к безопасности. — Он повернулся к Дурслям: — Итак, все уложено и все готовы к дороге?

Никто ему не ответил: дядя Вернон все еще с испугом таращил глаза на вздувшийся жилетный карман Дедалуса.

— Возможно, нам следует подождать в прихожей, Дедалус, — негромко сказала Гестия, явно считавшая, что с их стороны было бы бестактностью торчать в гостиной, пока Гарри и Дурсли будут любовно прощаться, проливая, быть может, обильные слезы.

— Не стоит, — столь же негромко произнес Гарри, однако дядя Вернон сделал дальнейшие объяснения ненужными, громогласно объявив:

— Ладно, парень, выходит — прощаемся.

Он протянул Гарри правую ладонь для рукопожатия, но в самый последний миг спасовал и просто сжал ее в кулак и помахал им вверх-вниз, точно метрономом.

— Ты готов, Дидди? — спросила тетя Петунья, суетливо проверяя замок своей сумочки, что избавляло ее от необходимости смотреть на Гарри.

Дадли не ответил, он просто стоял, слегка приоткрыв рот, — и вдруг показался Гарри немного похожим на великана Грохха.

— Ну так пошли, — сказал дядя Вернон.

Он почти уже дошел до двери гостиной, когда Дадли пробормотал:

— Не понимаю.

— Чего ты не понимаешь, миленький? — спросила, взглянув на сына, тетя Петунья.

Дадли поднял большую, как окорок, ладонь и указал ею на Гарри:

— А он чего с нами не едет?

Дядя Вернон и тетя Петунья словно вросли в пол — оба глядели на Дадли так, точно он объявил, что желает стать балериной.

— Что? — громко спросил дядя Вернон.

— Почему он не с нами тоже? — спросил Дадли.

— Ну, он... ему не хочется, — ответил дядя Вернон и, обратив на Гарри свирепый взгляд, добавил: — Ведь тебе же не хочется, так?

— Ни капельки, — ответил Гарри.

— Вот видишь, — сказал дядя Вернон Дадли. — Ладно, пошли, ехать пора.

Он вышел из гостиной, открыл входную дверь, но Дадли так и стоял на месте, да и тетя Петунья, сделав несколько неуверенных шагов, тоже остановилась.

— Теперь-то что? — рявкнул, снова появившись на пороге гостиной, дядя Вернон.

Походило на то, что Дадли старается как-то справиться с мыслями, слишком сложными для словесного выражения. После нескольких секунд мучительной внутренней борьбы бедняга наконец произнес:

— А куда же тогда он пойдет?

Тетя Петунья и дядя Вернон переглянулись. Ясно было, что Дадли их напугал. Молчание нарушила Гестия Джонс.

— Но... вам ведь известно, куда направляется ваш племянник? — озадаченно спросила она.

— Конечно известно, — ответил Вернон Дурсль. — К одному из ваших, правильно? Ладно, Дадли, садись в машину, ты же слышал, надо торопиться.

Вернон Дурсль снова дотопал до самой двери, но Дадли снова за ним не последовал.

— К одному из *наших*?

Гестия явно рассердилась. С этим Гарри уже сталкивался — волшебников и волшебниц ошеломляло отсутствие у его близких родственников какого-либо интереса к знаменитому Гарри Поттеру.

— Все в порядке, — заверил он Гестию. — Да, честно говоря, оно и не важно.

— Не важно? — опасно звонким голосом повторила Гестия. — Неужели эти люди не понимают, через что вам пришлось пройти? Какая опасность вам грозит? Не понимают, что вы занимаете уникальное положение, что вы — душа всей борьбы с Волан-де-Мортом?

— Э-э-э... нет, не понимают, — ответил Гарри. — На самом-то деле они думают, что я только место тут зря занимаю, но я уже привык к...

— Я не думаю, что ты зря занимаешь тут место.

Если бы Гарри не видел, как шевелятся губы Дадли, он не поверил бы своим ушам. И все равно он несколько секунд смотрел на Дадли, прежде чем уяснил, что эти слова действительно произнес его двоюродный брат. Не только произнес, но и сильно покраснел при этом. Гарри охватило и смущение, и изумление сразу.

— Ну... э-э-э... спасибо, Дадли.

Ему снова показалось, что Дадли борется с мыслями, слишком громоздкими для выражения, однако тот пробормотал:

— Ты спас мне жизнь.

— Вообще-то говоря, не жизнь, — ответил Гарри. — Дементоры забрали бы только твою душу.

Теперь он смотрел на двоюродного брата с удивлением. Ни в это лето, ни в прошлое они почти не разговаривали друг с другом, поскольку Гарри возвращался на Тисовую улицу ненадолго и большую часть времени проводил в своей комнате. Теперь же до него вдруг дошло, что чашка холодного чая, на которую он наступил нынче утром, была, пожалуй, вовсе не миной-ловушкой. И все же, чувствуя себя растроганным, Гарри испытывал немалое облегчение от того, что Дадли исчерпал все имевшиеся у него возможности выражения чувств. Открыв рот еще раз-другой и сделавшись совершенно багровым, Дадли замолчал.

Зато тетя Петунья вдруг разразилась слезами. Гестия Джонс даже наградила ее взглядом одобрения, которое, впрочем, сменилось гневом, когда тетя Петунья бросилась обнимать не Гарри, а Дадли.

— Т-такой миленький, Дадлик, — всхлипывала она, прижимаясь к его могучей груди, — т-такой хороший м-мальчик... с-спасибо сказал...

— Да не сказал он никакого спасибо! — возмущенно воскликнула Гестия. — Он сказал всего-навсего, что не думает, будто Гарри зря занимал тут место.

— Да, но в устах Дадли это все равно что «люблю тебя», — произнес Гарри, разрывавшийся между раздражением и желанием расхохотаться — уж больно хороша была тетя Петунья, обнимавшая Дадли так, точно он минуту назад вынес Гарри из горящего дома.

— Мы едем или не едем? — рявкнул опять появившийся в двери гостиной дядя Вернон. — Тут кто-то насчет плотного графика говорил!

— Да-да, едем, — ответил Дедалус Дингл, ошеломленно наблюдавший за всем происходившим, но теперь как будто очнувшийся. — Нам действительно пора. Гарри... — Он подступил к юноше и обеими ладонями сжал его ладонь. — Удачи. Надеюсь, мы еще встретимся. Как надеется на вас все волшебное сообщество.

— О, — отозвался Гарри, — ну да. Спасибо.

— Прощайте, Гарри, — сказала Гестия и тоже сжала его руку. — Наши мысли всегда будут с вами.

— Думаю, с ними все обойдется, — ответил Гарри, взглянув на тетю Петунью и Дадли.

— О, я уверен, в конце концов мы станем лучшими друзьями, — весело пообещал Дингл и, покидая гостиную, помахал цилиндром. Гестия последовала за ним.

Дадли мягко выбрался из объятий матери и подошел к Гарри, с трудом подавившему желание припугнуть его магией. Но тут Дадли протянул ему большую розовую ладонь.

— Господи, Дадли! — сказал Гарри, повышая голос, чтобы перекрыть им возобновившиеся рыдания тети Петуньи. — Тебя что, дементоры подменили?

— Не знаю, — ответил Дадли. — До встречи, Гарри.

— Да... — сказал Гарри, сжимая ладонь Дадли и тряся ее. — Может быть. Будь осторожен, Большой Дэ.

Дадли почти улыбнулся и вперевалку вышел из гостиной. Гарри услышал, как он тяжело ступает по гравию дорожки, потом хлопнула дверца машины.

Тетя Петунья, прижимавшая к лицу носовой платок, обернулась на этот звук. Похоже, она не ожидала того, что останется с Гарри наедине. Торопливо сунув платок в карман, она произнесла:

— Ну... всего хорошего, — и, не оглядываясь, пошла к двери.

— Всего хорошего, — сказал Гарри.

И тогда она остановилась, обернулась. На миг у Гарри возникло наистраннейшее чувство, будто она хочет что-то сказать ему: тетя Петунья смерила его непонятно робким взглядом и, казалось, совсем уж собралась открыть рот, однако затем чуть дернула головой и выбежала из комнаты, чтобы присоединиться к мужу и сыну.

Глава 4

СЕМЕРО ПОТТЕРОВ

Гарри бегом вернулся по лестнице в свою спальню, добравшись до ее окна, как раз когда машина Дурслей сворачивала с подъездной дорожки на улицу. Между сидевшими сзади тетей Петуньей и Дадли различался цилиндр Дедалуса. В конце Тисовой улицы машина повернула вправо, окна ее на миг ало вспыхнули, отражая заходящее солнце, и она скрылась из глаз.

Гарри взял клетку с Буклей, «Молнию», рюкзак, в последний раз обвел взглядом непривычно опрятную комнату, бочком спустился в прихожую и поставил клетку, метлу и рюкзак на пол у подножия лестницы. Уже начинало смеркаться, прихожую заполняли вечерние тени. Так странно было стоять посреди нее в тишине и знать, что он вот-вот покинет этот дом навсегда. Давным-давно, когда Дурсли отправлялись куда-нибудь развлекаться, оставляя его дома, часы одиночества воспринимались Гарри как редкий подарок. Задержавшись на кухне, только чтобы вытащить из холодильника что-нибудь вкусненькое, он взбегал наверх поиграть на компьютере Дадли или включал телевизор и перебирал, сколько душа попросит, каналы. Теперь, вспоминая те времена, Гарри ощущал непонятную пустоту — словно то были воспоминания об утраченном младшем брате.

— Может, желаешь в последний раз полюбоваться домом? — спросил он у Букли, которая обиженно сидела в клетке, спрятав голову под крыло. — Больше мы сюда никогда не вернемся. Тебе не хочется припомнить все доброе, что здесь с тобой случилось? Посмотри, например, на этот коврик у двери. Какие воспоминания... Дадли вырвало здесь после того, как я спас его от дементоров. И представляешь, оказывается, он все-таки питал ко мне благодарность. А в прошлое лето в эту дверь вошел Дамблдор.

Ход мыслей Гарри на миг прервался, а Букля ничем не желала помочь в его восстановлении, она так и сидела, засунув голову под крыло. Гарри повернулся спиной к парадной двери.

— А вот здесь, Букля, — сказал он, открывая дверцу под лестницей, — здесь я спал! Мы с тобой были тогда еще не знакомы. Батюшки, я и забыл, какая она маленькая...

Он окинул взглядом груду обуви и зонтов, вспомнив, как, просыпаясь каждое утро, видел над собой испод лестницы, украшенный обыкновенно одним, а то и двумя пауками. В те дни он ничего еще не ведал о своем истинном предназначении, не знал, как умерли его родители и почему вокруг него часто происходят всякие странные штуки. Однако он и теперь помнил сны, не дававшие ему покоя даже тогда: запутанные сны, в которых полыхали вспышки зеленого света, а однажды появился — дядя Вернон, услышав рассказ Гарри об этом, едва не разбил машину — летающий мотоцикл...

Внезапно где-то совсем рядом возник оглушающий рев. Гарри резко выпрямился и ударился макушкой о притолоку низкой двери. Помедлив, чтобы перебрать кое-какие из самых любимых дядюшкой Верноном ругательств, Гарри, держась рукой за голову, проковылял на кухню и вгляделся через окно в садик за домом.

Сумрак садика словно подернулся рябью, сам его воздух дрожал. Затем начали по одной появляться фигуры людей, снимавших с себя Дезиллюминационное заклинание. Центр этой композиции образовал Хагрид, сидевший в шлеме и защитных очках верхом на огромном мотоцикле с черной коляской. Окружавшие его люди спешивались — главным образом с метел, лишь двое прибыли на скелетообразных лошадях с черными крыльями.

Рывком распахнув заднюю дверь, Гарри влетел в самую гущу этой компании. Раздался общий приветственный крик, Гермиона обняла Гарри, Рон похлопал его по спине, а Хагрид спросил:

— Порядок, Гарри? К отправке готов?

— Конечно, — ответил Гарри, улыбаясь всем сразу. — Но я не думал, что вас будет так много!

— План изменился, — пророкотал Грозный Глаз Грюм, прижимавший к себе два здоровенных, туго набитых рюкзака, и волшебное око его с головокружительной быстротой обшарило темнеющее небо, дом и сад. — Давайте уйдем в укрытие, а там уж и поговорим.

Гарри провел гостей на кухню, где они, болтая и смеясь, устроились на стульях, на блистающих чистотой рабочих столах тети Петуньи, прислонились к ее бытовым машинам, где не отыщешь ни единого пятнышка. Рон, высокий и тощий; Гермиона, заплетшая густые волосы в длинную косу; Фред и Джордж с их совершенно одинаковыми улыбками; покрытый жуткими шрамами длинноволосый Билл; лысеющий мистер Уизли с его добрым лицом и кривовато сидящими очками; Грозный Глаз, одноногий, израненный в битвах, с ярко-синим волшебным оком, неустанно крутившимся в глазнице; Тонкс, чьи короткие волосы отливали сегодня излюбленной ею яркой краснотой; Люпин, обзаведшийся новой сединой и новыми морщинами; тонкая и прекрасная Флер; Кингсли, лысый, чернокожий и широкоплечий; Хагрид с его буйной шевелюрой и бородой, стоявший пригнувшись, чтобы не зашибить голову о потолок; и Наземникус Флетчер — маленький, грязный, вечно пристыженный, с грустными, как у бассета, глазами и спутанными волосами. Гарри оглядывал своих гостей, и его сердце, казалось, расширялось и согревалось: он ощущал невероятную привязанность к ним — даже к Наземникусу, которого едва не придушил при последней их встрече.

— Кингсли, я думал, вы присматриваете за премьер-министром маглов? — окликнул он через кухню старого знакомого.

— Одну ночь как-нибудь обойдется и без меня, — ответил Кингсли. — Ты намного важнее.

— Ты уже слышал, Гарри? — Забравшаяся на стиральную машину Тонкс повертела в воздухе левой ладонью, на которой блеснуло кольцо.

— Вы поженились? — ахнул Гарри и перевел взгляд с нее на Люпина.

— Мне жаль, что тебя не было с нами, Гарри. Впрочем, все прошло очень тихо.

— Как замечательно, поздрав...

— Ладно, ладно, у нас еще будет время обменяться последними новостями, — грянул, перекрикивая общий гомон, Грюм, и в кухне сразу стало тихо. Грюм опустил рюкзаки на пол и повернулся к Гарри. — Дедалус, полагаю, сказал тебе, что от плана А нам пришлось отказаться. Пий Толстоватый переметнулся на сторону врага, отчего у нас возникла серьезная проблема. Он добился в Министерстве решения, в силу которого подключение этого дома к Сети летучего пороха, установка здесь портала и даже любая попытка трансгрессии обратились в преступления, караемые тюремной отсидкой. Все это проделано во имя твоей безопасности, ради того, чтобы помешать Сам-Знаешь-Кому добраться до тебя. И все совершенно бессмысленно, поскольку ты и так уже надежно защищен заклятием, наложенным твоей матерью. На самом деле его усилия были направлены на то, чтобы не позволить тебе безопасно выбраться отсюда. Проблема вторая: ты несовершеннолетний, и, значит, на тебя все еще распространяется действие Надзора.

— Я не...

— Да Надзор же, Надзор! — нетерпеливо произнес Грозный Глаз. — Заклинание, которое отслеживает магические действия тех, кому еще нет семнадцати, позволяя Министерству ловить несовершеннолетних баловников! Если ты или кто-то находящийся рядом с тобой попытается произнести заклинание, способное вызволить тебя отсюда, Толстоватый сразу узнает об этом и Пожиратели смерти тоже.

— Ждать, пока снимут Надзор, мы не можем, поскольку в тот миг, когда тебе исполнится семнадцать, ты лишишься защиты, обеспеченной твоей матерью. Короче: Пий Толстоватый полагает, что окончательно загнал тебя в угол.

Гарри не мог не согласиться с неведомым ему Пием.

— И что мы будем делать?

— Воспользуемся тем транспортом, какой у нас остался, тем, который не отслеживается Надзором, потому что никаких заклинаний не требует: метлами, фестралами и мотоциклом Хагрида.

Гарри тут же увидел все изъяны этой схемы, однако говорить о них не стал, полагая, что это сделает сам Грозный Глаз.

— Так вот, чары, наложенные твоей матерью, спадают при выполнении одного из двух условий: когда ты становишься совершеннолетним или когда перестаешь считать это место, — Грюм обвел рукой чистенькую кухню, — своим домом. Ты, твои дядя и тетя отправились этой ночью по разным путям, полностью сознавая, что вместе вам больше жить не придется, так?

Гарри кивнул.

— И стало быть, когда ты уйдешь отсюда сегодня, обратной дороги не будет, а чары спадут, едва ты окажешься вне поля их действия. Мы решили проделать это пораньше, поскольку иной выбор сводится к тому, чтобы дожидаться, когда Сам-Знаешь-Кто явится сюда и схватит тебя, как только тебе исполнится семнадцать. На нашей стороне одно обстоятельство: Сам-Знаешь-Кому не известно, что на новое место ты переберешься этой ночью. Мы скормили Министерству ложную информацию, там думают, что переезд назначен на тридцатое. Но мы имеем дело с Сам-Знаешь-Кем, поэтому полагаться только на расхождение в датах не можем. Он наверняка отправил пару Пожирателей смерти патрулировать небо в этом районе, просто на всякий случай. Поэтому мы подобрали дюжину домов и обеспечили их всевозможной защитой. Все они выглядят так, точно могут стать твоим укрытием, и все так или иначе связаны с Орденом: мой дом, жилище Кингсли, дом Моллиной тетушки Мюриэль... В общем, идея тебе понятна.

— Да, — ответил Гарри не вполне искренне, поскольку все еще видел в этом плане зияющую прореху.

— Ты отправишься к родителям Тонкс, и, как только окажешься в пределах действия защитных заклинаний, наложенных на их дом, мы сможем перебросить тебя через портал в «Нору». Вопросы?

— М-м... да, — ответил Гарри. — Может быть, поначалу они и не будут знать, в какой из двенадцати надежных домов я направляюсь. Но разве это не станет очевидным, как только мы, — он быстро пересчитал присутствующих по головам, — четырнадцать человек, вылетим к родителям Тонкс?

— Ах да, — произнес Грюм, — о главном-то я и забыл. Четырнадцать человек к родителям Тонкс не полетят. В эту ночь небеса пересекут семеро Гарри Поттеров — каждый со своим сопровождающим, и каждый полетит в свой укрепленный дом.

И Грюм вытащил из-под плаща флягу с грязноватой на вид жидкостью. Больше он мог ничего не объяснять — в чем состоит остаток плана, Гарри понял мгновенно.

— Нет! — воскликнул он так громко, что его голос наполнил звоном всю кухню. — Ни в коем случае!

— Я предупреждала, что так все и будет, — с легким намеком на самодовольство произнесла Гермиона.

— Если вы думаете, что я позволю шестерым людям рисковать жизнью...

— ...да еще и впервые, — вставил Рон.

— Одно дело изображать меня...

— Думаешь, нам так уж этого хочется, Гарри? — серьезным тоном осведомился Фред. — Представь, вдруг что-нибудь заколодит и мы навсегда останемся тощими очкариками.

Гарри даже не улыбнулся.

— Без моего содействия вы этого сделать не сможете, вам понадобится несколько моих волос.

— Да, вот это наш план и погубит, — сказал Джордж. — Ясно же, что, если ты не станешь нам помогать, у нас не будет ни единого шанса получить от тебя хоть один волосок.

— Ага, тринадцать человек против молодца, которому и магией-то пользоваться запрещено — какие уж тут шансы, — поддержал брата Фред.

— Смешно, — отозвался Гарри. — Очень забавно.

— Если придется применить силу, мы ее применим, — громыхнул Грюм, волшебное око которого теперь чуть подрагивало в глазнице, наставленное на Гарри. — Здесь все совершеннолетние, Поттер, и все готовы рискнуть.

Наземникус пожал плечами и сморщился; волшебное око выехало, чтобы взглянуть на него, едва ли не на висок Грюма.

— Хватит спорить. Время уходит. Мне требуется несколько твоих волосков, мальчик, и немедленно.

— Но это безумие, нет никакой необходимости...

— Необходимости! — прорычал Грюм. — Когда Сам-Знаешь-Кто совсем рядом и половина Министерства на его стороне? Поттер, если нам повезет, он проглотит нашу приманку и решит напасть на тебя тридцатого. Но он был бы полным идиотом, если бы не послал в дозор одного-двух Пожирателей смерти. Я именно так и поступил бы. Может, они и не способны добраться до тебя или до этого дома, пока держится заклинание твоей матери, однако оно вот-вот утратит силу, а примерное местоположение дома они знают. Наш единственный шанс — использование двойников. Даже Сам-Знаешь-Кто не способен разделиться на семь частей.

Гарри встретился глазами с Гермионой и тут же отвел взгляд в сторону.

— Итак, Поттер, несколько волосков — будь любезен.

Гарри взглянул на Рона, и тот состроил гримасу, говорившую: давай.

— Ну же! — рявкнул Грюм.

Ощущая на себе взгляды всех, кто находился на кухне, Гарри поднял руку к макушке, ухватил тонкую прядку волос и выдернул ее.

— Хорошо, — сказал Грюм и, хромая, приблизился к Гарри, попутно вытянув из фляги пробку. — А теперь, будь добр, брось их сюда.

Гарри уронил волосы в грязную жидкость. Едва они коснулись ее поверхности, как зелье вспенилось, покрылось парком и мгновенно очистилось, став ярко-золотистым.

— О, Гарри, ты с виду куда вкуснее, чем Крэбб с Гойлом, — сказала Гермиона, но тут же заметила, как приподнялись брови Рона, и, слегка покраснев, добавила: — Ну, ты же помнишь, Гойлово варево на сопли смахивало.

— Поддельные Поттеры, построиться! — скомандовал Грюм.

Рон, Гермиона, Фред, Джордж и Флер выстроились в ряд перед сверкающей раковиной тети Петуньи.

— Одного не хватает, — сказал Люпин.

— Да тут он, — хрипло сообщил Хагрид и, сцапав Наземникуса за загривок, оторвал его от пола и поставил рядом с Флер, которая демонстративно сморщила носик и сменила место, встав между Фредом и Джорджем.

— Я же просил, меня бы лучше в защитники, — промямлил Наземникус.

— Молчать! — рявкнул Грюм. — Я тебе уже говорил, червяку бесхребетному, любой Пожиратель смерти, на которого мы напоремся, будет стараться схватить Поттера, а не убить его. Дамблдор всегда говорил: Сам-Знаешь-Кто намерен прикончить Поттера лично. Хуже всего придется защитникам, потому что их-то Пожиратели смерти постараются прикончить.

Услышанное, похоже, не сильно успокоило Наземникуса, но Грюм уже извлек из-под мантии шесть стопочек размером с подставку для яйца, раздал их стоявшим в строю и налил каждому по небольшой порции Оборотного зелья.

— Ну, теперь все разом...

Рон, Гермиона, Фред, Джордж, Флер и Наземникус проглотили зелье. Каждый из них, ощутив его в горле, ахнул и сморщился, и мгновенно лица их начали пузыриться, точно закипающий воск. Гермиона и Наземникус вытягивались, увеличиваясь в росте, Рон, Фред и Джордж уменьшались, волосы у всех темнели, а у Гермионы с Флер они словно втянулись внутрь черепов.

Грюм, не обращая на происходящее никакого внимания, развязывал принесенные им с собой рюкзаки, а когда выпрямился, перед ним уже стояли, пыхтя и отдуваясь, шестеро Гарри Поттеров.

Фред и Джордж повернулись друг к другу и одновременно произнесли:

— Ух ты, какие мы одинаковые!

— Ну, не знаю, — сказал Фред, изучив свое отражение в кастрюле, — по-моему, я все еще покрасивее.

— Фу, — произнесла оглядевшая себя в дверце микроволновки Флер. — Билл, не смот'ги на меня, я у'година.

— Для тех, кому одежда великовата, здесь найдутся размеры поменьше, — сообщил Грюм, указывая на первый рюкзак, — и наоборот. Да про очки не забудьте, шесть пар лежат в боковом кармане. А как переоденетесь, разберете то, что лежит во втором рюкзаке.

Настоящему Гарри Поттеру казалось, что ничего более причудливого он в своей жизни не видел, а видеть ему приходилось вещи очень странные. Он наблюдал за тем, как шестеро его двойников роются, извлекая одежду, в рюкзаках, как они надевают очки, сбрасывают с себя то, во что они были одеты. Когда они начали с совершенной беззастенчивостью раздеваться, ему захотелось попросить, чтобы они проявили чуть больше уважения к его личным тайнам, однако выставлять напоказ его тело им явно было легче, чем свои собственные.

— Так и знал, что про татуировку Джинни наврала, — сказал Рон, оглядев свою голую грудь.

— Ну и зрение у тебя, Гарри, ужас какой-то, — сообщила, надевая очки, Гермиона.

Одевшись, поддельные Поттеры вытащили из второго рюкзака совиные клетки, в каждой из которых находилось чучело белой совы, и такие же, как у Гарри, рюкзачки.

— Хорошо, — произнес Грюм, когда перед ними выстроились семеро одинаково одетых и нагруженных очкастых Гарри. — Делимся на пары так: Наземникус отправляется со мной, на метле...

— Почему это я с тобой? — спросил стоявший ближе других к двери поддельный Гарри.

— Потому что за тобой глаз да глаз нужен, — прорычал Грюм и, больше уже не сводя, в соответствии со сказанным, волшебного ока с Наземникуса, продолжал: — Артур и Фред...

— Я Джордж, — сказал тот из близнецов, на которого указал Грюм. — Неужели вы не можете различить нас, даже когда мы обращаемся в Гарри?

— Простите, Джордж...

— Да я пошутил, вообще-то я Фред...

— Хватит дурака валять! — рявкнул Грюм. — Второй из вас — Джордж, Фред или кто вы там, — с Римусом. Мисс Делакур...

— Я повезу Флер на фестрале, — сказал Билл. — Она не любит метел.

Флер подошла к нему и встала рядом, глядя на Билла с сентиментальным, раболепным обожанием, которое, как от души надеялся Гарри, никогда больше на его лице не появится.

— Мисс Грейнджер с Кингсли, тоже на фестрале...

Гермиона обрадованно ответила на улыбку Кингсли — Гарри знал, что и она чувствует себя на метле неуверенно.

— Выходит, остаемся только мы с тобой, Рон! — весело воскликнула Тонкс и, помахав ему рукой, сшибла со стола сушилку для чашек.

Рон выглядел далеко не таким довольным, как Гермиона.

— А мы с тобой, Гарри. Не против? — не без некоторой тревоги в голосе спросил Хагрид. — Покатим на мотоцикле, я, понимаешь, тяжеловат для метелок с фестралами. Правда, я и на мотоцикле кучу места занимаю, так что давай уж в коляску.

— Отлично, — сказал Гарри, опять-таки не вполне искренне.

— Мы думаем, что Пожиратели смерти ожидают увидеть тебя на метле, — пояснил Грюм, по-видимому заметив недовольство Гарри. — У Снегга была куча времени, чтобы рассказать им про тебя все, о чем он прежде не упоминал. Поэтому, если мы наткнемся на Пожирателей, они, как мы полагаем, выберут одного из тех Поттеров, что хорошо сидят на метле. Ну ладно, — продолжал он, завязав рюкзак, в который была уложена одежда ложных Поттеров, и направившись с ним к задней двери. — До отправления осталось три минуты. Запирать дверь бессмысленно, Пожирателей смерти, когда они сюда заявятся, замок не остановит... Вперед...

Гарри торопливо прошел в прихожую, чтобы забрать свой рюкзачок, «Молнию» и Буклю, а затем присоединился в заднем саду ко всем прочим. Справа и слева от него подергивались в руках хозяев метлы, Кингсли уже подсаживал Гермиону на фестрала, Билл подсаживал Флер на другого. Хагрид, снова нацепивший очки, стоял у мотоцикла.

— Это он? Мотоцикл Сириуса?

— Он самый, — широко улыбаясь, ответил Хагрид. — Когда ты в последний раз катался на нем, Гарри, ты у меня в одной ладони помещался!

Усаживаясь в коляску, Гарри поневоле ощущал себя немного обиженным. Голова его оказалась на несколько футов ниже всех прочих: Рон ухмылялся, глядя на него, сидящего точно ребенок в игрушечном автомобиле. Гарри запихал метлу и рюкзак себе под ноги, втиснул клетку с Буклей между коленей. Неудобно было до ужаса.

— Артур малость поколдовал над этой штукой, — сказал Хагрид, совершенно не заметивший неудобства, которое испытывал Гарри. Он оседлал мотоцикл, слегка крякнувший и дюймов на пять ушедший в землю. — Тут теперь пара штучек есть, управляются прямо с руля. Вот эта — моя идея.

И он указал толстым пальцем на багровую кнопку по соседству со спидометром.

— Прошу вас, Хагрид, будьте осторожны, — сказал стоявший рядом с ними, придерживая метлу, мистер Уизли. — Я до сих пор не уверен в разумности этого средства, и, уж во всяком случае, прибегать к нему следует только в крайних случаях.

— Ну хорошо, — произнес Грюм. — Прошу всех приготовиться, мы должны стартовать точно в одно время, иначе наш отвлекающий маневр не сработает.

Все, вылетавшие на метлах, оседлали их.

— Держись крепче, Рон, — сказала Тонкс, и Гарри увидел, как Рон, бросив на Люпина виноватый косой взгляд, обхватил ее за талию.

Хагрид включил мотоциклетный мотор — тот взревел, точно дракон, коляска задрожала.

— Всем удачи! — крикнул Грюм. — Увидимся примерно через час в «Норе». На счет три. Раз... два... ТРИ.

Мотоцикл заревел еще громче. Гарри почувствовал, как коляска неприятно накренилась — он летел по воздуху, глаза немного слезились, волосы относило с лица назад. Вокруг него набирали высоту метлы, мимо промелькнул длинный черный хвост фестрала. Ноги, зажатые в коляске рюкзаком и клеткой Букли, уже начинали побаливать и затекать. Неудобство, испытываемое им, было так велико, что он даже забыл бросить последний взгляд на дом номер четыре по Тисовой улице, а когда глянул за край коляски, уже не смог различить его среди прочих. Они поднимались в небо все выше и выше...

И тут, откуда ни возьмись, из пустоты появился уже окруживший их противник. По меньшей мере тридцать фигур в капюшонах висело в воздухе, образовав большое кольцо, в самую середину которого поднимались, ничего пока не замечая, члены Ордена...

Крики, вспышки зеленого огня со всех сторон. Хагрид заорал, и мотоцикл перевернулся. Гарри утратил всякое чувство ориентации: уличные огни над головой, вопли со всех сторон; он изо всех сил цеплялся за края коляски. Клетка с Буклей, «Молния» и его рюкзак выскальзывали из-под коленей...

— Нет... БУКЛЯ!

Метла унеслась, вращаясь, к земле, однако Гарри все же успел ухватить лямку рюкзака и крышку клетки, и тут мотоцикл рывком вернулся в правильное положение. Секундное облегчение, а следом снова всполох зеленого пламени, и сова, хрипло вскрикнув, упала на дно клетки.

— Нет... НЕТ!

Мотоцикл, набирая скорость, несся вперед. Гарри мельком увидел Пожирателей смерти, бросившихся врассыпную, когда Хагрид прорывался сквозь их кольцо.

— Букля... *Букля*...

Но сова лежала на дне клетки, неподвижная и жалкая, как игрушка. Гарри еще не осознал случившегося, да и страх за остальных занимал в его душе первое место. Оглянувшись через плечо, он увидел движение массы людей, вспышки зеленого света, две уносившиеся вдаль метлы с парой седоков на каждой, однако кто эти седоки, уже не разобрал...

— Хагрид, мы должны вернуться назад! Вернуться! — крикнул он сквозь громовый рев двигателя, вытаскивая палочку, втискивая клетку с Буклей в пол кабины, отказываясь поверить, что сова убита. — Хагрид, РАЗВЕРНИСЬ!

— Моя работа — доставить тебя целым на место, Гарри! — взревел Хагрид и открыл до отказа дроссельный клапан.

— Стой! СТОЙ! — крикнул Гарри. Однако, обернувшись, он увидел две пролетавших мимо его левого уха струи зеленого огня: четверка Пожирателей смерти оторвалась от кольца и преследовала их, паля в широкую спину Хагрида. Хагрид вильнул в сторону, но Пожиратели не отставали, выпуская по мотоциклу одно заклятие за другим, и Гарри, чтобы уклониться от них, пришлось осесть в коляске пониже. Повернувшись назад, он крикнул: *«Отключись!»*, и из его палочки вырвалась красная молния, ушедшая в зазор между бросившимися в разные стороны Пожирателями смерти.

— Держись, Гарри, щас они у меня получат! — рычал Хагрид.

Гарри обернулся к нему как раз вовремя, для того чтобы увидеть, как толстый палец Хагрида врезается в зеленую кнопку около датчика расхода топлива.

Стена, плотная кирпичная стена вырвалась из выхлопной трубы. Изогнув шею, Гарри смотрел, как она разрастается в воздухе. Трое Пожирателей смерти сумели увернуться от нее, а вот четвертому повезло меньше: он исчез за стеной, а затем камнем полетел из-под нее вниз вместе с разломанной на куски метлой. Один из его товарищей замедлил ход, чтобы спасти падающего, однако Хагрид навалился на руль, мотоцикл прибавил скорость, и вскоре стена и эти двое Пожирателей скрылись во мраке.

Новые Убивающие заклятия, выпущенные палочками двух продолжавших преследование Пожирателей смерти, просвистели мимо головы Гарри — Пожиратели целили в Хагрида. Гарри отвечал им Оглушающими заклятиями: струи красного и зеленого огня сталкивались в воздухе, рассыпаясь многоцветными искрами, и в голове Гарри мелькнула диковатая мысль о фейерверках и ничего не знающих о происходящем маглах внизу...

— Щас я им еще выдам, Гарри, держись! — крикнул Хагрид и ударил по второй кнопке.

На сей раз из выхлопной трубы вылетела огромная сеть, но Пожиратели смерти были к этому готовы. Они не только ушли в стороны, уклоняясь от нее, — к ним еще и присоединился их компаньон, отставший, чтобы спасти потерявшего сознание товарища. Он неожиданно выскочил из темноты, и теперь все трое гнались за мотоциклом, осыпая его заклятиями.

— Ну уж вот это точно сработает, держись крепче, Гарри! — заорал Хагрид и бухнул сразу всей ладонью по багровой кнопке у спидометра.

Из выхлопной трубы с ревом, который ни с чем спутать невозможно, вырвался раскаленный до голубоватой белизны драконов огонь, и мотоцикл, словно пуля, рванулся вперед, сопровождаемый треском корежимого металла. Гарри увидел, как Пожиратели бросились врассыпную, спасаясь от смертоносной струи огня, и в тот же миг коляска угрожающе закачалась: могучее ускорение сокрушило металлический крепеж, соединявший ее с мотоциклом.

— Ничего, Гарри! — взревел Хагрид, которого прилив скорости уложил на сиденье почти навзничь. Теперь мотоцикл остался без управления, а от бешеного полета коляска продолжала выкручиваться и отламываться. — Я все починю, Гарри, не бойся! — грянул Хагрид и выхватил из кармана куртки розовый зонтик с цветочками.

— Хагрид! Не надо! Давай я!

— *РЕПАРО!*

Коляска с оглушительным грохотом оторвалась окончательно: сначала набранная мотоциклом скорость несла ее вместе с Гарри вперед, но вскоре она начала терять высоту.

Гарри в отчаянии ткнул в коляску палочкой и крикнул:

— *Вингардиум левиоса!*

Коляска стрельнула вверх, точно пробка из бутылки, — неуправляемая, но все еще парящая в воздухе. На миг Гарри испытал облегчение, однако мимо уже проносились новые заклятия — троица Пожирателей смерти приближалась.

— Я иду, Гарри! — проорал из темноты Хагрид, но Гарри почувствовал, что коляска снова пошла вниз, и, пригнувшись, как только мог, наставил палочку на среднюю из приближавшихся фигур и крикнул:

— *Импедимента!*

Заклятие ударило среднего Пожирателя в грудь: на миг он повис в воздухе, нелепо раскинув руки, словно остановленный на лету незримым барьером, и один из его приспешников едва не столкнулся с ним.

Затем коляска начала падать уже всерьез, а заклятия уцелевших Пожирателей смерти стали сыпаться в такой близи от Гарри, что ему пришлось нырнуть вниз, за края коляски, и он, ударившись о сиденье, выбил зуб...

— Я иду, Гарри, иду!

Огромная рука ухватила Гарри за мантию и вырвала из падающей камнем коляски; он, успев подхватить рюкзак, вскарабкался на сиденье мотоцикла и оказался сидящим спина к спине с Хагридом. И пока мотоцикл набирал высоту, уходя от двух Пожирателей смерти, Гарри выплюнул кровь, нацелил палочку на падающую коляску и крикнул:

— *Вспыхни!*

Раздался взрыв, наполнивший Гарри страшной, выворачивавшей нутро болью за Буклю. Ближайшего к коляске Пожирателя сорвало с метлы, и он полетел вниз, быстро скрывшись из глаз; его спутник повалился на спину и тоже исчез.

— Прости, Гарри, прости, — постанывал Хагрид. — Не надо мне было самому за починку браться, теперь тебе сидеть негде...

— Не важно, ты, главное, лети! — крикнул себе за спину Гарри, увидев, что из мрака появилась еще пара Пожирателей смерти, нагонявшая мотоцикл.

Как только разделявшее их пространство опять начали пронизывать заклятия, Хагрид повел мотоцикл зигзагами. Гарри понимал, что снова воспользоваться кнопкой драконова огня Хагрид не решится — уж больно ненадежно сидел на мотоцикле его пассажир. Он посылал в преследователей одно Оглушающее заклятие за другим, едва-едва удерживая их на расстоянии. Потом выпалил Блокирующим и, когда ближайший Пожиратель вильнул, уклоняясь от заклятия в сторону, с его головы соскользнул капюшон, и в красном свете еще одного Оглушающего заклятия Гарри увидел странно пустое лицо Стэна Шанпайка... Стэна...

— *Экспеллиармус!* — крикнул Гарри.

— Это он, он, настоящий! — Вопль, исходивший из-под капюшона второго Пожирателя смерти, донесся до Гарри даже сквозь рев мотоцикла, и в следующий миг оба преследователя сдали назад и пропали из глаз.

— Что там, Гарри? — взревел Хагрид. — Куда они подевались?

— Не знаю!

Гарри одолевал страх: Пожиратель крикнул «настоящий», но как он это понял? Гарри окинул взглядом пустую на вид тьму и ощутил таящуюся в ней опасность. Где они все? Покопошившись, он развернулся на сиденье лицом вперед и крепко вцепился в куртку Хагрида:

— Хагрид, пальни еще раз драконовым огнем, давай убираться отсюда!

— Тогда держись покрепче, Гарри!

Раздался оглушительный, хриплый рев, из выхлопной трубы вырвалось голубовато-белое пламя. Гарри почувствовал, что соскальзывает с отведенного ему краешка сиденья, Хагрида бросило назад, на него, с такой силой, что великан едва смог удержать руль...

— Похоже, оторвались мы от них, Гарри. Все-таки справились! — крикнул Хагрид.

Однако Гарри не был в этом убежден. Страх омывал его сердце, он поглядывал вправо и влево, отыскивая преследователей, уверенный, что те скоро появятся... Но почему же они отстали? У одного еще оставалась в руке палочка... «Это он, он, настоящий!..» Крик раздался сразу после того, как Гарри попытался обезоружить Стэна...

— Мы почти на месте, Гарри, почти добрались! — прокричал Хагрид.

И Гарри почувствовал, что мотоцикл пошел на снижение, хотя огни, горевшие на земле, еще казались далекими, как звезды.

Но тут шрам на его лбу словно вспыхнул — по обеим сторонам мотоцикла появились Пожиратели смерти, два пущенных сзади Убивающих заклятия прошли всего на миллиметр от головы Гарри...

И Гарри увидел его. Волан-де-Морт летел, точно дым по ветру, без метлы или фестрала, змеиное лицо его поблескивало во мраке, белые пальцы снова поднимали палочку...

Хагрид взвыл от страха и бросил мотоцикл в вертикальное пике. Гарри, отчаянно цепляясь за жизнь, наугад метал вокруг себя, в завертевшуюся вихрем ночь, Оглушающие заклятия. Он увидел пролетевшее мимо тело и понял, что попал в кого-то, но тут же раздался удар, из двигателя посыпались искры, и мотоцикл, полностью лишившись управления, штопором понесся вниз...

Вокруг снова замелькали струи зеленого пламени. Гарри уже не понимал, где верх, где низ, шрам жгло и жгло, он был уверен, что в ближайшие секунды умрет. Примерно в футе от него появился верхом на метле некто в капюшоне, поднял в его сторону руку...

— НЕТ!

С этим яростным криком Хагрид прыгнул с мотоцикла на Пожирателя смерти, и Гарри с ужасом увидел, как оба они, Пожиратель и Хагрид, стремительно уносятся вниз — их общий вес оказался для метлы чрезмерным...

Едва сжимая падающий мотоцикл коленями, Гарри услышал крик Волан-де-Морта:

— Мой!

Все было кончено. Ни слух, ни зрение не позволяли понять, где сейчас Волан-де-Морт. Мелькнул еще один быстро убравшийся с его пути Пожиратель. Гарри услышал:

— *Авада...*

Поскольку боль в шраме заставила Гарри закрыть глаза, палочке его пришлось действовать самостоятельно. Гарри почувствовал, как она тянет его руку, точно большой магнит, увидел из-под полузакрытых век порыв золотистого огня, услышал треск и вопль гнева. Взвыл один из еще уцелевших Пожирателей смерти, Волан-де-Морт взвизгнул: «Нет!», а Гарри непонятным образом вдруг обнаружил прямо перед своим носом багровую кнопку. Он ударил по ней свободной от палочки рукой, мотоцикл выбросил в воздух струю пламени и с еще большей скоростью понесся к земле.

— Хагрид! — позвал Гарри, изо всех сил цепляясь за руль. — Хагрид! *Акцио, Хагрид!*

Скорость нарастала, земля тянула мотоцикл к себе. Руль торчал перед лицом Гарри, он не видел ничего, кроме становившихся все ближе и ближе огней: сейчас он врежется в землю, и с этим ничего уже поделать нельзя. Сзади послышался новый крик:

— Палочку, Селвин, дай твою палочку!

Гарри скорее почувствовал Волан-де-Морта, чем увидел его. Бросив взгляд в сторону, он обнаружил совсем рядом красные глаза и понял: это последнее, что он видит в жизни. Волан-де-Морт готовился метнуть в него еще одно заклятие...

Но тут Волан-де-Морт исчез. Гарри глянул вниз, увидел распростертого на земле Хагрида и, чтобы не врезаться в него, потянул руль на себя и с оглушительным грохотом, от которого содрогнулась земля, влетел в илистый пруд.

Глава 5

ПАВШИЙ ВОИН

— Хагрид!

Гарри пытался выбраться из мешанины окружавших его обломков металла и обрывков кожи. Попробовал встать, однако руки его ушли дюймов на пять в илистую воду. Он не понимал, где Волан-де-Морт, и ожидал, что тот в любую секунду обрушится на него из темноты. Что-то горячее и мокрое стекало по его подбородку и по лбу тоже. Он на четвереньках выполз из пруда и заковылял к месту, где лежала на земле огромная, темная масса — Хагрид.

— Хагрид! Хагрид, скажи что-нибудь...

Но темная масса даже не пошевелилась.

— Кто здесь? Это Поттер? Вы Гарри Поттер?

Этот мужской голос Гарри был незнаком. Следом послышался женский:

— Они разбились, Тед! Разбились в саду!

В голове у Гарри все поплыло.

— Хагрид, — тупо повторил он, и тут колени его подогнулись.

В следующий, как ему показалось, миг он обнаружил, что лежит навзничь на чем-то вроде кушетки, что его ребра и правая рука горят. Выбитый зуб уже вырос заново. Шрам на лбу продолжал пульсировать.

— Хагрид!

Гарри открыл глаза и увидел, что лежит на софе в незнакомой ярко освещенной гостиной. Неподалеку от софы валялся на полу его рюкзак, мокрый и грязный. У софы стоял, обеспокоенно вглядываясь в Гарри, светловолосый мужчина с изрядным брюшком.

— С Хагридом все хорошо, сынок, — сказал этот мужчина, — за ним сейчас жена ухаживает. Как вы себя чувствуете? Ничего больше не сломано? Ребра, зуб и руку я починил. Кстати, я Тед, Тед Тонкс — отец Доры.

Гарри сел — слишком поспешно: свет вдруг потускнел, Гарри ощутил тошноту и головокружение.

— Волан-де-Морт...

— Вы все же полегче, — сказал Тед Тонкс и, положив на плечо Гарри ладонь, заставил его снова опуститься на подушки. — Вы только что здорово врезались в землю. И кстати, что произошло? Мотоцикл сломался? Артур Уизли опять перемудрил со своими магловскими изобретениями?

— Нет, — ответил Гарри, чувствуя, как шрам пульсирует, точно открытая рана. — Пожиратели смерти, их было много... Они гнались за нами...

— Пожиратели смерти? — резко переспросил Тед. — Что значит Пожиратели смерти? Я полагал, они не знали, что вы переезжаете сегодня, полагал...

— Они знали, — сказал Гарри.

Тед Тонкс взглянул на потолок, как будто надеялся увидеть небо за ним.

— Ну что же, зато и мы знаем, что наши защитные заклинания держатся, не так ли? Им к этому дому и на сто ярдов не подобраться — с любой стороны.

Теперь Гарри понял, почему исчез Волан-де-Морт. Это случилось там, где мотоцикл прошел через поставленный Орденом защитный барьер. Хотелось бы только надеяться, что барьер будет держаться и дальше. Он представил себе Волан-де-Морта, который как раз в эту минуту висит ярдах в ста над ними, пытаясь понять, как ему проникнуть сквозь то, что представлялось Гарри большим, прозрачным пузырем.

Гарри спустил с софы ноги, ему нужно было собственными глазами увидеть Хагрида, только тогда он поверит, что тот жив. Но едва Гарри встал, дверь распахнулась и в нее протиснулся Хагрид, прихрамывающий, с покрытым грязью и кровью лицом, но чудесным образом живой.

— Гарри!

Хагрид в два шага покрыл разделявшее их расстояние (свалив по пути два хрупких столика и фикус) и обнял Гарри так, что у того затрещали недавно починенные ребра.

— Мать честная, Гарри, как же ты выбрался-то? Я уж решил, нам обоим крышка.

— Да, и я тоже. Поверить не могу...

Гарри примолк, он только теперь заметил женщину, вошедшую в комнату следом за Хагридом.

— Вы! — крикнул он и сунул руки в карманы, однако там было пусто.

— Вот ваша палочка, сынок, — сказал Тед, пристукнув ею по руке Гарри. — Лежала рядом с вами, я ее подобрал. А кричите вы на мою жену.

— Ох, я... простите.

Пока миссис Тонкс пересекала комнату, ее сходство с сестрой, с Беллатрисой убывало: более светлые каштановые волосы, глаза побольше и подобрее. И тем не менее после восклицания Гарри в ней проступила легкая надменность.

— Что с нашей дочерью? — спросила она. — Хагрид сказал, что вы попали в засаду. Где Нимфадора?

— Не знаю, — ответил Гарри. — Мы оба не знаем, что произошло со всеми остальными.

Тед с женой обменялись взглядами. А Гарри, пока он смотрел на их лица, одолевали чувства страха и вины. Если кто-то из остальных погибнет, виноват в этом будет он и только он. Ведь это он согласился с их планом, дал свои волосы...

— Портал, — произнес Гарри, вдруг вспомнив все сразу. — Нам нужно вернуться в «Нору» и все выяснить, тогда мы сможем послать вам весточку или... или Тонкс пришлет ее, когда она...

— С Дорой все будет хорошо, Дромеда, — сказал Тед. — Она свое дело знает, она не раз попадала в переделки вместе с мракоборцами. Портал пока здесь, — обратился он к Гарри. — Если хотите воспользоваться им, у вас есть на это три минуты.

— Да, хотим, — сказал Гарри. Он подхватил рюкзак, забросил его на плечо. — Я...

Он смотрел на миссис Тонкс, ему хотелось попросить прощения за то, что он покидает ее такой напуганной, ведь именно на нем лежит страшная ответственность за случившееся. Однако слов, которые не казались бы ему самому пустыми и неискренними, Гарри найти не мог.

— Я скажу Тонкс... Доре, чтобы она связалась с вами, когда... когда она... и спасибо, что залатали нас, спасибо за все. Я...

Покинув комнату и шагая за Тедом Тонксом по ведущему к спальне короткому коридору, Гарри испытывал облегчение. Хагрид вошел в спальню следом за ними, согнувшись, чтобы не зацепить головой дверную притолоку.

— Ну вот, сынок, это и есть портал. — Мистер Тонкс указал на маленькую, оправленную в серебро щетку для волос, лежавшую на туалетном столике.

— Спасибо, — сказал Гарри и протянул руку, чтобы погрузить в щетку палец и покинуть этот дом.

— Погоди, Гарри, — сказал, озираясь по сторонам, Хагрид. — А Букля-то где?

— Она... в нее попали, — ответил Гарри.

Мысль о случившемся снова обрушилась на него, Гарри ощутил такой стыд, что на глаза его навернулись слезы. Сова была его товарищем, единственной связью с волшебным миром в те дни, которые ему приходилось проводить у Дурслей.

Хагрид протянул здоровенную ладонь и похлопал Гарри по плечу, довольно болезненно.

— Не горюй, — хрипло сказал он. — Не горюй. Она прожила замечательную, долгую жизнь...

— Хагрид! — предостерегающе произнес Тед Тонкс — щетка наливалась яркой синевой, времени на то, чтобы сунуть в нее палец, оставалось совсем мало.

Что-то рвануло Гарри вблизи пупка, как будто незримый крючок и леска потянули его лицом вперед, в темноту, где он неуправляемо завертелся, не отрывая пальца от щетки, улетая вместе с Хагридом от мистера Тонкса. Пару секунд спустя ноги Гарри с силой врезались в твердую землю, и он упал на четвереньки посреди двора «Норы». Послышались чьи-то крики. Отбросив ненужную больше щетку, Гарри встал, покачнулся и увидел сбегающих по ступеням заднего крыльца миссис Уизли и Джинни. Тем временем и Хагрид, тоже упавший на землю, с трудом поднялся на ноги.

— Гарри? Ты настоящий Гарри? Что случилось? Где все остальные? — восклицала миссис Уизли.

— Как? Никто еще не вернулся? — выдохнул Гарри.

Ответ был ясно написан на побледневшем лице миссис Уизли.

— Нас поджидали Пожиратели смерти, — сказал ей Гарри. — Мы были окружены уже на взлете — они знали о сегодняшней ночи. Что произошло с остальными, мне неизвестно. За нами гнались четверо, мы могли только попытаться удрать от них. А потом за нас взялся Волан-де-Морт...

Он слышал в своем голосе нотку самооправдания, обращенную к миссис Уизли мольбу понять, почему он не знает, что случилось с ее сыновьями.

— Хвала небесам, вы целы, — сказала миссис Уизли, заключая Гарри в объятия, которых он, по его мнению, не заслуживал.

— А у тебя бренди не найдется, Молли? — спросил дрогнувшим голосом Хагрид. — Для медицинских целей, а?

Она могла бы прибегнуть к магии, но вместо этого торопливо пошла в покосившийся дом сама, и Гарри понял: миссис Уизли не хочет, чтобы кто-то видел ее лицо. Он повернулся к Джинни, и она ответила сразу на все незаданные им вопросы.

— Рон и Тонкс должны были вернуться первыми, но не успели к своему порталу, он возвратился без них, — сказала она, указав на валявшуюся неподалеку на земле ржавую масленку. — А вторыми вот с этим, — она ткнула пальцем в старые парусиновые туфли, — полагалось вернуться папе и Фреду. Ты и Хагрид были третьими. Джордж с Люпином, — она взглянула на часы, — если поспеют, появятся через минуту.

Миссис Уизли вернулась с бутылкой бренди, отдала ее Хагриду. Тот вытащил пробку и выпил все разом.

— Мам! — крикнула Джинни, указывая пальцем на место в двух шагах от нее.

В темноте разлился синий свет, пятно его становилось все больше и ярче, затем в нем появились, вращаясь, и тут же упали Люпин с Джорджем. Гарри мгновенно понял — что-то неладно: Люпин поддерживал потерявшего сознание Джорджа, лицо которого было залито кровью.

Гарри подбежал к ним, взялся за ноги Джорджа. Они с Люпином занесли Джорджа в дом, протащили через кухню в гостиную, уложили на софу. Когда на голову Джорджа упал свет, Джинни ахнула, а у Гарри свело желудок: Джордж лишился одного уха. Эта сторона его головы и шеи была залита еще не подсохшей, пугающе алой кровью.

Как только миссис Уизли склонилась над сыном, Люпин сцапал Гарри за локоть и бесцеремонно отволок его обратно на кухню, снаружи которой Хагрид еще боролся с дверью, не пропускавшей внутрь его огромную тушу.

— Эй! — гневно произнес Хагрид. — Отпусти его! Отпусти Гарри!

Люпин словно и не услышал.

— Какая тварь сидела в углу моего кабинета в Хогвартсе, когда Гарри Поттер впервые попал в него? — спросил он, слегка встряхнув Гарри. — Отвечай!

— Э-э-э... водяной черт в большой банке, так?

Люпин отпустил Гарри, прислонился к кухонному буфету.

— Что за фокусы? — прорычал Хагрид.

— Прости, Гарри, но я обязан был проверить, — сказал Люпин. — Нас предали. Волан-де-Морт знал, что мы вылетаем сегодня, а единственными, кто мог сказать ему об этом, были люди, непосредственно причастные к выполнению плана. Ты мог оказаться подставным лицом.

— А чё ж ты меня не проверяешь? — пропыхтел Хагрид, так пока и не справившийся с дверью.

— Ты же наполовину великан, — взглянув на Хагрида, ответил Люпин. — А Оборотное зелье действует только на людей.

— Никто из членов Ордена не сказал бы Волан-де-Морту, что мы переезжаем этой ночью, — произнес Гарри. Сама эта мысль страшила его, он не мог позволить себе проникнуться недоверием хотя бы к одному из них. — Волан-де-Морт нагнал меня лишь под самый конец пути, поначалу он не знал, который из Поттеров — я. Если бы его посвятили в план, он с самого начала знал бы, что я лечу с Хагридом.

— Волан-де-Морт нагнал тебя? — резко переспросил Люпин. — И что произошло? Как ты уцелел?

Гарри коротко рассказал, как гнавшиеся за ними Пожиратели смерти, по-видимому, опознали в нем настоящего Поттера, как они прервали погоню — судя по всему, чтобы призвать Волан-де-Морта, появившегося совсем незадолго до того, как он и Хагрид достигли убежища — дома родителей Тонкс.

— Опознали? Но как? Чем ты себя выдал?

— Я... — Гарри попытался вспомнить происшедшее; весь ночной полет казался ему теперь неразборчивой смесью паники и замешательства. — Я увидел Стэна Шанпайка... Помните, он был кондуктором в «Ночном рыцаре»? И попытался разоружить его вместо... Ну, он же не понимал, что делает, верно? Его наверняка сковали Империусом.

Люпин пришел в ужас.

— Гарри, время разоружать их прошло! Эти твари пытаются схватить и убить тебя! Если ты не готов убивать их, так оглушай, по крайней мере.

— От нас было до земли ярдов пятьдесят! Стэн действовал не по собственной воле, а оглуши я его, он бы упал и разбился, и это было бы все равно что применить *Авада Кедавра! Экспеллиармус* два года назад спас меня от Волан-де-Морта, — вызывающе ответил Гарри. Люпин напомнил ему глумливого Захарию Смита из Пуффендуя, который высмеял его за попытку обучить Отряд Дамблдора разоружать врагов.

— Конечно, Гарри, — с трудом удерживаясь от вспышки, сказал Люпин, — и множество Пожирателей смерти видело, что происходит. Извини, но в тот раз, под угрозой неминуемой смерти, твой ход был действительно весьма оригинальным. Повторять же его сегодня, на глазах у Пожирателей смерти, которые либо присутствовали при первом случае, либо слышали о нем, это было почти самоубийством!

— Вы считаете, что мне следовало убить Стэна Шанпайка? — сердито спросил Гарри.

— Разумеется, не считаю, — ответил Люпин, — однако любой Пожиратель смерти — да, если честно, просто любой человек — ожидал бы, что ты ответишь ударом на удар. *Экспеллиармус* — заклинание полезное, Гарри, но Пожиратели, похоже, считают его твоим фирменным приемом, и я тебя очень прошу, постарайся, чтобы оно им не стало!

Гарри уже ощущал себя круглым дураком, но все-таки не сдавался.

— Я не стану убивать людей только за то, что им случилось преградить мне путь, — заявил он. — Этим пусть занимается Волан-де-Морт.

Ответа Люпина он не услышал — Хагрид, наконец пролезший в дверь, подошел к одному из стульев, сел, и стул тут же развалился. Не обращая внимания на его ругань, перемешанную с извинениями, Гарри спросил у Люпина:

— С Джорджем все обойдется?

При этом вопросе недовольство Люпина поступком Гарри словно испарилось.

— Думаю, да, хотя ухо, оторванное заклятием, восстановить невозможно...

Снаружи донесся громкий шум. Люпин метнулся к задней двери, и Гарри, перескочив через ноги Хагрида, тоже выскочил во двор.

На дворе появились двое. Гарри, еще подбегая к ним, понял, что это Гермиона, к которой уже вернулся ее обычный облик, и Кингсли — оба крепко держались за погнутые одежные плечики. Гермиона бросилась в объятия Гарри, а вот Кингсли никакого удовольствия при виде друзей не выказал. Гарри увидел поверх плеча Гермионы, как он, подняв свою палочку, наставил ее в грудь Люпина.

— Какие самые последние слова услышали мы с тобой от Альбуса Дамблдора?

— «Гарри — главная наша надежда, доверяйте ему», — спокойно ответил Люпин.

Кингсли обратил палочку к Гарри, однако Люпин сказал:

— Это он, я проверил!

— Ладно, хорошо, — произнес Кингсли, пряча палочку под мантию. — Но ведь кто-то же нас предал! Они знали, знали о сегодняшней ночи!

— Похоже, что так, — ответил Люпин, — только не знали, судя по всему, что Поттеров будет семь.

— Утешение невеликое! — прорычал Кингсли. — Кто еще возвратился?

— Только Гарри, Хагрид, Джордж и я.

Гермиона, стараясь приглушить тихий стон, прикрыла рот ладонью.

— Что с вами произошло? — спросил у Кингсли Люпин.

— Пять преследователей, двое ранены, один, возможно, убит, — быстро отрапортовал Кингсли. — Кроме того, мы видели Сам-Знаешь-Кого, он присоединился к погоне на полпути, но очень скоро исчез. Римус, он умеет...

— Летать, — вставил Гарри. — Я тоже видел его, он напал на нас с Хагридом.

— Так вот почему он нас бросил — чтобы погнаться за вами! — воскликнул Кингсли. — А я-то понять не мог, куда он подевался. Но что заставило его сменить цель?

— Гарри слишком доброжелательно обошелся со Стэном Шанпайком, — пояснил Люпин.

— Стэном? — удивилась Гермиона. — Я думала, он в Азкабане.

Кингсли издал безрадостный смешок.

— Гермиона, там явно произошел массовый побег, о котором Министерство помалкивает. Когда я ударил заклятием в Трэверса, с него сорвало капюшон, а ведь его тоже считают сидящим в тюрьме. Но что было с тобой, Римус? Где Джордж?

— Лишился уха, — ответил Люпин.

— Лишился? — тонким голосом переспросила Гермиона.

— Снегг постарался, — сказал Люпин.

— Снегг? — вскрикнул Гарри. — Вы не говорили...

— Во время погони с него слетел капюшон. Да и Сектумсемпра всегда была любимым оружием Снегга. Я и хотел бы сказать, что отплатил ему той же монетой, но у меня все силы уходили на то, чтобы удерживать Джорджа на метле, — после ранения он потерял очень много крови.

Все четверо замолчали, вглядываясь в небо. Никаких признаков движения в нем не было — звезды смотрели вниз, немигающие, равнодушные, не заслоняемые летящими друзьями. Где Рон? Где Фред и мистер Уизли? Где Билл, Флер, Тонкс, Грозный Глаз Грюм и Наземникус?

— Гарри, помоги! — хрипло позвал Хагрид из двери, в которой он снова застрял. Довольный тем, что для него нашлось дело, Гарри вытянул Хагрида наружу и прошел через пустую кухню в гостиную, где миссис Уизли и Джинни продолжали хлопотать вокруг Джорджа. Кровотечение миссис Уизли остановила, и в свете лампы Гарри увидел там, где прежде находилось ухо Джорджа, чистую, зияющую дыру.

— Как он?

Миссис Уизли, обернувшись, ответила:

— Заново отрастить ухо, отнятое черной магией, я не способна. Но могло быть гораздо хуже... Ведь он жив.

— Да, — отозвался Гарри. — Слава богу.

— Я слышала во дворе шум, — сказала Джинни. — Вернулся кто-то еще?

— Гермиона и Кингсли, — ответил Гарри.

— Слава богу, — прошептала Джинни. Они взглянули друг на друга. Гарри захотелось обнять ее, прижать к себе, ему не помешало бы и присутствие миссис Уизли, но прежде чем он успел поддаться порыву, с кухни донесся какой-то грохот.

— Я докажу мою подлинность, Кингсли, после того, как увижу сына, а теперь отойди, тебе же лучше будет!

Гарри никогда еще не слышал от мистера Уизли столь резких слов. Тот ворвался в гостиную — очки набок, лысинка блестит от пота. По пятам за ним следовал Фред. Оба были бледны, но невредимы.

— Артур! — всхлипнула миссис Уизли. — Слава богу!

— Как он?

Миссис Уизли опустилась рядом с Джорджем на колени. Впервые за все время знакомства с Фредом Гарри увидел, что тот не может вымолвить ни слова. Фред стоял за спинкой софы, смотрел на рану брата и, похоже, не мог поверить в увиденное.

Джордж, разбуженный, вероятно, появлением отца и брата, пошевелился.

— Как ты себя чувствуешь, Джордж? — прошептала миссис Уизли.

Пальцы Джорджа ощупали висок и дыру рядом с ним.

— Как слизняк, — пробормотал он

— Что с ним? — хрипло спросил явно ужаснувшийся Фред. — У него задет мозг?

— Как слизняк, — повторил Джордж и, открыв глаза, взглянул на брата. — Сам же видишь... Слизняк. Улитка без раковины, Фред. Дошло?

Миссис Уизли зарыдала так, как никогда прежде не рыдала. Лицо Фреда залила краска.

— Ты безнадежен, — сказал он Джорджу. — Безнадежен! Из всего созданного миром богатства острот насчет уха ты ухитрился выбрать всего-навсего ушную раковину!

— Да ладно тебе, — сказал Джордж и улыбнулся обливающейся слезами матери. — Теперь ты хотя бы сможешь нас различать, мам. — И он огляделся вокруг. — Привет, Гарри! Ты ведь Гарри, так?

— Да, — ответил Гарри, подходя поближе к софе.

— Ну, по крайней мере, ты вернулся целым, — сказал Джордж. — А почему Рон с Биллом не теснятся у постели больного?

— Они еще не возвратились, Джордж, — ответила миссис Уизли. Улыбка Джорджа погасла. Гарри взглянул на Джинни и слегка повел подбородком, прося ее выйти с ним из гостиной. Когда они проходили через кухню, Джинни негромко сказала:

— Рон и Тонкс уже должны были вернуться. Дорога у них не длинная, тетя Мюриэль живет неподалеку отсюда.

Гарри промолчал. С первой минуты появления в «Норе» он старался не поддаваться страху, но теперь тот поглотил его и, казалось, ползал по коже, подрагивал в груди, перехватывал горло. Пока они спускались по ступенькам крыльца в темный двор, Джинни взяла его за руку.

Кингсли расхаживал по двору взад и вперед, поднимая при каждом развороте взгляд к небу. Гарри вспомнился дядя Вернон, вот так же расхаживавший по гостиной миллион лет назад. Хагрид, Гермиона и Люпин стояли плечом к плечу, молча глядя в небеса. Никто из них не обернулся, когда Гарри и Джинни присоединились к их безмолвному бдению.

Минуты как будто растягивались в года. Легчайшее дуновение ветра заставляло всех резко оборачиваться к кустам или к дереву в надежде, что это один из пропавших членов Ордена пробирается, целый и невредимый, сквозь листву...

И наконец прямо над их головами материализовалась и понеслась к земле метла...

— Это они! — пронзительно вскрикнула Гермиона.

Тонкс приземлилась так лихо, что метлу занесло и от нее полетели во все стороны камушки и земля.

— Римус! — закричала, спрыгивая с метлы, Тонкс и, пошатнувшись, бросилась в объятия Люпина. Лицо у него было застывшее, белое, казалось, он разучился говорить. Рон, покачиваясь, побежал к Гермионе и Гарри.

— Ты цела, — пробормотал он еще до того, как его обвили руки Гермионы.

— Я думала... думала...

— Я в порядке, — произнес Рон, гладя ее по спине. — Все хорошо.

— Рон великолепен, — горячо сообщила Тонкс, отрываясь от Люпина. — Просто молодец. Оглушил одного из Пожирателей, прямо в башку попал, а когда целишься с летящей метлы в движущуюся мишень...

— Правда? — спросила Гермиона, глядя в лицо Рона и все еще обвивая руками его шею.

— И ведь вечно этот удивленный тон, — сварливо проворчал, высвобождаясь, Рон. — Ну что, все вернулись?

— Нет, — ответила Джинни, — мы все еще ждем Билла, Флер, Грозного Глаза и Наземникуса. Я пойду, Рон, скажу маме и папе, что с тобой все хорошо.

Она убежала в дом.

— Почему вы так задержались? Что случилось? — почти сердито спросил Люпин у Тонкс.

— Беллатриса, — ответила Тонкс. — Оказывается, я нужна ей не меньше, чем Гарри. Она очень старалась убить меня, Римус. Жаль, что я ее не достала. Я перед ней в долгу. А вот Родольфуса мы поувечили точно... Ну а потом добрались до Роновой тетушки Мюриэль, к отлету портала не поспели, а она развела такую суету...

На челюсти Люпина подрагивал мускул. Он кивнул, но сказать, похоже, ничего способен не был.

— А что приключилось с вами? — спросила Тонкс, поворачиваясь к Гарри, Гермионе и Кингсли.

Они рассказали ей о своих полетах, но затянувшееся отсутствие Билла, Флер, Грозного Глаза и Наземникуса продолжало все это время словно покрывать их души инеем, игнорировать ледяные уколы становилось труднее и труднее.

— Я должен вернуться на Даунинг-стрит, — сказал Кингсли, в последний раз окидывая взглядом небо. — Меня там уже час как ждут. Когда они возвратятся, дайте мне знать.

Люпин кивнул снова. Помахав всем на прощание, Кингсли направился к укрытым тьмой воротам. Гарри показалось, что он расслышал негромкий хлопок, с которым Кингсли трансгрессировал, едва выйдя за границу «Норы».

По ступенькам сбежали миссис и мистер Уизли, за ними поспешала Джинни. Родители обняли Рона, потом повернулись к Люпину и Тонкс.

— Спасибо за наших сыновей, — сказала миссис Уизли.

— Не говори глупостей, Молли, — мгновенно отозвалась Тонкс.

— Как Джордж? — спросил Люпин.

— А что с Джорджем? — звонко спросил Рон.

— Он потерял...

Но последние слова миссис Уизли потонули в общем крике: откуда ни возьмись в небе возник фестрал, вскоре приземлившийся в паре ярдов от них. Билл и Флер соскользнули с его спины, растрепанные ветром, но целые.

— Билл! Слава богу, слава богу...

Миссис Уизли бросилась к сыну, однако Билл обнял ее, как будто не понимая, что делает, и, глядя в глаза отцу, сказал:

— Грозный Глаз мертв.

Никто не произнес ни слова, никто не шелохнулся. Гарри показалось, что внутри у него что-то обрывается, рушится, пробивая землю и покидая его навсегда.

— Он погиб на наших глазах, — сказал Билл, и Флер кивнула. В падавшем из окна кухни свете на ее щеках поблескивали дорожки слез. — Все произошло сразу после того, как мы прорвали кольцо. Грозный Глаз и Земник были совсем близко, они тоже летели на север. Волан-де-Морт — он, оказывается, умеет летать — зашел прямо на них. Земник запаниковал, я слышал, как он орет. Грозный Глаз попытался задержать его, однако он трансгрессировал. Заклятие Волан-де-Морта ударило Грюма прямо в лицо, он навзничь слетел с метлы, а мы ничего не могли сделать, ничего, у нас на хвосте висело с полдюжины... — Голос Билла надломился.

— Конечно, не могли, — сказал Люпин.

Они стояли, глядя друг на друга. Гарри никак не удавалось до конца осознать случившееся. Грозный Глаз погиб, этого не может быть... Грозный Глаз, такой крепкий, такой отважный, так хорошо умевший бороться за свою жизнь...

Наконец все сообразили, хоть никто и не сказал об этом вслух, что дальнейшее ожидание во дворе бессмысленно, и молча пошли за миссис и мистером Уизли в «Нору», в гостиную дома, где смеялись, обмениваясь шуточками, Фред с Джорджем.

— Что-то не так? — спросил Фред, увидев лица вошедших. — Что случилось? Кто?

— Грозный Глаз, — ответил мистер Уизли. — Убит.

Улыбки близнецов сменились выражением ужаса. Никто, казалось, не понимал, что делать дальше. Тонкс тихо плакала в носовой платок: Гарри знал, она была близким другом Грозного Глаза, его любимицей, его протеже в Министерстве магии. Хагрид, усевшийся на пол в углу гостиной, где было больше всего свободного места, тоже промокал глаза носовым платком размером со скатерть.

Билл подошел к буфету, достал бутылку огненного виски, стаканы.

— Вот, — сказал он и взмахом палочки отправил по воздуху двенадцать наполненных стаканов тем, кто находился в гостиной, и высоко поднял тринадцатый. — За Грозного Глаза.

— За Грозного Глаза, — повторили все и выпили.

— За Грозного Глаза, — запоздалым эхом отозвался, икнув, Хагрид.

Огненное виски обожгло Гарри горло. Казалось, оно снова распалило его чувства, отогнав немоту и ощущение нереальности происходящего, воспламенив в нем что-то вроде отваги.

— Стало быть, Наземникус сбежал? — сказал Люпин, одним махом осушив стакан.

Атмосфера изменилась мгновенно: все застыли, глядя на Люпина, одновременно и желая, казалось Гарри, чтобы он продолжал говорить, и немного страшась того, что могут услышать.

— Я знаю, о чем ты думаешь, — сказал Билл. — Я и сам размышлял об этом по пути сюда, ведь, похоже, нас ожидали, так? Однако Наземникус не мог предать нас. Пожиратели смерти не знали о семерых Гарри, наше появление сбило их с толку, и вспомни: этот надувательский трюк как раз Наземникус и придумал. Почему же он не рассказал им о самом главном? Думаю, Земник просто запаниковал, вот и все. Он с самого начала не хотел в этом участвовать, но Грозный Глаз заставил его. Сам-Знаешь-Кто летел прямо на них, тут бы всякий ударился в панику.

— Сами-Знаете-Кто вел себя в точности так, как рассчитывал Грозный Глаз, — сказала, шмыгая носом, Тонкс. — Грюм говорил, что он решит, будто настоящего Гарри сопровождает самый крепкий, самый искусный из мракоборцев. Он и напал первым делом на Грюма, а когда Наземникус удрал, понял, что выбрал не тех, и взялся за Кингсли...

— Все это очень хо'гошо, — резко произнесла Флер, — но никак не объясняет, откуда они знали, что мы будем пе'гевозить 'Арри нынче ночью, так? Кто-то п'гоболтался, назвал дату посто'гоннему. Только это и может объяснить то, что они знали день и не знали под'гобностей плана.

И Флер, на прекрасном лице которой так и остались следы слез, обвела гостиную гневным взглядом, молча призывая любого желающего оспорить сказанное ею. Никто не возразил. Единственным, что нарушало тишину, была икота Хагрида, пробивавшаяся сквозь его носовой платок. Гарри взглянул на Хагрида, совсем недавно рисковавшего жизнью, чтобы спасти его, на Хагрида, которого он любил, которому верил, на Хагрида, у которого Волан-де-Морт обманом выманил важнейшие сведения в обмен на драконье яйцо...

— Нет, — громко произнес Гарри, и все удивленно уставились на него — наверное, огненное виски придало его голосу новую силу. — Я хочу сказать... — продолжал Гарри, — если кто-то совершил ошибку, проговорился, я уверен, они сделали это неумышленно. Это не их вина, — повторил он опять-таки громче, чем говорил обычно. — Мы должны доверять друг другу. Я доверяю вам всем и не думаю, что кто-нибудь из вас способен продать меня Волан-де-Морту.

За этими словами снова последовало молчание. Все смотрели на Гарри, и он, почувствовав, что краснеет, отпил еще огненного виски, чтобы как-то справиться с этим. А проглатывая его, вспомнил, с какой язвительностью Грозный Глаз всегда отзывался о готовности Дамблдора доверять людям.

— Хорошо сказано, Гарри, — с неожиданной серьезностью сказал Фред.

— Да, слушайте, слушайте во все уши, — поддержал его Джордж и тут же покосился на Фреда, у которого чуть дернулся уголок рта.

Люпин всматривался в Гарри со странным, похожим на жалость выражением лица.

— Вы считаете меня дураком? — требовательно спросил Гарри.

— Нет, — ответил Люпин, — я считаю, что ты похож на Джеймса, который видел в недоверии к друзьям вершину бесчестья.

Гарри понимал, на что намекает Люпин: на то, что отца предал друг, Питер Петтигрю. И Гарри охватил нелепый гнев. Ему хотелось затеять спор, однако Люпин отвернулся от него, опустил свой стакан на стол и обратился к Биллу:

— Есть одно дело. Я могу попросить Кингсли...

— Нет, — сразу ответил Билл, — я готов и пойду с тобой.

— Куда это? — в один голос спросили Тонкс и Флер.

— За телом Грозного Глаза, — ответил Люпин. — Его нужно забрать.

— А это не может... — начала миссис Уизли, с мольбой глядя на Билла.

— Подождать? — спросил Билл. — Не может, если ты не хочешь, чтобы Пожиратели смерти добрались до него первыми.

Снова наступило молчание. Люпин и Билл попрощались и ушли.

Оставшиеся расселись по креслам — все, кроме Гарри, так и продолжавшего стоять. Внезапность и окончательность смерти, казалось, поселились в этой комнате, подобно привидениям.

— Я тоже должен уйти, — произнес Гарри.

Десять пар глаз уставились на него.

— Не дури, Гарри, — сказала миссис Уизли. — О чем ты?

— Я не могу здесь оставаться. — Он потер лоб: шрам снова покалывало, так сильно он не болел вот уже больше года. — Пока я здесь, вы все в опасности, а я не хочу...

— Но это же глупо! — воскликнула миссис Уизли. — Весь смысл этой ночи состоял в том, чтобы доставить тебя сюда невредимым, и, благодарение небу, так и случилось. И потом, Флер согласилась выйти замуж здесь, а не во Франции, и мы уже все подготовили для того, чтобы каждый из нас мог остаться здесь и оберегать тебя...

Она не понимала, что от ее слов Гарри становится не лучше, а хуже.

— Если Волан-де-Морт узнает, что я здесь...

— Да как же он узнает? — спросила миссис Уизли.

— Существует дюжина домов, Гарри, в каждом из которых ты можешь сейчас находиться, — сказал мистер Уизли. — У него нет возможности выяснить, где ты скрываешься.

— Я не о себе беспокоюсь! — ответил Гарри.

— Мы знаем, — негромко произнес мистер Уизли, — но если ты уйдешь, все наши сегодняшние усилия обессмыслятся.

— Никуда ты не пойдешь, — пророкотал Хагрид. — Господи, Гарри, после всего, что ты пережил, чтобы добраться сюда?

— Да, и как же мое кровоточащее ухо? — спросил, приподнимаясь на подушках, Джордж. — Я уверен, что...

— Грозный Глаз не хотел бы...

— Я ЗНАЮ! — рявкнул Гарри.

Он чувствовал себя окруженным со всех сторон, подвергающимся шантажу. Неужели все думают, будто он не понимает, что они для него сделали, не понимают, что именно поэтому он и хочет уйти сейчас, прежде чем пострадает кто-то еще? В гостиной повисло долгое, неловкое молчание, в котором шрам Гарри продолжал пульсировать и дергаться от боли, точно его кололи иглами. Наконец молчание нарушила миссис Уизли.

— А где Букля, Гарри? — словно стараясь задобрить его, спросила она. — Мы бы посадили ее с Сычиком, покормили.

Внутренности Гарри точно стиснул огромный кулак. Он не мог сказать ей правду. И допил, избегая ответа, остатки виски.

— Вот погоди, все еще узнают, как ты опять его сделал, Гарри, — произнес Хагрид. — Мало того что удрал от него, так еще и отбился, когда он на тебя насел!

— Это не я, — без всякого выражения ответил Гарри. — Это моя палочка. Она все сделала сама.

После нескольких секунд молчания Гермиона негромко сказала:

— Но это же невозможно, Гарри. Ты, наверное, хочешь сказать, что совершил волшебство сам того не ведая, инстинктивно.

— Нет, — возразил Гарри. — Мотоцикл разваливался, где находится Волан-де-Морт, я понять не мог, однако палочка повернулась в моей руке, отыскала его и выпалила заклятием, да еще таким, какого я и не знал никогда. У меня золотистое пламя ни разу из палочки не вылетало.

— Бывает, — сказал мистер Уизли, — что, попадая в безвыходное положение, человек начинает творить чудеса, о которых и не мечтал. Совсем маленькие, ничему не обученные дети нередко проявляют...

— Все было не так, — сквозь сжатые зубы сказал Гарри. Шрам горел, Гарри испытывал гнев и разочарование, ему ненавистна была мысль о том, что все они воображают, будто он обладает силой, сравнимой с силой Волан-де-Морта.

Все молчали. Гарри знал, что ему не поверили. Да и сам он, если говорить всерьез, никогда не слышал о волшебной палочке, самостоятельно занимающейся магией.

Шрам жгла боль, Гарри старался, как мог, не застонать. Пробормотав какие-то слова насчет свежего воздуха, он поставил стакан на стол и вышел из гостиной.

Когда он переходил темный двор, огромный скелетообразный фестрал поднял на него взгляд, пошуршал крыльями и снова вернулся к траве, которую подъедал. Гарри постоял у ведущей в огород калитки, глядя на чрезмерно разросшиеся растения, потирая лоб, в котором бухала боль, и думая о Дамблдоре.

Дамблдор ему поверил бы, в этом Гарри не сомневался. Дамблдор понял бы, как и почему палочка Гарри сработала независимо от хозяина, потому что у Дамблдора имелись ответы на любой вопрос. Он многое знал о палочках, ведь рассказал же он Гарри о странной связи, существующей между его, Гарри, палочкой и палочкой Волан-де-Морта... Однако Дамблдор, как и Грозный Глаз, как Сириус и родители Гарри, как его бедная сова — все они ушли, и теперь он никогда уже не сможет поговорить с ними. Он ощутил, как горло его обжигает нечто, никакого отношения к огненному виски не имеющее...

И тут, совершенно неожиданно, боль в шраме усилилась, став невыносимой. А как только он стиснул ладонями лоб и закрыл глаза, в голове его завопил пронзительный голос:

— Ты сказал, что проблему решает использование другой палочки!

И перед внутренним взором Гарри возник истощенный старик в тряпье, лежащий на голом каменном полу, испускающий жуткие, протяжные вопли непереносимой муки...

— Нет! Нет! Умоляю вас, умоляю...

— Ты солгал лорду Волан-де-Морту, Олливандер!

— Нет... клянусь, нет...

— Ты хотел помочь Поттеру, помочь ему спастись от меня!

— Клянусь, это не так... я верил, что другая палочка сработает...

— Так объясни же мне, что произошло. Палочка Люциуса погибла!

— Я не могу понять... связь... существует только... между двумя вашими палочками...

— *Лжешь!*

— Пожалуйста... умоляю вас...

Гарри увидел, как поднялась держащая палочку белая рука, ощутил, как Волан-де-Морта окатила волна отвратительной злобы, увидел, как на полу забился в агонии слабый старик...

— Гарри!

Все завершилось так же быстро, как началось, — Гарри стоял в темноте, содрогаясь, вцепившись в огородную калитку, сердце его бешено билось, шрам все еще покалывало. Ему потребовалось несколько секунд, чтобы сообразить, — рядом с ним стоят Рон и Гермиона.

— Пойдем в дом, Гарри, — прошептала Гермиона. — Ведь ты же не уедешь, правда?

— Да, дружок, ты должен остаться, — сказал Рон и хлопнул Гарри по спине.

— Как ты себя чувствуешь? — спросила Гермиона, стоявшая к Гарри достаточно близко для того, чтобы видеть его лицо. — Вид у тебя ужасный!

— Ну... — дрожащим голосом ответил Гарри, — наверное, он все же лучше, чем у Олливандера...

Когда он закончил рассказ о том, что увидел, Рон выглядел испуганным, а Гермиона и вовсе охваченной ужасом.

— Но ведь это должно было прекратиться! Твой шрам... Предполагалось, что больше он этого делать не будет! Не давай вашей связи установиться снова. Дамблдор хотел, чтобы ты закрыл для нее свое сознание!

Гарри не ответил, и она стиснула его руку.

— Гарри, он завладел Министерством, газетами и половиной волшебного мира! Не позволяй ему пробраться еще и в твою голову!

Глава 6

УПЫРЬ В ПИЖАМЕ

Потрясение, вызванное утратой Грозного Глаза, пронизывало дом во все последующие дни. Гарри все ждал, что он войдет, стуча деревянной ногой, в заднюю дверь дома, как входили в нее (и выходили) другие члены Ордена, приносившие новости. И чувствовал, что только настоящее дело способно умерить его горе и чувство вины, что он должен как можно быстрее отправиться на поиски оставшихся крестражей и уничтожить их.

— Ладно, но пока тебе не исполнится семнадцать, ты ничего с... — и Рон молча, одними губами выговорил «крестражами», — все равно сделать не сумеешь. Ты же под Надзором. А строить планы мы можем и здесь, как в любом другом месте, верно? Или, — он понизил голос до шепота, — ты думаешь, что тебе уже известно, где находятся сам-знаешь-что?

— Нет, — признал Гарри.

— По-моему, Гермиона пытается кое-что выяснить, — сказал Рон. — Она говорит, что откладывала это до твоего появления здесь.

Они сидели за завтраком. Мистер Уизли и Билл только что отбыли на работу, миссис Уизли пошла наверх будить Гермиону и Джинни, а Флер отправилась принимать ванну.

— Надзор снимут тридцать первого, — сказал Гарри. — Значит, здесь мне осталось пробыть только четыре дня. Потом я смогу...

— Пять, — решительно поправил его Рон. — Мы должны остаться на свадьбу. Иначе они нас просто убьют.

«Они», как понял Гарри, означало Флер и миссис Уизли.

— Всего один лишний день, — сказал Рон, поняв, что Гарри вот-вот взбунтуется.

— Неужели они не понимают, насколько важно...

— Конечно, не понимают, — ответил Рон. — Они же ничего не знают. И кстати, раз уж зашла речь о свадьбе, мне нужно с тобой поговорить.

Рон глянул в сторону выходящей в прихожую двери, проверяя, не спустилась ли вниз миссис Уизли, и склонился поближе к Гарри.

— Мама попыталась выяснить у меня и у Гермионы что к чему. Чем мы собираемся заняться. Теперь она возьмется за тебя, так что держись. Папа и Люпин тоже задавали вопросы, но когда мы сказали, что Дамблдор велел тебе ничего никому, кроме нас, не говорить, они тут же отстали. Мама — другое дело. Она человек упорный.

Предсказание Рона сбылось уже через несколько часов. Незадолго до обеда миссис Уизли увела Гарри подальше от всех прочих, попросив его взглянуть на одинокий мужской носок, который, как она полагала, мог выпасть из его рюкзака. И, заведя Гарри в посудомойню при кухне, приступила к допросу.

— Рон с Гермионой, похоже, считают, что вам троим следует покинуть Хогвартс, — начала она легким и непринужденным тоном.

— А, — отозвался Гарри, — ну да. Мы уходим из школы.

В углу сам собой повернулся отжимной каток, выбросив из-под себя нечто, походившее на бывший жилет мистера Уизли.

— А можно мне спросить, почему вы решили прервать образование? — поинтересовалась миссис Уизли.

— Понимаете, Дамблдор поручил мне... одну вещь, — промямлил Гарри. — Рон и Гермиона знают о ней и хотят помочь.

— И что за «вещь»?

— Простите, я не могу...

— Знаешь, если честно, я думаю, мы с Артуром имеем право знать это. Уверена, что и мистер с миссис Грейнджер тоже! — заявила миссис Уизли.

Общей атаки «озабоченных родителей» Гарри опасался всерьез. И потому заставил себя взглянуть прямо в глаза миссис Уизли, поневоле отметив при этом, что цвет у них точь-в-точь такой же, как у Джинни. Но легче от этого не стало.

— Дамблдор не хотел, чтобы об этом знал кто-то еще, миссис Уизли. Простите. Рон и Гермиона помогать мне не обязаны. Они сами вызвались...

— Я все равно не понимаю, зачем уходить из школы! — оставив всякое притворство, выпалила она. — Вам и летто всего ничего. Ерунда какая-то. Если Дамблдору нужно было исполнить какое-то дело, так в его распоряжении имелся целый Орден! Ты, наверное, неправильно понял его, Гарри. Скорее всего, он сказал, что ему нужно что-то сделать, а ты решил, будто он требует этого от тебя...

— Нет, — ровным тоном ответил Гарри, — я понял все правильно. Сделать это могу только я.

Он вернул миссис Уизли, расшитый золотыми камышинами носок, принадлежность которого ему якобы надлежало установить.

— Не мой, — сказал он. — Я не болею за команду «Пэдмор Юнайтед».

— А, ну да, — отозвалась миссис Уизли, снова вдруг обретая, что несколько настораживало, свой обычный небрежный тон. — Могла бы и сама догадаться. Ладно, Гарри, раз уж мы все пока здесь, помоги нам в приготовлениях к свадьбе Билла и Флер, ладно? Столько еще всего осталось сделать.

— Нет... я... конечно, — промямлил обескураженный внезапной сменой темы Гарри.

— Какой ты все-таки милый, — сказала она и, улыбаясь, покинула посудомойню.

И, начиная с этой минуты, миссис Уизли принялась наваливать на Гарри, Рона и Гермиону столько связанных с приготовлениями к свадьбе дел, что времени подумать о чем бы то ни было у них просто не оставалось. Самое доброжелательное истолкование ее поведения состояло в том, что она пытается отвлечь их от мыслей о

Грозном Глазе и ужасах их недавнего перелета. Однако, проведя два дня в безостановочной чистке ножей, подборе цветов для бантиков, ленточек и букетов, очистке сада и огорода от гномов и помощи миссис Уизли в изготовлении немыслимых количеств канапе, Гарри начал подозревать, что она руководствуется совсем иными мотивами. Все, что она им поручала, казалось, удерживало его, Рона и Гермиону на расстоянии друг от друга. С той первой ночи, когда он рассказал друзьям, как Волан-де-Морт пытал Олливандера, у него не было ни единой возможности поговорить с ними наедине.

— По-моему, мама решила, — негромко сказала Джинни, когда на третий день пребывания Гарри в «Норе» они вдвоем накрывали стол к обеду, — что если она не даст вам сойтись и о чем-нибудь договориться, то сможет отсрочить ваш уход.

— И что, по ее мнению, будет дальше? — пробормотал Гарри. — Кто-то другой убьет Волан-де-Морта, пока мы готовим пирожки с мясом?

Он произнес это не подумав и сразу увидел, как побелела Джинни.

— Так это правда? — спросила она. — Вот, значит, что ты задумал?

— Я... нет... я пошутил, — уклончиво ответил Гарри.

Они смотрели друг другу в глаза, и в выражении лица Джинни читалось нечто большее, чем потрясение. И внезапно Гарри сообразил, что они остались наедине впервые с тех украденных у учебы часов, которые проводили вместе в укромных уголках школьного двора. Он не сомневался, что и Джинни вспоминает сейчас об этих часах. И оба они нервно дернулись, когда дверь распахнулась и в нее вошли мистер Уизли, Кингсли и Билл.

Теперь за обедом к ним часто присоединялись другие члены Ордена — «Нора» заменила собой дом на площади Гриммо, превратившись в штаб-квартиру Ордена Феникса. Мистер Уизли объяснял это тем, что после смерти Дамблдора, их Хранителя Тайны, все, кому Дамблдор открыл местонахождение дома на площади Гриммо, стал исполнять должность Хранителя поочередно.

— Нас таких человек двадцать, а значит, и заклятие Доверия ослабевает соответственно. У Пожирателей смерти появилось в двадцать раз больше возможностей вытянуть из кого-нибудь эту тайну. Надеяться на дальнейшее ее сохранение уже нельзя.

— Да, но ведь Снегг, наверное, уже назвал ваш адрес Пожирателям, — сказал Гарри.

— Видишь ли, Грозный Глаз наложил на это место пару заклятий — на тот случай, если Снегг снова появится в нем. Мы надеемся, конечно, что они достаточно сильны для того, чтобы и не подпустить его близко, и связать ему язык, если он попытается что-либо сказать на этот счет, но полной уверенности у нас нет. А использовать в качестве штаб-квартиры дом, защита которого стала настолько ненадежной, было бы просто безумием.

В этот вечер народа в кухню набилось столько, что орудовать вилкой и ножом стало непросто. Гарри сидел, притиснутый к Джинни, и то несказанное, что произошло между ними, вызывало у него желание оказаться от нее как можно дальше. Он так старался даже ненароком не задевать ее руку, что справиться с лежавшим перед ним цыпленком ему уже не удавалось.

— Есть что-нибудь новое о Грозном Глазе? — спросил он у Билла.

— Ничего, — ответил Билл.

Организовать похороны Грюма не удалось, поскольку Билл и Люпин так и не смогли отыскать его тело. Темнота и неразбериха сражения затрудняли поиски места, куда оно могло упасть.

— «Ежедневный пророк» ни словом не обмолвился ни о его смерти, ни о нахождении тела, — продолжал Билл. — Впрочем, это ничего не значит. В последнее время «Пророк» умалчивает о многом.

— А разбирательства по поводу незаконного использования мной магии при попытке спастись от Пожирателей смерти Министерство все еще не назначило? — через стол спросил Гарри у мистера Уизли, и тот отрицательно покачал головой. — Это потому, что там понимают: у меня не было иного выбора, или они просто не хотят, чтобы я рассказал всем о Волан-де-Морте, который напал на меня?

— Думаю, последнее вернее. Скримджер не желает признавать ни того, что Волан-де-Морт так же силен, как он, ни того, что из Азкабана совершен массовый побег.

— Ну да, зачем говорить обществу правду? — сказал Гарри и с такой силой сжал в ладони нож, что на ней отчетливо выступили белые шрамы, слагавшиеся в слова: «Я не должен лгать».

— Разве в Министерстве нет людей, готовых выступить против него? — гневно спросил Рон.

— Конечно, есть, Рон, однако многие просто боятся, — ответил мистер Уизли. — Боятся исчезнуть следующими, боятся, что следующему нападению подвергнутся их дети. Слухи ходят самые страшные. Я, к примеру, не верю, что хогвартский профессор магловедения просто ушла в отставку. Ее уже много недель как никто не видел. А тем временем Скримджер сидит весь день у себя в кабинете и помалкивает — остается только надеяться, что он разрабатывает некий план.

Наступило молчание, позволившее миссис Уизли зачаровать пустые тарелки, дабы они убрались со стола, и подать яблочный пирог.

— Нам надо ‘гешить, как замаски’говать тебя, ’Арри, — сказала Флер, когда все принялись за сладкое. — На в’гемя свадьбы, — прибавила она, увидев его недоумевающее лицо. — Конечно, Пожи’гателей сме’гти с’геди наших гостей не будет, но ведь после того, как они напьются шампанского, ничего га’ганти’говать нельзя.

Из чего Гарри заключил, что Хагрид все еще состоит у нее на подозрении.

— Да, мысль хорошая, — согласилась миссис Уизли, которая сидела во главе стола и, нацепив на кончик носа очки, просматривала начертанный на очень длинном свитке пергамента список неотложных дел. — Скажи, Рон, ты в своей спальне уже прибрался?

— Да *почему*? — воскликнул Рон, плюхнув свою ложку на стол и гневно уставившись на мать. — Почему я должен прибираться в своей спальне? Нам с Гарри в ней и так хорошо!

— Через несколько дней, молодой человек, в этом доме состоится свадьба твоего брата...

— Он что, в моей спальне ее играть собирается? — гневно поинтересовался Рон. — Нет! Так какого же обвислого Мерлина...

— Не смей так разговаривать с матерью, — твердо произнес мистер Уизли, — и делай то, что тебе говорят.

Рон скорчил обоим своим родителям рожу, взял со стола ложку и вонзил ее в остатки яблочного пирога.

— Я могу помочь, я же там тоже намусорил, — сказал Рону Гарри, однако у миссис Уизли имелись на его счет собственные планы.

— Нет, Гарри, дорогой, я предпочла бы, чтобы ты помог Артуру привести в порядок курятник, а ты, Гермиона, застели, пожалуйста, постель для мсье и мадам Делакур, они приезжают послезавтра в одиннадцать утра.

Впрочем, поутру выяснилось, что курятник и так в порядке.

— Собственно... э-э-э... Молли говорить об этом не обязательно, — сказал мистер Уизли, преграждая Гарри дорогу, — но... э-э... видишь ли, Тед Тонкс прислал мне большую часть того, что осталось от мотоцикла Сириуса, и я, э-э, спрятал, вернее, так сказать, держу все это в курятнике. Фантастическая машина: выхлопная пурга, по-моему, это так называется, потрясающий аккумулятор, ну и превосходная возможность выяснить наконец, как устроены тормоза. Я хочу попробовать снова собрать его, пока Молли не... ну то есть пока у меня есть свободное время.

Они вернулись в дом, миссис Уизли нигде видно не было, и Гарри проскользнул наверх, в мезонин, где находилась спальня Рона.

— Да идет у меня дело, идет! А, это ты, — с облегчением сказал Рон, увидев входящего Гарри. И Рон улегся на кровать, с которой явно только что вскочил. Беспорядок в комнате был ровно такой же, как неделю назад. Единственное нововведение составляла в ней Гермиона, сидевшая в самом дальнем углу, — у ног ее лежал с одной стороны пушистый рыжий кот Живоглот, а с другой две груды отсортированных книг, среди которых Гарри признал и несколько своих.

— Привет, Гарри, — сказала Гермиона, когда он опустился на свою раскладушку.

— А ты-то как выкрутилась?

— Да, видишь ли, матушка Рона забыла, что еще вчера попросила меня и Джинни перестелить все постели, — ответила Гермиона. После чего она бросила «Ворожбу по числам и словам» в одну груду, а «Взлет и падение Темных искусств» в другую.

— Мы тут насчет Грозного Глаза разговаривали, — сообщил Гарри Рон. — Я думаю, что он все-таки жив.

— Но Билл же видел, как в него ударило Убивающее заклятие, — сказал Гарри.

— Ну да, так ведь Билла в это время атаковали, — ответил Рон. — Приглядываться ему было особенно некогда.

— Даже если Убивающее заклятие в него не попало, Грозный Глаз все равно упал с высоты ярдов в триста, — сказала Гермиона, которая уже взвешивала на ладони справочник «Команды Британии и Ирландии по квиддичу».

— Он мог воспользоваться Щитовыми чарами...

— Флер говорила, что палочку из его руки вышибло, — сказал Гарри.

— Да нет, пожалуйста, если ты хочешь, чтобы он погиб... — сварливо произнес Рон и ради большего удобства принялся разминать подушку.

— Конечно, никто не хочет, чтобы он погиб! — сказала шокированная Гермиона. — То, что он погиб, ужасно! Но надо же оставаться реалистами!

Впервые Гарри представил себе тело Грозного Глаза — такое же изломанное, как тело Дамблдора, но с волшебным оком, все еще продолжающим вращаться в глазнице. И ощутил приступ отвращения, смешанный со странным желанием рассмеяться.

— Скорее всего, Пожиратели смерти все за собой прибирают, потому его и не нашли, — рассудительно сказал Рон.

— Ага, — сказал Гарри, — как они прибрали Барри Крауча, обратили его в скелет и закопали в садике Хагрида. А Грюма, я думаю, трансфигурировали и набили...

— Хватит! — взвизгнула Гермиона.

Испуганный Гарри повернулся к ней как раз вовремя, чтобы увидеть, как она поливает слезами «Словник чародея».

— Ну что ты? — сказал Гарри, выбираясь из раскладушки. — Гермиона, я вовсе не хотел расстроить...

Однако Рон, под резкий скрип ржавых пружин вскочивший с кровати, подоспел к Гермионе первым. Обняв ее одной рукой, он выудил другой из кармана джинсов пугающего вида носовой платок, которым совсем недавно протирал духовку. А затем, торопливо вытащив волшебную палочку, наставил ее на эту тряпицу и произнес:

— *Тергео!*

Палочка отсосала с платка большую часть сальной грязи. Довольный собой, Рон вручил немного дымящийся платок Гермионе.

— О... спасибо, Рон... прости... — Она высморкалась и тихонько икнула. — Просто это так уж-ужасно, правда? С-сразу за Дамблдором... Я почему-то н-никогда не представляла себе Грозного Глаза умирающим, он был таким крепким!

— Да, я понимаю, — сказал Рон и обнял ее за плечи. — Но ты ведь знаешь, что сказал бы нам Грозный Глаз, будь он сейчас здесь?

— П-постоянная бдительность, — ответила, вытирая глаза, Гермиона.

— Вот именно, — кивнул Рон. — Он всегда говорил: учитесь на моем примере. И на этот раз он научил меня не верить трусливому мелкому проходимцу Наземникусу.

Гермиона слабо усмехнулась и наклонилась, чтобы взять еще две книги. Секунду спустя Рону пришлось сдернуть с ее плеч руку — Гермиона уронила ему на ступню «Чудовищную книгу о чудищах». Застежка книги не выдержала, и здоровенный том, сам собой раскрывшись, укусил Рона за лодыжку.

— Ой, прости, прости! — воскликнула Гермиона, а Гарри, стянув книгу со ступни Рона, снова закрыл ее и защелкнул застежку.

— Слушай, а что ты собираешься делать со всеми этими книгами? — спросил Рон, прихрамывая отходя к кровати.

— Пытаюсь решить, — ответила Гермиона, — какие взять с собой, когда мы отправимся искать крестражи.

— А, ну конечно, — хлопнув себя по лбу, сказал Рон. — Я и забыл, что охотиться на Волан-де-Морта мы будем, разъезжая в передвижной библиотеке.

— Ха-ха, — произнесла Гермиона, глядя на лежавший на ее коленях «Словник чародея». — А вот интересно, руны нам переводить придется? Возможно... Эту я, пожалуй, прихвачу — на всякий случай.

Она бросила словник в ту из книжных груд, что была побольше, и подняла с пола «Историю Хогвартса».

— Послушайте, — начал Гарри. Он сидел, вытянувшись в струнку. Гермиона и Рон направили на него взгляды, в которых читалась знакомая смесь вызова и покорности судьбе. — Я знаю, после похорон Дамблдора вы сказали, что отправитесь со мной, — сказал Гарри.

— Ну готово, завел волынку, — выкатив глаза, сообщил Гермионе Рон.

— Чего мы, собственно, и ожидали, — вздохнула она, снова опуская взгляд на книгу. — Знаешь, пожалуй, я и «Историю Хогвартса» возьму. Даже если мы туда не вернемся, мне будет не по себе без...

— Послушайте! — повторил Гарри.

— Нет, Гарри, это *ты* нас послушай, — отозвалась Гермиона. — Мы идем с тобой. Все уже решено месяцы тому назад, а вернее сказать, годы.

— Но...

— Заткнись, — посоветовал ему Рон.

— ...вы уверены, что продумали все как следует? — настаивал Гарри.

— Ладно, давай посмотрим, — сказала Гермиона и не без злости швырнула «Тропою троллей» в груду отвергнутых книг. — Вещи я уложила несколько дней назад, так что мы готовы тронуться с места в любую минуту, и, к твоему сведению, для этого потребовались кое-какие довольно сложные магические манипуляции, не говоря уж о краже всех имевшихся у Грозного Глаза запасов Оборотного зелья, совершенной под самым носом матушки Рона. Кроме того, я изменила память своих родителей, и теперь они уверены, что зовут их Венделлом и Моникой Уилкинс, а мечта всей их жизни состоит в том, чтобы перебраться на жительство в Австралию, что они уже и сделали. Теперь Волан-де-Морту будет труднее найти их и выспросить, где я или где ты, потому что я, к сожалению, кое-что им о тебе рассказала. Если я переживу поиски крестражей, то отыщу маму и папу и сниму свои заклинания. Если нет, что ж, думаю, чар, которые я навела, хватит, чтобы они жили в безопасности и довольстве. Венделл и Моника Уилкинс, видишь ли, даже не подозревают, что у них имеется дочь.

Глаза Гермионы опять наполнились слезами. Рон слез с кровати, снова обнял ее за плечи и, глядя на Гарри, неодобрительно покачал головой, словно укоряя его за отсутствие такта. Гарри не знал, что сказать, еще и потому, что Рон, обучающий кого-то тактичности, представлял собой зрелище до крайности необычное.

— Я... Гермиона, прости... я не...

— Не знал, что мы с Роном отлично понимаем, к чему может привести наш с тобой поход? Ну так мы понимаем. Рон, покажи Гарри то, что ты соорудил.

— Брось, он же только что поел, — сказал Рон.

— Ничего, пусть знает!

— Ну ладно. Пошли, Гарри. — Рон во второй раз снял руку с плеч Гермионы и потопал к двери. — Пошли.

— А в чем дело? — спросил Гарри, выходя следом за Роном на крошечную лестничную площадку.

— *Десцендо!* — пробормотал Рон, направив свою палочку на низкий потолок.

Прямо над их головами открылся люк, а к ногам соскользнула лестничка. Из квадратного отверстия в потолке понеслись жуткие звуки, словно там что-то всасывали, стеная, а с ними и неприятный запах вскрытой канализации.

— Это упырь ваш, что ли? — спросил Гарри, никогда не видевший вживе твари, которая временами нарушала тишину ночи.

— Он самый, — ответил Рон и полез по лестнице вверх. — Поднимайся, взгляни на него.

Гарри поднялся следом за Роном на миниатюрный чердак. Когда там оказались его голова и плечи, он увидел в паре шагов от себя существо, которое крепко спало в сумраке, широко раскрыв рот.

— Но он... он какой-то... Разве упыри носят пижамы?

— Нет, — ответил Рон. — Кроме того, они редко бывают рыжими, да и прыщей у них обычно поменьше.

Гарри, испытывая легкое отвращение, разглядывал спящую тварь. Формой и размерами она походила на человека, и, когда глаза Гарри свыклись с сумраком, он понял, что на ней совершенно явно старая пижама Рона. А кроме того, Гарри был уверен, что упыри — это, как правило, существа слизистые и лысые, а никак уж не волосатые да и таких, как у этого, ярко-красных волдырей на физиономии у них тоже не бывает.

— Это я, понимаешь? — сообщил Рон.

— Нет, — ответил Гарри, — не понимаю.

— Я тебе в комнате все объясню, а то у меня от этого запаха с души воротит, — сказал Рон. Они спустились по лесенке, которую Рон тут же вернул в потолок, и возвратились в комнату, к Гермионе, по-прежнему разбиравшей книги. — Когда мы уйдем, упырь слезет вниз и поселится здесь, в моей комнате, — сказал Рон. — Думаю, он этого ждет не дождется, хотя точно сказать трудно, потому что он только и умеет, что стонать да слюни пускать. Но когда говоришь ему об этой комнате, он все время кивает. В общем, он будет мной, но только больным обсыпным лишаем. Здорово, а?

Гарри просто смотрел на Рона, ничего не понимая.

— Да здорово, здорово! — заверил его Рон, явно разочарованный тем, что Гарри не усвоил всего блеска его замысла. — Ты пойми, когда мы трое не вернемся в Хогвартс, все решат, что Гермиона и я с тобой, так? А это значит, что Пожиратели смерти, надеясь выяснить, где ты есть, тут же займутся нашими родными.

— Со мной проще, — сказала Гермиона, — все будет выглядеть так, будто я уехала с мамой и папой. Сейчас многие полумаглы поговаривают о том, чтобы где-нибудь спрятаться.

— А спрятать всю мою семью мы не можем, это вызовет подозрения, и потом, у них же работа, — продолжал Рон. — Вот мы и распустим слух, что я не вернулся в школу потому, что серьезно заболел обсыпным лишаем. Если кто-нибудь сунется сюда с проверкой, мама с папой покажут им покрытого волдырями упыря, лежащего в моей постели. Обсыпной лишай — штука заразная, так что близко к нему никто подходить не станет. А что он говорить не умеет, тоже не беда — когда у человека грибы на языке растут, ему не до разговоров.

— А твои мама и папа с этим планом согласны? — спросил Гарри.

— Папа согласен. Он помогал Фреду и Джорджу переделывать упыря. А мама... ну, ты же маму знаешь. Пока мы не уйдем, она с нашим уходом не смирится.

В комнате наступила тишина, нарушавшаяся только негромкими ударами, — это Гермиона продолжала разбрасывать книги по двум грудам. Рон сидел, наблюдая за ней, Гарри, не способный сказать ни слова, глядел то на него, то на нее. То, что они придумали для защиты своих родных, окончательно убедило его: друзья действительно отправятся с ним, хорошо сознавая, какой опасности подвергаются. Гарри хотелось сказать им, как это для него важно, но он не мог найти достаточно внушительных слов.

Потом в тишине послышались приглушенные звуки — это миссис Уизли кричала что-то четырьмя этажами ниже.

— Наверное, Джинни проглядела пылинку на каком-нибудь дурацком кольце для салфеток, — сказал Рон. — Не понимаю, с какой стати Делакуры приезжают к нам аж за два дня до свадьбы.

— Сестра Флер будет подружкой невесты, ей нужно отрепетировать свою роль, а одна она приехать не может, слишком мала, — сказала Гермиона, с сомнением вглядываясь во «Встречи с вампирами».

— Боюсь, присутствие гостей мамины нервы не успокоит, — сказал Рон.

— Что нам действительно необходимо решить, — сказала Гермиона, без раздумий бросая в мусорную корзину «Теорию оборонной магии» и беря с пола «Обзор магического образования в Европе», — так это куда мы отсюда отправимся. Я знаю, ты говорил, Гарри, что хочешь сначала посетить Годрикову Впадину, и я тебя понимаю, однако... Ну, в общем... не следует ли нам первым делом заняться крестражами?

— Если бы мы знали, где они, я бы с тобой согласился, — ответил Гарри, не веривший, что Гермионе действительно понятно его желание вернуться в Годрикову Впадину. Гарри притягивали туда не только могилы родителей. У него появилось сильное, хоть и смутное чувство, что он найдет там ответы на многие вопросы. Возможно, оно объяснялось попросту тем, что именно в этом месте Гарри выжил, получив от Волан-де-Морта Убивающее заклятие, и теперь, когда ему предстояло повторить этот подвиг, его влекла туда надежда понять, как все случилось.

— А ты не думаешь, что Волан-де-Морт может держать в Годриковой Впадине дозорных? — спросила Гермиона. — Он ведь мог решить, что, получив полную свободу передвижения, ты вернешься туда, чтобы навестить могилы родителей.

Это Гарри в голову пока не приходило. Он попытался придумать доводы в пользу противного, но тут заговорил Рон, мысли которого, видимо, шли по другому пути.

— Этот Р. А. Б., — сказал он. — Ну, помнишь, тот, что похитил настоящий медальон?

Гермиона кивнула.

— В оставленной им записке сказано, что он собирается его уничтожить, верно?

Гарри подтянул к себе свой рюкзак и достал поддельный крестраж, в котором так и лежала записка от Р. А. Б.

— «Я похитил настоящий крестраж и намереваюсь уничтожить его, как только смогу», — прочитал Гарри.

— Ну вот, а что, если он его и впрямь уничтожил? — спросил Рон.

— Или она, — вставила Гермиона.

— Да кто угодно, — сказал Рон. — Тогда у нас будет одним делом меньше!

— Верно, но нам все равно придется искать настоящий медальон, ведь так? — сказала Гермиона. — Чтобы выяснить, уничтожен он или нет.

— И еще, когда мы доберемся до крестража, как мы его разрушим? — спросил Рон.

— Ну, — произнесла Гермиона, — на этот счет я коечто почитала.

— Это где же? — удивился Гарри. — Я думал, книги, посвященные крестражам, в библиотеке отсутствуют.

— Отсутствуют, — подтвердила Гермиона и покраснела. — Дамблдор изъял их, однако он... он их не уничтожил.

Рон сел прямо и вытаращил глаза.

— Как, во имя штанов Мерлина, тебе удалось наложить лапы на книги о крестражах?

— Это... это не было воровством! — воскликнула Гермиона, переводя с Гарри на Рона почти отчаянный взгляд. — Они по-прежнему оставались библиотечными книгами, хоть Дамблдор и убрал их с полок. И потом, я уверена, если бы он действительно хотел, чтобы до них никто не добрался, то гораздо сильнее затруднил бы...

— Ближе к делу! — сказал Рон.

— В общем... это было довольно легко, — тонким голосом сообщила Гермиона. — Хватило простых Манящих чар. Ну, вы знаете — *акцио*. И они... они вылетели из окна кабинета Дамблдора и приземлились в спальне для девочек.

— Но когда же ты это проделала? — спросил Гарри, с обожанием и неверием глядя на Гермиону.

— Сразу после... похорон Дамблдора, — ответила Гермиона голосом еще более тонким. — После того как мы договорились уйти из школы и заняться поисками крестражей. Я поднялась наверх собрать вещи, и... и мне пришло в голову, что, чем больше мы о них узнаем, тем легче нам будет... Я была там одна... ну и попробовала... и у меня получилось. Они влетели в открытое окно, и я... я уложила их в свой чемодан. — Гермиона сглотнула и сказала с мольбой в голосе: — Я не верю, что Дамблдор рассердился бы на меня. Мы же не собираемся использовать эти сведения для того, чтобы изготовить крестражи, правильно?

— Мы что, ругаем тебя? — поинтересовался Рон. — Так где они, эти книги?

Гермиона, порывшись в книжной груде, вытащила из нее объемистый том, переплетенный в поблекшую черную кожу. Выглядела Гермиона так, точно ее подташнивало, а книгу держала в руках опасливо, как будто та была неким совсем недавно скончавшимся существом.

— Вот в этой даны точные указания о том, как изготовить крестраж. «Тайны наитемнейшего искусства» — ужасная книга, по-настоящему ужасная, в ней столько злой магии! Интересно, когда Дамблдор убрал ее из библиотеки? Если только после того, как стал директором школы, готова поспорить, Волан-де-Морт вычитал все, что ему требовалось, именно из нее.

— Но тогда зачем же он выспрашивал у Слизнорта, как изготовить крестраж? — спросил Рон.

— К Слизнорту он обратился лишь для того, чтобы выяснить, что происходит с человеком, который разрывает свою душу на семь частей, — сказал Гарри. — Дамблдор был уверен — к тому времени Реддл уже знал, как изготовить крестраж. Думаю, ты права, Гермиона, вполне возможно, что из этой книги он все сведения и почерпнул.

— И чем больше я о них читала, — продолжала Гермиона, — тем более страшными они мне казались и тем меньше верилось, что он действительно сделал шесть крестражей. В книге содержится предостережение: разрывая свою душу, ты делаешь ее очень неустойчивой — а ведь речь идет всего об одном крестраже!

Гарри вспомнил слова Дамблдора о том, что Волан-де-Морт продвигался за пределы того, на что способно «обычное зло».

— А какой-нибудь способ снова собрать себя воедино существует? — поинтересовался Рон.

— Да, — со слабой улыбкой ответила Гермиона, — однако при этом ты испытываешь невыносимую боль.

— Почему? — спросил Гарри. — И что нужно для этого сделать?

— Раскаяться, — ответила Гермиона. — Ты должен по-настоящему прочувствовать то, что натворил. Тут есть сноска на этот счет. По-видимому, мука раскаяния способна уничтожить человека. Я не могу представить себе, что Волан-де-Морт предпримет такую попытку. А ты можешь?

— Нет, — ответил за Гарри Рон. — И все же, говорится в этой книге хоть что-нибудь о том, как уничтожить крестраж?

— Да, — ответила Гермиона, переворачивая хрупкие страницы с таким видом, точно она вглядывалась в загнившие внутренности животного. — Книга предупреждает Темных колдунов, что чары, ограждающие крестражи, должны быть очень крепкими. Из прочитанного мной следует — то, что Гарри проделал с дневником Реддла, было одним из немногих надежных способов уничтожения крестража.

— Это ты про удар клыком василиска? — спросил Гарри.

— А, ну тогда нам повезло, что у нас этих клыков навалом, — сказал Рон. — А я все гадал, к чему бы их приспособить.

— Использовать клык василиска вовсе не обязательно, — терпеливо пояснила Гермиона. — Просто требуется нечто настолько разрушительное, что после него крестраж не сможет восстановиться. От яда василиска спасает только одно средство, невероятно редкое...

— Слезы феникса, — кивнул Гарри.

— Точно, — подтвердила Гермиона. — Наша проблема в том, что таких же разрушительных веществ, как яд василиска, существует совсем немного и все они слишком опасны, чтобы таскать их с собой. Но как-то разрешить эту проблему нам придется, потому что рвать крестраж на части, разбивать его или дробить бессмысленно. Необходимо сделать все так, чтобы никакой магией восстановить его было невозможно.

— Ладно, — сказал Рон, — допустим, нам удастся разломать штуковину, в которой живет кусочек его души. Но почему он не может перебраться на жительство куда-нибудь еще?

— Потому что крестраж — полная противоположность человеческого существа. — Гермиона, увидев, что Гарри и Рон запутались окончательно, торопливо продолжила: — Вот смотри, Рон, если я сейчас выхвачу меч и проткну им тебя насквозь, я же все равно не причиню твоей душе никакого вреда.

— И это станет для меня подлинным утешением, не сомневаюсь, — сообщил Рон.

Гарри засмеялся.

— На самом-то деле и станет! — сказала Гермиона. — Но я о другом. Что бы ни произошло с твоим телом, душу это не затронет, она выживет. А с крестражем все наоборот. Жизнь обитающего в крестраже обломка души зависит от его вместилища, его заколдованного тела. Без него этот обломок существовать не может.

— Дневник, когда я его проткнул, словно бы умер, — сказал Гарри, вспомнив чернила, вытекавшие, точно кровь, из пронзенных страниц, и визг, с которым исчезла часть души Волан-де-Морта.

— И как только ты уничтожил дневник, запертый в нем кусочек души существовать больше не смог. Джинни еще до тебя пыталась избавиться от дневника, утопила его, а он вернулся назад и был как новенький.

— Погоди, — сказал Рон, наморщив лоб. — Кусочек души, сидевший в дневнике, полностью овладел Джинни, правильно? А это как же получается?

— Пока волшебное вместилище остается целым, скрытый в нем кусочек души может входить в тех, кто оказывается слишком близким к крестражу, и выходить из них. Я говорю не о том, кто долго держит крестраж в руках, — добавила она, прежде чем Рон успел открыть рот. — С прикосновениями это вообще никак не связано. Я имею в виду близость эмоциональную. Джинни вложила в дневник всю душу и стала невероятно уязвимой. И всякий, кто чересчур привязывается к крестражу или впадает в зависимость от него, наживает большие неприятности.

— Хотел бы я знать, как Дамблдор уничтожил перстень, — сказал Гарри. — И почему я его не спросил? Я никогда по-настоящему... — Голос его пресекся. Он задумался обо всем, что следовало бы выспросить у Дамблдора, о том, как со времени смерти Учителя, ему, Гарри, стало казаться, что при жизни Дамблдора он упустил столько возможностей узнать побольше... узнать обо всем...

Тишину нарушил сотрясший стены треск, дверь комнаты распахнулась. Гермиона, взвизгнув, уронила на пол «Тайны наитемнейшего искусства»; шмыгнувший под кровать Живоглот взволнованно зашипел; Рон вылетел из кровати, рассыпая обертки от шоколадных лягушек, и врезался головой в противоположную стену. Рука Гарри сама собой рванулась к волшебной палочке, но тут он сообразил, что перед ним всего лишь миссис Уизли с растрепанными волосами и искаженным гневом лицом.

— Сожалею, что помешала вашей уютной беседе, — подрагивающим голосом произнесла она. — Я не сомневаюсь, что все вы нуждаетесь в отдыхе... Но в моей комнате свалены свадебные подарки, их необходимо разобрать, а мне помнится, будто вы обещали с этим помочь.

— Ах да! — Перепуганная Гермиона вскочила так резко, что набросанные ею на пол книги разлетелись во все стороны. — Мы сейчас... простите...

И Гермиона, послав Рону и Гарри страдальческий взгляд, поспешила покинуть комнату, последовав за миссис Уизли.

— Живешь, как домовый эльф, — негромко пожаловался продолжавший потирать голову Рон, когда они с Гарри направились в комнату его матери. — Только удовлетворения от работы не получаешь. Чем быстрее пройдет эта свадьба, тем счастливее я буду.

— Ага, — согласился Гарри, — после нее нам всего-то и дел останется, что крестражи разыскивать. А это настоящие каникулы, верно?

Рон рассмеялся, но, стоило ему увидеть кучу свадебных подарков, ожидавших их в комнате миссис Уизли, веселость его как рукой сняло.

Делакуры появились на следующее утро, в одиннадцать. К этому времени Гарри, Рон, Гермиона и Джинни никакой приязни к семейству Флер уже не испытывали, и потому Рон без всякой охоты поднялся к себе наверх, чтобы надеть одинаковые по цвету носки, а Гарри так же неохотно попытался пригладить свои вихры. Приведя себя в приемлемый вид, все они вышли на залитый солнечным светом двор, чтобы встретить гостей.

Таким опрятным Гарри этого двора еще не видел. Ржавые котлы и болотные сапоги, которыми обычно были уставлены ступеньки заднего крыльца, исчезли, их заменили два больших новых горшка с Трепетливыми кустиками. Никакого ветра не было, однако листочки кустиков лениво волновались, приятно рябя в глазах. Кур заперли, двор подмели, а соседствующий с ним огород пропололи, проредили и вообще приукрасили, хотя Гарри, которому он нравился заросшим, находил его — по причине отсутствия привычной оравы дурашливых гномов — несколько пустоватым.

Гарри давно уже потерял счет числу ограждающих чар, наведенных на «Нору» Орденом и Министерством. Знал только, что теперь никто, перемещающийся в пространстве с помощью магии, попасть прямиком в этот двор не может. Поэтому мистер Уизли отправился встречать Делакуров на вершину соседнего холма — именно туда должен был доставить их портал. Первым знаком их приближения стал необычно высокий смех, исходивший, как вскоре выяснилось, от самого мистера Уизли, который мгновение спустя появился в воротах, нагруженный чемоданами и ведущий с собой красавицу блондинку в зеленой, как листва дерева, мантии — несомненную мать Флер.

— *Maman*! — воскликнула Флер, подбегая к воротам, чтобы обнять ее. — *Papa*!

Мсье Делакур привлекательностью отнюдь не отличался: он был на голову ниже супруги, до крайности округл, с маленькой, заостренной черной бородкой. Но вид имел весьма добродушный. Слегка подпрыгивая на обутых в сапоги с высокими каблуками ножках, он подлетел к миссис Уизли и дважды расцеловал ее в обе щеки, отчего она даже разрумянилась.

— Мы доставили вам столько хлопот, — звучным басом произнес он. — Фле’г гово’гит, что вы т’гудились не покладая ‘гук.

— О, какие пустяки! — Миссис Уизли заливисто рассмеялась. — Разве это хлопоты?

Рон отвел душу, пнув ногой гнома, высунувшегося из-за горшка с Трепетливыми кустиками.

— Милейшая леди! — воскликнул мсье Делакур, который так и продолжал, лучась улыбкой, держать ладонь миссис Уизли между своими. — Ско’гый союз наших семей мы считаем великой честью! Позвольте п’гедставить вам мою суп’гугу, Аполлин.

Мадам Делакур скользнула вперед и наклонилась, чтобы в свой черед расцеловать миссис Уизли.

— *Enchantée*[1], — произнесла она. — Ваш муж ‘гассказывал нам такие забавные исто’гии!

Мистер Уизли расхохотался, совершенно как маньяк. Миссис Уизли одарила его взглядом, от которого он мгновенно умолк и приобрел выражение человека, приближающегося к постели захворавшего близкого друга.

— Ну а с моей младшей доче’гью, Габ’гиэль, вы, ‘газумеется уже знакомы! — сказал мсье Делакур.

Габриэль представляла собой Флер в миниатюре; одиннадцатилетняя, с отливающими серебром светлыми волосами до талии, она ослепительно улыбнулась миссис Уизли и обняла ее, а затем, похлопывая ресницами, обратила сияющий взгляд на Гарри. Джинни громко кашлянула.

— Ну что же, входите, входите! — радостно произнесла миссис Уизли и повела Делакуров в дом, то и дело восклицая при этом: — Нет, прошу вас! После вас! Что вы, нисколько!

Как вскоре выяснилось, Делакуры были гостями очень милыми, готовыми оказать хозяевам любую посильную помощь. Они были всем довольны и стремились принять деятельное участие в приготовлениях к свадьбе. Мсье Делакур находил *charmant!*[2] все — от плана размещения гостей за столом до туфелек подружки невесты. Мадам Делакур владела превосходным набором хозяйственных заклинаний и мигом до блеска вычистила духовку; Габриэль повсюду следовала за старшей сестрой, помогая ей, чем только могла, и тараторя на стремительном французском.

Недостаток «Норы» состоял в том, что на большое количество гостей дом этот рассчитан не был. Мистеру и миссис Уизли приходилось теперь спать в гостиной. Несмотря на громкие протесты мсье и мадам Делакур, они настояли на том, чтобы гости заняли их спальню. Габриэль и Флер проводили ночи в прежней комнате Перси, а Билл делил свою с приехавшим из Румынии Чарли, которому предстояло стать его шафером. Возможностей обговорить какие-либо планы у Гарри, Гермионы и Рона

---

[1] Очень приятно *(фр.)*.

[2] Прелестно *(фр.)*.

практически не осталось, и они из чистого отчаяния — лишь бы удрать из переполненного дома — вызвались кормить кур.

— И все равно она нас в покое не оставляет! — проворчал Рон, когда миссис Уизли сорвала их вторую попытку посовещаться, появившись во дворе с корзиной постиранного белья в руках.

— А, хорошо, кур вы уже покормили, — сказала она, подходя. — Вы их лучше заприте, перед тем как завтра появятся работники... разбить свадебный шатер, — пояснила она, останавливаясь, чтобы прислониться к курятнику. Выглядела миссис Уизли совершенно измотанной. — «Магическая материя Милламанта», очень хорошая вещь. Их Билл приведет, работников... Тебе, Гарри, лучше, пока они будут здесь, из дома не выходить. Знаешь, при таком количестве раскиданных по всему дому защитных чар устраивать свадьбу очень трудно.

— Мне очень жаль, — смиренно произнес Гарри.

— Ой, ну что за глупости, милый, — сразу сказала миссис Уизли. — Я вовсе не имела в виду... в общем, твоя безопасность превыше всего! Я собиралась спросить у тебя, Гарри, как ты хочешь отпраздновать свой день рождения. Семнадцать лет, такая важная дата...

— Я хотел бы обойтись без всякой шумихи, — быстро ответил Гарри, сразу представив, сколько новых забот прибавит всем это празднование. — Нет, правда, миссис Уизли, хватит и обычного обеда. Все-таки предсвадебный день...

— Ну, если ты так считаешь, милый. Я приглашу Римуса с Тонкс, хорошо? И как насчет Хагрида?

— Это было бы замечательно, — сказал Гарри. — Только прошу вас, не наваливайте на себя лишних хлопот.

— Ну что ты, что ты, какие тут хлопоты!

Довольно долгое время Миссис Уизли пристально вглядывалась в него, потом улыбнулась немного печально и пошла по двору. Гарри смотрел, как она помахивает у бельевой веревки волшебной палочкой, как влажное белье поднимается из корзины и развешивается по местам, и вдруг ощутил сильнейший прилив раскаяния за все неудобства и страдания, которые он ей доставляет.

Глава 7

ЗАВЕЩАНИЕ АЛЬБУСА ДАМБЛДОРА

Он шел по горной дороге в холодном синем сиянии утренней зари. Далеко внизу различался окутанный туманом призрак маленького городка. Не в нем ли живет человек, которого он ищет? Человек, в котором нуждается так сильно, что способен думать только о нем, человек, которому известен ответ, известно решение его проблемы...

— Эй, просыпайся.

Гарри открыл глаза. Он снова лежал на раскладушке посреди тусклой комнаты Рона. Сычик спал, засунув голову под крохотное крыло. Шрам на лбу Гарри покалывало.

— Ты бормотал во сне.

— Правда?

— Ага. «Грегорович». Ты все время повторял: «Грегорович».

Очков на Гарри не было, лицо Рона расплывалось перед ним.

— А кто этот Грегорович?

— Откуда мне знать? Это же ты называл его имя.

Гарри потер лоб, размышляя. У него было смутное представление, что он слышал это имя прежде, но где — Гарри вспомнить не мог.

— Думаю, Волан-де-Морт ищет его.

— Бедняга, — с пылом произнес Рон.

Гарри сел, потирая шрам, еще не проснувшись окончательно. Он попытался точно припомнить свой сон, но в памяти всплыли лишь горизонт в горах да очертания городка в глубокой долине.

— Я думаю, он за границей.

— Кто? Грегорович?

— Волан-де-Морт. Думаю, он отправился за границу искать Грегоровича. На Британию это место не походило.

— Считаешь, ты снова заглянул в его сознание? — Теперь в голосе Рона звучала тревога.

— Сделай милость, не говори Гермионе, — сказал Гарри. — Хотя я не понимаю, как, по ее мнению, я могу справиться со своими снами.

Он смотрел на маленькую клетку Сычика, пытаясь понять, откуда ему известно это имя — Грегорович?

— По-моему, — медленно произнес Гарри, — он имеет какое-то отношение к квиддичу. Между ними есть некая связь, но я не могу... не могу ее вспомнить.

— К квиддичу? — переспросил Рон. — А ты уверен, что думаешь не о Горговиче?

— О ком?

— Драгомир Горгович, охотник, два года назад перешел в команду «Пушки Педдл», получив баснословный гонорар. Держит рекорд сезона по числу бросков квоффла.

— Нет, — сказал Гарри. — О Горговиче я точно не думал.

— Я тоже стараюсь о нем не думать, — сказал Рон. — Ну, так или иначе, с днем рождения.

— Черт, действительно, а я и забыл! Мне же исполнилось семнадцать!

Гарри схватил лежавшую рядом с раскладушкой палочку, направил ее на заваленный невесть чем стол, на котором оставил очки, и произнес: «*Акцио, очки!*» И хотя до них было всего-то около фута, почему-то оказалось очень приятно смотреть, как они летят к нему по воздуху — то есть, пока очки не ткнули Гарри в глаз.

— Чистая работа, — фыркнул Рон.

Чтобы отпраздновать избавление от Надзора, Гарри пустил вещи Рона летать по комнате, от чего Сычик проснулся и взволнованно заметался по клетке. Он попытался также чародейным образом завязать шнурки на своих кроссовках (и потом несколько минут распутывал получившиеся узлы) и, исключительно удовольствия ради, превратил оранжевые костюмы команды «Пушки Педдл», изображенной на висевшем в комнате Рона плакате, в синие.

— Ширинку я бы на твоем месте все же вручную застегивал, — посоветовал ему Рон и захихикал, увидев, как Гарри торопливо проверяет ее состояние. — Держи подарок. Только разверни его здесь, подальше от маминых глаз.

— Книга? — спросил Гарри, принимая прямоугольный сверток. — Некоторое отклонение от традиции, тебе не кажется?

— Это, знаешь ли, не просто книга, — ответил Рон. — Это чистое золото: «Двенадцать безотказных способов, позволяющих зачаровывать волшебниц». Тут все, что следует знать о женщинах. Будь она у меня в прошлом году, я бы точно знал, как избавиться от Лаванды и как поладить с... В общем, Фред с Джорджем дали мне экземпляр, и я много чему научился. Ты удивишься, но там не только о работе палочкой.

Спустившись в кухню, они обнаружили на столе горку ожидавших Гарри подарков. Билл и мсье Делакур доедали завтрак, миссис Уизли что-то жарила на сковородке, разговаривая с ними.

— Артур просил поздравить тебя с семнадцатилетием, Гарри, — расплывшись в улыбке, сказала она. — Ему пришлось пораньше уехать на работу, но к обеду он вернется. Наш подарок вон он, на самом верху.

Гарри сел, взял квадратный сверток, на который она указала, развернул его. Внутри обнаружились часы, очень похожие на те, которые мистер и миссис Уизли подарили на семнадцатилетие Рону, — золотые, с кружащими по циферблату звездами вместо стрелок.

— Существует традиция — дарить волшебнику на совершеннолетие часы, — сказала от плиты миссис Уизли. — Боюсь, эти не такие новые, как у Рона, они принадлежали моему брату Фабиану, а он был не очень аккуратен с вещами, у них сзади небольшая вмятинка, но...

Продолжения речи миссис Уизли никто не услышал, потому что Гарри вскочил и обнял ее. Он постарался вложить в свое объятие все, о чем никогда ей не говорил, и, возможно, она его поняла, потому что, когда Гарри разжал руки, неуклюже потрепала его по щеке, а после не очень ловко взмахнула палочкой, вывалив из сковороды половину бекона на пол.

— С днем рождения, Гарри! — сказала Гермиона, влетая в кухню и укладывая свой подарок поверх остальных. — Подарок не богатый, но, надеюсь, тебе понравится. А ты ему что подарил? — спросила она у Рона, который, похоже, вопроса не услышал.

— Давай разверни Гермионин! — сказал он.

Гермиона купила ему новый вредноскоп. Другие свертки содержали волшебную бритву, поднесенную Биллом и Флер («О да, б'геет так гладко, что лучше не бывает, — заверил его мсье Делакур, — только нужно точно гово'гить ей, что вам т'гебуется, иначе можно не досчитаться волос...»), шоколад от Делакуров и огромную коробку новейших товаров компании «Всевозможные волшебные вредилки близнецов Уизли» от Фреда с Джорджем.

Гарри, Рон и Гермиона за столом засиживаться не стали, поскольку появление мадам Делакур, Флер и Габриэль сделали кухню несколько тесноватой.

— Я все это упакую, — весело сказала Гермиона, отбирая у Гарри подарки, когда они втроем начали подниматься по лестнице. — Я уж почти все уложила, осталось дождаться, когда из стирки вернутся твои трусы, Рон...

Сердитый лепет Рона заглушил скрип двери, открывшейся на площадке второго этажа.

— Гарри, ты не зайдешь ко мне на минутку?

Это была Джинни. Рон резко остановился, но Гермиона взяла его за локоть и потащила дальше, вверх по лестнице. Гарри, нервничая, вошел в комнату Джинни.

Он никогда еще здесь не бывал, в этой маленькой, но светлой комнате.

На одной ее стене висел большой плакат группы «Ведуньи», на другой — фотография Гвеног Джонс, капитана «Холихедских гарпий», женской команды по квиддичу. Письменный стол был расположен лицом к открытому окну, выходившему в фруктовый сад, в котором Гарри и

Джинни когда-то играли двое на двое в квиддич против Рона и Гермионы, — теперь в нем был разбит большой, жемчужно-белый шатер. Венчавший шатер золотистый флаг колыхался вровень с окном Джинни.

Она взглянула Гарри прямо в лицо, набрала в грудь побольше воздуха и сказала:

— Поздравляю с семнадцатилетием.

— Ага... спасибо.

Джинни продолжала смотреть ему в лицо, однако Гарри затруднялся ответить ей тем же, это было бы все равно что смотреть на источник слепящего света.

— Хороший у тебя вид, — пробормотал он, указав на окно.

На это Джинни отвечать не стала. И тут ее винить было не за что.

— Я не могла придумать, что тебе подарить, — сказала она.

— Да ты и не должна ничего...

Эти слова она тоже оставила без внимания.

— Не знала, что может оказаться полезным. Что-то не очень большое, потому что иначе ты не сможешь взять его с собой.

Гарри решился взглянуть на нее. Слез на лице Джинни не было — одно из многих ее замечательных качеств состояло в том, что плакала она редко. Гарри иногда думал, что это наличие шести братьев закалило ее.

Джинни подступила к нему на шаг:

— И я подумала, нужно дать тебе что-то такое, что ты запомнил бы, понимаешь? Вдруг ты, занимаясь своими делами, встретишь какую-нибудь вейлу.

— Если честно, думаю, что возможностей встречаться с девушками у меня будет мало.

— Только эта надежда меня и утешает, — прошептала она и поцеловала его так, как никогда не целовала прежде, и Гарри ответил на поцелуй, погружаясь в блаженное забвение, которого никакое огненное виски дать не могло. Джинни обратилась в единственное, что было на свете настоящего, — ощущения от прикосновений к ней, одна рука на ее спине, другая на длинных, сладостно пахнущих волосах...

Где-то за ними со стуком раскрылась дверь, и они отскочили друг от друга.

— О, — язвительно произнес Рон. — Прошу прощения.

— Рон! — прямо за его спиной маячила немного запыхавшаяся Гермиона.

Наступило натянутое молчание, затем Джинни произнесла голосом безжизненным и тонким:

— Ну, в общем, с днем рождения, Гарри.

Уши Рона пылали, Гермиона явно нервничала. Гарри хотелось захлопнуть дверь у них перед носом, но ему казалось, что в миг, когда она распахнулась, в комнате потянуло холодом, и пережитое им ослепительное мгновение лопнуло, как мыльный пузырь. Казалось, вместе с Роном в комнату снова ворвались все причины, по которым он желал порвать с Джинни, держаться подальше от нее, а со счастливым пренебрежением ими было покончено.

Он хотел сказать что-нибудь и не знал что, взглянул на Джинни, но она повернулась к нему спиной. И Гарри подумал, что она наконец дала волю слезам. А утешать ее на глазах у Рона он не мог.

— Ну, еще увидимся, — сказал он и вышел вслед за своими друзьями из комнаты Джинни.

Рон с топотом спустился по лестнице, миновал заполненную людьми кухню, вышел во двор. Гарри не отставал от него, и испуганная Гермиона тоже семенила следом.

Достигнув пустой, недавно подстриженной лужайки, Рон круто повернулся к Гарри:

— Ты же бросил ее! И что ты делаешь теперь — мозги ей пудришь?

— Я не пудрю ей мозги, — ответил Гарри, и тут их наконец нагнала Гермиона.

— Рон...

Однако Рон поднял ладонь, заставив ее замолчать.

— Она разваливалась на куски, когда ты порвал с ней...

— Я тоже. И ты знаешь, почему я так поступил, — не потому, что мне захотелось.

— Да, но теперь ты милуешься с ней, и у нее опять возникнут надежды...

— Джинни не дура, она знает, что это невозможно, не ждет, что мы поженимся или...

И едва он это сказал, как в голове его образовалась картина: Джинни, одетая в белое платье, венчается с высоким, безликим, но очень неприятным незнакомцем. Казалось, в один головокружительный миг Гарри понял все: ее будущее полно свободы и не обременено ничем, а у него... он видит впереди одного лишь Волан-де-Морта.

— Ты обжимаешься с ней при всяком удобном случае...

— Больше этого не случится, — резко сказал Гарри. День стоял безоблачный, однако ему казалось, что солнце уже село. — Тебя это устроит?

Рон выглядел наполовину возмущенным, наполовину робеющим, он покачался немного взад-вперед на каблуках, а потом сказал:

— Ну тогда ладно, в общем, как его... да.

До конца этого дня Джинни больше не пыталась встретиться с Гарри наедине и не давала понять — ни словом, ни жестом, — что у них случился в ее комнате не просто учтивый разговор. И все же появление Чарли принесло Гарри облегчение. Забавно было смотреть, как миссис Уизли силком усаживает Чарли в кресло, воздевает волшебную палочку и объявляет, что сейчас она его наконец подстрижет по-человечески.

Поскольку вместив всех, кто должен был присутствовать на праздничном обеде в честь дня рождения Гарри — даже до появления Чарли, Люпина, Тонкс и Хагрида, — кухня «Норы» неминуемо треснула бы по швам, несколько столов вынесли в огород и поставили их там встык. Фред и Джордж развесили в воздухе над гостями множество пурпурных фонариков, украшенных большими числами «17». Благодаря уходу миссис Уизли рана Джорджа выглядела теперь опрятно и чисто, но Гарри так и не смог привыкнуть к темной дыре на том месте, где раньше было его ухо, даром что близнецы то и дело шутили по ее поводу.

Гермиона, выпустив из кончика своей палочки золотистые и пурпурные ленты, красиво развесила их по деревьям и кустам.

— Очень мило, — сказал Рон после того, как Гермиона в последний раз театрально взмахнула палочкой, обратив листья дикой яблони в золото. — У тебя и вправду хороший глаз на такие вещи.

— Спасибо, Рон, — отозвалась Гермиона с видом и польщенным, и смущенным сразу. Гарри с улыбкой отвернулся. У него появилось странное чувство, что, полистав на досуге «Двенадцать безотказных способов, позволяющих зачаровывать волшебниц», он непременно найдет главу о комплиментах. Гарри встретился взглядом с Джинни, улыбнулся ей, но тут же вспомнил о данном Рону обещании и поспешил завязать разговор с мсье Делакуром.

— С дороги, с дороги! — запела миссис Уизли, проходя в калитку с висевшим перед ней в воздухе гигантским, размером с мяч для пляжного волейбола, снитчем. Лишь пару секунд спустя Гарри сообразил, что это праздничный торт, который миссис Уизли, не рискнувшая нести его по неровной земле, держала волшебной палочкой на весу. Когда торт наконец утвердился посредине стола, Гарри сказал:

— Выглядит потрясающе, миссис Уизли.

— О, пустяки, милый, — ласково отозвалась она.

За ее спиной Рон поднял, глядя на Гарри, два больших пальца и произнес одними губами: «Молодец».

К семи часам собрались уже все гости. Фред с Джорджем, стоявшие на страже в конце лужайки, одного за другим приводили их в дом. Хагрид облачился для такого случая в свой лучший и совершенно ужасный ворсистый коричневый костюм. Люпин, пожимая Гарри руку, улыбался, но выглядел, как почудилось Гарри, подавленным. Странно, Тонкс, появившаяся вместе с ним, просто лучилась радостью.

— С днем рождения, Гарри, — сказала Тонкс, крепко обнимая его.

— Семнадцать, это ж надо! — произнес Хагрид, принимая от Фреда бокал вина размером с ведерко. — Шесть лет прошло с тех пор, как мы встретились, Гарри, помнишь тот день?

— Смутно, — ответил, улыбнувшись великану, Гарри. — Это не ты, случайно, выломал тогда парадную дверь, наградил Дадли свиным хвостиком и объявил мне, что я волшебник?

— Ну, подробности я призабыл, — фыркнул Хагрид. — А как вы, Рон, Гермиона?

— Прекрасно, — ответила Гермиона, — а вы?

— Да неплохо. Дел позарез, у нас единорожки народились, как вернетесь, я вам их покажу... — Гарри старался не глядеть в сторону Рона и Гермионы, а Хагрид начал рыться по карманам. — Вот, Гарри, никак не мог скумекать, чего тебе подарить, а после вспомнил про эту штуку.

Он вытащил маленький, немного мохнатый, затягивающийся сверху мешочек с длинным шнурком, позволявшим носить эту вещицу на шее.

— Ишачья кожа. В него чего ни засунь, никто, кроме хозяина, не достанет. Редкая вещь.

— Спасибо, Хагрид!

— А, пустяки, — сказал Хагрид и махнул ладонью размером с мусорный бак. — Смотри-ка, и Чарли тут! Вот кого люблю. Эй, Чарли!

Подошел, приглаживая ладонью жестоко укороченные волосы, Чарли. Он был ниже Рона — крепко сколоченный, с множеством оставленных ожогами и порезами отметин на мускулистых руках.

— Привет, Хагрид, как жизнь?

— Я уж лет сто все написать тебе собираюсь. Как там Норберт?

— Норберт? — рассмеялся Чарли. — Норвежский дракон? Теперь она зовется Норберта.

— Хо! Так она девчонка, что ли?

— Еще какая, — ответил Чарли.

— А как вы их отличаете? — спросила Гермиона.

— Драконихи обычно намного злее, — пояснил Чарли. Он оглянулся, понизил голос: — Папе стоило бы поторопиться. Мама начинает нервничать.

Все посмотрели в сторону миссис Уизли. Она пыталась вести беседу с мадам Делакур, но при этом то и дело поглядывала на ворота.

— Думаю, нужно начинать, не дожидаясь Артура, — спустя секунду-другую крикнула она, повернувшись к огороду. — Похоже, его задержали — о!

Все увидели ее одновременно — полоску света, пролетевшую над двором и опустившуюся на стол, где она обратилась в серебристого горностая, вставшего на задние лапки и сообщившего голосом мистера Уизли:

— Со мной министр магии.

Патронус растаял в воздухе, оставив семейство Флер изумленно вглядываться в место, на котором он исчез.

— Нам здесь делать нечего, — мгновенно сказал Люпин. — Прости, Гарри, объясню в другой раз...

Он обнял Тонкс за талию, потянул ее за собой; они дошли до забора, перелезли через него и исчезли из виду. Миссис Уизли выглядела ошеломленной:

— Министр... Но почему?.. Не понимаю...

Однако времени для разговоров об этом уже не было, секунду спустя у ворот возникли прямо из воздуха мистер Уизли и Руфус Скримджер, мгновенно узнаваемый по гриве седоватых волос.

Вдвоем они пересекли двор, направляясь к огороду и залитым светом столам. Когда Скримджер вступил под свет фонариков, Гарри увидел, что министр выглядит намного старше, чем при последней их встрече, — он похудел, стал еще более мрачным.

— Прошу простить за вторжение, — сказал Скримджер, останавливаясь у стола. — И за то, что без приглашения явился на праздник. — На миг взгляд его остановился на гигантском снитче. — Долгих вам лет жизни.

— Спасибо, — отозвался Гарри.

— Мне необходимо поговорить с вами наедине, — продолжал Скримджер. — А также с мистером Рональдом Уизли и мисс Гермионой Грейнджер.

— С нами? — спросил удивленный Рон. — А мы-то вам зачем?

— Об этом я скажу вам в месте более уединенном, — ответил Скримджер и повернулся к миссис Уизли. — Найдется здесь такое?

— Да, разумеется, — нервно ответила миссис Уизли. — Э-э... гостиная, вы можете воспользоваться ею.

— Отведите нас туда, — сказал Рону Скримджер. — Вам, Артур, сопровождать нас не обязательно.

Мистер и миссис Уизли обменялись встревоженными взглядами, Гарри, Рон и Гермиона встали. Они молча шли к дому, и Гарри понимал — двое его друзей думают то же, что он: Скримджер каким-то образом прознал, что они собираются покинуть Хогвартс.

Пока они, направляясь в гостиную «Норы», пересекали неприбранную кухню, Скримджер не произнес ни слова. Огород был залит мягким, золотистым вечерним светом, но в доме уже стемнело, и Гарри, когда они вошли в старенькую, уютную гостиную, повел палочкой в сторону масляных ламп. Скримджер опустился в продавленное кресло, которое обычно занимала миссис Уизли, предоставив Гарри, Рону и Гермионе тесниться бок о бок на софе. Как только они уселись, Скримджер сказал:

— У меня имеются вопросы ко всем троим, и, думаю, их лучше задавать с глазу на глаз. Я начну с Рональда, а вы двое, — он указал пальцем на Гарри и Гермиону, — можете подождать наверху.

— Никуда мы не пойдем, — ответил Гарри, и Гермиона с силой закивала. — Либо говорите со всеми нами, либо ни с кем.

Скримджер смерил Гарри холодным оценивающим взглядом. Гарри показалось, что министр прикидывает, стоит ли обострять разговор с самого начала.

— Ну хорошо, со всеми так со всеми, — пожав плечами, сказал он и откашлялся. — Я прибыл сюда, как вам наверняка известно, в связи с завещанием Альбуса Дамблдора.

Гарри, Гермиона и Рон обменялись взглядами.

— Похоже, вы удивлены! Стало быть, вы не знали, что Дамблдор оставил вам кое-что?

— Н-нам всем? — спросил Рон. — Мне и Гермионе тоже?

— Да, каждому из...

Однако Гарри перебил его:

— Дамблдор погиб больше месяца назад. Почему потребовалось столько времени, чтобы отдать нам завещанное?

— Разве это не очевидно? — произнесла, не дав Скримджеру ответить, Гермиона. — Министерство проводило проверку того, что он нам оставил. — И, повернувшись к Скримджеру, она сказала дрогнувшим голосом: — Вы не имели на это никакого права!

— Прав у меня предостаточно, — отмахнулся от нее Скримджер. — Закон об оправданной конфискации наделяет министра властью конфисковать завещанное...

— Этот закон принят для того, чтобы помешать чародеям передавать по наследству Темные артефакты, — сказала Гермиона. — А министр, накладывая арест на собственность усопшего, должен иметь серьезные доказательства незаконности ее составляющих! Вы хотите уверить меня, будто Дамблдор пытался передать нам нечто зловредное?

— Собираетесь делать карьеру в сфере обеспечения магического правопорядка, мисс Грейнджер? — осведомился Скримджер.

— Нет, не собираюсь, — резко ответила Гермиона. — Я еще надеюсь принести людям хоть какую-то пользу!

Рон засмеялся. Скримджер скользнул по нему глазами и отвел их в сторону, а Гарри сказал:

— Так почему вы все-таки решили отдать нам завещанное? Не сумели придумать предлога, который позволял бы и дальше удерживать его?

— Да нет, — мгновенно откликнулась Гермиона, — просто прошел тридцать один день. А удерживать какую-то вещь дольше, не имея доказательств ее опасности, они не могут. Верно?

— Вы могли бы сказать, что были близки с Дамблдором, Рональд? — спросил, игнорируя Гермиону, Скримджер. Рона его вопрос озадачил.

— Я? Нет... не совсем... это Гарри всегда...

Рон посмотрел на Гарри с Гермионой, и та взглядом приказала ему: «Умолкни!» — но сказанного было уже не вернуть. Скримджер приобрел вид человека, услышавшего именно то, что он ожидал, да и хотел услышать. И он вцепился в ответ Рона, как хищная птица в добычу.

— Если вы не были близки с Дамблдором, чем вы объясните тот факт, что он упомянул вас в своем завещании? Индивидуальных наследников там названо совсем немного. Наибольшая часть его собственности — библиотека, магические инструменты и иные личные принадлежности — оставлена Хогвартсу. Почему же он выделил вас, как вы полагаете?

— Я... не знаю, — промямлил Рон. — Я... когда я сказал, что мы не были близки... ну, то есть, я думаю, он хорошо ко мне относился...

— Не скромничай, Рон, — сказала Гермиона. — Дамблдор тебя очень любил.

А вот это уже было натяжкой, да еще и чрезмерной. Насколько знал Гарри, Рон и Дамблдор ни разу не встречались один на один, да и другие их встречи можно было пересчитать по пальцам. Однако Скримджер, похоже, их уже не слушал. Он сунул руку под мантию и извлек оттуда мешочек — гораздо больше того, который Хагрид подарил Гарри. Вынув из мешочка пергаментный свиток, Скримджер развернул его и начал читать вслух:

— «Последняя воля Альбуса Персиваля Вулфрика Брайана Дамблдора»... да, вот здесь... «Рональду Билиусу Уизли я оставляю мой делюминатор в надежде, что, пользуясь им, он будет вспоминать обо мне».

Скримджер достал из мешочка вещицу, которую Гарри уже случалось видеть, — она походила на серебряную зажигалку, однако могла одним щелчком высасывать из любого помещения весь свет и возвращать его обратно. Скримджер наклонился вперед и протянул делюминатор Рону, тот ошеломленно взял его, повертел в пальцах.

— Это очень ценная вещь, — сказал Скримджер, не сводя с Рона глаз. — Может быть, даже уникальная. И определенно сконструированная и сделанная самим Дамблдором. Почему он оставил вам такую редкость?

Рон в совершенном недоумении покачал головой.

— У Дамблдора были тысячи учеников, не меньше, — настаивал Скримджер. — И из всех них он упомянул в завещании только вас троих. Почему? И как вы намерены использовать делюминатор, мистер Уизли?

— Наверное, свет им буду гасить, — пробормотал Рон. — На что еще он может сгодиться?

По-видимому, и у Скримджера идей на этот счет не было. Несколько секунд он, прищурясь, вглядывался в Рона, а затем снова обратился к завещанию Дамблдора.

— «Мисс Гермионе Джин Грейнджер я оставляю свой экземпляр «Сказок барда Бидля» в надежде, что она найдет их занимательными и поучительными».

На сей раз Скримджер извлек из мешочка небольшую книжку, такую же, казалось, древнюю, как лежащие наверху «Тайны наитемнейшего искусства». Ее покрытый пятнами переплет кое-где уже облупился. Гермиона молча приняла от Скримджера книжку, положила себе на колени и опустила на нее взгляд. Гарри увидел, что название книги начертано рунами, читать которые он так и не научился. И пока он в них вглядывался, на тисненые значки упало несколько слез.

— Как вы думаете, мисс Грейнджер, почему Дамблдор завещал вам эту книгу? — поинтересовался Скримджер.

— Он... он знал, что я люблю читать, — сдавленным голосом ответила Гермиона, вытирая глаза рукавом.

— Но почему именно эту?

— Я не знаю. Наверное, он думал, что она мне понравится.

— Вы когда-либо обсуждали с Дамблдором шифры или иные средства передачи секретных сообщений?

— Нет, не обсуждала, — продолжая вытирать глаза, ответила Гермиона. — И если Министерство за тридцать один день не смогло обнаружить в книге тайный шифр, сомневаюсь, что это удастся мне.

Она подавила рыдание. Трое друзей сидели на софе, прижавшись друг к другу так плотно, что Рону с трудом удалось выпростать руку, чтобы обнять Гермиону за плечи. Скримджер снова уставился в завещание.

— «Гарри Джеймсу Поттеру, — начал он, и внутри у Гарри все сжалось от волнения, — я оставляю пойманный им в первом его хогвартском матче по квиддичу снитч, как напоминание о наградах, которые достаются упорством и мастерством».

Скримджер вынул из мешочка крошечный, размером с грецкий орех, золотой шарик, с довольно вяло трепетавшими серебряными крыльями, и Гарри поневоле ощутил себя обманутым в ожиданиях.

— Почему Дамблдор оставил вам снитч? — спросил Скримджер.

— Понятия не имею, — сказал Гарри. — По причинам, которые вы только что зачитали, я думаю... Как напоминание о том, чего можно достичь, если ты упорен и так далее.

— То есть вы полагаете, что это подарок чисто символический?

— Наверное, — ответил Гарри. — Каким же еще он может быть?

— Вопросы задаю я, — сказал Скримджер и пододвинул свое кресло поближе к софе.

Снаружи уже наступили настоящие сумерки, видневшийся в окнах гостиной шатер возносился над живой изгородью, как белый призрак.

— Я заметил, что торт, испеченный на день вашего рождения, имеет форму снитча, — сказал Скримджер, обращаясь к Гарри. — Почему?

Гермиона иронически хмыкнула.

— О, разумеется, торт не может быть всего лишь ссылкой на то, что Гарри — великий ловец, это было бы слишком просто, — сказала она. — В его глазури наверняка скрыто послание от Дамблдора!

— Не думаю, что в глазури что-либо скрыто, — сказал Скримджер, — зато очень удобно скрывать маленькие предметы в снитче. Вы, разумеется, знаете почему?

Гарри пожал плечами. А вот Гермиона ответила (Гарри подумал, что привычка отвечать на вопросы въелась в нее так глубоко, что она просто ничего не может с собой поделать):

— Потому что снитчи обладают телесной памятью.

— Чем? — в один голос спросили Гарри и Рон — оба считали, что знания Гермионы о квиддиче близки к нулю.

— Правильно, — подтвердил Скримджер. — До того как снитч выпускают в игру, никто к нему голыми руками не прикасается, даже его изготовитель всегда работает в перчатках. Снитч несет на себе чары, благодаря которым он узнает первого притронувшегося к нему человека — на случай, если возникнут какие-то споры о том, кто его поймал. *Этот* снитч, — он поднял золотой шарик повыше, — помнит ваше прикосновение, Поттер. И я подумал, что Дамблдор, который, при всех его недостатках, был изумительным магом, мог заколдовать снитч так, чтобы он открывался только для вас.

Теперь сердце Гарри билось намного быстрее. В правоте Скримджера он не сомневался. Как же ему извернуться и не притронуться к снитчу голыми руками на глазах у министра?

— Вы молчите, — продолжал Скримджер. — Возможно, вы уже знаете, что кроется в снитче?

— Нет, — ответил Гарри, продолжая гадать, как создать видимость прикосновения к снитчу, не трогая его. Если бы только он владел легилименцией, владел по-настоящему, если бы мог прочесть мысли Гермионы — Гарри практически слышал, как они буйно мечутся в ее голове.

— Возьмите его, — негромко сказал Скримджер.

Гарри взглянул в желтые глаза министра и понял, что выбора нет — остается лишь подчиниться. Он протянул руку, и Скримджер медленно и осторожно опустил снитч ему на ладонь.

И ничего не произошло. Едва пальцы Гарри сомкнулись на снитче, усталые крылья встрепенулись и замерли. Скримджер, Рон и Гермиона продолжали жадно вглядываться в частично укрытый пальцами Гарри мячик, словно еще надеялись, что он превратится в нечто иное.

— Весьма драматично, — холодно произнес Гарри.

Рон с Гермионой рассмеялись.

— Надеюсь, это все? — спросила Гермиона, приподнимаясь с софы.

— Не совсем, — ответил Скримджер, теперь уже разозлившийся по-настоящему. — Дамблдор оставил вам еще одну вещь, Поттер.

— Какую? — спросил Гарри, и волнение разгорелось в нем с новой силой.

На сей раз Скримджер читать по завещанию не стал.

— Меч Годрика Гриффиндора, — ответил он.

Гермиона и Рон замерли. Гарри огляделся в поисках инкрустированной рубинами рукояти, однако меча Скримджер из мешочка не доставал, да и в любом случае меч там не поместился бы.

— И где же он? — подозрительно спросил Гарри.

— К сожалению, — сообщил Скримджер, — Дамблдор не имел права распоряжаться этим мечом. Меч Годрика Гриффиндора — важная историческая реликвия и как таковая принадлежит...

— Он принадлежит Гарри! — горячо воскликнула Гермиона. — Меч сам выбрал его, Гарри нашел этот меч, получил его от Распределяющей шляпы...

— Согласно надежным историческим источникам, меч может являться любому достойному гриффиндорцу, — заявил Скримджер. — А это не позволяет обратить его в исключительную собственность мистера Поттера, что бы там ни решил Дамблдор.

И Скримджер, пристально вглядываясь в Гарри, почесал плохо выбритую щеку:

— Как вы думаете, почему...

— Дамблдор захотел отдать меч мне? — стараясь сдержать гнев, спросил Гарри. — Возможно, он полагал, что мы будем хорошо смотреться у меня на стене.

— Это не шутка, Поттер! — рявкнул Скримджер. — Может быть, Дамблдор верил в то, что лишь меч Годрика Гриффиндора способен поразить наследника Слизерина? Не хотел ли он отдать меч вам, Поттер, потому, что считал, как считают многие, что именно вам предназначено уничтожить Того-Кого-Нельзя-Называть?

— Интересная теория, — сказал Гарри. — А никто не пробовал пырнуть этим мечом Волан-де-Морта? Может быть, Министерству стоило бы выделить несколько человек для выполнения этой задачи, вместо того чтобы тратить время на разборку делюминаторов или старания скрыть побег из Азкабана. Так вот, значит, чем вы занимались, министр, запершись в своем кабинете, — пытались вскрыть снитч? Люди гибнут, я сам едва не стал одним из них, Волан-де-Морт гнался за мной через три графства, он убил Грозного Глаза Грюма, а от Министерства никто не услышал об этом ни слова, не так ли? И вы все еще надеетесь, что мы станем вам помогать?

— Вы заходите слишком далеко! — закричал, вставая, Скримджер; Гарри тоже вскочил на ноги. Скримджер, прихрамывая, подступил к нему и с силой ткнул его в грудь своей палочкой, и она прожгла, точно зажженная сигарета, дыру на футболке Гарри.

— Ого! — вскрикнул Рон, тоже вскакивая и поднимая палочку, но Гарри остановил его:

— Нет! Ты же не хочешь дать ему повод для ареста всех нас?

— Не забывайте, что вы не в школе, понятно? — сказал Скримджер, тяжело дыша прямо в лицо Гарри. — Не забывайте, что я не Дамблдор, который прощал вам наглость и неподчинение. Вы можете носить свой шрам, как корону, Поттер, однако не вам, семнадцатилетнему мальчишке, указывать мне, как я должен исполнять свою работу! Пора бы вам научиться проявлять уважение к людям!

— Пора бы и вам заслужить его! — ответил Гарри.

Пол дрогнул, с крыльца донеслись торопливые шаги, дверь гостиной распахнулась, и в нее влетели мистер и миссис Уизли.

— Мы... нам показалось, что мы слышали... — начал мистер Уизли, явно встревожившийся, увидев министра и Гарри стоящими буквально нос к носу.

— Разгоряченные голоса, — выдохнула миссис Уизли.

Скримджер отступил от Гарри на пару шагов, мельком взглянул на проделанную им в футболке дырку. Похоже, он уже сожалел о том, что сорвался.

— Это... нет, ничего, — пророкотал министр. — Я... меня огорчает ваша позиция, — сказал он, еще раз прямо взглянув Гарри в глаза. — Вы, видимо, думаете, что Министерство не желает того, чего желаете вы... чего желал Дамблдор. Нам следовало бы работать плечом к плечу.

— Мне не нравятся ваши методы, министр, — сказал Гарри. — Вы не забыли?

И он во второй раз за время их встреч поднял вверх правый кулак и показал Скримджеру шрамы, белесо светившиеся, складываясь в слова: «Я не должен лгать». Лицо Скримджера окаменело. Не сказав больше ни слова, он повернулся и, прихрамывая, покинул гостиную. Миссис Уизли поспешила за ним, Гарри слышно было, как она остановилась у задней двери. Примерно минуту спустя она крикнула:

— Ушел!

— Что ему было нужно? — оглядывая Гарри, Рона и Гермиону, спросил мистер Уизли, пока его жена торопливо возвращалась в гостиную.

— Отдать нам завещанное Дамблдором, — ответил Гарри. — Они только теперь рассекретили его завещание.

Несколько позже, в огороде, три отданных им Скримджером вещи, передаваемые из рук в руки, обошли столы по кругу. Каждый восторгался делюминатором и «Сказками барда Бидля», высказывал сожаления о том, что Скримджер отказался отдать меч, но никто не смог предложить толкового объяснения того, что Дамблдор оставил Гарри старый снитч. Когда мистер Уизли уже в третий раз осматривал делюминатор, его жена робко сказала:

— Гарри, милый, все страшно проголодались, мы же не могли начать без тебя... может, я подам обед?

И после того как все торопливо насытились, несколько раз прокричали хором: «С днем рождения!» — и проглотили торт, празднование завершилось. Хагрид, приглашенный на завтрашнюю свадьбу, но слишком большой, чтобы ночевать в и без того уже переполненной «Норе», отправился на соседнее поле — устраиваться на ночь в шатре.

— Встретимся наверху, — шепнул Гарри Гермионе, пока они помогали миссис Уизли приводить огород в обычный вид. — После того как все улягутся.

В мезонине, пока Рон изучал делюминатор, Гарри наполнял ишачий мешочек Хагрида — не золотом, но вещами, которые он ценил больше всех прочих, вещами, по-видимому бесценными, хоть они и сводились всего лишь к Карте Мародеров, осколку волшебного зеркала Сириуса и медальону Р. А. Б. Затянув мешочек и повесив его себе на шею, Гарри присел, держа в ладони старый снитч, наблюдая за его слабо трепещущими крыльями. Наконец Гермиона стукнула в дверь и на цыпочках вошла в комнату.

— *Оглохни!* — прошептала она, махнув палочкой в сторону лестницы.

— Ты вроде бы не одобряла это заклинание, — сказал Рон.

— Времена меняются, — ответила Гермиона. — Ну-ка покажи нам делюминатор.

Рон немедленно подчинился: держа делюминатор перед собой, щелкнул им, и единственная горевшая в комнате лампа тут же погасла.

— Дело в том, — прошептала в темноте Гермиона, — что такого же результата можно добиться с помощью перуанского порошка Мгновенной тьмы.

Послышался тихий щелчок, и на потолке снова загорелась, залив их светом, шаровидная лампа.

— Все равно вещь клевая, — словно оправдываясь, сказал Рон. — И все говорят, что ее сам Дамблдор изобрел!

— Я знаю, но не для того же он выделил тебя в завещании, чтобы помочь нам тушить свет!

— Думаешь, Дамблдор знал, что Министерство конфискует завещание и проверит все, что он нам оставил? — спросил Гарри.

— Наверняка, — ответила Гермиона. — Написать в завещании, зачем он нам их оставляет, Дамблдор не мог, но это не объясняет...

— Почему он не намекнул нам на это, пока был жив? — спросил Рон.

— Вот именно, — ответила Гермиона, перелистывая «Сказки барда Бидля». — Раз эти вещи настолько важны, что он передал их нам под носом у Министерства, Дамблдор, наверное, мог дать нам знать, чем именно... если только не считал это очевидным.

— Ну, если считал, значит, ошибся, так? — сказал Рон. — Я всегда говорил, что у него не все дома. Блестящий маг и все прочее, но чокнутый. Оставить Гарри старый снитч — на черта он ему сдался?

— Понятия не имею, — сказала Гермиона. — Когда Скримджер заставил тебя взять его, Гарри, я была совершенно уверена — что-то произойдет.

— Ну да, — отозвался Гарри и, чувствуя, как учащается его пульс, поднял перед собой снитч. — Правда, особенно лезть из кожи на глазах у министра мне не стоило, верно?

— Что ты хочешь сказать? — спросила Гермиона.

— Это снитч, который я поймал в самом первом моем матче, — ответил Гарри. — Помнишь?

Гермиону вопрос поставил в тупик, зато Рон ахнул и начал отчаянно тыкать пальцем то в Гарри, то в снитч, пока наконец не совладал со своим голосом:

— Это же тот, который ты чуть не проглотил!

— Правильно, — сказал Гарри и — сердце его забилось еще чаще — прижал снитч к губам.

Однако снитч так и не открылся. Разочарование и горечь вскипели в Гарри, он опустил золотой шарик, но тут вскрикнула Гермиона:

— Надпись! Посмотри, на нем появилась надпись!

От изумления и волнения Гарри едва не выронил снитч.

Гермиона была права. На гладкой золотой поверхности, где еще секунду назад не было ничего, появилась гравировка — четыре слова, написанные наклонным почерком, в котором Гарри узнал дамблдоровский:

Я открываюсь под конец.

Гарри едва успел прочитать их, как слова исчезли снова.

— «Я открываюсь под конец»... Что это может значить?

Гермиона и Рон недоуменно покачали головами.

— Я открываюсь под конец... под *конец*... я открываюсь под конец...

Однако сколько раз и с какими интонациями они ни повторяли эти слова, никакого смысла из них вытянуть не удалось.

— А тут еще меч, — сказал Рон, когда они наконец отказались от попыток проникнуть в пророческий смысл надписи на снитче. — Зачем ему понадобилось, чтобы меч был у Гарри?

— И почему он не мог мне об этом сказать? — негромко спросил Гарри. — Весь прошлый год меч висел во время наших разговоров на стене его кабинета! Если он хотел, чтобы меч оказался в моих руках, почему просто не отдал его?

Он чувствовал себя так, точно сидит на экзамене, глядя на вопрос, ответ на который должен знать, но голова у него варит туго и ни на какие понукания не отзывается. Может быть, он упустил что-то из тех долгих разговоров, которые вел с Дамблдором в прошлом году? И должен хорошо знать, что все это значит? Или Дамблдор просто надеялся, что он и сам все поймет?

— Да, а уж эта книга, — сказала Гермиона, — «Сказки барда Бидля»... Я о них и не слышала никогда!

— Не слышала о сказках барда Бидля? — не поверил ей Рон. — Шутишь, что ли?

— Нет, не шучу, — удивленно ответила Гермиона. — А ты их знаешь?

— Еще бы я их не знал!

Гарри, забавляясь, смотрел на них. То, что Рон читал книгу, которой не читала Гермиона, было обстоятельством попросту беспрецедентным. Рона, однако, ее удивление поразило.

— Ну брось! Все старинные детские сказки принято приписывать Бидлю, разве не так? «Фонтан феи Фортуны»... «Колдун и прыгливый горшок»... «Зайчиха Шутиха и ее пень-зубоскал»...

— Как-как? — Гермиона захихикала. — А это про что?

— Да ладно тебе, — ответил Рон, недоверчиво переводя взгляд с Гарри на Гермиону. — Уж про зайчиху Шутиху ты наверняка слышала...

— Рон, ты же отлично знаешь, мы с Гарри выросли среди маглов, — сказала Гермиона. — И когда мы были маленькими, никто нам этих сказок не рассказывал, нам рассказывали про «Белоснежку и семь гномов», про «Золушку»...

— Это болезнь такая? — спросил Рон.

— Выходит, это детские сказки? — спросила Гермиона, снова склоняясь над рунами.

— Ну да, — без особой уверенности подтвердил Рон. — То есть считается, что все старые сказки сочинил Бидль. А как они выглядят в оригинале, я не знаю.

— Но зачем Дамблдору понадобилось, чтобы я их прочитала?

Внизу что-то хрустнуло.

— Наверное, Чарли крадется куда-то, чтобы, пока мама спит, заново отрастить волосы, — нервно произнес Рон.

— Так или иначе, нам пора спать, — прошептала Гермиона. — А то будем ползать завтра как сонные мухи.

— Да уж, — согласился Рон. — Зверское тройное убийство, совершенное матерью жениха, может немного подпортить свадьбу. Свет я сам выключу.

И как только Гермиона вышла из комнаты, он щелкнул делюминатором.

Глава 8

СВАДЬБА

Назавтра в три часа пополудни Гарри, Рон, Фред и Джордж стояли у разбитого в фруктовом саду огромного белого шатра, ожидая появления свадебных гостей. Гарри принял приличную дозу Оборотного зелья и был теперь двойником рыжеголового мальчика-магла из соседней деревни Оттери-Сент-Кэчпоул — волосы его Фред позаимствовал с помощью Манящих чар. Идея состояла в том, чтобы обратить Гарри в «кузена Барни», а многочисленные Уизли должны были поддерживать эту легенду.

Все четверо держали в руках планы рассадки гостей, которые должны были помочь им разводить людей по нужным местам. Целая орда официантов в белых мантиях появилась часом раньше вместе с одетым в раззолоченные костюмы оркестром. Сейчас вся эта волшебная братия сидела неподалеку под деревом, Гарри видел, как над ними поднимается синеватый трубочный дымок.

За спиной Гарри находился вход в шатер, а за входом открывались ряды и ряды хрупких золоченых стульев, стоявших по обеим сторонам пурпурной ковровой дорожки. Столбы, на которых держался шатер, были увиты белыми и золотистыми цветами. Точно над тем местом, где Биллу и Флер предстояло вскоре стать мужем и женой, Фред и Джордж разместили гигантскую связку золотистых же надувных шариков. Снаружи неторопливо порхали над травой и шпалерами бабочки и пролетали жуки, летний день был в самом разгаре. Гарри испытывал некоторое неудобство. Магл, которого он изображал, был немного полнее его, отчего парадная мантия Гарри казалась ему тесноватой и жаркой.

— Когда буду жениться я, — сказал Фред, оттягивая ворот своей мантии, — я подобной дури не допущу. Все вы оденетесь, как сочтете нужным, а на маму я наложу Цепенящее заклятие, и пусть лежит себе спокойно, пока все не закончится.

— Утром она была не так уж и плоха, — сказал Джордж. — Поплакала малость из-за того, что Перси не будет, хотя кому он, спрашивается, нужен? О черт, началось, они уже здесь — глянь-ка.

На дальнем краю двора одна за другой стали появляться ярко расцвеченные фигуры. Прошло всего несколько минут, и из них образовалась целая процессия, которая, извиваясь, двинулась по огороду в направлении шатра. На шляпках волшебниц колыхались экзотические цветы и подрагивали крыльями зачарованные птицы, на шейных платках волшебников посверкивали самоцветы; толпа их приближалась к шатру, и гул возбужденных разговоров все усиливался, заглушая жужжание жуков.

— Отлично, по-моему, я вижу нескольких кузинвейл, — сказал Джордж, вытягивая шею, чтобы приглядеться получше. — Надо бы помочь им разобраться в наших английских обычаях, вот я прямо сейчас этим и займусь...

— Осади, безухий, — сказал Фред и, проскочив возглавлявшую шествие стайку пожилых волшебниц, сказал паре французских девушек: — Ну вот, *permettez-moi*[1]... чтобы *assister vous*[2].

Девушки захихикали и действительно позволили ему проводить их в шатер. Джорджу только и осталось, что заняться пожилыми волшебницами, Рон взял на себя заботы о престарелом министерском коллеге мистера Уизли Перкинсе. Что касается Гарри, на его попечении оказалась глуховатая пожилая супружеская чета.

---

[1] Позвольте мне *(фр.)*.

[2] Помочь вам *(фр.)*.

— Приветик, — произнес, когда Гарри вышел из шатра, знакомый голос, и он увидел стоявших во главе очереди Тонкс и Люпина. Тонкс обратилась по случаю праздника в блондинку. — Артур сказал, что ты тот, у которого курчавые волосы. Прости за вчерашнее, — шепотом прибавила она, когда Гарри вел их по проходу. — Министерство отрастило на оборотней здоровенный зуб, и мы решили, что наше присутствие никакого добра тебе не принесет.

— Все в порядке, я понимаю, — сказал Гарри, обращаясь больше к Люпину, чем к Тонкс.

Люпин коротко улыбнулся ему, но, когда он отвел взгляд в сторону, Гарри увидел, что лицо его снова стало несчастным. В чем дело, Гарри не понимал, однако задумываться над этим ему было некогда: Хагрид уже успел произвести некоторые разрушения. Неверно поняв указания Фреда, он уселся не на магическим способом расширенный и укрепленный стул, поставленный для него в заднем ряду, а на пять обычных, и теперь они напоминали горстку позолоченных спичек.

Пока мистер Уизли устранял повреждения, а Хагрид громогласно извинялся перед всеми, кто его слушал, Гарри поспешил обратно к входу в шатер и обнаружил там Рона, разговаривавшего с на редкость чудаковатым волшебником. Он был немного косоглаз, с белыми, сильно смахивающими на сахарную вату волосами до плеч, в шапочке с кистью, которая болталась перед самым кончиком его носа, и в желтой, цвета яичного желтка, мантии, при одном взгляде на которую начинали слезиться глаза. На золотой цепи, облекавшей его шею, висела странная эмблема, похожая на треугольный глаз.

— Ксенофилиус Лавгуд, — сообщил он, протянув Гарри руку. — Мы с дочерью живем по соседству, за холмом. Как мило, что добрейшие Уизли пригласили нас. Впрочем, с моей Полумной вы, насколько мне известно, знакомы, — прибавил он, обращаясь к Рону.

— Да, — ответил Рон, — но где же она?

— Задержалась немного в вашем очаровательном огородике, чтобы поздороваться с гномами, они у вас там кишмя кишат, чудесно! Мало кто из чародеев понимает, сколь многое мы можем почерпнуть у мудрых маленьких гномов или, если называть их как должно, у *Gernumbli gardensi.*

— У наших можно почерпнуть множество ругательств, — сказал Рон, — но, по-моему, они и сами почерпнули их у Фреда с Джорджем.

Он повел в шатер компанию чародеев, и тут появилась Полумна.

— Привет, Гарри! — сказала она.

— Э-э-э... меня зовут Барни, — ответил впавший в замешательство Гарри.

— О, так ты и имя переменил? — весело спросила она.

— Но как ты меня узнала?..

— Да просто по выражению лица, — ответила Полумна.

Полумна, подобно отцу, облачилась в желтую мантию, к которой добавила воткнутый в волосы цветок подсолнечника. После того как глаза привыкали к яркости ее костюма, он начинал казаться вполне приятным. По крайней мере, на этот раз с ушей Полумны не свисали редиски.

Ксенофилиус, углубившийся в беседу со знакомым волшебником, этот обмен репликами между Полумной и Гарри прослушал. Попрощавшись с волшебником, он обернулся к дочери, и та, воздев один палец, сказала:

— Смотри, папочка, меня гном укусил!

— Чудесно! Слюна гномов благотворна до крайности! — сообщил мистер Лавгуд, хватаясь за палец дочери и оглядывая кровоточащие прокусы. — Полумна, любовь моя, если тебе захочется блеснуть сегодня своими талантами — вдруг тебя охватит желание пропеть оперную арию или почитать что-нибудь на русалочьем языке, — не противься ему! Это может оказаться даром *Gernumbli!*

Рон, как раз в это время проходивший мимо, громко фыркнул.

— Рон может смеяться сколько угодно, — невозмутимо сказала Полумна, когда Гарри провожал ее и Ксенофилиуса к их местам, — но отец провел очень серьезные исследования магии *Gernumbli.*

— Вот как? — сказал Гарри, давно уже решивший для себя, что оспаривать странноватые воззрения Полумны или ее отца дело пустое. — А ты не хочешь перевязать чем-нибудь палец?

— О нет, все хорошо, — ответила Полумна, с мечтательным выражением посасывая укушенный палец и оглядывая Гарри с головы до ног. — А ты хорошо выглядишь. Я сказала папочке, что большинство гостей скорее всего придут в парадных мантиях, но он считает, что на свадьбу лучше всего облачаться в солнечные цвета — на счастье, понимаешь?

Она поплыла к отцу, и тут же объявился Рон со старенькой, цеплявшейся за его руку чародейкой. Крючковатый нос, глаза в красных ободках и розовая шляпка с перьями придавали ей сходство со сварливым фламинго.

— И волосы у тебя слишком длинны, Рональд, я тебя сначала за Джиневру приняла. Мерлинова борода, во что это вырядился Ксенофилиус Лавгуд? Вылитый омлет. А ты кто? — гаркнула она, завидев Гарри.

— Ах, да, тетя Мюриэль, познакомьтесь, это кузен Барни.

— Еще один Уизли? Вы плодитесь, как гномы. А Гарри Поттер тут имеется? Я надеялась познакомиться с ним. Я думала, он ваш друг, Рональд, или вы всего-навсего хвастались?

— Нет... просто он не смог приехать...

— Хм-м. Нашел предлог, чтобы увильнуть? Ну, значит, не такая он бестолочь, какой выглядит на газетных снимках. Я только что научила невесту, как ей лучше носить мою диадему! — крикнула она Гарри. — Гоблинская работа, знаете ли, хранилась в семье веками. Девочка она красивая, но все же *француженка.* Ну ладно, ладно, Рональд, найди для меня место получше, мне все-таки сто семь лет, я не могу долго стоять на ногах.

Рон, проходя мимо Гарри, сокрушенно взглянул на него и на какое-то время пропал. Когда он снова появился у входа, Гарри успел развести по местам с десяток гостей. Шатер уже почти заполнился, а очередь у входа наконец иссякла.

— Мюриэль — это какой-то кошмар, — сказал Рон, отирая рукавом лоб. — Раньше она к нам на каждое Рождество приезжала, но, слава богу, обиделась после того, как Фред с Джорджем прямо во время обеда взорвали под ее креслом навозную бомбу. Папа твердит, что она вычеркнет их из завещания. Можно подумать, что их это волнует, — при их темпах они все равно станут самыми богатыми в нашей семье людьми. Ух ты! — прибавил он и заморгал, глядя на приближавшуюся Гермиону. — Роскошно выглядишь!

— И ведь вечно этот удивленный тон, — произнесла Гермиона, но, однако же, улыбнулась. На ней было сиреневое развевающееся платье, туфли на высоком каблуке, гладко расчесанные волосы ее сияли. — Твоя двоюродная бабушка Мюриэль с тобой не согласилась бы. Я совсем недавно столкнулась с ней на верхнем этаже — она вручала Флер диадему. Увидев меня, она сказала: «Боже, это ведь магловка?» — а затем: «Плохая осанка и костлявые лодыжки».

— Не обращай внимания, она всем грубит, — сказал Рон.

— Вы о Мюриэль говорите? — спросил Джордж, вышедший с Фредом из шатра. — Да, мне она сказала, что у меня уши какие-то кривые. Старая сова. Жаль, дяди Билиуса больше нет, вот кто умел повеселиться на свадьбах.

— Это не тот, который повстречался с Гримом, а ровно через сутки умер? — поинтересовалась Гермиона.

— Ну да, под конец у него появились кое-какие причуды, — признал Джордж.

— Зато до того, как помешаться, он был душой любого свадебного пира, — сказал Фред. — Выдувал целую бутылку огненного виски, а после выскакивал на танцевальный настил, подбирал подол мантии и начинал вытаскивать букеты из...

— Да, человек и вправду очаровательный, — признала Гермиона, пока Гарри сгибался от хохота в три погибели.

— А сам почему-то так и не женился, — сказал Рон.

— Вот этим ты меня удивил, — отозвалась Гермиона.

Им было так весело, что никто не заметил запоздавшего гостя — темноволосого молодого человека с большим кривым носом и густыми черными бровями, — пока он не протянул свое приглашение Рону и не сказал, уставясь на Гермиону:

— Прекрасно выглядишь.

— Виктор! — завопила она и уронила свою расшитую бисером сумочку, ударившуюся о землю с громким стуком, нисколько не отвечавшим ее размерам. Торопливо подняв сумочку и покраснев, Гермиона сказала: — Я и не знала, что ты... господи... как приятно тебя видеть... Ну как ты?

Уши Рона в очередной раз заалели. Прочитав приглашение Крама с таким видом, точно он ни единому стоявшему там слову не верил, Рон спросил намного громче, чем следовало:

— Как это ты здесь оказался?

— Флер пригласила, — приподняв брови, ответил Крам.

Гарри, никакого зла на Крама не державший, пожал ему руку, а затем, решив, что лучше увести Виктора подальше от Рона, предложил проводить его до отведенного ему места.

— Твой друг мне, похоже, не обрадовался, — сказал Крам, когда они вошли в уже наполненный людьми шатер и, взглянув на рыжие кудри Гарри, добавил: — Или он родственник?

— Двоюродный брат, — пробормотал Гарри, однако Крам его, собственно говоря, уже не слушал.

Появление Крама вызвало определенный переполох, особенно среди кузин-вейл: как-никак, Виктор был прославленным игроком в квиддич. Гости еще вытягивали шеи, чтобы получше разглядеть его, а в проходе уже появились торопливо шагавшие Рон, Гермиона, Фред и Джордж.

— Время усаживаться, — сказал Гарри Фред, — не то о нас новобрачная споткнется.

Гарри, Рон и Гермиона заняли свои места — во втором ряду, прямо за Фредом и Джорджем. Гермиона казалась чуть-чуть порозовевшей, уши Рона по-прежнему алели.

Просидев несколько мгновений в молчании, он прошептал Гарри:

— Видал, какую идиотскую бородку он отрастил?

Гарри пробормотал нечто неразборчивое.

Нагретый солнцем шатер наполнили трепетные предвкушения, негромкий говорок сидевших в нем людей время от времени перемежался вспышками возбужденного смеха. По проходу прошли, улыбаясь и кивая родственникам, мистер и миссис Уизли — последняя облачилась сегодня в новую аметистовую мантию и подобранную ей в тон шляпку.

Мгновение спустя в дальнем конце шатра возникли Билл и Чарли, оба в парадных мантиях и с большими белыми розами в бутоньерках; Фред залихватски присвистнул, заставив кузин-вейл захихикать. Зазвучала исходящая, казалось, прямо из золотистых шаров музыка, и все смолкли.

— О-о-о-о-ох! — выдохнула Гермиона, повернувшаяся на стуле, чтобы взглянуть на вход.

Общий вздох вырвался у всех гостей, когда в проходе появились мсье Делакур и Флер. Флер словно плыла, мсье Делакур подпрыгивал на ходу и радостно улыбался. На Флер было совсем простое белое платье, казалось, источавшее сильный серебристый свет. Как правило, рядом с ее сияющей красотой люди словно тускнели, сегодня же этот свет делал более прекрасными всех, на кого он падал. Джинни и Габриэль, обе в золотистых платьях, выглядели красивее обычного, а когда Флер приблизилась к Биллу, стало казаться, что он даже и не встречался никогда с Фенриром Сивым.

— Леди и джентльмены, — произнес певучий голос, и Гарри с легким потрясением увидел того же маленького, с клочьями волос на голове волшебника, что распоряжался на похоронах Дамблдора, — он стоял теперь перед Биллом и Флер, — мы собрались здесь ныне, чтобы отпраздновать союз двух верных сердец...

— Да моя диадема кого хочешь украсит, — звучным шепотом сообщила тетя Мюриэль. — Однако должна сказать, вырез у Джиневры уж больно низкий.

Джинни обернулась, улыбаясь, подмигнула Гарри и тут же снова уставилась перед собой. Мысли Гарри побрели куда-то вдаль от шатра, к послеполуденным часам, которые он проводил наедине с Джинни в укромных уголках школьного двора. Какими давними они казались теперь и слишком прекрасными, чтобы быть правдой, — сияющие часы, выкраденные из жизни какого-то нормального человека, у которого нет на лбу похожего на молнию шрама...

— Уильям Артур, берете ли вы Флер Изабелль?..

Сидевшие в первом ряду миссис Уизли и мадам Делакур негромко рыдали в кружевные тряпицы. Трубные звуки, донесшиеся из задних рядов, давали ясно понять, что и Хагрид извлек из кармана скатерку, заменявшую ему носовой платок. Гермиона, повернувшись к Гарри, светло улыбнулась ему, и ее глаза были полны слез.

— В таком случае я объявляю вас соединенными узами до скончания ваших дней.

Волшебник с клочкастой головой поднял над Биллом и Флер палочку, и серебристые звезды осыпали новобрачных словно дождем, спирально завиваясь вокруг их теперь приникших одно к другому тел. Фред и Джордж первыми захлопали в ладоши, золотистые шары над головами жениха и невесты лопнули, и из них вылетели и неспешно поплыли по воздуху райские птицы и золотые колокольца, вливая пение и перезвон в общий шум.

— Леди и джентльмены, — провозгласил клочковолосый маг, — прошу всех встать!

Все встали, тетушка Мюриэль громко пожаловалась на причиненное ей неудобство; клочковолосый взмахнул волшебной палочкой. Стулья, на которых сидели гости, грациозно взвились в воздух, матерчатые стены шатра исчезли — теперь все стояли под навесом, державшимся на золотистых столбах, и прекрасный, залитый солнечным светом сад обступил гостей со всех сторон вместе с лежащим за ним сельским пейзажем. А следом из центра шатра пролилось жидкое золото, образовав посверкивающий танцевальный настил, висевшие в воздухе стулья расставились вокруг маленьких, накрытых белыми скатертями столов, приплывших вместе со стульями на землю, а на сцену вышли музыканты в золотистых костюмах.

— Чистая работа, — одобрительно сказал Рон, когда повсюду вдруг засновали официанты с серебряными подносами, на которых стояли бокалы с тыквенным соком, сливочным пивом и огненным виски или лежали груды пирожков и бутербродов.

— Надо пойти поздравить их, — сказала Гермиона, приподнимаясь на цыпочки, чтобы увидеть Билла и Флер, окруженных толпой уже поздравлявших их гостей.

— Успеем еще, — пожал плечами Рон, снимая с проплывавшего мимо подноса три бокала со сливочным пивом и вручая один Гарри. — Гермиона, держи, давай найдем столик... только не здесь! Подальше от Мюриэль...

Рон повел друзей через пустой танцевальный настил, поглядывая влево и вправо, — Гарри казалось, что он высматривает Крама. К тому времени, когда они добрались до другого конца шатра, большая часть столиков была уже занята, самым пустым оказался тот, за которым одиноко сидела Полумна.

— Ты не будешь возражать против нашей компании? — спросил Рон.

— Конечно нет! — радостно ответила она. — Папочка пошел к Биллу и Флер с нашим подарком.

— И что он собой представляет — пожизненный запас лирного корня? — поинтересовался Рон.

Гермиона попыталась лягнуть его под столом, но попала в Гарри. От боли на глаза его навернулись слезы, и продолжения разговора он не услышал.

Заиграл оркестр. Билл и Флер вышли на танцевальный настил первыми, сорвав громовые аплодисменты, спустя недолгое время за ними последовали мистер Уизли с мадам Делакур и миссис Уизли с отцом Флер.

— Какая хорошая песня, — сказала Полумна, покачиваясь в такт вальсовому ритму, а через несколько секунд и она скользнула на танцевальный настил и закружилась на месте — одна, закрыв глаза и помахивая руками.

— Она великолепна, правда? — сказал Рон. — И всегда была хороша.

Однако улыбку его тут же точно ветром сдуло — на освобожденное Полумной место опустился Виктор Крам. Гермиона приятно взволновалась, впрочем, на сей раз Виктор комплиментов ей говорить не стал, а спросил, сердито нахмурясь:

— Кто этот человек в желтом?

— Ксенофилиус Лавгуд, отец нашей хорошей знакомой, — ответил Рон. Сварливый тон его свидетельствовал, что он не намерен подсмеиваться над Ксенофилиусом, пусть тот и дает для этого множество поводов. — Пойдем потанцуем, — резко предложил он Гермионе.

Недоумевающая, но и обрадованная Гермиона встала и вместе с Роном присоединилась к густевшей толпе танцующих.

— Они теперь вместе, что ли? — спросил сбитый с толку Крам.

— Да вроде того, — ответил Гарри.

— А ты кто?

— Барни Уизли.

Они обменялись рукопожатиями.

— Слушай, Барни, ты этого Лавгуда хорошо знаешь?

— Нет, только сегодня познакомился. А что?

Крам пристально вглядывался поверх своего бокала в Ксенофилиуса, который непринужденно беседовал с несколькими чародеями по другую сторону танцевального настила.

— Да то, — ответил он, — что, не будь он гостем Флер, я мигом вызвал бы его на дуэль за мерзкий знак, который он носит на груди.

— Знак? — переспросил Гарри и тоже вгляделся в Ксенофилиуса, на груди которого так и поблескивал странный треугольный глаз. — Но почему? Чем он нехорош?

— Грин-де-Вальдом он нехорош. Это знак Грин-де-Вальда.

— Грин-де-Вальд... Это темный маг, которого одолел Дамблдор?

— Точно.

Челюстные мышцы Крама походили вверх-вниз, как будто он что-то жевал, потом Виктор сказал:

— Грин-де-Вальд уничтожил многих, моего деда в том числе. Конечно, в вашей стране он никогда большой силой не обладал, говорили, что Грин-де-Вальд боится Дамблдора. И правильно говорили, если вспомнить, чем он кончил. Но вот это... — Крам ткнул пальцем в Ксенофилиуса. — Я этот знак сразу узнал, Грин-де-Вальд вырезал его на стене нашей школы, Дурмстранга, когда учился в ней. Среди наших нашлись идиоты, которые копировали его, изображали на своих учебниках, на одежде, хотели поразить окружающих, выделиться. В конце концов те из нас, у кого Грин-де-Вальд отнял членов семьи, научили их уму-разуму.

Крам угрожающе пристукнул по столу костяшками кулака и снова сердито вгляделся в Ксенофилиуса. Гарри был сбит с толку. То, что отец Полумны был приверженцем Темных искусств, казалось неправдоподобным до невероятия, к тому же никто больше в этом шатре не узнал треугольного, напоминающего руну символа.

— А ты... э-э... совершенно уверен, что это знак Грин...

— Мне ошибиться трудно, — холодно ответил Крам. — Я несколько лет проходил мимо него каждый день, запомнил.

— Знаешь, не исключено, — сказал Гарри, — что Ксенофилиус на самом деле и не догадывается, что это такое. Лавгуды — люди довольно... необычные. Он мог где-то увидеть этот символ и принять его за поперечное сечение головы морщерогого кизляка или еще кого-нибудь.

— Сечение чего?

— Ну, я не знаю, что это за твари, но, похоже, он отправляется летом вместе с дочерью разыскивать их...

Толком объяснить, что представляют собой Полумна с отцом, ему не удалось, понял Гарри.

— Вон его дочь, — сказал он и указал на Полумну, которая так и танцевала одна, крутя вокруг себя руками, точно она комаров разгоняла.

— Что это она делает? — спросил Крам.

— Скорее всего, пытается избавиться от мозгошмыга, — сказал опознавший симптомы Гарри.

Крам, похоже, не мог понять, смеется над ним Гарри или говорит всерьез. Он извлек из-под мантии палочку и многозначительно постучал ею себя по бедру — из кончика палочки посыпались искры.

— Грегорович! — воскликнул Гарри. Крам испуганно вздрогнул, но Гарри слишком разволновался, чтобы обратить на это внимание: стоило ему увидеть палочку Крама, как он вспомнил Олливандера, тщательно изучавшего ее перед Турниром Трех Волшебников.

— А что такое? — подозрительно спросил Крам.

— Это же мастер, он делает волшебные палочки!

— Я знаю, — сказал Крам.

— И твою сделал! То-то у меня квиддич в голове вертелся...

Подозрения Крама явно усилились:

— Откуда ты знаешь, что мою палочку сделал Грегорович?

— Я... наверное, читал где-то, — ответил Гарри. — В... в спортивном журнале.

Эта торопливая импровизация Крама успокоила.

— Не знал, что спортивные журналы писали о моей палочке, — сказал он.

— Так... э-э... где сейчас Грегорович?

Крама его вопрос озадачил.

— Ушел на покой несколько лет назад. Я был одним из последних, кто купил палочку Грегоровича. Они самые лучшие — хотя я знаю, вы, британцы, ставите Олливандера выше всех других мастеров.

Гарри не ответил. Он сделал вид, что наблюдает, так же как Крам, за танцующими, а сам тем временем лихорадочно размышлял. Выходит, Волан-де-Морт пытается найти прославленного мастера, и долго отыскивать причину этого не нужно: она состоит в том, что проделала палочка Гарри в ночь, когда Волан-де-Морт гнался за ним по небу. Остролист и перо феникса одолели палочку, позаимствованную у кого-то Волан-де-Мортом, а Олливандер этого не предвидел да и понять не смог. Может быть, Грегорович лучше разбирается в подобных делах? Может быть, он и вправду искуснее Олливандера и владеет секретами, которых Олливандер не знает?

— Очень красивая девушка, — сказал Крам, возвращая Гарри в свадебный шатер. Крам указывал на Джинни, которая только что присоединилась к Полумне. — Тоже твоя родственница?

— Да, — внезапно ощутив раздражение, сказал Гарри, — и у нее уже есть поклонник. Ревнивый такой тип. Здоровенный. Его лучше не злить.

Крам хмыкнул.

— Какой смысл, — сказал он и, осушив свой бокал, встал из-за столика, — быть всемирно известным игроком в квиддич, если всех красивых девушек уже разобрали?

Он отошел, а Гарри, получив у проходившего мимо официанта бутерброд, начал обходить танцевальный настил, на котором уже было не протолкнуться. Ему хотелось найти Рона, рассказать про Грегоровича, однако Рон танцевал с Гермионой в самой середке настила. Гарри прислонился к позолоченной колонне и начал, стараясь не злиться по поводу данного им Рону обещания, наблюдать за Джинни, которая танцевала теперь с другом Фреда и Джорджа, Ли Джорданом.

На свадьбах он еще никогда не бывал и потому не мог сказать, чем эти торжества волшебников отличаются от тех, что устраивают маглы, однако был совершенно уверен, что ни свадебного торта, увенчанного двумя действующими моделями фениксов, которые взлетают, когда его начинают резать, ни плывущих в толпе по воздуху бутылок шампанского у маглов не увидишь. Вечер переходил в ночь, и под навес начали залетать мотыльки, кружившие вокруг плававших в воздухе золотистых фонариков, а веселье становилось все более буйным. Фред и Джордж давно уже удалились в темноту с двумя кузинами Флер, Чарли, Хагрид и какой-то коренастый чародей в лиловой круглой шляпе с загнутыми кверху полями распевали в углу песню «Одо-герой».

Углубившись в толпу, чтобы избавиться от пьяного дядюшки Рона,— этот господин, похоже, никак не мог сообразить, сын ему Гарри или не сын, — он заметил одиноко сидевшего за столом старого волшебника. Ореол белых волос вокруг головы, придававших ему сходство с состарившимся одуванчиком, прикрывала сверху траченная молью феска. В нем ощущалось что-то смутно знакомое и, пошарив в памяти, Гарри вдруг сообразил, что это Элфиас Дож, член Ордена Феникса и автор некролога Дамблдора.

Гарри подошел к нему:

— Вы позволите мне присесть?

— Конечно, конечно, — ответил Дож, голос у него был высокий и слегка хрипловатый.

Гарри наклонился к волшебнику:

— Мистер Дож, я Гарри Поттер.

Дож ахнул:

— Мой дорогой мальчик! Артур сказал мне, что вы здесь, в ином обличье... Я так рад, так польщен!

И Дож, трепеща от волнения и удовольствия, налил Гарри бокал шампанского.

— Я собирался написать вам, — зашептал он, — после того как Дамблдор... Такое потрясение... уверен, для вас тоже...

Маленькие глазки Дожа наполнились слезами.

— Я читал некролог, который вы написали для «Ежедневного пророка», — сказал Гарри. — Не думал, что вы так хорошо знали профессора Дамблдора.

— Не лучше, чем другие, — ответил Дож, промокая салфеткой глаза. — Конечно, я знал его дольше всех — если не считать Аберфорта, но Аберфорта почему-то никто в счет не берет.

— Кстати, о «Ежедневном пророке»... не знаю, видели ли вы, мистер Дож...

— О, прошу вас, дорогой мальчик, называйте меня просто Элфиасом.

— Не знаю, Элфиас, видели ли вы посвященное Дамблдору интервью с Ритой Скитер.

Лицо Дожа залила гневная краска.

— О да, Гарри, видел. Эта женщина, а вернее сказать, стервятница, буквально извела меня просьбами побеседовать с ней. К стыду моему, должен признаться, что я ей в конце концов нагрубил, обозвал пронырливой пятнистой форелью, что породило, как вы, возможно, знаете, клеветнические утверждения касательно поразившего меня умственного расстройства.

— Так вот, — продолжал Гарри, — в интервью Рита Скитер намекнула, что в молодости профессор Дамблдор увлекался Темными искусствами.

— Не верьте ни единому слову! — мгновенно ответил Дож. — Ни единому, Гарри. Не позволяйте замарать вашу память об Альбусе Дамблдоре!

Гарри всматривался в серьезное, огорченное лицо Дожа и ощущал скорее разочарование, чем уверенность. Неужели Дож полагает, что все так легко, что можно просто предпочесть ничему не верить? Неужели он не понимает, что Гарри нужна уверенность, точное знание?

Возможно, Дож догадался, что чувствует Гарри, потому что заговорил быстро и озабоченно:

— Гарри, Рита Скитер ужасная...

Их прервало визгливое кудахтанье:

— Рита Скитер? Обожаю ее, читаю все, что она пишет!

Подняв глаза, Гарри и Дож обнаружили стоящую у их столика тетушку Мюриэль с покачивающимся на шляпе плюмажем и бокалом шампанского в руке.

— Вы знаете, она ведь книгу про Дамблдора написала!

— Здравствуйте, Мюриэль, — сказал Дож. — Да, мы как раз беседовали о...

— Эй, вы! Давайте сюда ваш стул, мне сто семь лет!

Еще один рыжий кузен Уизли испуганно вскочил, и тетушка Мюриэль, с завидной силой развернув его стул к себе, уселась между Дожем и Гарри.

— Еще раз здравствуйте, Барри или как вас там, — сказала она Гарри. — Ну, так что вы тут говорили о Рите Скитер, Элфиас? Вам известно, что она написала биографию Дамблдора? Жду не дождусь, не забыть бы только заказать ее у «Флоуриша и Блотса»!

Услышав это, Дож посерьезнел и помрачнел, а между тем тетушка Мюриэль осушила свой бокал и щелкнула костлявыми пальцами проходившему мимо официанту, требуя замены. Затем она от души глотнула шампанского, рыгнула и произнесла:

— Ну, что вы надулись, как пара лягушачьих чучел? Прежде чем Альбус стал уважаемым, достопочтенным и прочая чушь, о нем ходили очень интересные слухи!

— Злобные измышления плохо осведомленных людей, — сказал Дож, покраснев, как редиска.

— Это вы так говорите, Элфиас, — фыркнула тетушка Мюриэль. — Я заметила, как деликатно вы обошли в вашем некрологе все острые углы!

— Сожалею, что у вас создалось такое впечатление, — с еще большей холодностью произнес Дож.

— О, всем известно, что вы преклонялись перед Дамблдором. Смею сказать, даже если выяснится, что он-то и прикончил свою сестрицу-сквиба, вы все равно будете считать его святым!

— Мюриэль! — вскричал Дож.

В груди Гарри заструился холодок, никакого отношения к ледяному шампанскому не имевший.

— Что это значит? — спросил он у Мюриэль. — Откуда известно, что его сестра была сквибом? Я думал, она просто болела.

— Ну и напрасно думали, Барри! — объявила тетушка Мюриэль, явно довольная произведенным ею впечатлением. — Да и вообще, что вы об этом можете знать? Все происходило, мой дорогой, много лет назад, когда вас еще и в проекте не было, а даже те из нас, кто жили тогда, так никогда и не узнали, что там на самом деле приключилось. Потому-то я и жду так книгу Скитер, уж больно не терпится узнать, что она раскопала. Дамблдор всегда помалкивал о своей сестре!

— Неправда! — прохрипел Дож. — Абсолютная неправда!

— Он никогда не говорил мне, что его сестра была сквибом, — сказал, не подумав, Гарри, по-прежнему ощущавший холодок в груди.

— А с чего бы он стал вам об этом рассказывать! — проскрипела Мюриэль и покачнулась на стуле, попытавшись сфокусировать взгляд на Гарри.

— Причина, по которой Альбус никогда не говорил об Ариане, — начал Элфиас сдавленным от переполнявших его чувств голосом, — на мой взгляд, совершенно ясна. Он был настолько подавлен смертью сестры...

— А почему ее никто никогда не видел, Элфиас? — проскрежетала Мюриэль. — Почему половина наших даже не знала о существовании Арианы, пока из дома не вынесли гроб, в котором ее похоронили? Где был ваш святой Альбус, пока Ариана сидела запертой в погребе? Блистал в Хогвартсе и ни разу не задумался о том, что творится в его доме!

— Что значит «запертой в погребе»? — спросил Гарри. — Как это?

Вид у Дожа стал совсем несчастный. А тетушка Мюриэль хихикнула и ответила Гарри:

— Мамаша Дамблдора была жуткой бабой, попросту жуткой. Родилась от магла, хоть и притворялась, как я слышала, будто это не так...

— Ничего она не притворялась! Кендра была достойной женщиной, — жалко прошептал Дож, однако тетушка Мюриэль не обратила на него никакого внимания.

— Заносчивая, властная, из тех волшебниц, для которых родить сквиба хуже смерти...

— Ариана не была сквибом! — прохрипел Дож.

— Это вы так говорите, Элфиас, но объясните тогда, почему она не училась в Хогвартсе? — поинтересовалась тетушка Мюриэль. И снова повернулась к Гарри: — И в наши-то дни о сквибах нередко помалкивают. Однако довести все до крайности, запереть девочку в доме и делать вид, будто ее и на свете-то не существует...

— Да говорю же я вам, все было не так! — воскликнул Дож, но тетушка Мюриэль катила себе дальше, как паровой каток, по-прежнему обращаясь лишь к Гарри.

— Сквибов, как правило, переводили в магловские школы, старались помочь им прижиться среди маглов. В этом было намного больше доброты, чем в попытках найти для них место в волшебном сообществе, где они навсегда остались бы существами второго сорта. Но, естественно, Кендре Дамблдор и в голову не могло прийти отдать свою дочь в школу маглов...

— У Арианы было хрупкое здоровье, — с отчаянием произнес Дож. — Слишком хрупкое, чтобы позволить ей...

— Позволить ей выходить из дому? — фыркнула Мюриэль. — Между прочим, ее никогда не приводили в больницу святого Мунго и на дом целителя ни разу не вызывали!

— Право же, Мюриэль, ну как вы можете знать...

— К вашему сведению, Элфиас, мой кузен Ланселот работал в то время целителем в святом Мунго. Так вот, он под строжайшим секретом сообщил моей семье, что Ариану там и в глаза не видели. Что представлялось Ланселоту весьма и весьма подозрительным!

Казалось, Дож, того и гляди, расплачется. Тетушка Мюриэль, явно наслаждавшаяся собой, щелкнула пальцами, требуя еще шампанского. Ошеломленный Гарри вспоминал о том, как Дурсли когда-то запирали его, не выпускали из дому, старались, чтобы он не попался никому на глаза, и все за одно-единственное преступление — за то, что он был волшебником. Неужели сестру Дамблдора поразила такая же участь, хоть и по причине совершенно обратной? Неужели ее держали под запором за то, что она не была волшебницей? И Дамблдор действительно предоставил ее этой участи, отправившись в Хогвартс, чтобы продемонстрировать всем свои блестящие дарования?

— Ну так вот, если бы Кендра не скончалась первой, — снова заговорила тетушка Мюриэль, — я сказала бы, что это она прикончила Ариану...

— Как вы можете, Мюриэль? — простонал Дож. — Чтобы мать убила свою дочь? Думайте, что говорите!

— Если упомянутая мать способна годами держать дочь под запором, почему бы и нет? — пожала плечами тетушка Мюриэль. — Однако, как я сказала, этого не случилось, поскольку Кендра умерла первой — отчего, так никто до конца и не понял...

— О, разумеется, ее убила Ариана, — сказал Дож, отважно силясь изобразить презрение. — Почему бы и нет?

— Да, Ариана могла предпринять отчаянную попытку вырваться на свободу и убить Кендру в завязавшейся при этом драке, — сказала тетушка Мюриэль. — Можете покачивать головой сколько угодно, Элфиас. Вы же присутствовали на похоронах Арианы, не так ли?

— Да, присутствовал, — дрожащими губами ответил Дож. — И более печального события я не помню. Сердце Альбуса было разбито ...

— Не только сердце. Разве Аберфорт не сломал ему нос прямо посреди заупокойной службы?

Если до сих пор Дож выглядел охваченным ужасом, то теперь оказалось, что это были сущие пустяки. Мюриэль с таким же успехом могла ударить его ножом в грудь. Она, громко захихикав, снова глотнула шампанского, да так, что оно потекло по ее подбородку.

— Откуда вы?.. — прокаркал Дож.

— Моя матушка дружила со старухой Батильдой Бэгшот, — радостно сообщила тетушка Мюриэль. — Батильда описала ей все в подробностях, а я подслушала у двери. Драка над гробом! По словам Батильды, Аберфорт заорал, что в смерти Арианы виноват только Альбус, и ударил его по лицу. И по ее же словам, Альбус даже не защищался, что само по себе достаточно странно. Случись у них дуэль, Альбус даже со связанными сзади руками и мокрого места от Аберфорта не оставил бы.

Мюриэль опять приложилась к шампанскому. Восторг, в который приводил ее рассказ об этих старых скандалах, был нисколько не меньшим, чем ужас, который он вызывал у Дожа. Гарри не понимал, что ему думать, во что верить: он жаждал правды, а Дож только и знал, что мямлить о нездоровье Арианы. Гарри был не в силах поверить, что Дамблдор мог остаться безучастным к тому, что в его доме совершалась такая жестокость. И все-таки в этой истории, несомненно, присутствовало нечто странное.

— И вот что я вам еще скажу, — слегка икнув и оторвав от губ бокал, произнесла Мюриэль. — Думаю, это Батильда выболтала все Рите Скитер. Помните, Скитер намекала в интервью на важный источник, близкий к Дамблдорам? Видит бог, Батильда была там, пока тянулась вся история с Арианой, — она-то этот самый источник и есть!

— Батильда ни за что не стала бы разговаривать с Ритой Скитер, — прошептал Дож.

— Батильда Бэгшот? — спросил Гарри. — Автор «Истории магии»?

Это имя стояло на обложке одного из учебников Гарри, хотя, надо признать, и не того, какой он читал с наибольшим вниманием.

— Да, — ответил Дож, хватаясь за его вопрос, как утопающий за спасательный круг. — Чрезвычайно одаренный историк магии и давний друг Альбуса.

— Теперь-то она, говорят, совсем из ума выжила, — радостно сообщила тетушка Мюриэль.

— Если так, тем более бесчестно поступила воспользовавшаяся ее состоянием Скитер, — сказал Дож, — а уж полагаться на рассказы Батильды и вовсе нельзя.

— Ну, существуют разные способы извлекать из памяти ее содержимое. Уверена, Рита Скитер владеет ими до тонкостей, — сказала тетушка Мюриэль. — И даже если Батильда напрочь рехнулась, у нее наверняка сохранились старые фотографии, а то и письма. Она знала Дамблдоров многие годы... так что, думаю, съездить к ней в Годрикову Впадину очень и очень стоило.

Гарри, как раз сделавший глоток сливочного пива, подавился им. Дож стучал по его спине, а Гарри не сводил заслезившихся глаз с тетушки Мюриэль. Совладав наконец с голосом, он спросил:

— Батильда Бэгшот живет в Годриковой Впадине?

— Да, и всегда там жила. Дамблдоры переехали в те места после того, как Персиваль сел в тюрьму, и она оказалась их соседкой.

— И Дамблдоры тоже жили в Годриковой Впадине?

— Ну, Барри, я же тебе только что об этом сказала, — брюзгливо ответила тетушка Мюриэль.

Гарри ощущал себя выжатым, опустошенным. Ни разу за шесть лет их знакомства Дамблдор не говорил, что оба они жили и оба потеряли родных в Годриковой Впадине. Почему? И далеко ли от могилы Лили и Джеймса до места, где похоронены мать и сестра Дамблдора? Если Дамблдор навещал их, быть может, он проходил и мимо могилы родителей Гарри? Но он никогда не говорил об этом Гарри... не потрудился сказать...

Почему это настолько важно, Гарри не смог бы объяснить даже себе самому, и все же он чувствовал — то, что Дамблдор молчал насчет общих для них мест и общего опыта, было равносильно лжи. Он смотрел перед собой, почти не сознавая того, что происходило вокруг, и не заметил выбравшейся из толпы Гермионы, пока она не уселась на соседний стул.

— Все, больше танцевать не могу, — пропыхтела она, стягивая с ног туфли и растирая ступни. — Рон пошел сливочное пиво искать. Странно, я только что видела, как Виктор летит на всех парусах от отца Полумны, похоже, они повздорили... — Гермиона вгляделась в его лицо и понизила голос: — Гарри, у тебя все в порядке?

Он не знал, с чего начать, впрочем, начинать было поздно. Именно в этот миг нечто большое и серебристое пробило навес над танцевальным настилом. Грациозная, поблескивающая рысь мягко приземлилась прямо посреди толпы танцующих. Все лица обратились к ней, а люди, оказавшиеся к рыси ближе прочих, нелепо застыли, не завершив танцевальных па. А затем Патронус разинул пасть и громким, низким, тягучим голосом Кингсли Бруствера сообщил:

— Министерство пало. Скримджер убит. Они уже близко.

Глава 9

УКРЫТИЕ

Все казалось размытым, замедленным. Гарри и Гермиона вскочили на ноги, выхватили палочки. Многие только теперь сообразили, что произошло нечто странное, лица еще поворачивались к таявшей в воздухе серебряной рыси. Безмолвие холодными кругами расходилось от места, на котором приземлился Патронус. Потом кто-то закричал.

Гарри с Гермионой бросились в гущу запаниковавшей толпы. Гости разбегались во все стороны, многие трансгрессировали — чары, защищавшие «Нору», разрушились.

— Рон! — кричала Гермиона. — Рон, где ты?

Пока они проталкивались через танцевальный настил, Гарри заметил, как в толпе появляются фигуры в плащах и масках, потом увидел Люпина и Тонкс, поднявших над головой палочки, услышал, как оба крикнули: *«Протего!»* — и крик этот словно эхом отозвался отовсюду.

— Рон! Рон! — звала Гермиона, уже почти рыдая; охваченные ужасом гости толкали ее и Гарри со всех сторон.

Гарри схватил ее за руку, чтобы их не отнесло друг от друга, и тут над их головами со свистом пронеслась вспышка света — было ли это защитное заклинание или что похуже, он не знал...

И наконец Рон возник прямо перед ними. Он поймал свободную руку Гермионы, и Гарри почувствовал, как она крутнулась на месте, но тут зрение и слух изменили ему, на него навалилась тьма, он ощущал лишь ладонь Гермионы и прорезал пространство и время, уносясь от «Норы», от слетающих с неба Пожирателей смерти, а может быть, и от самого Волан-де-Морта...

— Где мы? — спросил голос Рона.

Гарри открыл глаза. На миг ему показалось, что они все же остались на свадебном пиру — со всех сторон их окружали люди.

— На Тотнем-Корт-роуд, — ответила задыхающаяся Гермиона. — Вы шагайте, просто шагайте, нам нужно найти место, где можно переодеться.

Гарри так и сделал. Под звездами, переливавшимися над их головами, они наполовину шли, наполовину бежали по широкой темной улице, полной ночных гуляк, обставленной с обеих сторон закрытыми на ночь магазинами. Мимо прогромыхал двухэтажный автобус, с крыши которого на них уставилась компания развеселых, недавно покинувших пивную кутил — Гарри и Рон так и остались в мантиях.

— Нам же не во что переодеться, Гермиона, — сказал Рон, когда какая-то молодая женщина, взглянув на него, разразилась пронзительным смехом.

— И почему я не додумался взять с собой мантию-невидимку? — произнес, мысленно ругая себя за глупость, Гарри. — Весь год таскал ее с собой и вот...

— Все в порядке, мантию я прихватила и одежду для вас тоже, — ответила Гермиона. — Просто старайтесь вести себя естественно, пока... Ага, вот это сгодится.

Она провела их по боковой улочке, потом в темный проулок.

— Мантию, говоришь, прихватила и одежду для нас... — сказал Гарри, вглядываясь в Гермиону, державшую в руках всего-навсего расшитую бисером сумочку, в которой она теперь рылась.

— Ну да, все здесь, — подтвердила Гермиона и, к полному изумлению Гарри и Рона, вытащила из сумочки две пары джинсов, хлопчатобумажную футболку, бордовые носки и серебристую мантию-невидимку.

— Но как, ад раскаленный...

— Заклятие Незримого расширения, — ответила Гермиона. — Штука сложная, но, похоже, я с ней справилась; во всяком случае, мне удалось втиснуть сюда все, что нам потребуется.

Она легко встряхнула непрочную на вид сумочку — послышался звук, какой издает контейнер, внутри которого перекатываются тяжелые предметы.

— Черт, это, наверное, книги, — сказала Гермиона, заглядывая внутрь, — а я-то их по темам раскладывала... ну ладно... Гарри, ты бы лучше надел мантию-невидимку. Рон, переодевайся побыстрее!

— Когда же ты все это проделала? — спросил Гарри, пока Рон выбирался из мантии.

— Я же тебе говорила в «Норе», я несколько дней укладывала все нужное, знаешь, на случай, если придется быстро сматываться. И рюкзак твой сюда сегодня утром засунула, после того как ты переменил внешность... Как чувствовала...

— Знаешь, ты поразительна, — сказал Рон, протягивая ей свою свернутую в узел мантию.

— Спасибо, — со слабой улыбкой ответила Гермиона, заталкивая ее в сумочку. — Гарри, прошу тебя, надень же ты, наконец, мантию-невидимку.

Гарри набросил мантию на плечи, натянул ее через голову и скрылся из глаз. Он только теперь начал понимать, что произошло.

— Другие... те, кто был на свадьбе...

— Мы не можем сейчас думать о других, — зашептала Гермиона. — Они приходили за тобой, Гарри. Если мы вернемся, мы подвергнем всех еще большей опасности.

— Она права, — сказал Рон, похоже, понявший, даже не видя лица Гарри, что тот собирается заспорить. — Там была большая часть Ордена, он обо всех позаботится.

Гарри кивнул, потом сообразил, что друзья видеть его не могут, и сказал:

— Да.

Однако он думал о Джинни, и едкий, как кислота, страх вскипал в его желудке.

— Пойдемте, не стоит стоять на месте, — сказала Гермиона. Они вернулись сначала в боковую улочку, потом на главную, по противоположному тротуару которой брела компания покачивавшихся и что-то распевавших мужчин.

— А интересно, почему именно Тотнем-Корт-роуд? — спросил Гермиону Рон.

— Не знаю, просто само вскочило в голову, но я уверена, в мире маглов мы в большей безопасности, они не ожидают, что мы окажемся здесь.

— Верно, — сказал, озираясь, Рон, — только не кажется ли тебе, что ты тут немного... бросаешься в глаза.

— А куда еще было податься? — спросила Гермиона и поморщилась — мужчины на другой стороне улицы начали посвистывать, глядя на нее. — Не могли же мы снять комнаты в «Дырявом котле», верно? О площади Гриммо и говорить нечего, туда может заявиться Снегг... Наверное, можно было бы попробовать дом моих родителей, но, боюсь, его могут проверить... Ой, хоть бы они заткнулись, наконец!

— Эй, дорогуша! — крикнул через улицу самый пьяный в компании мужчина. — Клюкнуть не желаешь? Бросай своего рыжего, мы тебе пинту поставим!

— Давайте где-нибудь посидим, — поспешно сказала Гермиона, увидев, как Рон открывает рот, чтобы крикнуть что-то через улицу в ответ.— Послушай, здесь это обычное дело, зайдем сюда!

Они вошли в маленькое захудалое ночное кафе. Пластмассовые столы покрывал легкий налет жира, но, по крайней мере, здесь было пусто. Гарри скользнул в кабинку первым, Рон сел рядом с ним, лицом к Гермионе, которая расположилась спиной ко входу и потому нервничала, — она оглядывалась так часто, что казалось, будто у нее тик. Гарри не нравилось сидеть на месте, ходьба по улице создавала иллюзию хоть какого-то движения к цели. Укрытый мантией, он ощущал, как прекращается действие Оборотного зелья, — руки возвращались к обычной длине и форме. Он вытащил из кармана очки и надел их.

Помолчав минуту-другую, Рон сказал:

— А знаешь, ведь до «Дырявого котла» отсюда рукой подать — только Чаринг-Кросс перейти...

— Нельзя, Рон! — тут же ответила Гермиона.

— Да я не о том, чтобы в нем останавливаться, просто выяснили бы, что происходит.

— Мы знаем, что происходит! Волан-де-Морт захватил Министерство, что еще ты хочешь узнать?

— Ладно, ладно, уж и идеей поделиться нельзя!

Они погрузились в раздраженное молчание. Подошла жующая резинку официантка, Гермиона заказала два капуччино — Гарри оставался невидимым, заказывать что-то для него значило показаться чокнутыми. В кафе зашла пара крепко сколоченных работяг, они втиснулись в соседнюю кабинку. Гермиона понизила голос до шепота:

— Думаю, нам нужно найти укромное место и трансгрессировать куда-нибудь в сельскую глушь. Оттуда мы сможем послать сообщение Ордену.

— Ты что же, сумеешь изготовить говорящего Патронуса? — спросил Рон.

— Я попрактиковалась немного, думаю, сумею, — ответила Гермиона.

— Ну, если мы не поставим их в трудное положение... хотя они, возможно, уже арестованы. Боже, какая гадость! — прибавил Рон, отхлебнув пенистый, сероватый кофе.

Официантка, подходившая, шаркая, чтобы принять заказ новых посетителей, услышала Рона и смерила его злым взглядом. Приглядевшись, Гарри увидел, как тот из двух работяг, что был повыше, очень крупный блондин, отмахнулся от нее. Официантка оскорбленно округлила глаза.

— Ладно, давайте двигаться, я эту жижу пить не хочу, — сказал Рон. — Магловские деньги у тебя есть, Гермиона? Надо же расплатиться.

— Да, перед тем как отправиться в «Нору», я сняла со своего счета в банке все сбережения. Вот только наверняка вся мелочь на дне оказалась, — вздохнула Гермиона, протягивая руку к сумочке.

Работяги произвели совершенно одинаковые движения, отмеченные Гарри машинально, — он просто выхватил палочку одновременно с ними. Рон, лишь спустя пару секунд сообразивший, что происходит, метнулся через стол и толкнул Гермиону, бросив ее боком на скамью. Сила испущенных Пожирателями смерти заклятий вдребезги разбила стенную плитку, которую еще мгновение назад заслоняла голова Рона, и в тот же миг Гарри, так и остававшийся невидимым, крикнул:

— *Отключись!*

Струя красного света ударила громадного светловолосого Пожирателя в лицо, и он, потеряв сознание, повалился набок. Его спутник, не понявший, откуда исходило заклятие, снова выпалил в Рона — из кончика его палочки вылетели поблескивающие черные веревки, опутавшие Рона с головы до ног. Официантка завизжала и отскочила к двери кафе, а Гарри метнул еще одно Оглушающее заклятие в связавшего Рона Пожирателя смерти со странно скрученным лицом, но промахнулся — заклятие, отразившись от витрины кафе, ударило в официантку, и та рухнула на пол у самой двери.

— *Экспульсо!* — взревел Пожиратель, и стол, за которым стоял Гарри, бросило взрывом на стену, а сам Гарри почувствовал, как из его руки вылетает палочка и мантия-невидимка соскальзывает с него.

— *Петрификус тоталус!* — завопила непонятно откуда Гермиона, и Пожиратель смерти рухнул, будто статуя, лицом вперед, с треском сокрушив лбом кофейные чашки, а заодно и поверхность стола. Гермиона, которую била крупная дрожь, выбралась из-под скамьи и вытряхнула из волос осколки стеклянной пепельницы.

—*Д- диффиндо*, — произнесла она, наставив палочку на Рона, зарычавшего от боли, когда это заклинание распороло ему джинсы вместе с обтянутым ими коленом.

— Ой, прости, Рон, у меня руки трясутся! *Диффиндо!*

Рассеченные веревки упали к ногам Рона, и он встряхнул руками, чтобы снова их ощутить. Гарри поднял с пола свою палочку, перелез через обломки стола к лежавшему, распластавшись по скамье, светловолосому Пожирателю смерти.

— Мне следовало сразу узнать его. Он был в замке в ту ночь, когда погиб Дамблдор, — сказал Гарри. Потом он перевернул ногой второго Пожирателя, смуглого, чьи глаза сразу же заметались, перебегая с Гарри на Рона и Гермиону.

— Долохов, — сказал Рон. — Я видел его физиономию на старом плакате с объявлением о розыске. А второй, по-моему, Торфинн Роули.

— Плевала я на их имена! — с ноткой истерики в голосе сказала Гермиона. — Как они нас нашли? И что нам теперь делать?

И от охватившей ее паники голова Гарри непонятным образом прояснилась.

— Запри дверь, — сказал он Гермионе. — А ты, Рон, погаси свет.

Он взглянул на парализованного Долохова, мысли быстро сменяли одна другую, а между тем щелкнул дверной замок, и Рон, использовав делюминатор, погрузил кафе во тьму. До Гарри донесся издалека голос пьянчуги, пристававшего к Гермионе, на сей раз он выкликал какую-то другую женщину.

— Ну, и что мы с ними будем делать? — тихо прошептал в темноте Рон, а затем еще тише: — Убьем? Они бы нас убили. Сейчас они — легкая добыча.

Гермиона задрожала и отступила на шаг назад. Гарри покачал головой.

— Достаточно будет стереть у обоих память, — сказал он. — Это самое лучшее, так мы собьем их со следа. Убив их, мы дадим ясно понять, что были здесь.

— Ты у нас главный, — с огромным облегчением произнес Рон. — Правда, заклинание Забвения я еще никогда не использовал.

— Я тоже, — отозвалась Гермиона, — но теорию знаю.

Она глубоко вздохнула, успокаивая сознание, потом направила палочку на лоб Долохова и произнесла:

— *Забудь!*

Глаза Долохова тут же разъехались в стороны, подернувшись сонной дымкой.

— Блестяще! — сказал Гарри и хлопнул Гермиону по спине. — Займись вторым и официанткой, а мы с Роном пока все тут приберем.

— Приберем? — переспросил Рон, оглядывая наполовину разрушенное кафе. — Чего ради?

— Ты не думаешь, что, очнувшись в заведении, которое выглядит так, точно его недавно бомбили, они могут задуматься: а что же тут произошло?

— А, ну правильно...

Рон попытался вытянуть палочку из кармана, однако на это ушло некоторое время.

— Неудивительно, что я не смог сразу выхватить ее. Гермиона, ты уложила мои старые джинсы, а они мне малы!

— Ах, простите, пожалуйста, — прошипела Гермиона, отволакивая официантку подальше от витрины, и Гарри услышал, как она бормочет рекомендации насчет того, куда Рон может засунуть свою палочку вместо кармана.

Приведя кафе в изначальное состояние, они затащили Пожирателей смерти в их прежнюю кабинку и усадили лицом друг к другу.

— И все же как они нас нашли? — спросила Гермиона, оглядывая двух неподвижных мужчин. — Как узнали, что мы здесь? — Она повернулась к Гарри: — Ты... ты не думаешь, что все еще находишься под Надзором, а, Гарри?

— Этого не может быть, — сказал Рон. — Надзор снимают, как только человеку исполняется семнадцать, таков закон. А на взрослого его наложить вообще невозможно.

— Это ты так считаешь, — отозвалась Гермиона. — Но что, если Пожиратели смерти нашли способ использовать его и для тех, кому уже семнадцать?

— Да, но Гарри за последние двадцать четыре часа ни к одному Пожирателю и близко не подходил. Кто же мог наложить на него заклятие Надзора?

Гермиона не ответила. Гарри чувствовал себя замаранным, запятнанным. Может быть, и вправду Пожиратели смерти именно так их и отыскали?

— Если я не могу использовать магию, значит, и вы не можете использовать ее рядом со мной без того, чтобы мы себя не обнаружили... — начал он.

— Расходиться не будем! — решительно заявила Гермиона.

— Нам требуется надежное укрытие, — сказал Рон. — Место, в котором мы сможем все обдумать.

— Площадь Гриммо, — произнес Гарри.

Гермиона и Рон разинули рты.

— Не дури, Гарри, туда же вхож Снегг!

— Отец Рона сказал, что там против него наведены чары. Но даже если они уже не действуют, — сказал Гарри, не дав Гермионе возразить, — так и что с того? Клянусь, ничего приятнее встречи со Снеггом я и представить себе не могу.

— Но...

— Гермиона, из чего нам выбирать? Ничего лучшего у нас нет. Снегг — это один-единственный Пожиратель смерти. А если на мне лежит заклятие Надзора, вся их орава накинется на нас, куда бы мы ни пошли.

Спорить она не стала, хотя, судя по ее виду, и могла бы. Пока Гермиона отпирала дверь кафе, Рон, щелкнув делюминатором, включил освещение. Затем по счету три, произнесенному Гарри, они освободили от заклинаний троицу своих жертв и, прежде чем те смогли хотя бы сонно пошевелиться, Гарри, Рон и Гермиона раскрутились на месте и исчезли в снова стиснувшей их тьме.

Несколько секунд спустя легкие Гарри благодарно расширились, он открыл глаза: все трое стояли посреди знакомой маленькой и убогой площади. Со всех сторон на них смотрели сверху вниз высокие обветшалые дома. Они увидели дом номер двенадцать, о котором им рассказал еще Дамблдор, Хранитель Тайны, и торопливо направились к нему, проверяя через каждые несколько ярдов, не следят ли за ними и не преследуют ли их. Все трое поднялись по каменным ступенькам, и Гарри пристукнул своей палочкой по двери. Послышалась череда металлических щелчков, потом звяканье дверной цепочки, потом дверь со скрипом растворилась, и они торопливо переступили порог.

Пока Гарри закрывал за ними дверь, загорелись, освещая пространство прихожей, старомодные газовые лампы. Все здесь было таким, каким запомнилось Гарри, — мрачноватым, затянутым паутиной, с торчащими из стен головами эльфов-домовиков, отбрасывающими на лестницу странноватые тени. Длинная темная завеса укрывала портрет матери Сириуса. Единственную непривычную особенность составляла выполненная в форме ноги тролля подставка для зонтов, лежавшая на боку, как если бы ее только что снова своротила с места Тонкс.

— По-моему, тут кто-то уже побывал, — прошептала, указывая на нее, Гермиона.

— Ее могли уронить, когда Орден уходил отсюда, — пробормотал в ответ Рон.

— Ну так и где же наведенные против Снегга чары? — спросил Гарри.

— Может быть, они срабатывают только при его появлении? — предположил Рон.

Они стояли на коврике у двери, прижавшись к ней спиной, боясь углубиться в дом.

— Ладно, не век же нам здесь торчать, — сказала наконец Гермиона и шагнула вперед.

— *Северус Снегг?* — Громкий шепот Грозного Глаза Грюма донесся до них из мрака, заставив всех троих испуганно отпрянуть назад.

— Мы не Северус! — успел гаркнуть Гарри, прежде чем что-то налетело на него из темноты, подобно дуновению холодного воздуха, заставив его язык завернуться назад и лишив Гарри возможности произнести хоть слово. Впрочем, прежде чем он успел засунуть палец в рот, чтобы расправить язык, тот развернулся сам собой.

Двое его друзей, по-видимому, испытали то же неприятное ощущение. Рон издавал такие звуки, будто его, того и гляди, вырвет, а Гермиона пролепетала:

— Это н-наверное и есть заклятие К-косноязычия, которое Грозный Глаз припас для Снегга.

Гарри осторожно шагнул вперед. В тени на другом конце вестибюля что-то зашебуршилось, и, прежде чем они успели обмолвиться хоть словом, с ковра поднялась какая-то фигура — высокая, пыльного цвета и жуткая. Гермиона взвизгнула, миссис Блэк, портьеры на портрете которой разъехались, тоже. А серая фигура уже наплывала на них, все ускоряясь и ускоряясь — с отлетающими назад волосами и бородой по пояс, с бесплотным пустым лицом, с пустыми глазницами, — до жути знакомая, страшно изменившаяся, она протянула изможденную руку и указала ею на Гарри.

— Нет! — крикнул он, подняв палочку, хотя никакие заклинания в голову ему не приходили. — Нет! Не мы! Мы тебя не убивали...

При слове «убивали» фигура взорвалась, обратившись в серое облако пыли. Кашляя, Гарри взглянул слезящимися глазами на Гермиону, сидевшую на корточках у двери, прикрыв голову руками, на Рона, который трясся с головы до ног и все же неловко похлопывал ее по плечу, говоря:

— Все п-путем... оно п-пропало...

Пыль завивалась вокруг Гарри, точно клубы тумана, перенимая синеватый оттенок газового света, а миссис Блэк уже завела свое:

— Грязнокровки, чума болотная, стигматы бесчестья, позорище дома моих предков...

— ЦЫЦ! — рявкнул Гарри и ткнул в нее палочкой, и портьеры встали на место, рассыпав красные искры и заставив миссис Блэк замолчать.

— Это... это... — проскулила Гермиона, когда Рон помог ей встать.

— Ну да, — ответил Гарри, — хоть и не настоящий, правда? Просто пугало для Снегга.

«Сработало ли оно, — гадал Гарри, — или Снегг просто отмахнулся от страшилища так же небрежно, как убил Дамблдора?»

Продолжая нервно подрагивать, он повел друзей по прихожей, наполовину ожидая, что на них навалится какой-то новый кошмар, однако все было тихо — только мышь прошмыгнула вдруг вдоль плинтуса.

— Знаешь, я думаю, прежде чем идти дальше, лучше все же проверить, — прошептала Гермиона и, подняв палочку, произнесла: — *Гоменум ревелио!*

И ничего не произошло.

— Ну хорошо, пережила ты серьезное потрясение, — благодушно произнес Рон. — И чего ты этим достигла?

— Чего хотела, того и достигла! — сварливо ответила Гермиона. — Это заклинание позволяет обнаружить присутствие другого человека. Теперь я знаю, что, кроме нас, здесь никого нет!

— Кроме нас и пыльного пугала, — сказал Рон, взглянув на ковер, из которого восстал недавно труп.

— Ладно, пошли, — произнесла Гермиона, бросив испуганный взгляд туда же, и они поднялись по скрипучим ступенькам в гостиную на втором этаже.

Гермиона взмахнула палочкой, зажигая старые газовые лампы, потом, слегка подрагивая на сквозняке, присела на софу и крепко обняла себя руками. Рон подошел к окну, сдвинул на дюйм тяжелую бархатную штору.

— Вроде никого не видно, — сообщил он. — Если Гарри еще под Надзором, они уже были бы здесь. В дом они, как я понимаю, войти не могут, однако... В чем дело, Гарри?

Гарри вскрикнул от боли — шрам снова обжег ему лоб, и что-то вроде отблеска яркого света на воде пронеслось перед глазами. Он увидел огромную тень, ощутил сотрясшую его тело ярость, бурную и краткую, как удар электрическим током

— Ты что-то почувствовал? — спросил, подойдя к нему, Рон. — Ощутил его в нашем доме?

— Нет, я просто чувствую его ярость... он страшно злится...

— Это может быть и в «Норе», — громко сказал Рон. — Что еще? Ты что-нибудь видишь? Он налагает на кого-то заклятие?

— Нет, я ощущаю ярость — и только... не могу ничего сказать...

Гарри чувствовал себя загнанным в угол, запутавшимся, а тут еще Гермиона испуганным голосом спросила:

— Опять твой шрам? Но что происходит? Я думала, ваша связь прервалась!

— Да, на время, — пробормотал Гарри. Шрам болел, мешая сосредоточиться. — Я... я думаю, связь открывается снова, когда он теряет власть над собой. Так было, когда...

— Значит, ты должен закрыть для него свой мозг! — резко сказала Гермиона. — Гарри, Дамблдор не хотел, чтобы ты пользовался этой связью, он хотел, чтобы ты перекрыл ее, для этого ты и учился окклюменции! Иначе Волан-де-Морт сможет населять твое сознание ложными образами, не забывай об этом...

— Да, спасибо, я помню, — сквозь стиснутые зубы ответил Гарри. Он и без Гермионы знал, что с помощью именно этой связи Волан-де-Морт когда-то заманил его в ловушку, что именно она стала причиной гибели Сириуса. Не стоило ему говорить друзьям о том, что он видел и чувствовал, это их только пугало, внушало мысль, что Волан-де-Морт уже заглядывает в ближайшее окно. Боль в шраме все нарастала, и Гарри боролся с ней, как борются с позывами рвоты.

Он повернулся к Рону и Гермионе спиной, притворившись, что вглядывается в украшающий стену старинный гобелен Блэков. И тут Гермиона взвизгнула. Гарри выхватил палочку, резко повернулся и увидел, как в окно гостиной влетает серебристый Патронус. Опустившись на пол, Патронус обернулся горностаем и сообщил голосом Артура Уизли:

— Семья в безопасности, не отвечайте, за нами следят.

Патронус растаял в воздухе. Рон, издав звук, похожий сразу и на подвывание, и на стон, плюхнулся на софу. Гермиона присела рядом, взяла его за руку.

— С ними все хорошо, все хорошо! — зашептала она, и Рон, нервно усмехнувшись, обнял ее.

— Гарри, — сказал он поверх плеча Гермионы, — я...

— Все правильно, — сказал Гарри, которого уже подташнивало от боли, — это твоя семья, конечно, ты за нее тревожишься. Я бы чувствовал то же самое, — и он подумал о Джинни, — да я и *чувствую* то же самое.

Боль достигла высшей точки, лоб жгло так же сильно, как совсем недавно у огорода «Норы». До Гарри словно из дальней дали донеслись слова Гермионы:

— Я не хочу оставаться одна. Давайте воспользуемся спальными мешками, их я тоже прихватила, и заночуем здесь.

Он услышал, как Рон соглашается с ней. Бороться с болью и дальше Гарри не мог, пора было ей уступить.

— Я в ванную, — пробормотал он и вышел из гостиной, изо всех сил подавляя желание перейти на бег.

Гарри едва-едва успел добраться до ванной комнаты. Трясущимися руками заперев дверь на задвижку, он стиснул разрываемую мучительными ударами голову, упал на пол. Последовал новый взрыв боли, и Гарри почувствовал, как бешеная ярость — чужая — овладевает его душой, и увидел длинную комнату, освещаемую только горящим камином, огромного светловолосого Пожирателя смерти, визжащего и извивающегося на ее полу, и возвышающегося над ним человека более изящного сложения. Человек этот выставил перед собой палочку, и Гарри заговорил высоким, холодным, безжалостным голосом:

— Подробнее, Роули, или ты хочешь, чтобы мы скормили тебя Нагайне? Лорд Волан-де-Морт не уверен, что готов простить и на этот раз... Ты вызвал меня сюда лишь для того, чтобы сказать, что Гарри Поттеру снова удалось улизнуть? Драко, дай-ка Роули еще раз вкусить нашего неудовольствия... Ну же, или ты сам узнаешь, каков я в гневе!

В камине упало разломившееся полено, взвилось пламя, свет пронесся по белому, полному ужаса заостренному лицу, и Гарри, словно вынырнув из глубокой воды, отрывисто задышал и открыл глаза.

Он лежал, раскинув руки, на черном мраморном полу, в нескольких дюймах от его лица маячил хвост одной из поддерживавших большую ванну серебряных змей. Гарри сел. Исхудавшее, помертвевшее лицо Малфоя словно отпечаталось изнутри на сетчатке его глаз. Гарри подташнивало от увиденного, от того, какое применение нашел ныне Волан-де-Морт для Драко.

В дверь резко стукнули, Гарри вздрогнул и тут же услышал звонкий голос Гермионы:

— Гарри, тебе зубная щетка не нужна? А то я принесла.

— Да, отлично, спасибо, — сказал он, постаравшись придать своему голосу обычное звучание, и встал с пола, чтобы открыть Гермионе дверь.

Глава 10

РАССКАЗ КИКИМЕРА

На следующее утро Гарри проснулся рано. Он лежал в спальном мешке на полу гостиной. Между плотными шторами виднелся кусочек неба — холодная, чистая синева разведенных чернил, какая возникает в промежутке между ночью и зарей. Тишину нарушало лишь медленное, глубокое дыхание Рона и Гермионы. Гарри взглянул на темные очертания друзей, лежавших рядом с ним на полу. Вчера Рон в приступе галантности настоял на том, чтобы Гермиона улеглась на снятые с софы подушки, и теперь ее силуэт возвышался над ним. Изогнутая рука Гермионы покоилась на полу, пальцы ее отделялись от пальцев Рона лишь несколькими дюймами. «Может, они заснули, держась за руки?» — подумал Гарри. И от этой мысли на него накатило ощущение одиночества.

Он смотрел на темный потолок, на затянутую паутиной люстру. Меньше двадцати четырех часов назад он стоял под солнцем у входа в шатер, ожидая появления свадебных гостей. Сейчас ему казалось, что с тех пор прошла целая жизнь. Что с ним теперь будет? Он лежал и думал о крестражах, о пугающей, сложной миссии, оставленной ему Дамблдором... Дамблдор...

Горе, владевшее им со времени смерти Дамблдора, стало теперь иным. Обвинения, которые он услышал на свадьбе от Мюриэль, поселились в его сознании подобно больным существам, заразившим и память о волшебнике, которого он боготворил. Неужели Дамблдор мог спокойно позволить случиться тому, о чем говорила Мюриэль? Неужели он походил на Дадли, готового мириться с любым пренебрежением, с любыми оскорблениями, пока они не касаются его самого? Неужели он мог отвернуться от сестры, которую прятали от людей, держали в заточении?

Гарри думал о Годриковой Впадине, о ее могилах, ни разу не упомянутых Дамблдором, думал о загадочных вещах, завещанных Дамблдором им троим без каких-либо объяснений, и в душе его нарастала обида. Почему Дамблдор ничего ему не сказал? Да и так ли уж небезразличен был он Дамблдору? Или тот относился к нему всего лишь как к орудию, к мечу, который следует начищать и затачивать, но поверять ему что-либо вовсе не обязательно?

Он больше не мог лежать на полу гостиной, перебирая горестные мысли. Охваченный отчаянным желанием сделать хоть что-нибудь, как-то отвлечься, Гарри выбрался из спального мешка, поднял с пола свою волшебную палочку и тихо вышел из гостиной. На лестничной площадке он шепнул: «*Люмос*» — и при свете палочки начал подниматься по ступеням.

На площадку третьего этажа выходила дверь спальни, в которой Гарри и Рон ночевали, когда были здесь в последний раз; Гарри заглянул в нее. Дверцы платяных шкафов стояли распахнутыми, белье с кровати кто-то содрал. Гарри вспомнил опрокинутую ногу тролля, которую видел вчера на первом этаже. Кто-то обыскивал дом после того, как Орден его покинул. Снегг? Или, может быть, Наземникус, много чего уворовавший отсюда и до, и после смерти Сириуса? Взгляд Гарри прошелся по портрету, изображавшему некогда Финеаса Найджелуса Блэка, прапрадедушку Сириуса, — теперь на холсте остался лишь грязноватый фон. Очевидно, Финеас Найджелус предпочел провести эту ночь в кабинете директора Хогвартса.

Гарри снова стал подниматься вверх и добрался до самой верхней площадки, на которую выходили только две двери. На одной висела табличка с именем: «Сириус». В спальне своего крестного отца Гарри никогда еще не был. Он толкнул дверь и поднял палочку повыше, чтобы она освещала по возможности большее пространство.

Комната эта была просторной и когда-то, должно быть, красивой. Большая кровать с резной деревянной спинкой в изголовье, высокое окно, задернутое длинными бархатными шторами, густо покрытая пылью люстра, из которой еще торчали огарки с восковыми сосульками. Тонкая пленка пыли покрывала картины на стенах и доску в изголовье кровати; паук растянул паутину между люстрой и верхушкой большого платяного шкафа, а войдя в спальню, Гарри услышал, как удирает потревоженная мышь.

Еще подростком Сириус понаклеил здесь такое количество плакатов и картинок, что они почти полностью закрыли серебристо-серый шелк, которым были обтянуты стены. Гарри оставалось лишь предположить, что родители Сириуса не сумели снять заклятие Вечного приклеивания, державшее все это на стенах, поскольку одобрить декоративные вкусы своего сына они определенно не могли. Похоже, Сириус из кожи вон лез, чтобы досадить родителям. Здесь было несколько больших, потускневших, красных с золотом знамен Гриффиндора, подчеркивавших безразличие Сириуса к родственникам, каждый из которых закончил Слизерин. Было много фотографий магловских мотоциклов и (Гарри оставалось лишь позавидовать нахальству Сириуса) несколько плакатов, изображавших магловских девушек в купальниках. Ясно было, что это маглы, поскольку они оставались совершенно неподвижными, выцветшие улыбающиеся губы и глаза их словно примерзли к бумаге, составляя контраст единственной здесь магической фотографии — изображению четырех учеников Хогвартса, стоявших перед камерой, держась за руки и смеясь.

Гарри ощутил прилив удовольствия, узнав на ней отца, — его нерасчесанные темные волосы стояли, как и у Гарри, торчком, и он тоже носил очки. Рядом с ним возвышался небрежно-красивый Сириус, чуть надменное лицо его было много моложе и веселее того, какое помнил Гарри. Справа от Сириуса стоял едва достававший ему до плеча Петтигрю, полноватый, со слезящимися глазами, разрумянившийся от радости, вызванной тем, что его приняли в самую клевую из школьных компаний, в компанию таких обожаемых всеми бунтарей, как Джеймс и Сириус. Слева от Джеймса стоял Люпин, уже тогда выглядевший каким-то потрепанным, но светившийся не менее радостным удивлением человека, неожиданно обнаружившего, что его любят и считают своим... Или Гарри это казалось, поскольку он уже знал, как все тогда было? Он попытался снять фотографию со стены, в конце концов она теперь принадлежала ему, ставшему наследником всего имущества Сириуса. Однако фотография с места не сдвинулась. Сириус не оставил родителям ни единой возможности что-либо изменить в его комнате.

Гарри окинул взглядом пол. Небо снаружи стало ярче: пробивавшийся в комнату луч света позволял хорошо разглядеть листки бумаги, книги и мелкие вещицы, разбросанные по ковру. Ясно было, что комнату Сириуса тоже обыскивали, хотя найденное в ней было, похоже, сочтено — по большей части, если не целиком, — не имеющим ценности. Несколько книг кто-то грубо встряхнул, отчего обложки их наполовину оторвались, а пожелтевшие страницы рассыпались по полу.

Гарри наклонился, поднял с пола несколько листков, всмотрелся в них. Один оказался страницей из старого издания «Истории магии» Батильды Бэгшот, другой — из руководства по уходу за мотоциклом. Третий был исписан от руки и смят, Гарри разгладил его.

Дорогой Бродяга!

Спасибо, огромное тебе спасибо за подарок на день рождения Гарри! Он все еще остается у мальчика самым любимым. Гарри всего только год, а он уже летает на твоей игрушечной метле и выглядит страшно собой довольным — прилагаю снимок, посмотри сам. Как ты знаешь, метелка поднимается над землей всего на два фута, но Гарри уже едва не прикончил кошку и расколотил кошмарную вазу, присланную на Рождество Петуньей (вот тут мне жаловаться не на что). Разумеется, Джеймс находит все это забавным, говорит, что мальчик станет великим игроком в квиддич. Нам пришлось убрать и упаковать все безделушки, и теперь мы не спускаем с него глаз, когда он летает по дому.

День рождения прошел очень тихо, в гости к нам заглянула лишь старая Батильда, которая всегда была к нам добра, а Гарри попросту обожает. Мы так жалели, что ты не смог появиться, но, конечно, Орден прежде всего, да к тому же Гарри еще не настолько вырос, чтобы понять, что это его день рождения. Джеймса начинает немного расстраивать необходимость сидеть здесь, будто взаперти, он старается не показывать этого, но я же вижу. А тут еще Дамблдор никак не вернет его мантию-невидимку, и это лишает Джеймса возможности совершать хотя бы небольшие вылазки. Если ты сможешь нас навестить, это его очень обрадует. В прошлые выходные к нам заезжал Хвостик, по-моему, он чем-то подавлен, хотя, вероятно, все дело в новости насчет Маккиннонов. Я, услышав ее, целый вечер проплакала.

Батильда забегает к нам почти каждый день. Она очаровательная старушка, рассказывает о Дамблдоре совершенно поразительные вещи, не уверена, что он был бы доволен, узнав об этом! Не знаю, впрочем, можно ли им верить, потому что мне кажется невероятным, чтобы Дамблдор...

Руки и ноги Гарри точно онемели. Он стоял совершенно неподвижно, держа в ничего не чувствующих пальцах чудесный листок, а внутри у него происходило что-то вроде безмолвного извержения вулкана, выбрасывавшего смешанные в равных долях радость и горе. С трудом доковыляв до кровати, он сел.

Гарри прочитал письмо еще раз, но никакого нового смысла в нем не обнаружил и теперь пригляделся к почерку. Мама выводила «у» точь-в-точь как он. Гарри просмотрел все письмо — эта буква везде была одинакова и каждый раз воспринималась как приветливый взмах руки из-за прозрачной завесы. Письмо было невероятным сокровищем, доказательством того, что Лили Поттер жила, действительно жила на свете, что ее теплая рука скользила вот по этой странице, выводя чернилами вот эти буквы, эти слова, слова о нем, Гарри, ее сыне.

Нетерпеливо смахнув с глаз слезы, он перечитал письмо снова, вникая теперь в значение написанного

Лили. Он как будто вслушивался в наполовину забытый голос.

У них была кошка... возможно, и она умерла, как родители, в Годриковой Впадине... или сбежала, когда ее некому стало кормить... Сириус купил ему первую в его жизни метлу... родители знали Батильду Бэгшот; может быть, их познакомил Дамблдор? *«Дамблдор никак не вернет его мантию-невидимку»*... А вот это немного странно...

Гарри прервал чтение, обдумывая слова матери. Зачем Дамблдор взял у Джеймса мантию-невидимку? Гарри ясно помнил, как Учитель годы тому назад сказал ему: «Мне не нужна мантия-невидимка для того, чтобы стать невидимым». Возможно, она понадобилась кому-то из менее одаренных членов Ордена и Дамблдор просто вызвался ее передать? Гарри стал читать дальше. *«К нам заезжал Хвостик...»* Петтигрю, предатель, казался чем-то «подавленным», только ли казался? Может быть, он уже знал, что в последний раз видит Джеймса и Лили живыми?

И наконец все та же Батильда, которая рассказывала о Дамблдоре поразительные вещи: *«...кажется невероятным, чтобы Дамблдор...»*

Чтобы Дамблдор — что? Впрочем, о Дамблдоре можно было порассказать много такого, что показалось бы невероятным, — к примеру, что он получил однажды низшую оценку на экзамене по трансфигурации, что он, подобно Аберфорту, испытывал заклинания на козлах...

Гарри встал, внимательно осмотрел пол — возможно, где-то лежит и конец письма? Он подбирал листок за листком, осматривал их. Не особенно церемонясь, совсем как тот, кто проводил здесь обыск, вытаскивал ящик за ящиком, перетряхивал книги, встав на стул, провел рукой по верху платяного шкафа, заглянул под кровать и под кресло.

Наконец, улегшись на пол, он обнаружил под комодом что-то вроде рваного клочка бумаги, а когда вытащил его, клочок оказался половинкой той самой фотографии, о которой писала Лили. Черноволосый мальчик, громко хохоча, влетал в эту фотографию и вылетал из нее верхом на крошечной метле, а за ним гонялась пара ног, принадлежавших, по-видимому, Джеймсу. Гарри уложил фотографию в карман, где уже находилось письмо Лили, и продолжил поиски второго листка.

Однако еще через четверть часа он поневоле пришел к заключению, что окончание письма матери пропало. Просто ли потерялось оно за шестнадцать лет, прошедших со дня его написания, или листок забрал тот, кто обыскивал спальню? Гарри снова перечитал начало письма, пытаясь отыскать ключ к тому, что сделало его окончание ценным. Игрушечная метла вряд ли заинтересовала бы Пожирателей смерти. Единственную потенциальную ценность могла представлять информация о Дамблдоре. «*...кажется невероятным, чтобы Дамблдор...*» — что?

— Гарри! Гарри! Гарри!

— Я здесь! — крикнул он. — Что случилось?

На лестнице застучали шаги, и в спальню Сириуса влетела Гермиона.

— Мы проснулись, а где ты — неизвестно! — задыхаясь, сказала она и, повернувшись назад, крикнула: — Рон! Нашла!

Издали, с расстояния в несколько этажей, донесся сердитый голос Рона:

— Хорошо! Передай ему от меня, что он козел!

— Гарри, пожалуйста, не исчезай так, мы страшно перепугались! И вообще, зачем ты сюда забрался? — Она оглядела перевернутую вверх дном комнату. — Что ты тут делал?

— Посмотри, что я нашел.

Он протянул ей письмо матери. Гермиона взяла письмо, прочла. Гарри наблюдал за ней. Дойдя до конца страницы, она подняла на него глаза:

— Ох, Гарри...

— А еще вот это.

Он отдал ей разорванную фотографию, и Гермиона заулыбалась, наблюдая за мальчиком на метле.

— Я поискал окончание письма, — сказал Гарри, — но его здесь нет.

Гермиона огляделась вокруг:

— Это ты тут такой беспорядок учинил или до тебя кто-то постарался?

— Кто-то уже обыскивал комнату, — сказал Гарри.

— Я так и подумала. В какую комнату я ни заглядывала, пока поднималась наверх, везде одно и то же. Как потвоему, что тут искали?

— Если это был Снегг, сведения об Ордене.

— А ты не думаешь, что у него и так уже есть все необходимое, он же состоял в Ордене, верно?

— Ладно, — сказал Гарри, которому не терпелось обсудить его теорию, — тогда как насчет сведений о Дамблдоре? Они могли искать, к примеру, окончание этого письма. Батильда, которую упоминает мама, ты знаешь, кто она?

— Кто?

— Батильда Бэгшот, автор...

— «Истории магии», — явно заинтересовавшись, сказала Гермиона. — Так твои родители знали ее? Она была потрясающим историком.

— Она еще жива, — сказал Гарри, — и живет в Годриковой Впадине. Ронова тетушка Мюриэль рассказывала о ней на свадьбе. И семью Дамблдоров Батильда тоже знала. Интересно было бы побеседовать с ней, правда?

Улыбка Гермионы стала слишком уж понимающей, и Гарри это не понравилось. Он отобрал у нее письмо и фотографию, засунул их в мешочек, который висел у него на шее, просто чтобы не смотреть на нее и не выдать своих чувств.

— Я понимаю, почему тебе хочется поговорить с Батильдой о твоих маме и папе, да и о Дамблдоре тоже, — сказала Гермиона. — Но ведь в поисках крестражей это нам ничем не поможет, так? — Он не ответил, и Гермиона торопливо продолжила: — Гарри, я знаю, тебе очень хочется отправиться в Годрикову Впадину, но я боюсь... боюсь легкости, с которой нашли нас вчера Пожиратели смерти. И поэтому сильнее, чем раньше, уверена — нам не следует появляться там, где похоронены твои родители. От тебя наверняка именно этого и ждут.

— Дело не только в родителях, — все еще стараясь не глядеть на нее, сказал Гарри. — На свадьбе Мюриэль много чего наговорила про Дамблдора. Я хочу узнать правду...

И он пересказал Гермионе все, что услышал от Мюриэль. Когда он закончил, Гермиона сказала:

— Я понимаю, конечно, почему тебя это расстраивает, Гарри...

— Не расстраивает, — ответил он. — Я просто хочу выяснить, правда это или...

— Гарри, ты действительно думаешь, что от злобной старухи вроде Мюриэль или от Риты Скитер можно услышать правду? Как ты можешь им верить? Ты же знал Дамблдора!

— Думал, что знаю, — пробормотал он.

— Но тебе же известно, сколько правды было во всем, что Рита писала о тебе. Дож прав. Как ты можешь позволять этим людям марать твою память о Дамблдоре?

Гарри отвел взгляд в сторону, стараясь не выдать негодования, которое его охватило.

Все то же самое: выбор веры. А ему нужна истина. Почему все с таким упорством стараются не подпустить его к ней?

— Может, пойдем на кухню? — помолчав немного, предложила Гермиона. — Поищем что-нибудь на завтрак.

Гарри нехотя согласился, последовал за ней на площадку лестницы, прошел мимо второй выходившей сюда двери. Под незамеченной им в темноте маленькой табличкой на ней виднелись в краске глубокие царапины. Он остановился, чтобы прочитать написанное на табличке. Табличка выглядела эффектно, надпись на ней была аккуратно выведена от руки — такую мог повесить на дверь своей спальни Перси Уизли.

Не входить
без ясно выраженного разрешения
Регулуса Арктуруса Блэка

От волнения кожу Гарри словно закололо иголками, хоть он и не сразу понял, чем это волнение вызвано. Он перечитал надпись на табличке еще раз. Гермиона уже спустилась на один лестничный марш.

— Гермиона, — позвал он и сам удивился спокойствию своего голоса. — Вернись.

— В чем дело?

— Р. А. Б. По-моему, я его нашел.

Гермиона ахнула и бегом взлетела по лестнице.

— В письме твоей мамы? Но я не заметила...

Гарри покачал головой, ткнул пальцем в табличку. Гермиона прочитала надпись и вцепилась в руку Гарри с такой силой, что он поморщился от боли.

— Брат Сириуса? — прошептала она.

— Он был Пожирателем смерти, — сказал Гарри. — Сириус рассказывал мне о нем. Вступил в Пожиратели совсем молодым, потом перетрусил, хотел уйти — и они его убили.

— Все сходится! — выдохнула Гермиона. — Если он был Пожирателем, то имел доступ к Волан-де-Морту, а, разочаровавшись, мог пожелать его падения!

Она выпустила руку Гарри, перегнулась через перила и крикнула:

— Рон! РОН! Поднимайся сюда, скорее!

Минуту спустя появился запыхавшийся, державший наготове палочку Рон.

— В чем дело? Опять больших пауков увидела? Дай позавтракать, а уж потом...

Нахмурив лоб, он прочитал табличку, на которую молча указала ему Гермиона.

— И что? Это ведь брат Сириуса, так? Регулус Арктурус... Регулус... Р. А. Б.! Медальон... Ты думаешь?..

— Надо выяснить, — сказал Гарри. Он толкнул дверь — она оказалась запертой.

Гермиона ткнула в дверную ручку палочкой и произнесла:

— *Алохомора!*

Раздался щелчок, и дверь отворилась.

Все трое переступили порог и заозирались по сторонам.

Спальня у Регулуса была меньше, чем у Сириуса, но также наводила на мысль о былом великолепии. Однако если Сириус старался показать свое отличие от всех прочих членов семьи, то Регулус норовил подчеркнуть противоположное. Изумрудно-серебристые цвета Слизерина встречались здесь на каждом шагу — на покрывале постели, на стенах и окнах. Над кроватью был старательно изображен родовой герб Блэков и их девиз: «Чистота крови навек». Под ним висели пожелтевшие вырезки из газет, склеенные таким образом, чтобы получился коллаж, теперь уже сильно обветшавший. Гермиона пересекла комнату, чтобы разглядеть его.

— Все вырезки посвящены Волан-де-Морту, — сказала она. — Похоже, Регулус был его поклонником задолго до того, как вступил в Пожиратели.

Гермиона присела, подняв облачко пыли, на кровать, чтобы прочесть вырезки. А Гарри попалась на глаза обрамленная фотография, с которой улыбались и махали руками члены хогвартской команды по квиддичу. Он подошел к ней поближе и увидел на груди каждого игрока изображение змея: слизеринцы. В мальчике, сидевшем в середине первого ряда, мгновенно узнавался Регулус — темными волосами и немного надменным выражением лица он очень походил на брата, хоть был пониже и похудощавее Сириуса, да и красотой его не отличался.

— Он был ловцом, — сказал Гарри.

— Что? — рассеянно откликнулась полностью ушедшая в чтение Гермиона.

— Он сидит в середине первого ряда, а это место ловца... Ну ладно, не важно, — сказал Гарри, сообразив, что никто его не слушает: Рон стоял на четвереньках, заглядывая под платяной шкаф. Гарри оглядел комнату в поисках возможных тайников, подошел к письменному столу. Однако и стол кто-то уже обыскал. Содержимое ящиков переворошили совсем недавно, стерев кое-где пыль. Ничего ценного в них не было: пожелтевшие гусиные перья, устаревшие, со следами неласкового обращения учебники и совсем недавно разбитый пузырек чернил, еще липкие остатки которых покрывали содержимое одного из ящиков.

— Есть способ попроще, — сказала Гермиона, увидев, как Гарри вытирает о джинсы измазанные чернилами пальцы. Она вскинула палочку и произнесла: — *Акцио, медальон!*

Однако ничего не произошло. Рон, перебиравший складки выцветших штор, разочарованно оглянулся:

— Вот так, значит. Его здесь нет.

— Может, и есть, только на него наложены контрзаклятия, — ответила Гермиона. — Ну, знаешь, чары, не позволяющие приманивать его посредством магии.

— Да, вроде тех, какие Волан-де-Морт наложил на чашу в пещере, — сказал Гарри, вспомнив, как ему не удалось приманить поддельный медальон.

— И как же мы его тогда найдем? — спросил Рон.

— Вручную, — ответила Гермиона.

— Роскошная мысль, — сообщил, выкатив глаза, Рон и снова занялся шторами.

В течение часа они обшаривали каждый дюйм спальни и в конце концов пришли к выводу, что медальона в ней нет.

Тем временем встало солнце, ослепительный свет его пробивался даже сквозь покрытые копотью окна.

— Вообще-то он может быть где угодно в доме, — словно ободряя Гарри и Рона, сказала Гермиона, когда все трое спускались по лестнице: чем в большее уныние они впадали, тем, казалось, большей решимости она преисполнялась. — Пытался он уничтожить его или не пытался, ему нужно было спрятать медальон от Волан-де-Морта, правильно? А помните, сколько жутких вещей нам пришлось выбросить, когда мы были здесь в последний раз? Часы, которые стреляли во всех арбалетными стрелами, старые мантии, пытавшиеся придушить Рона. Регулус мог разместить их здесь для защиты тайника, в котором лежал медальон, хотя мы еще не знали в то... в то...

Гарри с Роном обернулись к ней. Гермиона стояла, подняв одну ногу и вообще походя на человека, которого только что саданули заклятием Забвения — глаза ее явно утратили способность фокусироваться на чем бы то ни было.

— ...в то время, — шепотом закончила она.

— Что с тобой? — поинтересовался Рон.

— Там был медальон.

— Что? — в один голос спросили Рон и Гарри.

— В шкафчике, который стоял в гостиной. И никто этот медальон открыть не смог. И мы... мы...

Гарри показалось, что из груди его прямиком в желудок рухнул кирпич. Он вспомнил: медальон передавался из рук в руки, и все пытались по очереди вскрыть его. А потом медальон бросили в мусорный мешок заодно с табакеркой, заполненной Бородавочным порошком, и музыкальной шкатулкой, вгонявшей всех в сон.

— Кикимер тогда умыкнул кучу разных вещей, — сказал Гарри. Это был их единственный шанс, единственная оставшаяся у них слабенькая надежда, и Гарри намеревался держаться за нее, пока ее силой не вырвут из его рук. — У него в кухонном чулане целый склад был. Пошли.

Он полетел, перепрыгивая ступеньки, вниз по лестнице, двое друзей с топотом мчались за ним. Шума они наделали столько, что, проносясь через вестибюль, разбудили портрет матушки Сириуса.

— Мерзопакость! Грязнокровки! Отбросы общества! — завизжала она им вслед, но они уже ворвались в подвальную кухню и захлопнули за собой дверь.

Гарри пробежал через всю кухню, притормозил, заскользив по полу, перед дверью Кикимерова чуланчика, рывком открыл ее. Старые одеяла, на которых когда-то спал Кикимер, в этом грязном гнездышке все еще валялись, а вот спасенных Кикимером поблескивающих безделушек больше не было. Остался лишь древний экземпляр книги «Природная знать. Родословная волшебников». Не желая поверить глазам, Гарри схватил одеяла, встряхнул их. Наружу выпала и грустно покатилась по полу дохлая мышь. Рон, застонав, упал на кухонный стул, Гермиона зажмурилась.

— Еще не конец, — сказал Гарри и громко крикнул: — Кикимер!

Раздался звучный хлопок, и перед холодным очагом возник домовый эльф, которого Гарри с такой неохотой унаследовал от Сириуса: маленький, в половину человеческого роста, с висящей складками бледной кожей и такими же, как у летучей мыши, ушами, обильно поросшими белым волосом. Он был все в том же грязном тряпье, какое носил при первом их знакомстве, а презрительный взгляд, которым он наградил Гермиону, показывал, что переход к другому владельцу на его принципах нисколько не сказался.

— Хозяин, — квакнул Кикимер голосом бычьей лягушки и низко поклонился, бормоча себе в колени: — Снова в старом доме моей хозяйки вместе с осквернителем крови Уизли и грязнокровкой...

— Я запрещаю тебе называть кого бы то ни было «осквернителем крови» и «грязнокровкой»! — рявкнул Гарри. Кикимер с его носом-рыльцем и налитыми кровью глазами казался ему существом на редкость непривлекательным и до того, как он выдал Сириуса Волан-де-Морту. — Я собираюсь задать тебе вопрос, — продолжал Гарри, чье сердце при виде эльфа забилось быстрее, — и приказываю ответить на него правдиво. Ты понял?

— Да, хозяин, — ответил Кикимер и снова поклонился.

Гарри заметил, что губы эльфа беззвучно шевелятся, наверняка изрыгая оскорбления, которые вслух ему произносить запретили.

— Два года назад, — сказал Гарри, сердце которого колотилось уже о самые ребра, — в гостиной наверху был найден большой золотой медальон. Мы его выбросили. Ты после украл его?

На миг наступило молчание — Кикимер выпрямился и взглянул в лицо Гарри. А затем сказал:

— Да.

— Где он сейчас? — ликующе спросил Гарри. Лица Рона и Гермионы радостно просветлели.

Кикимер зажмурился, похоже, реакцию на следующее его слово видеть ему ничуть не хотелось.

— Пропал.

— Пропал? — повторил Гарри, чувствуя, как сникает весь его восторг. — Что значит «пропал»?

Эльф задрожал. И даже закачался.

— Кикимер, — свирепо произнес Гарри. — Приказываю тебе...

— Наземникус Флетчер, — проквакал, не открывая глаз, эльф. — Наземникус Флетчер украл все: картинки мисс Беллы и мисс Цисси, перчатки моей хозяйки, орден Мерлина первой степени, кубки с родовым гербом и... и... — Кикимер глотал воздух, его впалая грудь быстро поднималась и опускалась, потом он открыл глаза и издал леденящий кровь вопль: — ...и медальон, медальон хозяина Регулуса, Кикимер поступил дурно, Кикимер не выполнил приказа!

Гарри отреагировал инстинктивно: как только Кикимер бросился к стоявшей в решетке очага кочерге, Гарри прыгнул на него и прижал к полу. Визг Гермионы смешался с воплями эльфа, однако Гарри перекричал обоих:

— Кикимер, приказываю тебе хранить неподвижность!

Почувствовав, как эльф закоченел, Гарри встал на ноги. Кикимер так и остался лежать на полу, из его глаз лились слезы.

— Разреши ему подняться, Гарри, — прошептала Гермиона.

— Чтобы он сам себя кочергой лупцевал? — фыркнул Гарри и опустился рядом с эльфом на колени. — Нет уж. Хорошо, Кикимер, мне нужна правда: откуда ты знаешь, что медальон украл Наземникус Флетчер?

— Кикимер его видел! — просипел эльф — слезы, миновав нос, влились ему в рот, полный зеленоватых зубов. — Кикимер видел, как он выходил из чулана Кикимера с руками, полными сокровищ Кикимера. Кикимер сказал гадкому вору: «Перестань», — но Наземникус Флетчер засмеялся и у-убежал...

— Ты сказал «медальон хозяина Регулуса». Почему? — спросил Гарри. — Откуда он взялся? Что собирался сделать с ним Регулус? Сядь, Кикимер, и расскажи мне все, что ты знаешь о медальоне и о том, что связывало с ним Регулуса!

Эльф сел, сжался в комок, опустил мокрое лицо между коленей и принялся раскачиваться взад и вперед. Когда он заговорил, голос его звучал приглушенно, но в тихой и гулкой кухне различался достаточно ясно.

— Хозяин Сириус сбежал, скатертью дорога, он был плохой мальчик, он разбил своим беззаконным беспутством сердце моей хозяйки. А хозяин Регулус был истинной гордостью семьи, знал свой долг перед именем Блэка, знал, в чем величие чистой крови. Много лет он беседовал с Темным Лордом, который собирался вывести волшебников из тени, чтобы они правили маглами и магловскими выродками. А когда ему исполнилось шестнадцать, хозяин Регулус присоединился к Темному Лорду. Он так гордился, так гордился, так счастлив был послужить... И однажды, через год после вступления в ряды, хозяин Регулус пришел на кухню, чтобы поговорить с Кикимером. И хозяин Регулус сказал... сказал... — Старый эльф начал раскачиваться намного быстрее. — Он сказал, что Темному Лорду нужен эльф.

— Волан-де-Морту понадобился *эльф*? — переспросил Гарри и оглянулся на Рона с Гермионой, которые выглядели не менее озадаченными, чем он.

— О да, — простонал Кикимер. — И хозяин Регулус предложил ему Кикимера. Это высокая честь, сказал хозяин Регулус, честь для него и для Кикимера, который должен сделать все, что прикажет ему Темный Лорд, а потом ве-вернуться домой.

Кикимер закачался совсем уж быстро, теперь дыхание его перебивалось рыданиями.

— И Кикимер отправился к Темному Лорду. Темный Лорд не сказал Кикимеру, что они станут делать, но взял Кикимера с собой в пещеру у моря. А за той пещерой была другая, гораздо больше, и в этой пещере было огромное черное озеро...

У Гарри поднялись волосы на загривке. Ему казалось, что квакающий голос Кикимера долетает до него через простор той темной воды. Дальнейшее он видел так ясно, словно сам присутствовал при всем, что там происходило.

— ...и там была лодка...

Конечно, там была лодка; Гарри знал ее, крохотную, призрачно зеленую, заколдованную так, чтобы она могла нести к центру озера лишь одного чародея и одну его жертву. Вот, значит, как Волан-де-Морт проверил средства защиты своего крестража — позаимствовав никому не нужное, бросовое существо, домового эльфа...

— На острове стояла ча-чаша, полная зелья. И Те-темный Лорд велел Кикимеру пить его... — Эльфа трясло с головы до ног. — Кикимер пил, и пока он пил, он видел страшное... Кикимер горел изнутри... Кикимер кричал, молил хозяина Регулуса спасти его, молил хозяйку Блэк, но Темный Лорд только смеялся... он заставил Кикимера выпить все зелье... и бросил в пустую чашу медальон... и опять наполнил ее зельем. А потом Темный Лорд уплыл, оставив Кикимера на острове...

Гарри видел все как наяву. Видел белое змеиное лицо Волан-де-Морта, исчезавшее во тьме, видел безжалостные красные глаза, не отрывавшиеся от сотрясаемого корчами эльфа, которому оставалось до смерти лишь несколько минут, потому что по истечении их он уступит безумной жажде, насылаемой жгучим зельем на своих жертв... Но дальше воображение Гарри идти отказывалось, он не понимал, как Кикимеру удалось спастись.

— Кикимер хотел воды, он подполз к берегу острова и пил из темного озера... и руки, мертвые руки, высунулись оттуда и утащили Кикимера под воду...

— Как же ты выбрался? — спросил Гарри и нисколько не удивился, обнаружив, что задал этот вопрос шепотом.

Кикимер поднял уродливую голову и взглянул на Гарри большими, налитыми кровью глазами.

— Хозяин Регулус позвал Кикимера назад, — сказал он.

— Понятно, но как тебе удалось спастись от инферналов?

Кикимер, похоже, не понимал, о чем его спрашивают.

— Хозяин Регулус позвал Кикимера назад, — повторил он.

— Понятно, и все-таки...

— Это же очевидно, Гарри, — сказал Рон. — Он трансгрессировал.

— Но... в той пещере нельзя трансгрессировать, — сказал Гарри, — иначе бы Дамблдор...

— У эльфов своя магия, не такая, как у нас, правильно? — сказал Рон. — В Хогвартсе они трансгрессировали в любую сторону, а мы не могли.

Наступило молчание, Гарри переваривал услышанное. Как мог Волан-де-Морт совершить такую ошибку? И пока он думал об этом, Гермиона ледяным тоном произнесла:

— Разумеется, Волан-де-Морт считал ниже своего достоинства вникать в особенности домовиков и на манер всякого чистокровки относился к ним, как к животным. Ему и в голову не пришло, что они могут обладать магией, о которой он ничего не знает.

— Высший закон домовика — приказ хозяина, — нараспев сообщил Кикимер. — Кикимеру велели идти домой, Кикимер пошел домой...

— Вот видишь, ты сделал, что тебе велели, ведь так? — ласково сказала Гермиона. — Значит, в невыполнении приказа ты не повинен!

Кикимер, раскачиваясь все с той же скоростью, потряс головой.

— Что произошло, когда ты вернулся? — спросил Гарри. — Какими словами ответил Регулус на твой рассказ о случившемся?

— Хозяин Регулус очень встревожился, очень, — заквакал Кикимер. — Хозяин Регулус велел Кикимеру спрятаться, из дома не выходить. А потом... это было немного позже... хозяин Регулус ночью пришел к чулану Кикимера, и хозяин Регулус был странный, не как обычно, в расстройстве ума, сказал бы Кикимер... и он попросил Кикимера отвести его в ту пещеру, в пещеру, где Кикимер был с Темным Лордом...

И они отправились в путь. Гарри снова видел все совершенно ясно — испуганного старого эльфа и худого смуглого ловца, так похожего на Сириуса. Кикимер знал, как открыть потаенный вход в пещеру, знал, как поднять со дна крохотную лодчонку, и на этот раз к острову, на котором стояла чаша с ядом, с ним плыл его обожаемый Регулус.

— И он заставил тебя выпить зелье? — спросил охваченный отвращением Гарри.

Но Кикимер лишь покачал головой и заплакал. Гермиона прижала ладонь ко рту — похоже, она что-то поняла.

— Хо-хозяин Регулус достал из кармана медальон, такой же, как у Темного Лорда, — сказал Кикимер, слезы уже текли по обеим сторонам его рыльца. — И он велел Кикимеру взять его и, когда чаша опустеет, поменять медальоны...

Рыдания Кикимера обратились в подобие скрежета, Гарри приходилось напрягать слух, чтобы разобрать его слова.

— И он приказал... Кикимеру уйти... без него. И он велел Кикимеру... идти домой... и никогда не говорить хозяйке... что он сделал... но уничтожить... первый медальон. И он выпил... все зелье... а Кикимер поменял медальоны... и смотрел, как хозяина Регулуса... утаскивали под воду... и...

— Ах, Кикимер! — простонала расплакавшаяся Гермиона. Она опустилась рядом с эльфом на колени, попыталась обнять его. Но он немедля вскочил на ноги и с нескрываемым отвращением отпрыгнул от нее.

— Грязнокровка коснулась Кикимера. Что сказала бы хозяйка?

— Я же велел тебе не называть ее «грязнокровкой»! — рявкнул Гарри, но эльф уже и сам наложил на себя взыскание: упал на пол и начал биться об него лбом.

— Останови его, останови! — закричала Гермиона. — Разве ты не видишь, как ему плохо? Они же обязаны подчиняться любому приказу!

— Кикимер, стой! Стой! — крикнул Гарри.

Эльф лежал на полу, задыхаясь и дрожа, вокруг его носа поблескивала зеленая слизь, на мертвенно-бледном лбу, которым он колотился об пол, набухали ссадины, налитые кровью глаза припухли, наполнились слезами. Ничего более жалостного Гарри еще не видел.

— Итак, ты принес медальон домой, — сказал он, ему было не до милосердия, требовалось выяснить все до конца. — И попытался уничтожить его?

— Что ни делал Кикимер, он не смог даже царапину на нем оставить, — простонал эльф. — Кикимер перепробовал все-все, что знал, и ничего, ничего не помогало — так много могучих заклятий было наложено на крышку медальона. Кикимер был уверен: чтобы уничтожить медальон, нужно его открыть, а он не открывался... Кикимер наказал себя и попробовал еще раз, потом еще наказал и опять попробовал. Кикимер не смог выполнить приказ, Кикимер не уничтожил медальон! А его хозяйка сходила с ума от горя, потому что хозяин Регулус пропал, а Кикимер не мог рассказать ей, что случилось, нет, потому что хозяин Регулус ве-ве-велел ему не говорить никому в се-семье о том, что было в пе-пещере...

Кикимер зарыдал так, что произносить связных слов больше уже не мог. По щекам смотревшей на него Гермионы текли слезы, однако притрагиваться к нему она больше не решалась. Даже Рон, к поклонникам Кикимера не принадлежавший, выглядел расстроенным. Гарри опустился на корточки, потряс головой, стараясь прояснить ее.

— Я не понимаю тебя, Кикимер, — в конце концов сказал он. — Волан-де-Морт пытался убить тебя, Регулус умер, чтобы сокрушить Волан-де-Морта, и все-таки ты с радостью выдал ему Сириуса? С радостью отправился к Нарциссе и Беллатрисе и передал через них сведения Волан-де-Морту...

— Гарри, у Кикимера голова устроена по-другому, — сказала Гермиона, вытирая слезы тыльной стороной ладони. — Он раб. Эльфы-домовики привыкли к дурному, даже жестокому, обращению. В том, что сделал с Кикимером Волан-де-Морт, ничего такого уж необычного не было. А войны волшебников — что они значат для эльфов вроде Кикимера? Он предан людям, которые добры к нему, и миссис Блэк, наверное, была добра, а Регулус был добр определенно, вот он и служил им с полной охотой и разделял их верования. Я знаю, что ты хочешь сказать, — продолжала она, увидев, что Гарри собирается ей возразить, — что взгляды Регулуса изменились... Но, похоже, Кикимеру он об этом не сказал, так? И я, пожалуй, знаю почему. И Кикимер, и родные Регулуса чувствовали себя в большей безопасности, придерживаясь давних воззрений на чистоту крови. Вот Регулус и старался защитить их всех.

— Сириус...

— Сириус вел себя с Кикимером ужасно, Гарри, и не смотри на меня так, ты знаешь, что это правда. Когда Сириус перебрался сюда, Кикимер уже провел в одиночестве долгое время и, наверное, изголодался по хоть какой-нибудь привязанности. Уверена, «мисс Цисси» и «мисс Белла» были очень милы с Кикимером, когда он оказался у них, вот он и услужил им, рассказав все, что они желали узнать. Я давно говорила: волшебникам еще придется заплатить за то, как они обращаются с домовиками. Что же, Волан-де-Морт заплатил... и Сириус тоже.

Гарри не стал с ней спорить. Глядя на Кикимера, рыдавшего на полу, он вдруг вспомнил слова, сказанные ему Дамблдором всего через несколько часов после смерти Сириуса: «Сириус... никогда не считал Кикимера существом, чьи переживания могут быть столь же глубокими, как человеческие...»

— Кикимер, — спустя некоторое время сказал Гарри, — когда тебе станет немного лучше, сядь... э-э... пожалуйста.

Прошло еще несколько минут, и наконец икота Кикимера стихла. Он сел и выпрямился, потирая глаза кулачками, совсем как маленький ребенок.

— Я хочу попросить тебя кое о чем, Кикимер, — сказал Гарри.

В поисках помощи он взглянул на Гермиону: приказ Гарри хотел отдать мягко, но в то же время не притворяясь, будто это не приказ. Впрочем, его изменившийся тон, видимо, заслужил одобрение Гермионы — она поощряюще улыбнулась ему.

— Я хочу, Кикимер, чтобы ты отыскал Наземникуса Флетчера, пожалуйста. Нам нужно выяснить, где медальон... где медальон хозяина Регулуса. Это очень важно. Мы хотим закончить работу, которую начал хозяин Регулус, хотим... м-м... сделать так, чтобы его смерть не была напрасной.

Кикимер опустил кулачки и уставился на Гарри.

— Найти Наземникуса Флетчера? — проквакал он.

— И доставить его сюда, на площадь Гриммо, — сказал Гарри. — Как тебе кажется, ты сможешь сделать это для нас?

Кикимер кивнул, поднялся на ноги, а на Гарри вдруг накатило вдохновение. Он вытащил из Хагридова мешочка поддельный крестраж, медальон, в котором Регулус оставил записку для Волан-де-Морта.

— Кикимер, я, э-э... хотел бы, чтобы ты взял эту вещь, — сказал он, вкладывая медальон в руку эльфа. — Она принадлежала Регулусу, и, я уверен, он был бы рад, если бы ты владел ею, как знаком его благодарности за все, что ты...

— Перебор, дружок, — сказал Рон, когда эльф, взглянув на медальон, одурело и горестно взвыл и снова бросился на пол.

Почти полчаса ушло у них на то, чтобы успокоить Кикимера, до того потрясенного переходом наследия рода Блэков в его полную собственность, что он и на ногах-то стоять не мог. Когда Кикимер наконец обрел способность хоть как-то передвигаться, все трое проводили его к чуланчику, посмотрели, как он старательно прячет медальон среди грязных одеял, и заверили, что в его отсутствие у них не будет дела важнее, чем охрана этого сокровища. Он отвесил два глубоких поклона Гарри и Рону и даже как-то смешно дернулся в сторону Гермионы — возможно, то было попыткой уважительного прощального привета. А потом раздался обычный громкий хлопок: Кикимер трансгрессировал.

Глава 11

ВЗЯТКА

Гарри был уверен, что, раз уж Кикимеру удалось удрать из кишащего инферналами озера, поимка Наземникуса займет у него самое большее несколько часов, и он все утро прослонялся по дому, переполняясь радостными предвкушениями. Однако утром Кикимер не возвратился и к полудню тоже. К ночи Гарри уже испытывал разочарование и тревогу, а ужин, состоявший в основном из заплесневелого хлеба, который Гермиона безуспешно пыталась трансфигурировать самыми разными способами, настроения его не улучшил.

Не вернулся Кикимер и на следующий день, и на последовавший за ним. Зато на площади объявились двое в мантиях, проторчавшие там всю ночь, таращась в сторону дома, видеть который они не могли.

— Как пить дать, Пожиратели смерти, — сказал Рон, глядя на них сквозь окна гостиной. — Как по-вашему, они знают, что мы здесь?

— Не думаю, — ответила Гермиона, хоть она и выглядела испуганной. — Знали бы, так прислали бы за нами Снегга, разве нет?

— А тебе не кажется, что он уже побывал здесь и у него теперь язык связан заклятием Грюма? — спросил Рон.

— Да, пожалуй, — ответила Гермиона, — иначе он рассказал бы их шайке, как попасть внутрь. Скорее всего, они следят за этим местом на случай, если мы вдруг окажемся здесь. Они же знают, что дом принадлежит Гарри.

— Откуда бы это?.. — начал Гарри.

— Все завещания волшебников проверяются Министерством, забыл? Там известно, что Сириус оставил дом тебе.

Соседство с Пожирателями смерти лишь усилило в доме номер двенадцать зловещие настроения. Со времени появления Патронуса мистера Уизли из внешнего мира никаких вестей на площадь Гриммо не поступало, и напряжение начинало сказываться на всех. Рон, беспокойный и раздражительный, обзавелся неприятной привычкой играть с делюминатором, не вынимая его из кармана. Особенно сильно это действовало на нервы Гермионе, которая в ожидании Кикимера затеяла читать «Сказки барда Бидля», и потому то и дело гаснувший и загоравшийся свет ее нисколько не радовал.

— Да перестань ты, наконец! — закричала она на третий вечер отсутствия Кикимера, когда из гостиной в очередной раз вытянуло весь свет.

— Извини, извини! — отозвался Рон и, щелкнув делюминатором, вернул свет обратно. — Это я машинально.

— Может, лучше найдешь себе какое-нибудь полезное занятие?

— Какое? Детские сказочки читать?

— Рон, эту книгу оставил мне Дамблдор...

— Ну а мне он оставил делюминатор, так, наверное, я должен им как-то пользоваться!

Неспособный и дальше выносить их пререкания, Гарри незаметно выскользнул из гостиной. Он направился вниз, на кухню, которую то и дело навещал, поскольку был уверен, что в ней-то Кикимер, скорее всего, и объявится. Однако, добравшись до середины ведущего в вестибюль лестничного марша, он услышал негромкий удар по двери, а следом металлические щелчки и скрежет цепи.

Гарри показалось, что каждый его нерв натянулся до отказа. Он вытащил палочку, отступил в тень под отрубленными головами домовых эльфов и замер в ожидании. Дверь отворилась, Гарри мельком увидел освещенную фонарями площадь. В вестибюль вошел и закрыл за собой дверь человек в мантии. Едва он сделал первый шаг, как голос Грюма спросил: «Северус Снегг?» Затем на другом конце вестибюля поднялся и, протягивая мертвую руку, полетел на незваного гостя пыльный призрак.

— Это не я убил тебя, Альбус, — негромко произнес вошедший.

Чары разрушились: пыльная фигура снова взорвалась, и узнать пришельца, заслоненного плотным серым облаком, стало невозможно.

Гарри направил в середину облака палочку:

— Не двигаться!

Он совсем забыл про портрет миссис Блэк: при звуке его голоса портьеры, скрывавшие ее, разъехались, и поднялся вопль:

— Грязнокровки и мерзость, запятнавшая честь моего дома...

За спиной Гарри сбежали по лестнице Рон с Гермионой и направили, как и он, палочки на неизвестного, который стоял внизу, подняв руки.

— Не стреляйте, это я, Римус!

— Хвала небесам, — слабо произнесла Гермиона и повела палочкой в сторону миссис Блэк — портьеры со стуком задернулись, наступила тишина. Рон тоже опустил палочку, — но не Гарри.

— Покажись! — крикнул он.

Люпин вышел под свет ламп, продолжая держать руки над головой, точно он сдавался победителю.

— Я Римус Джон Люпин, оборотень, известный также под прозвищем Лунатик, один из четверых создателей Карты Мародеров, женатый на Нимфадоре, известной также как Тонкс, и это я научил тебя, Гарри, как создать Патронуса, принявшего затем облик оленя.

— Да, все в порядке, — сказал, опуская палочку, Гарри, — но надо же было проверить, верно?

— Как твой бывший преподаватель защиты от Темных искусств, не могу с тобой не согласиться, проверить было надо. А вот вам, Рон и Гермиона, не следовало так быстро отказываться от обороны.

Все трое сбежали к нему по лестнице. Люпин, завернутый в темную, плотную дорожную мантию, выглядел усталым, но видеть их был явно рад.

— Значит, от Северуса пока ни слуху ни духу? — спросил он.

— Нет, — ответил Гарри. — Что происходит? Все целы?

— Да, — сказал Люпин, — только за всеми следят. Да и тут, на площади, маячит парочка Пожирателей смерти.

— Мы знаем.

— Мне пришлось трансгрессировать точно на верхнюю ступеньку крыльца, к самой двери, иначе они бы меня засекли. Они не знают, что вы здесь, а то, уверен, их было бы больше. Пожиратели расставлены по всем местам, хоть как-то связанным с тобой, Гарри. Пойдем вниз, мне многое нужно вам рассказать, да и я хочу узнать, что с вами было после того, как вы покинули «Нору».

Они спустились в кухню, и Гермиона направила палочку на решетку очага. Немедля вспыхнул огонь, от которого темные каменные стены стали казаться уютными, а длинный деревянный стол заблестел. Люпин вытащил из-под мантии несколько бутылок сливочного пива, все сели.

— Я был тут рядом три дня назад, но мне пришлось стряхивать с хвоста Пожирателей смерти, — сказал Люпин. — Так вы направились со свадьбы прямо сюда?

— Нет, — ответил Гарри, — сюда мы направились после того, как столкнулись в кафе на Тотнем-Корт-роуд с парой Пожирателей.

Люпин выплеснул большую часть своего сливочного пива себе на грудь.

— Что?

Они рассказали ему о случившемся, и под конец их рассказа Люпин выглядел сильно напуганным.

— Но как им удалось отыскать вас с такой быстротой? Проследить того, кто трансгрессирует, невозможно, если только не вцепиться в него в последний момент.

— Однако и на то, что они просто гуляли по Тотнем-Корт-роуд, не похоже, верно? — сказал Гарри.

— Мы вот подумали, — неуверенно произнесла Гермиона, — а вдруг на Гарри все еще распространяется Надзор?

— Это невозможно, — сказал Люпин, и Рон гордо выпятил грудь, а Гарри почувствовал огромное облегчение. — Помимо прочего, будь Гарри под Надзором, Пожиратели смерти точно знали бы, что он здесь. И все же я не понимаю, как им удалось проследить вас до Тотнем-Корт-роуд. Меня это тревожит, очень тревожит.

Люпин был взволнован, но Гарри считал, что эта тема может и подождать.

— Расскажите, что произошло после нашего ухода. Папа Рона сообщил нам, что семья в безопасности, но больше мы ничего не знаем.

— В общем-то, нас спас Кингсли, — сказал Люпин. — Благодаря его предупреждению большинство гостей трансгрессировали еще до их появления.

— Кто это был, Пожиратели смерти или люди из Министерства? — перебила его Гермиона.

— Смешанная компания. Впрочем, по существу, разницы между ними теперь уже нет, — ответил Люпин. — Их прибыло около десятка, однако они не знали, Гарри, что и ты там. До Артура дошел слух, что Скримджера пытали, прежде чем убить, старались вызнать, где ты. Если это правда, он тебя не выдал.

Гарри взглянул на Рона и Гермиону — их лица выражали те же ужас и благодарность, какие ощущал он. Скримджера он никогда не любил, но если сказанное Люпином правда, последним деянием этого человека была попытка защитить его, Гарри.

— Пожиратели смерти обыскали «Нору» сверху донизу, увидели упыря, но подходить к нему близко не стали, а потом два часа допрашивали тех из нас, кто остался в доме. Они пытались выведать что-нибудь о тебе, Гарри, но, разумеется, никто, кроме членов Ордена, не знал, что ты был там. Одновременно с их появлением на свадебном пиру другие Пожиратели вломились во все, какие есть в стране, дома, связанные с Орденом. Никто не погиб, — опережая вопрос, быстро добавил Люпин, — но вели они себя грубо. Сожгли дом Дедалуса Дингла, однако его, как вы знаете, там не было. Ударили заклятием Круциатус по родителям Тонкс, опять-таки пытаясь выяснить, когда ты был у них в последний раз. Оба чувствуют себя хорошо — потрясены, конечно, но живы-здоровы.

— Выходит, Пожиратели смерти пробились сквозь все защитные чары? — спросил Гарри, вспомнив, как хорошо работали эти чары, когда он свалился с неба в парк родителей Тонкс.

— Пойми, Гарри, теперь на стороне Пожирателей смерти вся мощь Министерства, — сказал Люпин. — Они могут использовать самые жестокие заклятия, не опасаясь, что их разоблачат или арестуют. Им удалось пробить всю установленную нами защиту, и действуют они теперь совершенно открыто.

— Но хоть как-то применение пыток для того, чтобы выяснить, где Гарри, они объясняют? — звенящим голосом спросила Гермиона.

— Ну... — произнес Люпин. Он помялся, потом вытащил из-под мантии сложенный в несколько раз номер «Ежедневного пророка». — Вот, — сказал он и через стол подтолкнул газету к Гарри, — ты все равно рано или поздно узнал бы. Это их предлог для охоты на тебя.

Гарри расправил газету на столе. Всю первую страницу занимала его огромная фотография. Заголовок над ней гласил:

РАЗЫСКИВАЕТСЯ ДЛЯ ДОПРОСА ОТНОСИТЕЛЬНО ОБСТОЯТЕЛЬСТВ СМЕРТИ АЛЬБУСА ДАМБЛДОРА

Рон с Гермионой гневно вскрикнули, но Гарри промолчал. Он оттолкнул от себя газету, читать статью ему не хотелось — и так было ясно, что в ней сказано. Никто, кроме людей, присутствовавших в миг смерти Дамблдора на вершине башни, не знал его настоящего убийцу, а Рита Скитер уже оповестила волшебное сообщество о том, что через несколько секунд после того, как Дамблдор упал с башни, Гарри видели убегавшим оттуда.

— Прости, Гарри, — сказал Люпин.

— Выходит, «Ежедневный пророк» тоже теперь в руках Пожирателей? — гневно спросила Гермиона.

Люпин кивнул.

— Но люди-то понимают, что происходит?

— Переворот прошел гладко и практически бесшумно, — ответил Люпин. — По официальной версии Скримджер просто подал в отставку, его сменил Пий Толстоватый, а на нем лежит заклятие Империус.

— Но почему же сам Волан-де-Морт не объявил себя министром магии? — спросил Рон.

Люпин усмехнулся:

— А он в этом не нуждается, Рон. По существу, он и есть министр, только зачем ему сидеть в министерском кабинете? Его марионетка, Толстоватый, занимается всеми текущими делами, позволяя Волан-де-Морту свободно утверждать свою власть за пределами Министерства. Многие, естественно, разобрались в происходящем: в последние дни политика Министерства изменилась очень круто, пошли разговоры, что за этим стоит Волан-де-Морт. Но в том-то все и дело — только разговоры, да еще и шепотом. Никто не осмеливается говорить с другими откровенно, не знает, кому можно доверять, каждый боится раскрыть рот — вдруг его подозрения верны, а родные уже намечены в жертвы. Да, Волан-де-Морт ведет игру очень умную. Обнаружь он себя — и могло бы начаться восстание, а оставаясь в тени, он насаждает замешательство, неопределенность и страх.

— Крутое изменение в политике Министерства подразумевает, что теперь волшебному сообществу говорят, будто опасен не Волан-де-Морт, а я? — поинтересовался Гарри.

— Это, безусловно, часть целого, — ответил Люпин, — и ее следует признать мастерским ходом. Теперь, когда Дамблдор мертв, ты — Мальчик, Который Выжил — мог бы стать символом и опорой для любого сопротивления Волан-де-Морту. А внушив всем, что ты приложил руку к смерти героя, Волан-де-Морт не только получил возможность назначить цену за твою голову, но и посеял сомнения и страх среди тех, кто мог бы тебя защитить. А тем временем Министерство начинает принимать меры против тех, кто рожден от маглов. — И Люпин ткнул пальцем в номер «Ежедневного пророка». — Посмотрите на второй странице.

Гермиона перевернула газетный лист с тем же отвращением, с каким листала «Тайны наитемнейшей магии».

— «Регистрация магловских выродков, — вслух прочитала она. — Министерство магии проводит расследование деятельности так называемых магловских выродков, имеющее целью выяснить, как им удалось овладеть магическими секретами.

Недавние исследования, проведенные Отделом тайн, показали, что магическая сила может передаваться от человека к человеку только при рождении от истинного волшебника. Следовательно, так называемые магловские выродки, не имеющие магической родословной или не способные ее доказать, скорее всего, получили магическую силу посредством воровства либо насилия.

Министерство полно решимости искоренить этих захватчиков магической силы и потому предлагает каждому так называемому магловскому выродку явиться для собеседования в только что учрежденную Комиссию по учету магловских выродков».

— Люди такого не допустят, — заявил Рон.

— Уже допустили, — сказал Люпин. — Пока мы тут разговариваем, идут облавы на тех, кто родился от маглов.

— Но каким, интересно, образом они могли «уворовать» магические способности? — спросил Рон. — Это же духовная сила, ее нельзя украсть, иначе бы и сквибов никаких не было, ведь так?

— Согласен, — ответил Люпин. — И однако же если ты не можешь доказать, что с тобой состоял в близком родстве по меньшей мере один волшебник, считается, что магическую силу ты получил незаконным путем и потому заслуживаешь наказания.

Рон взглянул на Гермиону и спросил:

— А если чистокровка или полукровка присягнут, что «магловский выродок» их родственник? Я мог бы заверить всех, что Гермиона — моя кузина...

Гермиона накрыла ладонью руку Рона, сжала ее:

— Спасибо, Рон, но я не могу допустить, чтобы ты...

— Да у тебя и выбора не будет, — яростно сказал Рон и тоже сжал ее руку. — Я помогу тебе заучить наизусть мое фамильное древо, и ты сможешь отвечать на любые вопросы о нем.

Гермиона слабо усмехнулась:

— Рон, мы же в бегах вместе с Гарри Поттером, главным находящимся в розыске преступником страны, по-моему, для нас все это не важно. Если мне удастся вернуться в школу, тогда другое дело. Кстати, а как Волан-де-Морт собирается поступить с Хогвартсом? — спросила она у Люпина.

— Учеба стала обязательной для любого юного волшебника и волшебницы, — ответил тот. — Об этом объявили вчера. Серьезная перемена, раньше никого учиться не заставляли. Конечно, почти каждый чародей и чародейка Британии заканчивали Хогвартс, однако родители имели право обучать их и дома или посылать, если им так больше нравилось, за границу. А теперь все волшебники будут находиться под присмотром Волан-де-Морта с самого раннего возраста. Помимо прочего, это еще одна возможность устранять тех, кто рождается от маглов, поскольку ученики школы, прежде чем попасть в нее, будут получать сертификат о Статусе крови — то есть доказывать Министерству, что они происходят от волшебников.

Гарри ощущал отвращение и гнев — именно в этот миг одиннадцатилетние дети с восторгом роются в только что купленных учебниках по волшебству, не зная, что они никогда не увидят Хогвартса, а может быть, и своих родителей.

— Это... это... — выдавил он, пытаясь найти слова, способные выразить охватившие его ужас и гнев, однако Люпин негромко произнес:

— Я знаю. — Он как будто поколебался немного, а затем сказал: — Гарри, я пойму тебя, если ты ничего мне не ответишь, но у Ордена сложилось впечатление, что Дамблдор поручил тебе некую миссию.

— Поручил, — ответил Гарри. — И Рон с Гермионой знают о ней и идут со мной.

— Ты можешь посвятить меня в подробности?

Гарри взглянул в его изрытое преждевременными морщинами лицо, обрамленное густыми, но уже поседевшими волосами, и пожалел о том, что может дать Люпину только один ответ.

— Не могу, Римус, простите. Если Дамблдор не сказал вам этого, значит, не вправе сказать и я.

— Я знал, что ты так и ответишь, — разочарованно произнес Люпин. — И все-таки я могу оказаться полезным вам. Ты знаешь, кто я и на что я способен. Я могу отправиться с вами и защищать вас. А говорить мне, что вы собираетесь сделать, не обязательно.

Гарри заколебался. Предложение было очень соблазнительным, хотя, как они смогут не посвятить в свою тайну Люпина, если он постоянно будет рядом, представить себе было трудно.

Зато Гермиона пришла в недоумение.

— А как же Тонкс? — спросила она.

— А что Тонкс? — сказал Люпин.

— Ну, — насупилась Гермиона, — вы ведь женаты. Как она отнесется к тому, что вы уйдете с нами?

— Тонкс в полной безопасности, — ответил Люпин. — Она сейчас у своих родителей.

Что-то непонятное чуялось в его тоне, почти холодное. Да и мысль о том, что Тонкс будет сидеть у родителей, тоже казалась странноватой, как-никак она состояла в Ордене и, насколько знал Гарри, предпочитала находиться в самой гуще событий.

— Римус, — неуверенно произнесла Гермиона, — у вас все в порядке... ну, вы понимаете... между вами и...

— Спасибо, все хорошо, — с подчеркнутой резкостью ответил Люпин. Гермиона порозовела. Повисла еще одна неловкая пауза, а затем Люпин сказал с видом человека, признающегося в чем-то ему неприятном: — Тонкс ждет ребенка.

— Ой, как здорово! — взвизгнула Гермиона.

— Великолепно! — с восторгом добавил Рон.

— Поздравляю, — сказал Гарри.

Люпин соорудил натужную улыбку, больше походившую на гримасу, затем сказал:

— Так вы принимаете мое предложение? Могут трое обратиться в четверых? Не думаю, что Дамблдор был бы недоволен, в конце концов, он сам выбрал меня, чтобы я преподавал вам способы защиты от Темных искусств. И, должен сказать, что, по-моему, нам придется столкнуться с такой магией, какой никто еще не видел и даже вообразить не мог.

Рон и Гермиона взглянули на Гарри.

— Просто... просто ответьте мне для полной ясности, — произнес тот. — Вы хотите оставить Тонкс у родителей и уйти с нами?

— Ей там ничто не грозит, родители позаботятся о ней, — ответил Люпин.

Окончательность принятого им решения, о которой свидетельствовал его тон, граничила с безразличием.

— Гарри, я уверен, Джеймс хотел бы, чтобы я был рядом с тобой.

— Что ж, — медленно ответил Гарри. — А вот я этого не хочу. И совершенно уверен, что отцу было бы интересно узнать, почему вы решили быть рядом со мной, а не со своим ребенком.

Люпин побелел. Казалось, температура в кухне упала градусов на десять. Рон оглядывал кухню с таким выражением, точно ему необходимо было запомнить ее в мельчайших подробностях, глаза Гермионы метались с Гарри на Люпина и обратно.

— Ты не понимаешь, — сказал Люпин.

— Так объясните, — ответил Гарри.

— Я совершил ошибку, женившись на Тонкс. Я сделал это вопреки моему рассудку и с тех пор страшно жалею об этом.

— Понятно, — сказал Гарри, — и потому вы собираетесь бросить ее с ребенком и сбежать в нами?

Люпин вскочил на ноги, стул его кувырком полетел назад. Он уставился на всех троих с такой лютостью, что Гарри впервые в жизни увидел проступившие за его человеческим лицом признаки волчьей натуры.

— Ты не понимаешь, что я сделал со своей женой и своим еще не родившимся ребенком! Я не должен был жениться на ней, я обратил ее в прокаженную! — Люпин лягнул перевернувшийся стул. — Ты всегда видел меня только среди членов Ордена или в Хогвартсе, под опекой Дамблдора! И не знаешь, как относится к тварям вроде меня волшебное сообщество! Узнав о моей болезни, со мной и разговаривать-то перестают! Ты понимаешь, что я натворил? Даже ее родные пришли от нашего брака в ужас. Да и какие родители захотели бы, чтобы их дочь вышла замуж за оборотня? А ребенок... ребенок... — И Люпин буквальным образом вцепился себе в волосы, сейчас он казался просто помешанным. — Подобные мне обычно не размножаются! Уверен, он родится таким же, как я. И как мне простить себя, передавшего свою болезнь ни в чем не повинному ребенку? А если он чудом и не пойдет в меня, лучше, в сотни раз лучше будет, если он вырастет без отца, которого ему придется стыдиться!

— Римус! — прошептала со слезами на глазах Гермиона. — Что вы говорите? Как может ребенок, любой ребенок стыдиться вас?

— Ну, не знаю, Гермиона, — сказал Гарри, — вот мне, например, за него стыдно.

Гарри и сам не понимал, что пробудило в нем такой гнев, но и он тоже вскочил на ноги. Люпин смотрел на него так, точно Гарри ударил его.

— Если новый режим считает мерзостью даже «магловских выродков», что же он сделает с полуоборотнем, отец которого состоял в Ордене? *Мой* отец погиб, пытаясь защитить мою мать и меня. Вы считаете, он согласился бы на то, чтобы вы бросили свое дитя и ушли с нами на поиски приключений?

— Как... как ты смеешь? — произнес Люпин. — Речь идет не о стремлении к опасности или славе... Как ты смеешь предполагать такую...

— Я предполагаю, что вы считаете себя отчаянным сорвиголовой, — ответил Гарри. — И хотите занять место Сириуса.

— Гарри, перестань! — взмолилась Гермиона, но он не отвел гневного взгляда от дергавшегося лица Люпина.

— Я никогда не поверил бы, — сказал он, — что человек, научивший меня сражаться с дементорами, трус.

Люпин выхватил палочку с такой стремительностью, что Гарри не успел даже протянуть руку к собственной. Послышался громкий удар — Гарри почувствовал, что летит спиной вперед по воздуху, потом он врезался в стену кухни и сполз по ней на пол и только тогда увидел, как за дверью исчезает подол Люпиновой мантии.

— Римус, Римус, вернитесь! — крикнула Гермиона, однако Люпин не ответил. И миг спустя они услышали, как в вестибюле хлопнула дверь.

— Гарри, — простонала Гермиона, — как ты мог?

— Легко, — ответил Гарри. Он встал, на затылке, которым он врезался в стену, набухала шишка. И его все еще трясло от гнева. — Не смотри на меня так! — рявкнул он Гермионе.

— Сам на нее так не смотри! — прорычал Рон.

— Нет-нет, не надо ссориться! — произнесла, вставая между ними, Гермиона.

— Тебе не следовало так разговаривать с Люпином, — сказал Гарри Рон.

— Он это заслужил, — ответил Гарри. Разрозненные образы мелькали в его мозгу: падающий, пробивая занавес, Сириус, повисшее в воздухе изломанное тело Дамблдора, вспышка зеленого огня и голос матери, молящий о милосердии...

— Родители, — сказал Гарри, — не должны бросать детей, если... если только их к этому не принуждают.

— Гарри... — вымолвила Гермиона и положила ему на плечо руку, утешая, но он стряхнул ее и отошел от Гермионы, глядя в разожженный ею огонь. Когда-то давно он говорил вот из этого очага с Люпином. Он тогда усомнился в Джеймсе, и Люпин успокоил его. А теперь искаженное мукой белое лицо Люпина словно плыло перед ним в воздухе. И на Гарри навалились угрызения совести. Рон и Гермиона молчали, но Гарри знал, что они безмолвно переговариваются за его спиной.

Он повернулся к ним и увидел, как они поспешно оторвали взгляды друг от друга.

— Я понимаю, мне не следовало называть его трусом.

— Не следовало, — тут же подтвердил Рон.

— Однако именно так он себя и повел.

— И все равно... — произнесла Гермиона.

— Знаю, — сказал Гарри. — Но если это заставит его вернуться к Тонкс, значит, я все сделал правильно, так?

Он не смог скрыть мольбы, прозвучавшей в его голосе. Гермиона смотрела на него с сочувствием, Рон — неуверенно. Гарри уставился в пол, думая о своем отце. Одобрил бы Джеймс то, что он сказал Люпину, или рассердился бы на сына, так обошедшегося с его старым другом?

Безмолвие кухни казалось гудящим от только что разыгравшейся в ней сцены, от непроизносимых вслух укоров Рона и Гермионы. Принесенный Люпином номер «Ежедневного пророка» по-прежнему лежал на столе, с первой страницы смотрело в потолок лицо Гарри. Он подошел к столу, сел, наобум открыл газету и сделал вид, что читает. Ему не удавалось различить ни слова, сознание его заполняла стычка с Люпином. Гарри был уверен, что заслоненные газетной страницей Рон с Гермионой снова затеяли свой бессловесный разговор. Он с шумом перевернул страницу, и ему попалось на глаза имя

Дамблдора. Прошла секунда-другая, прежде чем Гарри понял все значение изображавшей семейную группу фотографии, под которой значилось: «Семья Дамблдоров. Слева направо: Альбус, Персиваль, держащий новорожденную Ариану, Кендра и Аберфорт».

Гарри вгляделся в фотографию. Отец Дамблдора, Персиваль, был человеком приятной наружности, глаза его поблескивали даже на этой выцветшей от старости фотографии. Малышка Ариана была не больше хлебного батона, да и отличительных черт у нее было мало. Угольно-черные волосы матери, Кендры, были стянуты на затылке в узел. Лицо ее казалось точеным, она была в закрытом шелковом платье. Гарри, всматриваясь в темные глаза, высокие скулы и прямой нос Кендры, почему-то вдруг вспомнил об американских индейцах. Альбус и Аберфорт были в одинаковых камзольчиках с кружевными воротниками и волосы носили одной длины — до плеч. Альбус явно был на несколько лет старше брата, но в остальном мальчики очень походили один на другого — снимок сделали еще до того, как Альбус начал носить очки, а нос его оказался сломанным. Вполне счастливая, обычная семья мирно улыбалась с газетной страницы. Однако поверх фотографии Гарри увидел заголовок:

ЭКСКЛЮЗИВНЫЙ ФРАГМЕНТ ИЗ ВЫХОДЯЩЕЙ В СВЕТ БИОГРАФИИ АЛЬБУСА ДАМБЛДОРА
Автор Рита Скитер

Решив, что хуже ему все равно не будет, Гарри приступил к чтению:

После широко освещавшегося в прессе ареста Персиваля и его заключения в Азкабан гордая и надменная Кендра Дамблдор не могла и дальше сносить жизнь в Насыпном Нагорье. Поэтому она решила сменить место жительства и перебралась с семьей в Годрикову Впадину, деревню, которая прославилась впоследствии как место странного спасения Гарри Поттера от Сами-Знаете-Кого.

В Годриковой Впадине, как и в Насыпном Нагорье, проживало немало семей волшебников, но, поскольку Кендра никого из них не знала, она была избавлена от возбуждаемого преступлением мужа любопытства, с которым ей приходилось сталкиваться на прежнем месте. Она раз за разом наотрез отвергала попытки соседей подружиться с ней и вскоре добилась того, что ее семью оставили в покое.

— Захлопнула дверь перед моим носом, когда я напекла булочек и пошла к ним, чтобы поздравить с приездом, — говорит Батильда Бэгшот. — За первый год, который они тут прожили, я только двух мальчиков и видела. Я не узнала бы о существовании дочери, если бы зимой, вскоре после их приезда, не собирала при луне заунывников и не увидела, как Кендра выводит Ариану на прогулку по заднему двору. Крепко держа девочку за руку, она дважды обошла с ней вокруг лужайки и увела в дом. Я не знала, что и думать.

Похоже, Кендра считала, что переезд в Годрикову Впадину дал ей прекрасную возможность раз и навсегда укрыть Ариану от посторонних глаз. Не исключено, что этот замысел вызревал у нее годами. Немаловажную роль играл и выбор времени. Ариане, когда она исчезла из общего поля зрения, едва исполнилось семь лет, а, по мнению специалистов, семь лет — это возраст, в котором проявляются магические способности, если, конечно, они у ребенка имеются. Поэтому представляется несомненным, что Кендра приняла решение скорее скрыть само существование дочери, чем страдать от позора, признав, что она породила на свет сквиба. Вдали от знавших Ариану друзей и соседей Кендре, разумеется, было легче навсегда заточить девочку в доме. С той поры людей, которые знали о существовании Арианы, можно было пересчитать по пальцам, и эти люди готовы были сохранять его в тайне. В их число входили и двое ее братьев, отвечавших на неудобные вопросы так, как велела им мать: «Учиться в школе сестре не позволяет слабое здоровье».

Читайте на следующей неделе: Альбус Дамблдор в Хогвартсе — призы и претензии.

Гарри ошибся — от прочитанного ему *стало* хуже. Он снова взглянул на фотографию счастливой с виду семьи. Правда ли то, что он прочитал? И как это можно выяснить? Ему хотелось отправиться в Годрикову Впадину, пусть даже Батильда пребывает не в том состоянии, чтобы с ним разговаривать; хотелось посетить место, в котором и он, и Дамблдор лишились своих близких. Он уже опускал газету на стол, собираясь спросить, что думают об этом Рон с Гермионой, когда на кухне раздался, отозвавшись эхом, громкий хлопок.

Впервые за три дня Гарри напрочь забыл о Кикимере. Первое, что пришло ему в голову: вернулся Люпин, — и какую-то долю секунды он не мог понять, что за переплетение рук и ног вывалилось прямо из воздуха на пол рядом с его стулом. Он вскочил, но тут из этой кучи выпутался Кикимер и, поклонившись Гарри, проквакал:

— Кикимер доставил Наземникуса Флетчера, хозяин.

Наземникус, кое-как поднявшись с пола, вытащил палочку, однако Гермиона опередила его:

— *Экспеллиармус!*

Палочка Наземникуса взвилась в воздух, и Гермиона поймала ее. Наземникус с обезумевшими глазами метнулся к лестнице, но Рон достойным регбиста приемом блокировал его, и Наземникус с глухим стуком рухнул на пол.

— Чего? — взвыл он, извиваясь в попытках высвободиться из крепких объятий Рона. — Чего я сделал-то? Натравили на меня поганого домовика. Что за дела? Я ни в чем не виноват, отпусти меня, отпусти, а то...

— Вы не в том положении, чтобы сыпать угрозами, — сказал Гарри. Он отбросил газету в сторону, в несколько шагов пересек кухню и опустился на колени рядом с Наземникусом, который тотчас прекратил борьбу и с ужасом вытаращился на Гарри. Рон, отдуваясь, встал и теперь наблюдал за Гарри, нарочито наставившим палочку на нос Наземникуса. От того несло потом и табачным дымом, спутанные волосы его засалились, мантию покрывали пятна.

— Кикимер извиняется, что он так задержался с доставкой вора, хозяин, — заквакал эльф. — Флетчер умеет скрываться от поимки, у него много укрытий и сообщников. И все-таки Кикимер загнал вора в угол.

—Ты замечательно поработал, Кикимер, — сказал Гарри, и эльф отвесил ему низкий поклон.

— Так вот, у нас есть к вам вопросы, — повернулся Гарри к Наземникусу, немедленно завопившему:

— Я перетрухал, понял? Я не хотел с ними идти. Не прими за обиду, друг, но помирать ради тебя мне неохота. А этот чертов Сам-Знаешь-Кто как полетит на меня, тут всякий смылся бы, я ж говорю, я не хотел в это лезть...

— К вашему сведению, никто больше не трансгрессировал, — сказала Гермиона.

— Так вы ж герои, черт вас задери, верно? А я самоубийцу отродясь не изображал...

— Нас не интересует, почему вы бросили Грюма, — сказал Гарри, сдвигая палочку к налитым кровью, с кожистыми мешочками глазам Наземникуса. — Мы и раньше знали, что вы мерзавец и полагаться на вас не следует.

— Ладно, тогда какого лысого вы на меня эльфа напустили? Или это опять насчет кубков? Так у меня ни одного не осталось, возвращать нечего...

— Кубки нас не интересуют, хотя они уже ближе к делу, — сказал Гарри. — Замолчите и слушайте.

Как хорошо было отыскать хоть какое-то занятие, найти человека, из которого можно вытянуть пусть и малую, но часть правды. Кончик палочки Гарри был теперь так близок к переносице Наземникуса, что тому приходилось скашивать на нее глаза.

— Когда вы обчистили этот дом, утащив из него все ценное... — начал Гарри, однако Наземникус снова его перебил:

— Сириусу тутошний хлам был не нужен...

Послышался торопливый топоток, блеснула медь, затем раздался громкий удар, а следом крик боли — это Кикимер подскочил к Наземникусу и огрел его по голове сковородой.

— Угомоните вы этого гада, его в клетке надо держать! — завопил Наземникус и прикрылся руками — Кикимер снова занес над ним тяжелую сковороду.

— Кикимер, перестань! — крикнул Гарри.

Тонкие ручонки Кикимера подрагивали от тяжести сковороды, которую он по-прежнему держал наотлет.

— Может, еще разок, хозяин Гарри, а? На счастье?

Рон захохотал.

— Нам нужно, чтобы он оставался в трезвой памяти, Кикимер, но если будет артачиться — милости прошу, — ответил Гарри.

— Большое спасибо, хозяин, — сказал Кикимер и, поклонившись, отступил на пару шагов, не сводя, впрочем, с Наземникуса блеклых, полных ненависти глаз.

— Когда вы обчистили этот дом, утащив из него все ценное, — снова начал Гарри, — то забрали кое-что и из кухонного чулана. Там был медальон. — Во рту у Гарри вдруг пересохло, он почувствовал, что и Рон с Гермионой тоже застыли. — Что вы с ним сделали?

— А чего? — спросил Наземникус. — Он шибко ценный, что ли?

— Так он еще у вас! — воскликнула Гермиона.

— Нет, — отозвался проницательный Рон. — Он просто прикидывает, не стоило ли запросить за медальон побольше.

— Побольше? — повторил Наземникус. — Фиг бы я за него запросил побольше, я его вообще задаром отдал. Выбора не было.

— Что это значит? — спросил Гарри.

— Я толкал вещички в Косом переулке, а она подходит и спрашивает: есть, мол, у тебя лицензия, чтоб волшебными артефактами торговать. Ищейка паршивая. Штрафануть меня хотела, да тут ей амулет на глаза попался, она и говорит, я, дескать, его заберу, а тебя отпущу, и считай, что тебе подфартило.

— Что это была за женщина? — спросил Гарри.

— А чума ее знает, карга какая-то из Министерства. — Наземникус на мгновение задумался, морща лоб. — Коротышка такая. С бантом на башке. — И, совсем помрачнев, добавил: — Жаба жабой.

Гарри выронил палочку — та стукнула Наземникуса по носу и выстрелила красными искрами, запалившими его брови.

— *Агуаменти!* — крикнула Гермиона, и из кончика ее палочки ударила струя воды, глотнув которой Наземникус подавился и начал отплевываться.

Подняв взгляд на друзей, Гарри увидел, что они потрясены не меньше, чем он. И почувствовал, как начал покалывать шрам на его правой руке.

Глава 12

МАГИЯ — СИЛА

Август тянулся к концу, запущенная трава, росшая квадратом посреди площади Гриммо, увядала под солнцем и наконец стала колкой и бурой. Обитателей дома номер двенадцать никто из живших по соседству не видел, как не видели они и самого этого дома. Поселившиеся на площади Гриммо маглы давно уже свыклись с прокравшейся в нумерацию здешних домов забавной ошибкой, вследствие которой дом номер одиннадцать соседствовал с домом номер тринадцать.

Правда, теперь площадь привлекала некоторое количество визитеров, по-видимому находивших эту ошибку весьма интригующей. Редкий день проходил без того, чтобы один или два человека не появлялись здесь с одной-единственной целью — прислониться к железным оградкам домов одиннадцать и тринадцать и поглазеть на их стык. Соглядатаи каждый день сменялись, хотя все они, похоже, питали неприязнь к нормальной человеческой одежде. Большая часть проходивших мимо лондонцев давно уже привыкла к странным нарядам и внимания на этих людей не обращала, однако время от времени кто-нибудь все же оглядывался с недоумением — такая жара, а они в длинных плащах.

Необходимость нести эту вахту досмотрщикам, судя по всему, никакого удовольствия не доставляла. То и дело один из них взволнованно дергался вперед, словно углядев наконец что-то интересное, но тут же разочарованно выпрямлялся.

Первого сентября соглядатаев собралось на площади больше обычного. С полдюжины людей в длинных плащах стояли молча и настороженно, не сводя, как всегда, глаз с одиннадцатого и тринадцатого домов, однако то, чего они ожидали, видимо, так и не объявилось. Вечер принес с собой неожиданно холодный дождь, первый за несколько недель, и внезапно наступило одно из необъяснимых мгновений, в которые эти люди, казалось, замечали нечто интересное. Человек со странно скрученным лицом ткнул во что-то пальцем, его сосед, приземистый и очень бледный, рванулся вперед, но миг спустя все они, разочарованные и расстроенные, вернулись к прежней неподвижности.

В этот же самый миг в вестибюль дома номер двенадцать вошел Гарри. Трансгрессируя на верхнюю ступеньку крыльца, он едва не упал и сейчас думал, что Пожиратели смерти могли заметить мгновенный промельк его локтя. Закрыв и замкнув за собой парадную дверь, он стянул с себя мантию-невидимку, перебросил ее через руку, сжимавшую украденный им номер «Ежедневного пророка», и торопливо пошел вестибюлем к ведущей в подвал двери.

Его приветствовал обычный хриплый шепот: «Северус Снегг?», прохвативший Гарри холодным ветерком и на мгновение свернувший рулетом язык.

— Я тебя не убивал, — произнес он, едва язык развернулся, и задержал дыхание, увидев, как взрывается пыльный морок. Пройдя до середины ведущей в кухню лестницы — подальше от ушей миссис Блэк и от облака пыли, — он крикнул: — У меня есть новости, которые вам не понравятся.

Кухня стала почти неузнаваемой. Каждая поверхность в ней словно светилась: кастрюли и сковородки были начищены до красноватого блеска, длинная деревянная столешница мерцала, на ней уже были расставлены к обеду бокалы и тарелки, отражавшие весело горящий огонь, над которым висел котел с поднимавшимся над ним парком. Впрочем, самое решительное изменение претерпел бросившийся навстречу Гарри домовик —

одеждой ему служило ныне белое, точно снег, полотенце, волосы на ушах были чисты и пушисты, как вата, по тощей груди постукивал медальон Регулуса.

— Будьте любезны, снимите обувь, хозяин Гарри, и помойте руки перед едой, — заквакал Кикимер, подхватывая мантию-невидимку и сгибаясь, чтобы повесить ее на стенной крючок, рядом с совсем недавно постиранными старомодными одеяниями.

— Что случилось? — опасливо спросил Рон. До этой минуты он и Гермиона склонялись над стопкой исписанных листков и нарисованных вручную карт, усеявших конец длинного стола, однако теперь вглядывались в Гарри, который, подойдя к ним, бросил поверх их пергаментов газету.

На них смотрел большой портрет крючконосого, черноволосого мужчины, заголовок под фотографией сообщал: «СЕВЕРУС СНЕГГ УТВЕРЖДЕН В ДОЛЖНОСТИ ДИРЕКТОРА ХОГВАРТСА».

— Не может быть! — воскликнули Рон с Гермионой.

Гермиона опомнилась быстрее, чем Рон. Она схватила газету и начала вслух читать сопровождающую снимок статью:

— «Северус Снегг, долгое время преподававший зельеварение в школе чародейства и волшебства Хогвартс, поставлен сегодня во главе этого древнего учебного заведения. Это назначение стало частью некоторых изменений в штатном составе школы. После отставки прежнего преподавателя магловедения ее пост заняла Алекто Кэрроу, между тем как брат Алекто, Амикус, стал профессором защиты от Темных искусств.

— Я рад возможности оказать поддержку наичистейшим традициям и ценностям нашего чародейства...» Состоящим в том, чтобы убивать людей и отрезать им уши, я так понимаю! — фыркнула Гермиона. — Снегг в директорах! Снегг в кабинете Дамблдора... Ну, Мерлиновы кальсоны! — вдруг завизжала она с такой силой, что Гарри и Рон подпрыгнули. Гермиона выскочила из-за стола и полетела прочь из кухни, крикнув на бегу: — Сейчас вернусь!

— Мерлиновы кальсоны? — повторил позабавленный Рон. — Похоже, она чем-то расстроена.

Он подтянул к себе газету и дочитал посвященную Снегу статью.

— Другие преподаватели этого не потерпят. Макгонагалл, Флитвик, Стебль — все они знают правду, знают, как умер Дамблдор. Они не примут Снегга в директора. А кто такие Кэрроу?

— Пожиратели смерти, — ответил Гарри. — Там дальше есть их портреты. Они были на башне, когда Снегг убил Дамблдора, так что теперь все старые друзья в сборе. К тому же, — с горечью произнес он, опускаясь на стул, — не думаю, что прочим профессорам есть из чего выбирать, они могут только остаться в школе. Если за Снеггом стоит Министерство и Волан-де-Морт, им придется либо остаться и преподавать, либо провести несколько лет в Азкабане — да и то при условии, что им повезет. Думаю, они не уйдут и попытаются хоть как-то защитить учеников.

Кикимер с большой супницей в руках торопливо приблизился к столу и, негромко посвистывая сквозь зубы, разлил суп по девственно-чистым тарелкам.

— Спасибо, Кикимер, — сказал Гарри, переворачивая газету, чтобы не видеть лица Снегга. — Ну что ж, по крайней мере теперь мы точно знаем, где найти Снегга.

Он занялся супом. С тех пор как Кикимер получил медальон Регулуса, его кулинарные способности разительно улучшились: сегодняшний французский луковый суп был самым вкусным, какой когда-либо пробовал Гарри.

— У дома так и торчит целая компания Пожирателей смерти, — между двумя ложками сообщил он Рону. — Нынче их больше обычного. Похоже, они надеются, что мы выйдем из дома со школьными чемоданами и побежим на «Хогвартс-экспресс».

Рон взглянул на часы:

— Я о нем целый день вспоминал. Поезд ушел почти шесть часов назад. Мы могли бы сейчас ехать в нем, да вот не едем. Странное ощущение, правда?

Перед мысленным взором Гарри возник алый паровоз, тянущий среди поблескивающих полей и холмов переливчатую алую гусеницу вагонов, в одном из которых сидит он с Роном. Гарри не сомневался, что Джинни,

Невилл и Полумна сидят сейчас бок о бок, быть может, недоумевая, куда подевались Рон с Гермионой, или разговаривая о том, как им лучше ставить палки в колеса новому режиму Снегга.

— Они едва не увидели, как я возвращаюсь, — сказал Гарри. — Я неудачно приземлился на верхней ступеньке, мантия немного соскользнула.

— И со мной каждый раз то же самое. Ну вот и она, — прибавил Рон, вытянув шею, чтобы получше разглядеть вернувшуюся на кухню Гермиону. — И что-то притащила, клянусь трусами Мерлина.

— Я вдруг вспомнила про эту штуку, — пояснила запыхавшаяся Гермиона.

Она принесла большую картину в раме и теперь, опустив ее на пол, схватила стоявшую на посудном столе расшитую бисером сумочку. Открыв ее, Гермиона принялась запихивать в сумочку картину, определенно великоватую для такого маленького вместилища. Впрочем, через несколько секунд картина исчезла, как и многое другое, в объемистых глубинах сумочки.

— Финеас Найджелус, — пояснила Гермиона и бросила на стол сумочку, которая издала при этом ставший уже привычным громкий дребезг.

— Виноват? — сказал Рон, однако Гарри уже все понял. Живописное изображение Финеаса Найджелуса обладало способностью перепархивать из портрета, находившегося на площади Гриммо, в другой, висевший в кабинете директора Хогвартса, — круглой комнате, расположенной наверху башни, где сейчас, вне всяких сомнений, сидел Снегг, с торжеством озиравший коллекцию серебряных магических инструментов Дамблдора, каменный Омут памяти, Распределяющую шляпу и, если только его не перенесли куда-то еще, меч Гриффиндора.

— Снегг может прислать сюда Финеаса Найджелуса, чтобы он осмотрел дом, — пояснила, усаживаясь за стол, Гермиона. — Пусть теперь попробует. Все, что увидит Финеас, — это нутро моей сумочки.

— Умно! — одобрительно сказал Рон.

— Спасибо, — улыбнулась Гермиона, пододвигая к себе тарелку с супом. — Ну, Гарри, что еще случилось сегодня?

— Да ничего, — ответил Гарри. — Семь часов проторчал у входа в Министерство. Ее так и не видел. Зато видел твоего папу, Рон. Выглядит хорошо.

Рон благодарно кивнул. Они решили, что пытаться заговорить с мистером Уизли, когда тот входит в Министерство или выходит оттуда, слишком опасно, поскольку его постоянно окружали другие чиновники. Однако и мельком увидеть его — это уже было утешением, хоть и выглядел он очень усталым и встревоженным.

— Папа всегда говорил, что большинство министерских чиновников, чтобы добираться до работы, используют Сеть летучего пороха, — сказал Рон. — Поэтому мы Амбридж и не видим, она считает себя слишком важной персоной и пешком никогда не ходит.

— А как насчет той смешной старой волшебницы и коротышки в темно-синей мантии? — поинтересовалась Гермиона.

— А, ну да, того, что работает в магическом хозяйстве, — сказал Рон.

— Откуда ты знаешь, где он работает? — спросила, не донеся ложку до рта, Гермиона.

— По словам папы, все работники Отдела магического хозяйства носят темно-синие мантии.

— Ты нам об этом ни разу не говорил!

Гермиона опустила ложку в тарелку и подтянула к себе кипу записей и карт, которые они с Роном разглядывали, когда в кухню вошел Гарри.

— У нас тут ничего насчет темно-синих мантий не записано. Ничего! — сказала она, лихорадочно перебирая страницы.

— Да ну, велика разница.

— *Велика*, Рон! Если мы хотим проникнуть в Министерство, где наверняка сейчас высматривают посторонних, и не попасться при этом, для нас важна любая мелочь! Мы об этом сто раз говорили. И какой смысл во всех наших разведочных вылазках, если ты даже не потрудился сказать нам...

— Черт возьми, Гермиона, ну забыл я какой-то пустяк...

— Ты что, не понимаешь, что для нас нет сейчас во всем мире места опаснее, чем Министерство ма...

— Думаю, надо идти туда завтра, — сказал Гарри.

Гермиона умолкла на полуслове, так и не закрыв рта, Рон поперхнулся супом.

— Завтра? — переспросила Гермиона. — Ты серьезно, Гарри?

— Серьезно, — ответил он. — Мы уже месяц как толчемся у входа в Министерство, подготовиться лучше нам все равно не удастся. А чем дольше мы будем откладывать вылазку, тем дальше может уйти медальон. Не исключено, что Амбридж его уже выбросила, он же не открывается.

— Если только, — вставил Рон, — Амбридж все-таки не открыла медальон, и тогда он успел овладеть ею.

— Для нее это большой разницы не составит, она и так злее некуда, — пожал плечами Гарри.

Гермиона, ушедшая в свои мысли, прикусила губу.

— Все самое важное мы знаем, — продолжал, обращаясь к ней, Гарри. — Знаем о запрете трансгрессии в Министерство и из него. Знаем, что теперь только самым важным чинам разрешено устанавливать связь их домов с Министерством по Сети летучего пороха, — Рон слышал, как на это жаловались двое невыразимцев. И примерно знаем, где находится кабинет Амбридж, поскольку уже ты слышала, как тот бородатый говорил своему приятелю...

— «Мне нужно на первый уровень, Долорес вызывает», — мгновенно процитировала Гермиона.

— Точно, — сказал Гарри. — Кроме того, нам известно, что при входе используются какие-то странные монеты, жетоны, я не знаю, что они собой представляют, однако видел, как та колдунья занимала их у подруги...

— Так у нас же нет ни одного...

— Если все пойдет по плану, будут, — спокойно ответил Гарри.

— Не знаю, Гарри, не знаю... столько всего может пойти наперекосяк, мы до того полагаемся на случай...

— Так оно все и останется, даже если мы потратим на подготовку еще три месяца, — сказал Гарри. — Пора действовать.

Гарри ясно видел по лицам Рона и Гермионы, что они испуганы, он и сам ни в чем не был уверен и все же не сомневался — настало время привести их план в действие.

Предыдущие четыре недели они провели, облачаясь по очереди в мантию-невидимку и патрулируя парадный вход Министерства, который Рону — благодаря мистеру Уизли — был известен сызмальства. Они сопровождали шедших на работу сотрудников Министерства, подслушивали их разговоры и выяснили, кто из них приходит всегда в одно и то же время, да еще и в одиночку. Иногда им удавалось спереть из чьего-нибудь кейса номер «Ежедневного пророка». И постепенно они составили примерные карты здания Министерства и заметки, стопка которых лежала сейчас перед Гермионой.

— Ну хорошо, — медленно выговорил Рон, — допустим, мы пойдем на дело завтра... Думаю, для этого хватит меня и Гарри.

— Ой, не начинай, ради бога, — вздохнула Гермиона. — По-моему, мы с тобой обо всем договорились.

— Мотаться у входа под мантией — это одно, Гермиона, а сейчас речь совсем о другом. — И Рон пристукнул пальцем по номеру «Ежедневного пророка» десятидневной давности. — Ты состоишь в списке «магловских выродков», не явившихся на собеседование.

— А ты, предположительно, помираешь в «Норе» от обсыпного лишая! Уж если кому идти и не следует, так это Гарри, его голову оценили в десять тысяч галеонов...

— Ладно, я останусь здесь, — сказал Гарри. — Как покончите с Волан-де-Мортом, дайте мне знать, идет?

Рон и Гермиона покатились со смеху, и тут шрам на лбу Гарри снова пронзил его голову болью. Рука Гарри рванулась ко лбу — он увидел, как сузились глаза Гермионы, и постарался представить это движение попыткой отбросить упавшие на глаза волосы.

— Ну хорошо, — говорил Рон, — если мы идем все трое, трансгрессировать нам придется поодиночке. Под одной мантией-невидимкой нам уже не поместиться.

Шрам Гарри продолжал наливаться болью. Он встал. И к нему тут же подскочил Кикимер.

— Хозяин не доел суп. Может быть, хозяин предпочитает вкусное тушеное мясо или торт с патокой, который хозяин так любит?

— Спасибо, Кикимер, мне просто нужно отлучиться на минуту... э-э... в ванную комнату.

Сознавая, что Гермиона не сводит с него подозрительного взгляда, Гарри торопливо поднялся по лестнице в вестибюль, потом на второй этаж, влетел в ванную и запер за собой дверь на задвижку. Покряхтывая от боли, он склонился над черной умывальной раковиной, над ее кранами в виде разинувших рот змей и закрыл глаза...

Он шел по сумеречной улице. По обеим сторонам от него поднимались высокие, словно пряничные, дома с деревянными фронтонами. Он подошел к одному из них, увидел, как его белая рука с длинными пальцами стучит в дверь. Его охватывало возбуждение...

Дверь растворилась, на пороге появилась смеющаяся женщина. Она взглянула в лицо Гарри, и ее веселость сменилась ужасом...

— Грегорович? — произнес он высоким, холодным голосом.

Женщина покачала головой, попыталась закрыть дверь, но белая рука твердо держала ее, не позволяя даже сдвинуть с места.

— Мне нужен Грегорович.

— *Er wohnt hier nicht mehr!* — тряхнув головой, крикнула женщина. — Он здесь не живет! Не живет! Я не знаю такого!

Оставив попытки закрыть дверь, она начала отступать в темную прихожую, и Гарри скользящей поступью последовал за ней, вытаскивая длинным пальцами палочку.

— Где он?

— *Das weiß ich nicht!* Он съехал! Я ничего не знаю, не знаю!

Гарри поднял палочку. Женщина закричала. В прихожую выбежали двое детей. Женщина попыталась заслонить их руками. Вспышка зеленого света...

— Гарри! ГАРРИ!

Он открыл глаза, осел на пол. Гермиона снова заколотила в дверь.

— Гарри, открой!

Гарри понимал — он кричал что-то. Он встал, отпер дверь, Гермиона тут же влетела в нее, едва не упав, и подозрительно оглядела ванную. За ней вошел Рон, нервно потыкал в углы холодной ванной комнаты палочкой.

— Что ты здесь делал? — строго спросила Гермиона.

— А как по-твоему, что? — с вялой бравадой поинтересовался Гарри.

— Ты так орал, точно тебе башку отрывают, — сообщил Рон.

— А, ну да... наверное, я задремал или...

— Гарри, пожалуйста, не делай из нас идиотов, — сказала Гермиона и с силой вздохнула. — Мы же знаем, что у тебя опять заболел шрам, ты побелел как полотно.

Гарри присел на край ванны.

— Ну хорошо. Я только что видел, как Волан-де-Морт убивает женщину. Сейчас он, наверное, уже убил всю ее семью. Без всякой нужды. Это как с Седриком, они просто подвернулись ему под руку...

— Ты же должен был прекратить это, Гарри! — воскликнула Гермиона, и голос ее гулко отразился от стен ванной комнаты. — Дамблдор хотел, чтобы ты прибегал к окклюменции. Он считал эту связь опасной — ею может воспользоваться Волан-де-Морт! Какой смысл смотреть, как он убивает и пытает людей, если ты не можешь помочь им?

— Так я узнаю, что он делает, — ответил Гарри.

— Значит, ты даже не *пытаешься* отключиться от него?

— Я не могу, Гермиона. Ты же знаешь, с окклюменцией я не в ладах, мне так и не удалось по-настоящему освоить ее.

— Да ты и не старался никогда! — запальчиво сказала она. — Я не понимаю, Гарри, тебе, что же, нравится эта особая связь, отношения — не знаю что?..

Она примолкла, увидев взгляд, которым он смерил ее, вставая.

— Нравится? — негромко спросил он. — А тебе бы это понравилось?

— Мне... нет... Прости, Гарри, я не хотела...

— Я ненавижу и эту связь, и то, что ему удается вторгаться в меня, что я начинаю видеть его, когда он становится особенно опасным. И тем не менее я собираюсь использовать все это.

— Дамблдор...

— Забудь о Дамблдоре. Выбираю я и никто больше. А я хочу понять, зачем ему понадобился Грегорович.

— Кто?

— Заграничный мастер, изготовитель волшебных палочек, — ответил Гарри. — Это он сделал палочку Крама, и Крам считает его лучшим из всех.

— Но ты же говорил, что Волан-де-Морт держит где-то у себя Олливандера, — сказал Рон. — Если у него уже есть один мастер, зачем ему второй?

— Возможно, он разделяет мнение Крама, считает, что Грегорович лучше. Или думает, что Грегорович сумеет объяснить ему, что сделала моя палочка, когда он гнался за мной. Олливандер этого сказать не смог.

Гарри взглянул в пыльное потрескавшееся зеркало и увидел, как Рон и Гермиона обменялись за его спиной многозначительными взглядами.

— Гарри, ты все время твердишь о том, что сделала твоя палочка, — произнесла Гермиона, — но ведь это сделал ты! Почему ты так упорно отказываешься признать силу, которой обладаешь?

— Потому что понимаю: никакой силы у меня нет! И у Волан-де-Морта тоже, Гермиона! Мы с ним оба знаем, что произошло!

Они гневно глядели друг на друга. Гарри понимал, что не убедил Гермиону, что она подыскивает возражения — и против того, что он говорит о своей палочке, и против его решения допустить Волан-де-Морта в свое сознание. К облегчению Гарри, в их спор вмешался Рон.

— Брось, — сказал он Гермионе. — Это его дело. Но если мы решили отправиться завтра в Министерство, так надо еще раз пройтись по всему плану.

Гермиона без всякой охоты — и Гарри, и Рон видели это — отказалась от дальнейших препирательств, хоть Гарри и понимал, что она снова примется за него при первой же возможности. Пока же они вернулись в подвальную кухню, где Кикимер уже выставил для них на стол и тушеное мясо, и пирог с патокой.

Спать они легли поздно ночью — после того как провели несколько часов, снова и снова обсуждая все подробности своего плана, пока не выучили его наизусть и не смогли слово в слово пересказать друг другу. Гарри, который спал теперь в комнате Сириуса, еще минут десять лежал, глядя при свете палочки на старую фотографию отца, Сириуса, Люпина и Петтигрю и шепотом повторяя себе весь план. Однако, погасив палочку, он снова начал думать не о блевальных батончиках, Оборотном зелье и темно-синих мантиях хозяйственного персонала, но о мастере Грегоровиче и о том, долго ли еще удастся ему прятаться от Волан-де-Морта.

— Выглядишь — хуже некуда, — сообщил в виде приветствия Рон, пришедший, чтобы разбудить Гарри.

— Это ненадолго, — зевнув, ответил тот.

Гермиону они нашли внизу, на кухне. Она с несколько маниакальным выражением, которое у Гарри ассоциировалось с пересдачей экзамена, сидела над поданными ей Кикимером кофе и горячими булочками.

— Мантии, — произнесла она, поприветствовав Рона и Гарри нервным кивком, и снова начала рыться в своей бисерной сумочке. — Оборотное зелье... мантия-невидимка... отвлекающие обманки... возьмите на всякий случай по паре штук... блевальные батончики, кровопролитные конфеты, Удлинители ушей...

Проглотив завтрак, они поднялись в вестибюль — Кикимер проводил всех троих поклонами и обещанием приготовить к их возвращению бифштексы и пирог с почками.

— Какой он все-таки милый, — любовно сказал Рон, — а я-то хотел отрезать ему голову и приколотить ее к стене.

На верхнюю ступеньку крыльца они вышли с особой осторожностью — на окутанной туманом площади так и торчали двое Пожирателей смерти с опухшими от бессонной ночи рожами. Гермиона трансгрессировала с Роном, потом вернулась за Гарри.

После обычного краткого полета в удушающей тьме Гарри оказался в узеньком проулке, где должно было начаться выполнение первой части их плана. Если не считать двух мусорных баков, в проулке было пусто, первые сотрудники Министерства обычно появлялись здесь не раньше восьми утра.

— Ну так, — взглянув на часы, сказала Гермиона, — она будет минут через пять. И когда я ее оглушу...

— Мы знаем, Гермиона, — твердо сказал Рон. — Только мне казалось, что открыть дверь мы собирались еще до того, как она покажется.

Гермиона ахнула:

— Чуть не забыла! Отойдите-ка...

Она ткнула палочкой в запертую на висячий замок густо изрисованную дверь пожарного выхода, и дверь со скрежетом распахнулась. Темный коридор за ней вел, как они выяснили во время разведывательных вылазок, в пустой демонстрационный зал. Гермиона захлопнула дверь, чтобы та выглядела по-прежнему запертой.

— А теперь, — сказала она, повернувшись к стоявшим посреди проулка Рону и Гарри, — мы снова надеваем мантию-невидимку и...

— И ждем, — закончил Рон, набрасывая мантию на голову Гермионы, точно платок на клетку с попугайчиком, и выкатывая глаза на Гарри.

Через минуту с небольшим раздался тихий хлопок и примерно в футе от них возникла трансгрессировавшая министерская волшебница. Маленькая, с развевающимися седыми волосами, она мелко-мелко заморгала от яркого света — солнце только что выглянуло из-за тучи. Впрочем, наслаждаться неожиданным теплом ей пришлось недолго — беззвучно произнесенное Гермионой Оглушающее заклятие ударило ее в грудь, свалив на землю.

— Хорошая работа, Гермиона, — сказал, вылезая из-за мусорного бака, Рон.

Гарри стянул с себя мантию-невидимку. Втроем они затащили маленькую волшебницу в темный, ведший за кулисы зала коридор. Гермиона выдернула у нее несколько волос, опустила их во фляжку с мутным Оборотным зельем, которую достала из бисерной сумочки. Рон тем временем обшаривал сумку чиновницы.

— Ее зовут Муфалда Хмелкирк, — сообщил он, прочитав карточку, которая обозначала их жертву как референта Сектора борьбы с неправомерным использованием магии. — Это тебе лучше взять, Гермиона, и жетоны тоже.

Рон вручил ей несколько найденных им в сумке золотых монет с тиснеными буквами ММ.

Гермиона выпила Оборотное зелье, уже обретшее приятный светло-лиловый цвет, и через секунду обратилась в вылитую Муфалду Хмелкирк. Пока она снимала с носа Муфалды очки и водружала их на свой, Гарри поглядывал на часы.

— Запаздываем, мистер Магическое Хозяйство появится здесь с секунды на секунду.

Они торопливо закрыли дверь, оставив за ней настоящую Муфалду. На этот раз под мантией-невидимкой укрылись Рон с Гарри, Гермиона осталась на виду. Через несколько секунд послышался новый хлопок и появился маленький, смахивающий на хорька волшебник.

— О, здравствуйте, Муфалда.

— Здравствуйте, — вибрирующим голосом произнесла Гермиона. — Как вы себя сегодня чувствуете?

— По правде сказать, не очень, — ответил маленький волшебник, и впрямь выглядевший совершенно пришибленным.

Гермиона и он направились к главной улице, Гарри и Рон крались следом.

— Очень жаль, что вы нездоровы, — сказала Гермиона, перебив волшебника, уже приступившего к подробному рассказу о своих неурядицах; нельзя было позволить ему добраться до улицы. — Вот, возьмите конфетку.

— Что? А, нет, спасибо...

— Но я настаиваю! — с напором заявила Гермиона и сунула ему под нос пакетик с батончиками. Маленький волшебник испуганно взял один.

Подействовала эта отрава мгновенно. Едва волшебник коснулся батончика языком, беднягу начало рвать так, что он даже не заметил, как Гермиона выдрала с его макушки клок волос.

— О господи! — сказала она, глядя, как несчастный поливает рвотой проулок. — По-моему, вам следует взять на сегодня отгул.

— Нет... нет! — сдавленно произнес он и испустил новую струю, не оставляя, однако ж, попыток добраться до улицы — даром что двигаться по прямой ему уже не удавалось. — Я должен... сегодня... должен...

— Но это просто глупо! — сказала встревоженная Гермиона. — Нельзя приходить на работу в таком состоянии. Думаю, вам лучше направиться к святому Мунго, пусть там выяснят, что с вами!

Сотрясаемый позывами, волшебник упал на четвереньки, но все еще пытался ползти к главной улице.

— В таком виде являться на работу нельзя! — закричала Гермиона.

В конце концов волшебник с ней согласился. Цепляясь за испытывавшую отвращение Гермиону, он кое-как встал, повернулся на месте и исчез, оставив после себя лишь портфель, который Рон в последний миг вырвал из его руки, да летевшие по воздуху ошметки рвоты.

— Уф! — сказала Гермиона, приподнимая подол мантии, чтобы не замочить его в лужах блевотины. — Все-таки было бы проще оглушить и его.

— Ну да, — отозвался Рон, вылезая с портфелем в руке из-под мантии-невидимки, — но я по-прежнему думаю, что гора бесчувственных тел привлекала бы к себе слишком большое внимание. А любит он свою работу, верно? Ну ладно, давай сюда волосы и зелье.

Через пару минут Рон стоял перед ними — такой же маленький, как приболевший волшебник, и столь же похожий на хорька. На нем была темно-синяя мантия, которую Рон обнаружил, сложенную, в портфеле.

— Странно, что сегодня он ее не надел, ведь так на работу рвался. Кстати, если верить бирке на спине мантии, мое имя Редж Кроткотт.

— Ну, теперь жди, — сказала Гермиона так и оставшемуся в мантии-невидимке Гарри. — Через пару минут принесем тебе волоски.

Ждать пришлось минут десять, однако Гарри, проведшему этот срок в залитом рвотой проулке, у двери, за которой лежала оглушенная Муфалда, он показался куда более долгим. Наконец Рон с Гермионой вернулись.

— Кто он, мы не знаем, — сказала Гермиона, протягивая Гарри несколько курчавых темных волосков, — но у него так пошла носом кровь, что его пришлось отправить домой. Погоди, он довольно рослый, тебе понадобится мантия побольше...

Она достала из сумочки несколько постиранных Кикимером старых мантий, и Гарри отошел в сторонку, чтобы принять зелье.

Когда болезненная трансформация завершилась, в нем оказалось больше шести футов роста, да и сложение, понял Гарри, взглянув на свои весьма мускулистые руки, он имел мощное. Мало того, он был бородат. Гарри спрятал под новую одежду очки и мантию-невидимку и присоединился к друзьям.

— Господи, страшный какой, — сказал Рон, окинув взглядом нависшего над ним Гарри.

— Держи жетон, — сказала Гермиона, — и пошли, уже почти девять.

Из проулка они вышли вместе. По тротуару двигалась масса людей, направляясь к ограде из черных металлических пик, возвышавшейся ярдах в пятидесяти отсюда, примыкая к двум лестничным маршам — один был обозначен буквой «М», другой буквой «Ж».

— Ладно, через минуту увидимся, — нервно сказала Гермиона и засеменила вниз по дамской лестнице. Гарри и Рон присоединились к множеству странновато одетых мужчин, спускавшихся в обычный на первый взгляд подземный общественный туалет с выложенными черной и белой плиткой стенами.

— С добрым утром, Редж! — окликнул Рона один чародей в темно-синей мантии, вставлявший золотой жетон в прорезь на двери кабинки. — Черт знает что, а? Заставлять нас добираться до работы подобным манером! Кого они надеются так засечь, Гарри Поттера?

И волшебник загоготал, довольный своим остроумием. Рон натужно хмыкнул.

— Да, — ответил он, — полная дурь, верно?

Он и Гарри вошли в смежные кабинки.

Справа и слева от них слышались звуки сливаемой воды. Гарри присел на корточки, заглянул под не доходившую до пола перегородку — как раз вовремя, чтобы увидеть, как две ноги в сапогах улезают в унитаз. А повернувшись налево, увидел ошалело моргающего Рона.

— Нам придется смывать себя в унитаз? — прошептал Рон.

— Похоже на то, — пробормотал в ответ Гарри, обнаружив при этом, что голос у него теперь низкий и сиплый.

Они встали. Ощущая себя полным идиотом, Гарри втиснул обе ноги в унитаз.

И сразу понял, что все делает правильно, — туфли, ноги и мантия остались совершенно сухими, хоть он и стоял в воде. Гарри протянул руку к цепочке, дернул, и в следующий миг, пролетев по короткому лотку, выкатился из камина Министерства магии.

Он неуклюже поднялся на ноги — тело его было непривычно большим. Огромный атриум казался более темным, чем тот, какой запомнился Гарри. Раньше в центре его бил золотой фонтан, отбрасывавший переливистые пятна света на полированный деревянный пол и на стены. Ныне над всем царила колоссальная статуя из черного камня. Выглядела она устрашающе — огромное изваяние колдуна и колдуньи, которые, сидя на украшенных резьбой тронах, взирали сверху вниз на выкатывавшихся из каминов чиновников Министерства. На цоколе статуи были выбиты слова, состоявшие из букв высотой в фут каждая: МАГИЯ — СИЛА.

Что-то больно ударило Гарри сзади по ногам — из камина за его спиной вылетел еще один чародей.

— Уйдите с дороги, вы что... О, извините, Ранкорн!

Явно испугавшийся лысеющий волшебник поспешил смыться. По-видимому, Ранкорна, которого изображал Гарри, здесь побаивались.

— Псст! — услышал он и, обернувшись, увидел растрепанную маленькую ведьму и похожего на хорька служащего Отдела магического хозяйства, стоявших у статуи, подзывая его к себе. Гарри торопливо приблизился к ним.

— Нормально добрался? — шепотом спросила Гермиона.

— Нет, в сортире застрял, — ответил за Гарри Рон.

— Очень смешно... Жуть, правда? — сказала она вглядывавшемуся в статую Гарри. — Ты заметил, на чем они сидят?

Приглядевшись внимательнее, Гарри понял — то, что он принял за украшенные резьбой троны, было на самом деле курганами, сложенными из человеческих тел: сотни и сотни голых мужчин, женщин и детей, все с туповатыми, уродливыми лицами, были переплетены и спрессованы так, чтобы выдерживать вес облаченных в красивые мантии колдунов.

— Маглы, — прошептала Гермиона. — На положенном им месте. Ладно, пошли.

Они присоединились к потоку волшебников и волшебниц, направлявшихся к золотым воротам в дальнем конце вестибюля. Все трое исподтишка оглядывались, но приметной фигуры Долорес Амбридж нигде не было видно. Пройдя через ворота, они оказались в зале поменьше, с очередями, тянувшимися к двадцати золотым решеткам, за которыми сновали лифты. Едва они успели встать в ближайшую, как послышался голос:

— Кроткотт!

Они обернулись, и у Гарри тут же свело судорогой желудок. К ним направлялся один из присутствовавших при гибели Дамблдора Пожирателей смерти. Министерские чиновники молча расступались перед ним, опуская глаза. Гарри чувствовал, как по ним прокатываются волны страха. Злое, немного звероподобное лицо этого человека странно не вязалось с его пышной, развевающейся мантией, обильно украшенной золотым шитьем. Кто-то в ожидающей лифтов толпе раболепно пискнул: «С добрым утром, Яксли!» Яксли никакого внимания на приветствие не обратил.

— Я направил в Отдел магического хозяйства запрос, Кроткотт. Нужно что-то делать с моим кабинетом, там по-прежнему идет дождь.

Рон огляделся вокруг, словно надеясь на чье-то вмешательство, однако все молчали.

— Дождь... в вашем кабинете? Это... это нехорошо, правда?

И Рон издал нервный смешок. Глаза Яксли расширились.

— Вам это кажется смешным, Кроткотт?

Двое волшебников выбрались из выстроившейся у входа в лифт очереди и торопливо удалились.

— Нет, — ответил Рон, — конечно, нет...

— Вы сознаете, что я направляюсь сейчас туда, где будут допрашивать вашу жену, Кроткотт? Собственно говоря, я сильно удивлен тем, что вы не сидите рядом с ней в очереди ожидающих допроса и не держите ее за руку. Уже списали ее со счетов, как безнадежную, а? Что ж, может, оно и разумно. В следующий раз постарайтесь жениться на чистокровке.

Гермиона тихо пискнула от ужаса. Яксли взглянул на нее. Она неубедительно закашлялась и отвернулась.

— Я... я... — пролепетал Рон.

— И все же, если бы *мою* жену обвинили в грязнокровии, — хотя, разумеется, женщину, на которой я мог бы жениться, даже и заподозрить в такой мерзости было бы невозможно, — а главе Отдела обеспечения магического правопорядка требовалось бы срочное исполнение какой-то работы, я бы из кожи вон лез, Кроткотт, чтобы ее сделать. Вы меня поняли?

— Да, — прошептал Рон.

— Тогда займитесь ею, Кроткотт! И если через час мой кабинет не станет совершенно сухим, Статус крови вашей жены, возможно, вызовет сомнения даже более серьезные, чем сейчас.

Золотая решетка перед ними с грохотом открылась. Кивнув и неприятно улыбнувшись Гарри, который, надо полагать, не мог не одобрить его обращение с Кроткоттом, Яксли направился к другому лифту. Гарри, Рон и Гермиона вошли в свой, однако больше за ними никто не последовал — как будто они обратились в прокаженных. Решетка с лязгом закрылась, лифт пошел вверх.

— И что мне теперь делать? — ошеломленно спросил у друзей Рон. — Если я не справлюсь, мою жену... то есть жену Кроткотта...

— Мы пойдем с тобой, нам надо держаться вместе... — начал Гарри, но Рон отчаянно замотал головой.

— Ты спятил? У нас мало времени. Вы вдвоем ищите Амбридж, а я пойду разбираться с кабинетом Яксли, хотя, как прекратить дождь, я понятия не имею.

— Попробуй *Фините инкантатум*, — сразу ответила Гермиона. — Если дождь наведен заговором или заклятием, это поможет; если нет, значит, что-то неладно с Атмосферными чарами. С ними будет потруднее, поэтому наложи на время Импервиус, чтобы защитить его вещи...

— Еще разок и помедленнее, — попросил Рон, отчаянно роясь по карманам в поисках пера, но тут лифт, содрогаясь, остановился, и бесплотный женский голос сообщил: «Уровень четвертый. Отдел регулирования магических популяций и контроля над ними, включающий в себя подразделения зверей, существ и духов, Управление по связям с гоблинами и Консультационное бюро по борьбе с вредителями», — после чего решетка раздвинулась, впустив двух чародеев и несколько бледно-лиловых бумажных самолетиков, которые принялись порхать вокруг вделанной в потолок лифта лампы.

— С добрым утром, Альберт, — сказал, улыбнувшись Гарри, мужчина с кустистыми бакенбардами. Лифт снова со скрипом пошел вверх, мужчина оглянулся на Рона с Гермионой, которая лихорадочным шепотом инструктировала Рона, потом, плотоядно ухмыляясь, наклонился к Гарри и забормотал: — Дирк Крессвелл, а? Из Управления по связям с гоблинами? Отличная работа, Альберт! Теперь уж я точно получу его место!

Он подмигнул, Гарри улыбнулся в ответ, надеясь, что этого будет достаточно.

Лифт остановился, решетка разъехалась снова.

«Уровень второй. Отдел обеспечения магического правопорядка, включающий в себя Сектор борьбы с неправомерным использованием магии, штаб-квартиру мракоборцев и административные службы Визенгамота», — произнес голос бесплотной колдуньи.

Гермиона слегка подтолкнула Рона, и тот выскочил из лифта, а следом вышли и оба волшебника, оставив Гарри и Гермиону наедине. Как только золотая дверь затворилась, Гермиона быстро заговорила:

— Вообще-то, Гарри, думаю, мне лучше было пойти с ним. По-моему, он не знает, что делать, а если его застукают, вся наша затея...

«Уровень первый. Министр магии и вспомогательный персонал».

Половинки золотой решетки снова скользнули в стороны, и Гермиона негромко ахнула. Перед лифтом стояли четверо, двое из них о чем-то увлеченно беседовали: одним был длинноволосый волшебник в великолепной черной с золотом мантии, другой — прижимавшая к груди папку приземистая, похожая на жабу колдунья с бархатным бантом в коротких волосах.

Глава 13

КОМИССИЯ ПО УЧЕТУ МАГЛОВСКИХ ВЫРОДКОВ

— А, Муфалда! — воскликнула Амбридж, увидев Гермиону. — Вас Трэверс послал, так?

— Д-да, — пропищала Гермиона.

— Очень хорошо. — И Амбридж повернулась к волшебнику в черном с золотом. — Стало быть, решено, министр. Если Муфалда возьмет на себя ведение протокола, мы сможем начать прямо сейчас. — Она взглянула на свою папку. — Сегодня у нас десять человек и среди них жена нашего сотрудника. Подумать только, даже здесь, в самом сердце Министерства!

Она вошла в лифт и встала рядом с Гермионой, за ней последовали двое волшебников, которые прислушивались к ее разговору с министром.

— Мы едем прямиком вниз, Муфалда, в зале суда найдется все, что вам потребуется. С добрым утром, Альберт, вы разве не выходите?

— Да, конечно, — низким голосом Ранкорна ответил Гарри.

Он вышел из лифта. Золотые решетки лязгнули, закрываясь за его спиной. Оглянувшись, Гарри увидел уплывавшее вниз встревоженное лицо Гермионы, рослых волшебников по обеим сторонам от нее и едва достающий ей до плеча бархатный бантик Амбридж.

— Что привело вас сюда, Ранкорн? — осведомился новый министр магии. Его длинные черные волосы и бороду пронизывало серебро, огромный, выпуклый лоб затенял мерцающие глаза. Гарри он напомнил выглядывающего из-под камня краба.

— Необходимость переговорить... — Гарри на долю секунды замялся, — с Артуром Уизли. Мне сказали, что он на первом уровне.

— Ага, — произнес Пий Толстоватый. — Так его уже застукали на контакте с Нежелательным лицом?

— Нет, — ответил Гарри, горло которого мгновенно пересохло. — Ничего подобного.

— Ну ладно, — сказал Толстоватый. — Это всего лишь вопрос времени. Если хотите знать мое мнение, осквернители крови ничем не лучше грязнокровок. Всего хорошего, Ранкорн.

— Всего хорошего, министр.

Гарри смотрел вслед Толстоватому, уходившему по плотному ковру коридора. Как только министр скрылся из виду, Гарри вытащил из-под своего тяжелого черного одеяния мантию-невидимку, набросил ее на себя и пошел по коридору в противоположную сторону. Ранкорн был так высок, что Гарри приходилось сутулиться, чтобы укрыть его большие ступни.

От паники у него сосало под ложечкой. Он шел мимо поблескивавших деревянных дверей, на каждой из которых висела табличка с указанием имени и должности хозяина кабинета. Мощь Министерства, сложность его организации, его непроницаемость, казалось, навалились на Гарри, и план, который он, Гермиона и Рон с таким усердием разрабатывали в последние четыре недели, начинал представляться ему до смешного ребяческим. Все их усилия были направлены на незаметное проникновение в Министерство, они и на миг не задумались о том, что будут делать, если им придется разделиться. А теперь Гермиона застряла в зале суда и наверняка проторчит там не один час, Рон пытался сотворить волшебство, которое ему не по силам, а между тем от результата его стараний зависит, по всей вероятности, свобода женщины. Что же до Гарри, то он слоняется по верхнему этажу, прекрасно зная, что его добыча только что ускользнула от него, уехав на лифте вниз.

Гарри остановился, прислонился к стене и попытался придумать, что делать дальше. Безмолвие давило его — здесь не было ни суеты, ни разговоров, ни торопливых шагов; в устланных лиловыми коврами коридорах стояла такая тишина, точно на все это место наложили заклинание Оглохни!

«Где-то здесь должен находиться ее кабинет», — думал Гарри.

Вряд ли, конечно, Амбридж стала бы держать свои драгоценности в кабинете, но, с другой стороны, глупо было бы не обыскать его для полной уверенности. И Гарри снова пошел по коридору, встретив по пути лишь сосредоточенно хмурившегося чародея, который бормотал указания перу, плывшему перед ним по воздуху, исписывая листок пергамента.

Внимательно вглядываясь в имена на табличках, Гарри свернул за угол и, пройдя новый коридор до половины, оказался в просторном открытом холле, где за маленькими, расставленными в ряды столами, напоминавшими школьные, только лучше отполированные и ничем не исписанные, сидела дюжина волшебников и волшебниц. Гарри остановился, чтобы понаблюдать за ними, ибо зрелище было попросту завораживающим. Все они в лад взмахивали и покручивали палочками, и квадратные листки цветной бумаги разлетались от них во все стороны, подобно маленьким розовым воздушным змеям. Спустя несколько секунд Гарри обнаружил, что в происходящем присутствует некий ритм, что в перемещениях листков отмечается строгий порядок, а еще через пару секунд понял, что он наблюдает за созданием брошюр: квадратные листки — это страницы, которые, будучи собранными, сложенными и магическим образом скрепленными, складываются за спиной каждого из сидящих здесь в аккуратные стопки.

Гарри осторожно подобрался поближе — впрочем, волшебники и волшебницы были настолько увлечены своей работой, что вряд ли расслышали бы его приглушенные ковром шаги, — и вытащил уже готовую брошюру из стопки, выраставшей рядом с молодой колдуньей.

Засунув брошюру под мантию-невидимку, Гарри осмотрел ее. На розовой обложке стояло оттисненное золотом название:

ГРЯЗНОКРОВКИ
и чем они опасны для мирного
чистокровного сообщества

Под названием была изображена красная роза с глуповато улыбающимся личиком в самой ее середке и удушающий розу зеленый сорняк с клыками и злобной рожей. Имя автора указано не было, однако, пока Гарри вглядывался в брошюрку, у него закололо в шрамах на кисти правой руки. А затем молодая колдунья, рядом с которой он стоял, подтвердила его догадку — спросила, продолжая помахивать палочкой:

— Кто-нибудь знает — старая ведьма весь день будет грязнокровок допрашивать?

— Поосторожнее, — сказал ее сосед и нервно заозирался по сторонам, отчего несколько его листков попадали на пол.

— А что, у нее не только глаз волшебный, но и уши тоже?

Колдунья взглянула в сторону выходящей в холл брошюровщиков сверкающей двери из красного дерева. Гарри тоже посмотрел на дверь и почувствовал, как ярость поднимает в нем свою змеиную голову. Точно в том месте, где на парадных дверях маглов обычно находится глазок, торчал из дерева ярко-синий глаз — до ужаса знакомый всякому, кто знал Аластора Грюма.

На долю секунды Гарри забыл, где он и чем занят. Забыл даже, что он невидим. Подойдя к двери, он осмотрел глаз. Тот не двигался, но слепо взирал вверх, застыв навсегда. На табличке под ним значилось:

Долорес Амбридж
Вторая заместительница министра

Ниже посверкивала другая табличка, поновее:

Глава Комиссии по учету магловских выродков

Гарри оглянулся на брошюровщиков — на работе своей они, конечно, сосредоточены, однако вряд ли можно надеяться, что никто из них не заметит, как открывается дверь пустого кабинета. И Гарри вытащил из внутреннего кармана странную штуковину с волнующимися ножками и луковидной резиновой клизмочкой вместо тела. Затем, присев под мантией-невидимкой на корточки, он опустил отвлекающую обманку на пол.

Обманка шустро поползла между ногами волшебников и волшебниц. А через несколько мгновений, которые Гарри провел, держа ладонь на ручке двери, в углу комнаты что-то бабахнуло и оттуда повалил едкий черный дым. Сидевшая в первом ряду молодая колдунья взвизгнула, все повскакали, рассыпая розовые страницы, вглядываясь в источник учинившегося безобразия. Гарри повернул ручку, проскочил в кабинет Амбридж и закрыл за собой дверь.

Ему показалось, что он шагнул назад во времени. Эта комната была точно такой же, как кабинет Амбридж в Хогвартсе: кружевные ткани, салфеточки и засушенные цветы покрывали здесь каждую плоскую поверхность. По стенам висели декоративные тарелочки, на которых красочно изображались котятки с повязанными на шею бантиками, резвящиеся, играющие и до тошноты миловидные. На письменном столе лежала яркая скатерть с цветочным узором. К глазу Грюма было приделано подобие подзорной трубы, позволявшей Амбридж шпионить за теми, кто работал по другую сторону ее двери. Гарри заглянул в трубу и увидел, что все они еще толкутся вокруг отвлекающей обманки. Он выломал трубу из двери, сорвал с нее волшебный глаз и сунул его в карман. А затем снова повернулся к кабинету, поднял палочку и негромко произнес:

— *Акцио, медальон.*

Ничего не произошло да Гарри ничего и не ожидал — разумеется, Амбридж знает о защитных чарах и заклинаниях все, что следует знать. Он подошел к ее столу и начал вытягивать ящик за ящиком. Он увидел гусиные перья, блокноты, колечко чудо-скотча; волшебные скрепки для бумаг, которые змеей поползли из ящика, — пришлось загонять их обратно; аляповатую, обклеенную кружевами коробочку, полную запасных клипсов и заколок для волос; однако никаких признаков медальона в ящике не было.

За столом возвышался картотечный шкафчик, Гарри принялся обыскивать и его. Как и шкафчики Филча в Хогвартсе, он был набит папками. И, только добравшись до дна самого верхнего ящика, Гарри увидел то, что заставило его на время отвлечься от поисков: папку с надписью «Уизли».

Он вытащил ее, открыл:

АРТУР УИЗЛИ

Статус крови:	Чистокровка, но с неприемлемыми промагловскими наклонностями. Известный член Ордена Феникса.
Семья:	Жена (чистокровная), семеро детей, двое младших учатся в Хогвартсе.
Примеч.:	Младший сын в настоящее время дома, серьезно болен. Подтверждено инспекторами Министерства.
Статус безопасности:	СОСТОИТ ПОД НАБЛЮДЕНИЕМ. Все перемещения отслеживаются. Существует значительная вероятность контакта с Нежелательным лицом №1 (ранее останавливалось в доме Уизли).

— Нежелательное лицо номер один, — чуть слышно пробормотал Гарри и, вернув папку мистера Уизли на место, закрыл ящик. Ему казалось, что он знает, кто это «лицо». Выпрямившись и оглядев кабинет в поисках возможных тайников, он увидел приклеенный к стенке плакат, изображавший его самого, поперек груди шла яркая надпись: «НЕЖЕЛАТЕЛЬНОЕ ЛИЦО № 1». К плакату был прилеплен розовый листок с котеночком в углу. Подойдя поближе, Гарри прочитал на нем: «Подлежит уголовному наказанию».

Обозленный пуще прежнего, он продолжал рыться в вазах и корзинках с засохшими цветами — медальона в них не было, и это его нисколько не удивило. Гарри еще раз прошелся взглядом по кабинету, и внезапно сердце его словно пропустило один удар. Из маленького прямоугольного зеркальца, стоявшего на висевшей прямо за письменным столом книжной полке, на него взглянул Дамблдор.

Гарри бегом пересек кабинет, схватил зеркальце и тут же понял, что это никакое не зеркальце. Дамблдор мечтательно улыбался ему с глянцевой обложки книги. Гарри не сразу заметил сделанную витиеватыми буквами надпись, шедшую дугой над шляпой Учителя: «Жизнь и обманы Альбуса Дамблдора» — как не заметил и маленьких букв на его груди, слагавшихся в слова: «Рита Скитер, автор бестселлера "Армандо Диппет: идеал или идиот?"»

Гарри открыл книгу на первой попавшейся странице и увидел большую фотографию, на которой двое юношей хохотали, обняв друг друга за плечи. Дамблдор, отпустивший волосы почти до поясницы, успел отрастить крохотную, тонкую бородку, напоминавшую столь обозлившую Рона бородку Крама. В юноше, безмолвно хохочущем рядом с Дамблдором, ощущалось какое-то отдающее безумием ликование. Его золотистые волосы спадали, завиваясь, до плеч. Может быть, это молодой Дож, подумал Гарри, однако прежде чем он успел взглянуть на подпись под снимком, дверь кабинета растворилась.

Если бы Толстоватый, входя в кабинет, не смотрел назад, Гарри, наверное, не успел бы укрыться под мантией-невидимкой. Успеть-то он успел, и все же ему показалось, что Толстоватый уловил какой-то промельк его движения, поскольку секунду-другую он оставался совершенно неподвижным, с любопытством вглядываясь туда, где только что исчез Гарри. Затем, решив, по-видимому, что он увидел всего лишь, как Дамблдор почесывает нос, глядя с обложки книги, которую Гарри поспешно вернул на полку, Толстоватый подошел к письменному столу и направил палочку на гусиное перо, стоявшее наготове в чернильнице. Перо, выпрыгнув из нее, принялось писать предназначенную для Амбридж записку. Медленно, стараясь даже не дышать, Гарри выбрался из кабинета в холл.

Брошюровщики по-прежнему толпились вокруг отвлекающей обманки, еще продолжавшей слабо попыхивать, испуская вялый дымок. Торопливо проходя мимо них, Гарри услышал, как молодая колдунья сказала:

«Спорим, эта штука от экспериментаторов сбежала, они же такие олухи. Помните их ядовитую утку?»

Спеша к лифтам, Гарри перебирал оставшиеся у него возможности. Вероятности того, что медальон находится в Министерстве, никогда, собственно говоря, и не существовало, а выведать колдовским способом сведения о том, где он, у сидящей в переполненном людьми зале суда Амбридж никакой надежды не было. Теперь главное — выбраться из Министерства, пока их не обнаружили, и совершить еще одну попытку в другой раз. Первым делом нужно было отыскать Рона, а потом придумать вместе с ним, как вытащить из зала суда Гермиону.

Лифт пришел пустым. Гарри заскочил в него и, когда тот поехал вниз, стянул с себя мантию-невидимку. К его великому облегчению, на втором уровне в лифт влетел мокрый до нитки и совершенно ошалевший Рон.

— Доброе утро, — пробормотал он, когда лифт, погромыхивая, отправился дальше.

— Рон, это я, Гарри!

— Гарри! Черт, я забыл, как ты выглядишь. А Гермиона-то где?

— Ей пришлось спуститься с Амбридж в зал суда, отвертеться она не смогла ну и...

Прежде чем он успел закончить, лифт остановился снова, двери его отворились и в него вошел мистер Уизли, а с ним пожилая волшебница с копной светлых волос, зачесанных вверх так, что они приобрели сходство с муравейником.

— Я понимаю, о чем вы говорите, Ваканда, и все же, боюсь, что не смогу участвовать в...

Тут он заметил Гарри и примолк. Гарри очень странно было видеть неприязнь, с какой смотрел на него мистер Уизли. Двери лифта закрылись, все четверо снова поехали вниз.

— А, Редж, здравствуйте, — сказал мистер Уизли, оглянувшись на звук стекавшей с Рона воды. — Это ведь вашу жену допрашивают сегодня? Э-э... Что с вами? Почему вы такой мокрый?

— Это у Яксли в кабинете дождь идет, — ответил Рон. Он смотрел в плечо мистера Уизли, и Гарри понимал: Рон боится, что отец узнает его, если они взглянут друг другу в глаза. — Я пытался остановить его, но не смог, ну и меня послали за Берни — Пиллсуортом, что ли, по-моему, они его так назвали....

— Да, в последнее время во многих кабинетах дождит, — сказал мистер Уизли. — А заклинание *Метео реканто* вы не пробовали? Блетчли оно помогло.

— *Метео реканто?* — пробормотал Рон. — Нет, не пробовал. Спасибо, па... простите, спасибо, Артур.

Двери лифта отворились, старая колдунья с муравейником на голове вышла, Рон метнулся следом за ней и исчез. Гарри тоже попытался выйти, но путь ему преградил уткнувшийся носом в какие-то документы Перси Уизли.

Лишь когда двери закрылись снова, Перси обнаружил, что едет в лифте вместе с отцом. Увидев мистера Уизли, он побагровел и, едва лифт остановился, выскочил из него. Гарри попытался последовать за ним, но на этот раз его остановила рука мистера Уизли.

— Минутку, Ранкорн.

Двери снова закрылись, лифт, лязгая, поехал вниз, а мистер Уизли сказал:

— Я слышал, вы донесли на Дирка Крессвелла.

Гарри показалось, что гнев мистера Уизли вызван столько же этим обстоятельством, сколько и встречей с Перси. И он решил, что самое для него лучшее — изображать тупицу.

— Не понял, — сказал он.

— Не притворяйтесь, Ранкорн, — резко произнес мистер Уизли. — Вы разоблачили мага, подделавшего свою родословную, не так ли?

— Я... что я сделал? — спросил Гарри.

— Ну так вот, Дирк Крессвелл — волшебник, каким вы не станете, даже если вас на десять помножить, — негромко сказал мистер Уизли, когда лифт снова поехал вниз. — И если он выживет в Азкабане, вам придется отвечать перед ним, не говоря уж о его жене, сыновьях и родственниках...

— Артур, — перебил его Гарри, — вам известно, что за вами следят?

— Это что — угроза, Ранкорн? — громко осведомился мистер Уизли.

— Нет, — ответил Гарри, — это факт! Они наблюдают за каждым вашим шагом...

Двери лифта открылись. Они добрались до атриума. Мистер Уизли смерил Гарри уничтожающим взглядом и вышел. Гарри не сдвинулся с места, он был потрясен. Лучше бы он изображал кого угодно другого, только не Ранкорна... Двери залязгали, закрываясь.

Гарри вытащил мантию-невидимку, снова надел ее. Нужно было освободить Гермиону, пока Рон еще возится с дождем. Когда двери лифта открылись снова, Гарри вышел в освещаемый факелами каменный проход, нисколько не похожий на оббитые деревом, устланные коврами коридоры, которые он видел наверху. Лифт, погромыхивая, уехал. Гарри не без опасливой дрожи смотрел на далекую черную дверь Отдела тайн.

Он пошел вперед — не к этой черной двери, к другой, находившейся в левой стене коридора. Она, как помнил Гарри, открывалась на лестницу, которая вела к залам суда. Уже спускаясь по лестнице, Гарри мысленно перебирал имевшиеся у него возможности: в кармане еще лежала пара отвлекающих обманок, но, может быть, самое лучшее — просто стукнуть в дверь, войти туда в виде Ранкорна и попросить Муфалду выйти для минутного разговора? С другой стороны, он не знал, достаточно ли важной для такого поступка персоной является Ранкорн, к тому же, если Гермиона не вернется, ее могут начать разыскивать по всему Министерству еще до того, как они уберутся отсюда...

Углубившись в эти мысли, он не сразу заметил неестественный холод, пронимавший его так, словно он спускался в туман. С каждым шагом становилось все холоднее — стужа уже добралась до горла, раздирала легкие. А следом пришло вкрадчивое чувство отчаяния и безнадежности, разраставшееся в его душе...

«Дементоры», — подумал он.

Спустившись по лестнице и повернув направо, Гарри увидел жуткую картину. Темный коридор, примыкавший к залу суда, наполняли высокие фигуры в темных плащах с капюшонами, полностью закрывавшими лица. Единственным, что слышалось здесь, было их прерывистое дыхание. Вызванные для допроса потомки маглов сидели на жестких деревянных скамьях, прижавшись друг к другу и дрожа. Большинство прятало лица в ладонях — может быть, в инстинктивной попытке заслониться от алчущих губ дементоров. Кто-то из них привел с собой родственников, другие пришли в одиночку. Дементоры прохаживались перед ними, и холод, безнадежность, отчаяние, царившие здесь, наваливались на Гарри, точно заклятие.

«Не поддавайся», — сказал себе Гарри. Он понимал, что, воспользовавшись Патронусом, мгновенно выдаст себя, и потому шел вперед, ступая как можно тише, и с каждым шагом разум его словно немел, однако Гарри заставлял себя думать о Гермионе и Роне, нуждавшихся в нем.

Каждая высокая, темная фигура, мимо которой он проходил, внушала ему ужас: скрытые под капюшонами безглазые лица поворачивались в его сторону. Гарри был уверен, что они чуют его, ощущают, быть может, присутствие человека, еще сохранившего какие-то надежды, какие-то жизненные силы...

А затем в этом студеном безмолвии вдруг распахнулась слева одна из дверей подземной темницы и по коридору эхом раскатился крик:

— Нет, нет, я полукровка, говорю же вам, полукровка! Отец был волшебником, правда, вот, посмотрите, Арки Олдертон, известный человек, он конструировал метлы, посмотрите, не хватайте меня, уберите руки...

— Предупреждаю в последний раз, — послышался негромкий голос Амбридж, магически усиленный так, что он легко перекрывал отчаянный крик несчастного. — Будете сопротивляться, получите поцелуй дементора.

Крик мгновенно стих, сменившись сухими рыданиями.

— Уведите, — сказала Амбридж.

Из двери вышли двое дементоров, которые гноящимися, покрытыми струпьями руками держали за предплечья мужчину, по-видимому лишившегося чувств. Они проплыли с ним по коридору и скоро скрылись в завивавшейся за ними тьме.

— Следующая — Мэри Кроткотт, — произнесла Амбридж.

Со скамьи поднялась маленькая дрожавшая с головы до ног женщина с темными, зачесанными назад и собранными на затылке в узел волосами, одетая в длинную, простенькую мантию. В лице ее не было ни кровинки. Гарри увидел, как она содрогнулась, проходя мимо дементоров.

Дальше Гарри действовал инстинктивно, не успев ничего обдумать. Он просто был не в силах смотреть, как она одиноко входит в узилище, и потому, когда дверь начала закрываться, проскользнул следом за женщиной в зал суда.

Это был не тот зал, в котором его когда-то допрашивали по поводу неправомерного использования магии. Он был поменьше, хоть и с таким же высоким потолком. Оказавшись в нем, Гарри ощутил себя словно попавшим в глубокий колодец.

Дементоров хватало и здесь, они источали холод, стоя, подобно безликим часовым, в двух дальних от высокого судейского помоста углах зала. На помосте восседала отгороженная балюстрадой Амбридж с Яксли по одну сторону от нее и Гермионой, такой же белой, как миссис Кроткотт, по другую. Вдоль помоста прохаживался серебристый, длинношерстный кот, защищавший, как сразу понял Гарри, судей от источаемой дементорами безнадежности: ее полагалось ощущать обвиняемым, а не обвинителям.

— Садитесь, — мягко и вкрадчиво произнесла Амбридж.

Миссис Кроткотт, спотыкаясь, приблизилась к одиноко стоявшему перед помостом жесткому креслу. Едва она села, как из подлокотников кресла с лязгом выскочили цепи, сковавшие ей руки.

— Вы — Мэри Элизабет Кроткотт? — спросила Амбридж.

Миссис Кроткотт кивнула, подрагивая.

— Жена Реджинальда Кроткотта, сотрудника Отдела магического хозяйства?

Миссис Кроткотт заплакала:

— Я не знаю, где он, он должен был прийти сюда, ко мне!

Амбридж не обратила на это никакого внимания.

— Мать Мэйси, Элли и Альфреда Кроткоттов?

Миссис Кроткотт зарыдала:

— Они так испуганы, боятся, что я не вернусь домой...

— Увольте, — презрительно произнес Яксли. — Отродья грязнокровок никаких симпатий нам не внушают.

Рыдания миссис Кроткотт заглушили шаги осторожно поднимавшегося на помост Гарри. Едва миновав патрулировавшего помост Патронуса-кота, он почувствовал, как изменилась температура: на помосте было тепло и уютно. Гарри не сомневался, что Патронус принадлежал Амбридж и светился он так ярко потому, что она была здесь счастлива, находилась в своей стихии, применяя извращенные законы, которые сама же и помогала составить. Медленно, очень осторожно Гарри прошел вдоль края помоста за спины Амбридж, Яксли и Гермионы и присел на стоящий за ее спиной стул. Главное было — не напугать Гермиону. Он подумал, не ударить ли ему по Яксли и Амбридж заклинанием «Оглохни!», но сообразил, что даже произнесенное шепотом слово встревожит Гермиону. Но тут Амбридж повысила голос, обращаясь к миссис Кроткотт, и Гарри воспользовался этим.

— Я за твоей спиной, — прошептал он в ухо Гермионы.

Как Гарри и ожидал, она дернулась с такой силой, что едва не опрокинула пузырек с чернилами, которыми ей полагалось вести протокол допроса, однако и Амбридж, и Яксли сосредоточенно вглядывались в миссис Кроткотт и этого не заметили.

— Когда вы пришли в Министерство, миссис Кроткотт, у вас отобрали палочку, — говорила Амбридж. — Восемь и три четверти дюйма, вишневая, с начинкой из шерсти единорога. Вы узнаете ее по описанию?

Миссис Кроткотт кивнула, вытирая глаза рукавом.

— Не могли бы вы сообщить нам, у какого волшебника или волшебницы вы отняли эту палочку?

— От-отняла? — снова заплакав, произнесла миссис Кроткотт. — Я не... я ни у кого ее не отнимала. Я ку-купила эту палочку, когда мне было одиннадцать лет. Она... она... она выбрала меня.

И миссис Кроткотт расплакалась пуще прежнего.

Амбридж испустила негромкий девичий смешок, вызвавший у Гарри желание чем-нибудь ударить ее. Она склонилась над барьером, чтобы лучше видеть свою жертву, и что-то золотистое сверкнуло, свисая с ее шеи, — это был медальон.

Гермиона, тоже увидевшая его, негромко пискнула, однако Амбридж и Яксли с таким увлечением терзали свою жертву, что ко всему остальному оставались глухи.

— О нет, — произнесла Амбридж, — нет, миссис Кроткотт, не думаю. Палочки выбирают только волшебников или волшебниц. А вы не волшебница. У меня имеется заполненная вами анкета, которую мы вам посылали. Муфалда, будьте добры, подайте мне ее.

Амбридж протянула ладошку — в этот миг она до того походила на жабу, что Гарри даже удивился, не увидев перепонок между ее тупыми, короткими пальцами. Руки Гермионы дрожали. Она порылась в кипе документов, лежавшей на соседнем стуле, и вытащила из этой кипы пачку пергаментов, помеченных именем миссис Кроткотт.

— Какой... какой красивый, Долорес, — пролепетала она, указывая на кулон, поблескивавший в рюшечках блузы Амбридж.

— Что? — резко отозвалась Амбридж. — А, да... семейная ценность. — Она погладила медальон, лежавший на ее обширной груди. — «С» означает «Селвин»... я же в родстве с Селвинами... Собственно, чистокровных семей, с которыми я *не* состою в родстве, не так уж и много. Чего, к сожалению, — повысив голос и перелистывая заполненную миссис Кроткотт анкету, продолжила она, — нельзя сказать о вас. Род деятельности родителей: зеленщики.

Яксли презрительно хохотнул. Под помостом так и прохаживался серебристый кот, дементоры стояли, ожидая приказаний, в углах зала.

От лжи, услышанной Гарри, кровь ударила ему в голову, заставив забыть об осторожности. Эта дрянь выдавала медальон, полученный ею в виде взятки от мелкого воришки, за доказательство чистоты собственной крови. Он поднял палочку, даже не пытаясь укрыть ее под мантией-невидимкой, и рявкнул:

— *Остолбеней!*

Полыхнул красный свет, Амбридж обмякла, тюкнувшись лбом о край балюстрады, посвященные миссис Кроткотт документы посыпались на пол, прогуливавшийся под балюстрадой кот сгинул. Холодный воздух ударил в сидевших на помосте, точно порыв ветра. Озадаченный Яксли заозирался, пытаясь понять, что происходит, и увидел висящую в воздухе руку Гарри с направленной на него палочкой. Он попытался выхватить собственную, но не успел.

— *Остолбеней*!

Яксли кулем повалился на пол.

— Гарри!

— Гермиона, я не желаю сидеть и слушать, как она изображает...

— Миссис Кроткотт, Гарри!

Гарри развернулся, сбрасывая мантию-невидимку: дементоры, покинув свои углы, скользили по залу к женщине, прикованной к креслу, — то ли потому, что исчез Патронус, то ли они почувствовали, что хозяева уже не способны ими управлять и теперь их ничто не сдерживает. Миссис Кроткотт дико закричала от страха, когда слизистая, вся в струпьях рука схватила ее за подбородок и запрокинула ей голову назад.

— *ЭКСПЕКТО ПАТРОНУМ!*

Серебристый олень вырвался из палочки Гарри и понесся к дементорам, и они отпрянули назад, снова слившись с тенями. Олень закружил по залу, заливая его светом, более мощным и теплым, чем тот, что исходил от кота.

— Возьми крестраж, — сказал Гарри Гермионе.

Запихивая мантию-невидимку в мешочек на шее, он сбежал с помоста к миссис Кроткотт.

— Вы? — прошептала она, взглянув ему в лицо. — Но... но Редж сказал, что именно вы включили меня в список для допроса!

— Правда? — пробормотал Гарри и дернул за цепи, сковывавшие ее руки. — Ладно, считайте, что я передумал.*Диффиндо!*

Ничего не произошло.

— Гермиона, как избавить ее от цепей?

— Подожди, я занята...

— Гермиона, вокруг нас дементоры!

— Знаю, Гарри, но если эта дрянь очухается и увидит, что медальон исчез... нужно соорудить дубликат... *Джеминио!* Ну вот... это ее одурачит...

И Гермиона тоже сбежала с помоста.

— Так, посмотрим... *Релассио!*

Цепи с лязгом втянулись в подлокотники кресла. Миссис Кроткотт выглядела еще более испуганной, чем прежде.

— Не понимаю! — прошептала она.

— Вы пойдете с нами, — сказал Гарри, поднимая ее на ноги. — Отправляйтесь домой, берите детей и бегите, если придется, то и из страны. Измените внешность и бегите. Вы видели, что происходит, справедливого суда вы здесь не дождетесь.

— Гарри, — сказала Гермиона, — как же мы выберемся отсюда? За дверью полно дементоров.

— Патронусы, — ответил Гарри, указав палочкой на своего, и посверкивавший олень, замедлив бег, направился к двери. — И чем больше, тем лучше. Зови своего, Гермиона.

— *Экспек... экспекто патронум*, — произнесла Гермиона. Безрезультатно.

— Это единственное заклинание, которое дается ей не всегда, — сказал Гарри ошеломленной миссис Кроткотт. — К сожалению... Еще разок, Гермиона.

— *Экспекто патронум!*

Из палочки Гермионы вылетела и грациозно поплыла по воздуху к оленю серебристая выдра.

— Вперед, — сказал Гарри и повел Гермиону и миссис Кроткотт к выходу.

Когда Патронусы выплыли из зала суда, люди, сидевшие в очереди, испуганно закричали. Гарри огляделся: дементоры расступались в стороны, растворяясь во тьме, удирали от серебристых созданий.

— Принято решение: всем вам следует разойтись по домам и скрыться вместе с вашими семьями, — произнес Гарри, глядя на родившихся от маглов людей, ослепленных светом Патронусов и все еще поеживавшихся. — Если сумеете, уезжайте за границу. Главное — держитесь подальше от Министерства. Таков... э-э... новый официальный курс. А теперь следуйте за Патронусами, и вы сможете уйти через атриум.

По каменным ступеням им удалось подняться без помех, но, когда все они уже подходили к лифтам, Гарри начали одолевать сомнения. Если он и Гермиона появятся в атриуме с плывущими рядом серебряными оленем и выдрой да еще и с двумя десятками людей, половина которых обвиняется в происхождении от маглов, ненужного внимания им не избежать. Однако, едва он успел прийти к этому неприятному выводу, подъехал лифт.

— Редж! — закричала миссис Кроткотт и бросилась Рону на грудь. — Ранкорн отпустил меня, он напал на Амбридж и Яксли и велел всем нам бежать из страны. Я думаю, нам лучше послушаться его, Редж, я правда так думаю! Давай быстрее домой, возьмем детей и... Ты почему такой мокрый?

— От воды, — пробормотал, высвобождаясь из ее рук Рон. — Гарри, они знают, что в Министерство проникли посторонние. В двери кабинета Амбридж обнаружили какую-то дырку, думаю, у нас есть минут пять, а потом...

Гермиона обратила к Гарри до смерти перепуганное лицо, и ее Патронус с негромким хлопком исчез.

— Гарри, если нас здесь поймают...

— Будем действовать быстро, не поймают, — ответил Гарри и повернулся к безмолвным людям, стоявшим за его спиной. Все они, разинув рты, смотрели на него. — У кого из вас есть палочки?

Примерно половина подняла руки.

— Хорошо, те, у кого нет палочки, держитесь за тех, у кого она есть. Нужно торопиться, иначе нам помешают. Вперед.

Им удалось втиснуться в два лифта. Патронус Гарри стоял на часах, пока золотые решетки не захлопнулись и лифты не поехали вверх.

«Уровень восьмой, — произнес спокойный голос колдуньи. — Атриум».

Едва выйдя из лифта, Гарри почувствовал неладное. Атриум был полон людей, переходивших от камина к камину, запечатывая их.

— Гарри! — запищала Гермиона. — Как же мы?..

— ПРЕКРАТИТЬ! — громыхнул Гарри мощным, наполнившим весь атриум голосом Ранкорна.

Люди, перекрывавшие камины, замерли.

— За мной, — прошептал он перепуганным отпрыскам маглов, и те стайкой двинулись за ним, подгоняемые сзади Роном и Гермионой.

— В чем дело, Альберт? — спросил лысоватый колдун — тот, что в начале дня вылетел следом за Гарри из камина. Вид у него был до крайности нервный.

— Эти люди должны уйти прежде, чем вы перекроете выходы, — сказал Гарри со всей доступной ему властностью.

Замершие при его приближении волшебники начали переглядываться.

— Нам велели запечатать все выходы и не позволять никому...

— Ты с кем собрался спорить? — взревел Гарри. — Хочешь, чтобы я занялся твоей родословной? Забыл о Дирке Крессвелле?

— Извини! — пролепетал, отступая назад, лысоватый. — Я не... я ничего, Альберт, я думал... думал, их вызвали на допрос и...

— Их кровь чиста, — заявил Гарри, и голос его громким эхом прокатился по атриуму. — Еще и почище, чем у многих из вас, я бы сказал. Пшли прочь! — грянул он, обращаясь к отпрыскам маглов, и те торопливо бросились к каминам и начали попарно исчезать в них. Министерские волшебники стали подходить поближе, у одних вид был растерянный, у других испуганный и обиженный. А затем...

— Мэри!

Миссис Кроткотт оглянулась. Из лифта только что выскочил настоящий Редж Кроткотт, уже не блюющий, но все еще бледный и слабый.

— Ре-Редж?

Она перевела взгляд с мужа на Рона, и тот громко выругался.

Лысоватый разинул рот и потешно закрутил головой, глядя то на одного Реджа Кроткотта, то на другого.

— Эй, что тут происходит? Что это значит?

— Перекрыть выход! ПЕРЕКРЫТЬ!

Яксли вырвался еще из одного лифта и понесся к группе, стоявшей у каминов, в которых исчезли уже все отпрыски маглов, не считая миссис Кроткотт. Лысоватый колдун поднял палочку, и Гарри треснул его огромным кулаком по лбу, отправив в долгий полет по воздуху.

— Он помогал удирать магловским выродкам, Яксли! — крикнул Гарри.

Коллеги лысоватого зароптали, и Рон, воспользовавшись их замешательством, схватил миссис Кроткотт за руку, втянул ее в еще остававшийся открытым камин и исчез. Яксли, недоумевая, перевел взгляд с Гарри на пришибленного им колдуна, а настоящий Редж Кроткотт завопил:

— Моя жена! Кто был с моей женой? Что такое?

Гарри увидел, как Яксли снова поворачивается к нему, увидел, как его зверская физиономия озаряется пониманием происходящего.

— Вперед! — крикнул он Гермионе, хватая ее за руку. Они прыгнули в камин, и над головой Гарри пронеслось выпущенное Яксли заклятие. Несколько секунд их крутило так и этак, а затем оба вылетели из унитаза в кабинку. Гарри распахнул дверь. Около умывальников стоял Рон, держа за руку продолжавшую биться миссис Кроткотт.

— Редж, я не понимаю...

— Уходите, я не ваш муж, бегите домой!

Из кабинки за спиной Гарри донесся шум, он обернулся и увидел выскакивающего из толчка Яксли.

— УХОДИМ! — крикнул Гарри и, схватив Гермиону и Рона за руки, крутнулся на месте.

Темнота, ощущение стягивающихся пут, но что-то было не так. Рука Гермионы выскальзывала из ладони Гарри.

Ему казалось, что он вот-вот задохнется, дышать было нечем, он ничего не видел, единственным, что осталось на свете плотного, были рука Рона и пальцы Гермионы, неторопливо уплывавшие от него.

Потом он увидел дверь дома номер двенадцать на площади Гриммо, молоток в форме змеи, но не успел еще набрать воздуха в грудь, как послышался крик, полыхнуло лиловое пламя, ладонь Гермионы вдруг сжалась, точно тиски, и все потонуло во мраке.

Глава 14

ВОР

Гарри открыл глаза, и его тут же ослепили золото и зелень. Что с ним случилось, он не понимал и знал только одно — он лежит вроде бы на листве и каких-то веточках. Стараясь набрать воздуха в словно слипшиеся легкие, он поморгал и сообразил, что глаза ему слепит свет солнца, пробивающийся сквозь нависший высоко над ним покров листвы. Потом что-то задергалось совсем рядом с его лицом. Гарри перевернулся, с трудом поднялся на четвереньки, изготовясь к схватке с каким-нибудь маленьким, но свирепым зверьком, но вместо него увидел ступню Рона. Оглядевшись вокруг, он обнаружил и Гермиону, лежавшую среди деревьев.

Поначалу он решил, что это Запретный лес, и обрадовался (хоть и знал, как глупо и опасно приближаться к Хогвартсу), что сейчас можно будет прокрасться между деревьями к хижине Хагрида. Однако спустя секунду-другую Рон негромко застонал, и Гарри, подползая к нему, понял, что они вовсе не в Запретном лесу — деревья были моложе, расставлены попросторнее, да и земля выглядела здесь почище.

Добравшись до Рона, он встретился с Гермионой, тоже передвигавшейся на четвереньках. Едва Гарри увидел Рона, все прочие мысли словно вымело из его головы. Весь левый бок друга заливала кровь, лицо на фоне покрытой листвой земли казалось серовато-белым.

Действие Оборотного зелья заканчивалось — Рон походил на нечто среднее между ним и Кроткоттом, волосы его понемногу рыжели, но лицо лишалось и тех немногих красок, какие в нем еще оставались.

— Что с ним?

— Расщепило, — ответила Гермиона, которая уже деловито ощупывала рукав Рона, больше всего остального пропитанный темной кровью.

Гарри с ужасом смотрел, как она раздирает на Роне рубашку. Расщепление всегда казалось ему чем-то потешным, но это... Когда Гермиона обнажила предплечье Рона, на котором отсутствовал немалый кусок плоти, словно отхваченный ножом, внутри у Гарри зашевелилось что-то очень неприятное.

— Гарри, быстро, в моей сумочке, бутылочка с наклейкой «Экстракт бадьяна»...

— В сумочке... а, ну да...

Гарри подбежал к месту, на котором приземлилась Гермиона, схватил крошечную бисерную сумочку, порылся в ней. Под руку подворачивалась всякая ненужная дребедень: кожаные корешки книг, шерстяные рукава джемперов, каблуки...

— Скорее!

Гарри подхватил с земли свою палочку, сунул ее в глубь сумочки:

— *Акцио, бадьян!*

Из сумочки вылетел коричневый пузырек. Гарри поймал его в воздухе и торопливо вернулся к Гермионе и Рону, веки которого приоткрылись, показав белизну глазных яблок.

— Он в обмороке, — сказала Гермиона, тоже совсем бледная. Она уже не походила на Муфалду, хотя в ее волосах кое-где еще проглядывала седина. — Вынь пробку, Гарри, у меня руки трясутся.

Гарри откупорил пузырек, отдал его Гермионе, и она уронила на кровоточащую рану три капли зелья. Взвился зеленоватый дымок, а когда он рассеялся, Гарри увидел, что кровь из раны идти перестала. Да и сама рана выглядела теперь так, точно она заживала вот уже несколько дней — ее затянула свежая кожа.

— Ничего себе, — сказал Гарри.

— Я боялась воспользоваться чем-то другим, — дрожащим голосом произнесла Гермиона. — Есть заклинания, которые могут исцелить его полностью, но я не решилась прибегнуть к ним — вдруг ошибусь и сделаю только хуже... а он и так потерял много крови...

— Как он поранился? И вообще... — Гарри потряс головой, чтобы прояснить ее, понять, что происходит. — Почему мы здесь? Я полагал, мы возвратимся на площадь Гриммо.

Гермиона тяжело вздохнула. Казалось, она, того и гляди, расплачется.

— Гарри, я думаю, что мы туда больше не вернемся.

— Что ты?

— Когда мы трансгрессировали, Яксли вцепился в меня, и я не смогла от него оторваться, он слишком силен. Он так и держался за меня, когда мы появились на площади Гриммо. А потом... В общем, я думаю, он увидел дверь, понял, что там мы и живем, и немного ослабил хватку. Мне удалось стряхнуть его и перебросить нас сюда.

— Так где же он? Постой... ты хочешь сказать, он на площади Гриммо? Но не мог же он попасть внутрь дома.

В глазах Гермионы заблестели невыплаканные слезы, она закивала:

— Думаю, мог, Гарри. Я... я заставила его отцепиться с помощью заклинания Отвратись, но он уже был в это время там, где действует заклятие Доверия. После смерти Дамблдора Хранителями Тайны стали мы, а я выдала ее Яксли, ведь так?

Притворяться смысла не имело — в том, что Гермиона права, Гарри не сомневался. И это было серьезным ударом. Если Яксли удалось проникнуть внутрь дома, вернуться на площадь Гриммо они не смогут. Уже сейчас он мог призвать в дом других Пожирателей смерти, и они трансгрессировали туда. Каким бы мрачным и гнетущим этот дом ни был, он давал им безопасное пристанище, к тому же и Кикимер стал теперь веселее и дружелюбнее. С сожалением, не имевшим никакого отношения к еде, Гарри представил себе, как домовик возится с тушеным мясом и пирогом с почками, которых ни Гарри, ни Рон, ни Гермиона попробовать так и не успели.

— Прости меня, Гарри, прости!

— Не говори глупостей, ты ни в чем не виновата! Если кто и виноват, так это я.

Гарри сунул руку в карман и вытащил глаз Грюма. Гермиона в ужасе отшатнулась.

— Амбридж вставила его в дверь своего кабинета, чтобы шпионить за работающими снаружи людьми. Я не смог оставить его там... вот так они и узнали, что кто-то пробрался в Министерство.

Ответить ему Гермиона не успела — Рон открыл глаза и застонал. Лицо его все еще оставалось серым и поблескивало от пота.

— Как ты? — шепнула Гермиона.

— Паршиво, — прохрипел Рон и сморщился, ощупывая покалеченную руку. — Где это мы?

— В лесу, рядом с которым проходил кубок мира по квиддичу, — ответила Гермиона. — Мне нужно было какое-то закрытое, потайное место, и это...

— Первое, что пришло тебе в голову, — закончил за нее Гарри, оглянувшись на пустую, судя по всему, лесную прогалину. Он невольно вспомнил, что случилось, когда они в последний раз трансгрессировали на первое пришедшее Гермионе в голову место — Пожиратели смерти отыскали их там через несколько минут. Может, все дело в легилименции? И ищейки Волан-де-Морта уже знают, куда забросила их Гермиона на сей раз?

— Тебе не кажется, что нам лучше двигаться? — спросил Рон, и Гарри, взглянув ему в лицо, понял, что Рон подумал о том же самом.

— Не знаю.

Рон все еще выглядел слабым и еле живым. Он даже сесть не пытался, похоже, ему не хватало для этого сил. Куда уж тут двигаться?

— Давай пока останемся здесь, — сказал Гарри.

Гермиона, обрадовавшись, вскочила на ноги.

— Ты куда? — спросил Рон.

— Если мы остаемся, нужно окружить нас защитными заклинаниями, — ответила она и, подняв повыше палочку, начала описывать вокруг Гарри и Рона большой круг, бормоча на ходу магические формулы. Гарри увидел, как зарябил вокруг них воздух, словно нагреваемый чарами Гермионы.

— *Сальвио гексиа... Протего тоталум... Репелло маглетум... Оглохни...* Достань палатку, Гарри.

— Палатку?

— Да из сумочки же!

— Из... а, ну да, — ответил Гарри.

На этот раз рыться в ней он не стал, а сразу воспользовался Манящими чарами. Появилась палатка — беспорядочная куча, состоящая из брезента, веревок и кольев. Гарри узнал ее — главным образом потому, что от нее попахивало кошками, — та самая, в которой они спали в ночь кубка мира по квиддичу.

— Разве она не Перкинсу принадлежит, помнишь его, он из Министерства? — спросил Гарри, начиная выпутывать из этой кучи колышки.

— Да он вроде не стал просить, чтобы ее вернули, — сказала Гермиона, уже рисовавшая в воздухе какой-то сложный узор в виде восьмерок. — У него радикулит разыгрался, и папа Рона сказал, что я могу ее взять. *Воздвигнись!* — воскликнула она, ткнув палочкой в брезентовую кучу. В одно плавное движение палатка вспорхнула в воздух и с гулким ударом встала на землю, полностью собранная. Гарри испугался, когда колышки сами собой вырвались из его рук. — *Каве инимикум*, — произнесла напоследок Гермиона, широким жестом обводя небеса. — Это все, на что я способна. По крайности, если они появятся, мы об этом узнаем. Не могу гарантировать, что это остановит Волан...

— Не называй его по имени! — резко прервал ее Рон.

Гарри и Гермиона переглянулись.

— Прости, — сказал Рон и, застонав, приподнялся, чтобы посмотреть на них. — Мне почему-то кажется, что это имя отдает злыми чарами или еще чем. Давайте называть его Сами-Знаете-Кто, ладно?

— Дамблдор говорил, что бояться имени... — начал Гарри.

— Ты, может, и не заметил, но привычка называть Сам-Знаешь-Кого по имени не довела Дамблдора до добра, — с прежней резкостью выпалил Рон. — Надо просто... просто оказывать Сам-Знаешь-Кому хоть какое-то уважение.

— *Уважение?* — переспросил Гарри, но Гермиона бросила на него предостерегающий взгляд, полагая, по-видимому, что спорить с Роном, пока он так слаб, не стоит.

Гарри и Гермиона наполовину перенесли, наполовину отволокли Рона в палатку. Внутри все оказалось в точности таким, каким запомнилось Гарри: маленькая квартирка с ванной комнатой и крошечной кухней. Отпихнув в сторону кресло, он уложил Рона на нижнюю половину двухъярусной койки. Даже этого, отнюдь не дальнего перехода с одного места на другое хватило, чтобы Рон побелел, вытянувшись на матрасе, закрыл глаза и какое-то время промолчал.

— Я заварю чай, — шепотом сказала Гермиона и, вытянув из расшитой бисером сумочки чайник и чашки, направилась к кухоньке.

Горячий чай подействовал на Гарри примерно так же, как огненное виски в ту ночь, когда погиб Грозный Глаз, — он словно отогнал страх, еще трепетавший в груди Гарри. Спустя пару минут Рон спросил:

— Как вы думаете, что случилось с Кроткоттами?

— Если им повезло — улизнули, — ответила Гермиона, согревая ладони о чашку. — Если мистеру Кроткотту хватило ума трансгрессировать вместе с женой, сейчас они, прихватив детей, покидают страну. Во всяком случае, Гарри посоветовал ей поступить именно так.

— Черт, надеюсь, они спасутся, — сказал Рон, снова откидываясь на подушки. Похоже, чай взбодрил и его, щеки Рона чуть-чуть порозовели. — Хотя, судя по тому, как все разговаривали со мной, пока я был Реджем Кроткоттом, особым умом он не блещет. Господи, надеюсь, им удалось смыться. Если они попадут по нашей милости в Азкабан...

Гарри взглянул на Гермиону, и вопрос, который он собирался задать — о том, не помешает ли миссис Кроткотт отсутствие палочки трансгрессировать вместе с мужем, — замер на его губах. Гермиона смотрела на озабоченного участью Кроткоттов Рона с нежностью, увидев которую Гарри почувствовал себя так, точно он застал их целующимися.

— Ну хорошо, он у тебя? — спросил Гарри у Гермионы, отчасти для того, чтобы напомнить ей о своем существовании.

— Он... какой он? — слегка вздрогнув, спросила она.

— Ради чего мы все это затеяли, как по-твоему? Медальон! Где он?

— Так вы его раздобыли? — воскликнул, приподымаясь на подушках, Рон. — Что же вы молчали-то? Господи, хоть бы слово сказали!

— Ну, мы же улепетывали со всех ног от Пожирателей смерти, верно? — ответила Гермиона. — На, держи.

И Гермиона, вытащив из кармана мантии медальон, протянула его Рону.

Медальон был размером с куриное яйцо. Витиеватое, выложенное зелеными камушками «С» тускло посверкивало в рассеянном свете, пробивавшемся сквозь брезентовую крышу палатки.

— А никто не мог уничтожить его, после того как Кикимер выпустил медальон из рук? — с надеждой поинтересовался Рон. — Я хочу сказать, мы уверены, что крестраж еще тут?

— Думаю, да, — откликнулась Гермиона, взяв у него медальон и внимательно оглядев. — Если бы крестраж уничтожали с помощью магии, наверняка остались бы какие-то следы.

Она передала медальон Гарри, и тот тоже повертел его в пальцах. Украшение выглядело совершенным, безупречно чистым. Гарри вспомнил покалеченные остатки дневника, камень на перстне, треснувший, когда Дамблдор уничтожил скрытый в нем крестраж.

— Полагаю, Кикимер прав, — сказал Гарри. — Нам придется выяснить, как открыть медальон, только тогда мы и сможем уничтожить крестраж.

И пока он произносил эти слова, его словно ударило понимание того, что скрыто за маленькой золотой дверцей. Даже после стольких усилий, потраченных на то, чтобы получить медальон, Гарри испытывал неистовое желание забросить его как можно дальше. Овладев собой, он попытался открыть медальон пальцами, потом произнес заклинание, с помощью которого Гермиона отперла дверь комнаты Регулуса. Ничего не получилось. Он передал медальон Рону, Рон — Гермионе, каждый из них попробовал вскрыть его, но безуспешно.

— Но ты ведь чувствуешь его? — негромко спросил Рон, сжав медальон в кулаке.

— О чем ты?

Рон возвратил медальон Гарри. Через миг-другой Гарри показалось, что он понял, о чем говорил Рон. Создавалось ли это ощущение кровью, пульсировавшей в его венах, или что-то действительно билось, точно крохотное сердце, внутри медальона?

— Так что мы с ним будем делать? — спросила Гермиона.

— Хранить, пока не поймем, как его уничтожить, — ответил Гарри и без особой охоты повесил медальон себе на шею, укрыв его под мантией на груди, рядом с мешочком Хагрида. — Думаю, — вставая и потягиваясь, произнес он, — каждый из нас будет по очереди надевать его и сторожить с ним палатку. И надо что-то сообразить насчет еды. Нет уж, ты оставайся пока здесь, — сказал он Рону, попытавшемуся сесть и тут же неприятно позеленевшему.

Они поставили на стол в палатке вредноскоп, который Гермиона подарила Гарри на день рождения, и до конца дня Гарри с Гермионой поочередно выполняли обязанности часового. Впрочем, весь день вредноскоп сохранял безмолвие и неподвижность. То ли благодаря наложенным Гермионой защитным заклинаниям и Маглоотталкивающим чарам, то ли потому, что люди не часто решались забредать сюда, эта часть леса оставалась словно нежилой, только случайные птицы да белки изредка появлялись в ней. Вечер никаких изменений не принес. В десять часов Гарри запалил свою палочку и, сменив на посту у палатки Гермиону, стал вглядываться в пустынный пейзаж, оживляемый лишь летучими мышами, проносившимися над ним по единственному куску звездного неба, какой был виден с защищенной чарами прогалины.

Гарри испытывал голод и легкое головокружение. Никакой еды Гермиона в свою волшебную сумочку укладывать не стала, поскольку думала, что к ночи они вернутся на площадь Гриммо, и потому за день все трое ничего не ели, если не считать грибов, которые Гермиона собрала под ближайшими деревьями и сварила в жестяном котелке. Рон, пожевав их немного, отодвинул от себя тарелку с таким видом, точно его затошнило, да и Гарри доел свою порцию с трудом и лишь потому, что не хотел обижать Гермиону.

Лесную тишину нарушали только разрозненные звуки, похожие на хруст сучьев. Гарри думал, что звуки эти создаются скорее животными, чем людьми, но продолжал держать палочку наготове. В животе посасывало и от недостатка еды, и от непонятного беспокойства.

Прежде Гарри думал, что, когда им удастся завладеть крестражем, его охватит великий подъем, однако этого почему-то не произошло. Глядя в темноту, лишь крошечная часть которой освещалась его палочкой, он ощущал только тревогу при мысли о том, что с ними будет дальше. Все выглядело так, будто он неделями, месяцами, а может быть, и годами во весь опор несся вот к этой минуте, а теперь вдруг резко остановился, слетев с дороги.

Где-то таились и другие крестражи, но где — об этом Гарри не имел ни малейшего представления. Он не знал даже, что они собой представляют. И пока терялся в догадках, как уничтожить тот единственный, какой им удалось отыскать, — крестраж, прижимавшийся сейчас к его голой груди. Странно, но он не перенимал у тела Гарри тепла, а оставался таким холодным, точно его сию минуту вытащили из ледяной воды. Время от времени Гарри думал — или ему только мерещилось, — что он различает еле слышное сердцебиение, идущее вразнобой с ударами его собственного сердца.

Безликие дурные предчувствия закрадывались в его душу, пока *он* сидел в темноте. Гарри пытался не поддаваться им, отгонять их прочь, но они неумолимо возвращались. *«Ибо ни один не может жить спокойно, пока жив другой»*. За его спиной в палатке негромко беседовали Рон и Гермиона. Они могли бы и бросить все это, если бы захотели. Он не мог. И Гарри казалось, что, пока он сидит здесь, стараясь совладать со своим страхом и усталостью, крестраж на его груди тикает, отсчитывая время, которое у него осталось... «Идиотская мысль, — сказал он себе, — не надо так думать».

Шрам снова покалывало. Гарри решил, что это происходит из-за его размышлений, и попытался направить мысли по другому пути. Он задумался о бедном Кикимере, который ожидал их возвращения домой, а получил взамен Яксли. Будет ли эльф хранить молчание или расскажет Пожирателю смерти все, что знает? Гарри хотелось верить, что за последний месяц Кикимер стал относиться к нему совсем иначе, что теперь домовик предан ему, но ведь нельзя предугадать того, что с ним может случиться. А вдруг Пожиратели смерти подвергнут эльфа пыткам? Тошнотворные картины зароились в голове Гарри, и он постарался отогнать их. Они с Гермионой уже решили, что Кикимера сюда вызывать не следует, — за ним может увязаться кто-то из Министерства. Невозможно рассчитывать на то, что трансгрессия эльфов свободна от изъяна, который привел на площадь Гриммо Яксли, ухватившегося за краешек рукава Гермионы.

Шрам уже жгло, и сильно. Гарри думал о том, как многого они не знают. Люпин был прав насчет магии, которой никто еще не видел и даже вообразить не мог. Почему Дамблдор не рассказал ему больше? Может быть, он думал, что времени на это еще хватит, что он проживет годы, а то и столетия, как его друг Николас Фламель? Если так, он ошибся... Снегг принял свои меры... Снегг, затаившаяся змея, которая нанесла удар на вершине башни...

И Дамблдор падал... падал...

— *Отдай мне это, Грегорович.*

Голос Гарри был высок, отчетлив и холоден, длинными белыми пальцами он держал перед собой палочку. Человек, на которого она была направлена, висел вверх ногами в воздухе, хотя веревок, которые могли бы удерживать его, не было. Он чуть покачивался, связанный незримыми, страшными путами, руки его плотно обнимали тело, лицо, искаженное ужасом, красное от прилившей к голове крови, находилось на одном уровне с лицом Гарри. У висящего были совершенно белые волосы и косматая борода Деда Мороза.

— У меня больше нет этого, нет! Украдено много лет назад!

— Не лги Волан-де-Морту, Грегорович. Ложь он распознает сразу. Всегда распознавал.

Зрачки висящего расширились, увеличенные страхом, казалось, они вздувались, разрастаясь и разрастаясь, пока наконец их чернота не поглотила Гарри целиком...

Теперь он бежал по темному коридору за тучным, низеньким Грегоровичем, державшим над собой фонарь. Грегорович ворвался в комнату, к которой вел коридор, и фонарь осветил ее: похоже, тут находилась мастерская. В лужице света поплыли деревянные стружки, золото, а на подоконнике сидел на корточках молодой человек с золотистыми волосами, похожий на огромную птицу. За ту долю секунды, в какую на него падал свет, Гарри увидел на его красивом лице ликующее выражение, а затем незваный гость пальнул из своей палочки Оглушающим заклятием и, захохотав, аккуратно спрыгнул с подоконника спиной назад.

Гарри пронесся вспять по широким, словно туннели, зрачкам Грегоровича и снова увидел его полное ужаса лицо.

— Кто этот вор, Грегорович? — спросил высокий, холодный голос.

— Я не знаю, никогда не знал... молодой человек... Нет! Прошу вас! ПРОШУ!

Крик длился и длился, а затем полыхнул зеленый свет...

— Гарри!

Он открыл глаза, задыхающийся, с бьющейся во лбу болью. Сознание Гарри потерял, сидя у палатки, и, соскользнув вбок по брезентовой стенке, лежал теперь на земле. Над собой он увидел Гермиону, ее всклокоченные волосы заслоняли крошечный кусочек неба, различавшийся отсюда среди высоких, темных ветвей.

— Сон приснился, — сказал он, быстро садясь и стараясь придать своим глазам, встретившимся с горящими глазами Гермионы, невинное выражение. — Похоже, я задремал, извини.

— Я же знаю, это опять твой шрам! У тебя на лице все написано! Ты снова заглядывал в мозг Волан...

— Не произноси его имени! — сердито крикнул из палатки Рон.

— *Хорошо*, — резко откликнулась Гермиона, — тогда в мозг *Сам-Знаешь-Кого*!

— Я не хотел этого! — сказал Гарри. — Мне приснился сон! Ты своими снами управлять умеешь, а, Гермиона?

— Если бы ты научился пользоваться окклюменцией...

Однако Гарри ее выговоры не интересовали, ему хотелось обсудить с друзьями увиденное.

— Он нашел Грегоровича, Гермиона, и, по-моему, убил его, но перед этим вошел в его сознание, и я увидел...

— Думаю, если ты настолько устал, что сидя спишь, на посту лучше побыть мне, — холодно сказала Гермиона.

— Нет, ты же совсем измотана. Иди полежи.

Гермиона с непреклонным видом отвела в сторону дверной клапан палатки. Гарри, рассерженный, но не желающий ссориться с ней, скользнул внутрь.

С нижней койки на него смотрело все еще бледное лицо Рона. Гарри забрался на верхнюю, лег и уставился в брезентовый потолок. Через несколько секунд Рон заговорил — тихо, чтобы не услышала сидящая у входа Гермиона.

— Так что поделывает Сам-Знаешь-Кто?

Гарри прищурился, стараясь припомнить каждую деталь, потом прошептал в темноте:

— Он нашел Грегоровича. Связал его и начал пытать.

— Но как же Грегорович может изготовить ему новую палочку, если он связан?

— Не знаю... странно, правда?

Гарри закрыл глаза, вдумываясь в то, что он увидел и услышал.

И чем больше подробностей он вспоминал, тем меньше смысла оставалось во всем происшедшем. Волан-де-Морт ничего не сказал о палочке Гарри, ничего о сердцевинах-двойниках, не попросил Грегоровича изготовить новую волшебную палочку, которая была бы мощнее палочки Гарри...

— Он хотел получить что-то от Грегоровича, — не открывая глаз, произнес Гарри. — Просил отдать это, но Грегорович сказал, что его украли... а потом... потом...

Гарри вспомнил, как он — как Волан-де-Морт, — казалось, прорвался сквозь глаза Грегоровича к его воспоминаниям.

— Он прочитал сознание Грегоровича, и я увидел сидевшего на подоконнике молодого парня, который запустил в Грегоровича заклинанием и скрылся. Он и украл то, за чем охотится Сам-Знаешь-Кто. И я... По-моему, я где-то видел его...

Гарри очень хотелось еще раз вглядеться в смеющееся лицо юноши. Кража, по словам Грегоровича, произошла много лет назад. Почему же лицо молодого вора показалось ему знакомым?

Шум окрестного леса в палатку почти не проникал, Гарри слышал лишь дыхание Рона. Помолчав немного, тот прошептал:

— Ты не разглядел, что было у вора в руках?

— Нет. Должно быть, это какая-то маленькая вещь.

— Гарри! — Деревянная койка Рона скрипнула, он сменил позу. — Гарри, может быть, Сам-Знаешь-Кто ищет вещь, которую ему удастся превратить в крестраж?

— Не знаю, — медленно ответил Гарри. — Возможно. Но разве для него не опасно создавать еще один? Помнишь, Гермиона говорила, что он и так уже перенапряг свою душу до предела?

— Да, но он-то об этом может и не знать.

— Да... может, — сказал Гарри.

Он был уверен: Волан-де-Морт пытается как-то обойти стороной проблему сердцевин-двойников, уверен, что тот надеялся получить решение от старого мастера... и все же убил его, не задав ни единого вопроса о секретах волшебных палочек.

Так что же искал Волан-де-Морт? И почему, имея в своем распоряжении всю мощь Министерства магии и волшебного сообщества, он забрался так далеко в погоне за тем, что принадлежало некогда Грегоровичу и было украдено у него неведомым вором?

Гарри все еще видел перед собой обрамленное светлыми волосами молодое лицо, его веселое, необузданное выражение — такое появлялось на физиономиях торжествующих Фреда и Джорджа, когда им удавалось кого-нибудь облапошить. Вор вылетел из окна, точно птица, и ведь Гарри наверняка видел его раньше, вот только не мог припомнить где.

Теперь Грегорович мертв и опасность грозит веселому вору — именно вокруг него вертелись мысли Гарри, когда на нижней койке начал похрапывать Рон да и сам Гарри медленно погрузился в сон.

Глава 15

МЕСТЬ ГОБЛИНА

На следующее утро — рано, друзья еще спали — Гарри вышел из палатки, чтобы найти в окрестном лесу самое старое, узловатое и полное жизни дерево, какое только удастся. Отыскав его, Гарри закопал под ним глаз Грюма, пометив место крестиком, который начертил палочкой на коре. Не бог весть что, однако Гарри чувствовал, что Грозный Глаз наверняка предпочел бы это необходимости торчать в двери Долорес Амбридж. Потом он вернулся в палатку, подождал, пока проснутся друзья, и они втроем обсудили, что им делать дальше.

Гарри и Гермиона считали, что слишком задерживаться здесь не стоит, и Рон согласился с ними при условии, что следующее перемещение доставит их поближе к сэндвичу с беконом. Гермиона сняла заклинания, которыми окружила палатку, а Гарри с Роном уничтожили все следы и вмятины в земле, способные показать, что они здесь побывали. Покончив с этим, все трое трансгрессировали в предместье небольшого рыночного городка.

Как только они поставили в рощице палатку и окружили ее новым набором защитных заклинаний, Гарри набросил на себя мантию-невидимку и отправился на поиски пищи. Но все пошло не так, как было задумано. Едва он успел войти в городок, как неестественный холод и опускавшийся с внезапно потемневшего неба туман заставили его замереть на месте.

— Но ты же умеешь делать отличного Патронуса! — протестующе воскликнул Рон, когда Гарри, запыхавшись, вернулся в палатку с пустыми руками и выговорил всего одно слово: «Дементоры».

— Я не смог... сделать его, — тяжело дыша и прижимая руку к сильно колющему боку, ответил Гарри. — Не... получилось.

При виде испуганных, разочарованных лиц друзей Гарри стало стыдно. Только что пережитое им было похоже на кошмар. Он видел, как вдали выскальзывают из тумана дементоры, и, пока парализующий холод наполнял его легкие, а в ушах звучали далекие крики, все лучше понимал, что защититься ему нечем. Гарри потребовалось напрячь всю волю, чтобы сдвинуться с места и побежать, оставив безглазых дементоров скользить среди маглов, которые, может, и не способны были их видеть, но уж безнадежность, источаемую ими всюду, где они появлялись, чувствовали наверняка.

— Выходит, никакой еды у нас так и нет.

— Заткнись, Рон! — рявкнула Гермиона. — Что произошло, Гарри? Как по-твоему, почему ты не смог создать Патронуса? Вчера же у тебя все прекрасно получалось.

— Не знаю.

Гарри, в котором с каждым мгновением нарастала растерянность, опустился в одно из старых кресел Перкинса. Он боялся, что в нем что-то разладилось. Вчерашний день казался далеким прошлым. Сегодня он словно опять обратился в того тринадцатилетнего мальчика, что когда-то единственный из всех упал в обморок в «Хогвартс-экспрессе».

Рон пнул его кресло ногой.

— Что? — прорычал он, глядя на Гермиону. — Я есть хочу! Я чуть не половину крови потерял, а получил с тех пор всего-навсего пару поганок!

— Ну так иди и пробивайся сквозь ораву дементоров, — отозвался уязвленный Гарри.

— Ты, может, не заметил, у меня рука на перевязи!

— Очень удобно.

— И что это должно оз...

— Ну конечно! — вскрикнула Гермиона и хлопнула себя по лбу, отчего оба они испуганно смолкли. — Гарри, давай сюда медальон! Ну! — Не получив от Гарри никакой ответной реакции, она нетерпеливо щелкнула пальцами. — Крестраж, Гарри, он же все еще на тебе!

Гермиона протянула к нему обе руки, и Гарри снял с себя через голову золотую цепочку. Едва медальон отделился от его кожи, как Гарри почувствовал свободу и странную легкость. До этой секунды он даже не замечал, что весь покрыт потом, что какая-то тяжесть давит ему на живот — вот только теперь, когда оба эти ощущения сгинули, и заметил.

— Легче? — спросила Гермиона.

— О да, на сто тонн!

— Гарри, — присев перед ним на корточки, спросила она голосом, каким говорят, навещая в больнице смертельно больного человека, — тебе не кажется, что он овладел тобой?

— Что? Нет! — отмахнувшись от нее, ответил Гарри. — Я же помню все, что мы сделали, с тех пор как я его ношу. А если бы он мной овладел, я бы не помнил, что делаю, так? Джинни говорила, что иногда она вообще ничего вспомнить не могла.

— Хм, — промолвила Гермиона, опуская глаза на тяжелый медальон. — Ладно, но, может, нам не стоит носить его. Пусть лежит в палатке.

— Нельзя допускать, чтобы крестраж валялся где ни попадя, — решительно заявил Гарри. — Если мы его потеряем, если его украдут...

— Ну хорошо, хорошо, — согласилась Гермиона, надевая медальон на шею и пряча под платье. — Только давайте носить его по очереди, чтобы подолгу он ни на ком не задерживался.

— Замечательно, — раздраженно произнес Рон, — ладно, раз с этим мы разобрались, может, попробуем разжиться какой-нибудь едой?

— Давай, только искать ее придется в другом месте, — сказала Гермиона, искоса глянув на Гарри. — Оставаться здесь, когда вокруг шныряют дементоры, не стоит.

В конце концов они решили остановиться на ночь посреди широкого поля, примыкавшего к одинокой ферме, на которой им удалось раздобыть яйца и хлеб.

— Это же не воровство, правда? — озабоченно спросила Гермиона, когда они уже уплетали тосты с омлетом. — Я ведь оставила деньги под клеткой для кур.

Рон, только что набивший полный рот, вытаращил глаза и сказал:

— Эр-ми-ни, ты шишком мномо болнуешься, жашлабшя!

И действительно, оказалось, что, досыта наевшись, расслабиться ничего не стоит — ссора из-за дементоров была со смехом забыта, и Гарри, повеселевший и даже исполнившийся надежд, вызвался нести ночную вахту первым.

Это было их первое знакомство с тем фактом, что полный желудок равен хорошему настроению, а пустой — унынию и ссорам. Гарри, которому у Дурслей временами приходилось едва ли не голодать, был подвержен таким перепадам настроения меньше других. Гермиона в те вечера, когда им приходилось довольствоваться лишь ягодами да заплесневелым печеньем, тоже вела себя достаточно прилично, разве что становилась немного вспыльчивее или погружалась в мрачное молчание. Рона же, который благодаря матери и домовым эльфам Хогвартса всю жизнь получал наивкуснейшую еду три раза в день, голод обращал в человека неразумного и вздорного. А если при этом еще и наступал его черед носить крестраж, он становился попросту неприятным.

— Ну и куда теперь? — таков был его постоянный припев. Собственных идей он, судя по всему, не имел и ожидал, что, пока он будет мрачно скорбеть по поводу скудости их рациона, Гарри с Гермионой соорудят какой-нибудь план. Они проводили бесплодные часы, решая, где следует искать другие крестражи и как уничтожить тот единственный, что у них имеется. Разговоры начинали все в большей мере ходить по кругу, поскольку новую информацию получить им было неоткуда.

Дамблдор считал — и говорил об этом Гарри, — что Волан-де-Морт спрятал крестражи в местах, чем-то для него важных, и Гарри с Гермионой перебирали, словно читая скучную молитву, те места, в которых он жил и которые навещал. Сиротский приют, где он родился и вырос, Хогвартс, где учился, магазин «Горбин и Бэркес», где работал по окончании школы, и Албания, где провел годы изгнания, — вот это и составляло основу для их рассуждений.

— Ага, поехали в Албанию. Страна маленькая, мы ее за полдня обшарим, — саркастически предложил как-то Рон.

— Там может ничего не оказаться. Он еще до изгнания изготовил пять крестражей, а Дамблдор был уверен, что пятый — это змея, — ответила Гермиона. — Змея не в Албании, это мы знаем, она обычно состоит при Вол...

— *Я же просил тебя не говорить так, разве нет?*

— Хорошо! Змея обычно состоит при *Сам-Знаешь-Ком*, доволен?

— Не так чтобы очень.

— Я не представляю себе, как бы он мог спрятать что-нибудь в «Горбине и Бэркесе», — сказал Гарри, уже много раз приводивший этот довод и сейчас повторивший его просто ради того, чтобы нарушить неприятное молчание. — И Горбин, и Бэркес были знатоками Темных объектов, они узнали бы крестраж с первого взгляда.

Рон демонстративно зевнул. Подавив острое желание запустить в него чем-нибудь, Гарри продолжал:

— И все же, по-моему, он мог спрятать что-то в Хогвартсе.

Гермиона вздохнула:

— Но Дамблдор нашел бы спрятанное, Гарри!

Гарри снова прибегнул к доводу, которым обычно подкреплял эту теорию:

— Дамблдор сам сказал мне, что никогда и не думал, будто знает все тайны Хогвартса. Говорю вам, если и существует место, которое важно для Вол...

— Ой-й-й!

— Ладно, для САМИ-ЗНАЕТЕ-КОГО! — крикнул доведенный до бешенства Гарри. — Если и существует место, которое важно для Сами-Знаете-Кого, так это Хогвартс.

— Да брось ты, — скривился Рон. — Это школа-то?

— Да, *его* школа! Первый его настоящий дом, место, в котором он понял, что отличается от других, а для него это самое главное. И даже после того, как он покинул...

— Мы тут о Сами-Знаете-Ком говорим, так? Не о тебе? — осведомился Рон. Он все подергивал цепочку висевшего на его шее крестража, и Гарри вдруг захотелось придушить его этой цепочкой.

— Ты говорил, что после окончания школы Сам-Знаешь-Кто просил Дамблдора дать ему в ней работу, — сказала Гермиона.

— Просил, — подтвердил Гарри.

— А Дамблдор думал, что он хочет вернуться в школу только для того, чтобы попытаться найти что-то, возможно, еще одну вещь, которая принадлежала одному из основателей, и сделать из нее новый крестраж, так?

— Так, — сказал Гарри.

— Однако работы он не получил, правильно? — продолжала Гермиона. — Значит, возможности отыскать эту вещь и спрятать ее в школе у него не было.

— Ну хорошо, ладно, — сказал, признавая свое поражение, Гарри. — Забудем о Хогвартсе.

Так ничего больше и не придумав, они отправились в Лондон и под прикрытием мантии-невидимки попытались отыскать сиротский приют, в котором воспитывался Волан-де-Морт. Гермиона пробралась в библиотеку и, порывшись в документах, которые там хранились, выяснила, что здание приюта уже много лет как снесено. Они навестили место, где стоял приют, и обнаружили, что его занимает теперь набитая офисами башня.

— Может, попробуем в фундаменте покопаться? — неуверенно предложила Гермиона.

— Здесь он крестраж прятать не стал бы, — ответил Гарри.

Он с самого начала понимал, что сиротский приют был местом, которого Волан-де-Морт решительно избегал. Он никогда не стал бы укрывать там часть своей души. Дамблдор убедил Гарри в том, что Волан-де-Морт ищет в качестве укрытия места, овеянные величием и тайнами, а этот унылый, серый уголок Лондона был так далек от Хогвартса, Министерства или «Гринготтса», банка волшебников с его золотыми дверьми и мраморными полами, как только можно вообразить.

Не имея новых идей, они продолжали скитаться по сельским краям, безопасности ради каждый вечер разбивая палатку на новом месте. А каждое утро уничтожали все следы своей стоянки и отправлялись на поиски нового уединенного, безлюдного уголка, трансгрессируя в новые леса, в темные расщелины скал, на лиловые болота, поросшие можжевельником горные склоны, в укрытые от глаз пещеры с усеянными галькой полами. Примерно каждые двенадцать часов один из них вручал медальон другому, словно играя в замедленную игру «передай конверт», победитель которой получал очередные двенадцать часов усиленного страха и тревоги.

Время от времени у Гарри начинал покалывать шрам. Чаще всего это случалось, когда наступал его черед носить крестраж. И скрыть боль ему удавалось далеко не всегда.

— Что? Что ты видел? — спрашивал Рон, замечая, как морщится Гарри.

— Лицо, — каждый раз негромко отвечал Гарри. — Все то же лицо. Вора, который обокрал Грегоровича.

И Рон отворачивался, даже не пытаясь скрыть разочарование. Гарри понимал, что Рон надеется услышать новости о родных или о других членах Ордена Феникса, но в конце концов он, Гарри, не был телевизором, он мог видеть лишь то, о чем думает в эту минуту Волан-де-Морт, а не настраиваться на что-либо по собственному желанию. По-видимому, из головы Волан-де-Морта не шел неведомый юноша с веселым лицом, об имени и местонахождении которого, в этом Гарри был уверен, Волан-де-Морт знает не больше чем он сам. И по мере того как шрам продолжал жечь ему лоб, а в памяти всплывал, дразня его, светловолосый юноша, Гарри научился скрывать любые признаки боли и недомогания, поскольку у друзей упоминание о воре ничего, кроме нетерпеливого неудовольствия, не вызывало. И винить их за это было нельзя — они отчаянно нуждались хоть к какой-то ведшей к крестражам нити.

Дни тянулись, обращаясь в недели, и Гарри начал подозревать, что Рон и Гермиона ведут за его спиной разговоры — о нем. Несколько раз они резко умолкали при его появлении в палатке, а дважды он, завидев их издалека стоящими голова к голове, подходил к ним, и в обоих случаях, стоило ему приблизиться, разговор немедленно прерывался и они тут же делали вид, будто собирают хворост или набирают про запас воду.

И Гарри невольно задумывался о том, не решили ли они отправиться с ним в это казавшееся ныне бессмысленным и беспорядочным путешествие только потому, что считали, будто у него есть тайный план, который они со временем узнают. Рон не пытался скрывать своего дурного настроения, да и Гермиона, как начинал опасаться Гарри, была недовольна им, считая его мало на что способным руководителем. Он впадал в отчаяние, пытаясь придумать, где еще можно поискать крестражи, но, кроме Хогвартса, ему в голову ничего не приходило, а поскольку ни Рон, ни Гермиона Хогвартс всерьез не воспринимали, Гарри перестал упоминать и о нем.

Осень катилась по сельским краям, которые они пересекали во всех направлениях, и теперь им все чаще приходилось ставить палатку на куче палой, подтлевшей листвы. Естественные туманы прибавились к тем, что насылались дементорами, дождь и ветер не сделали жизнь более приятной. И даже то, что Гермиона научилась отыскивать грибы посъедобнее, нисколько не искупало их продолжавшейся изоляции от мира, отсутствия человеческого общества и полного неведения о том, как разворачивается война с Волан-де-Мортом.

— Моя мама, — сообщил Рон как-то вечером, когда они сидели в Уэльсе на берегу реки, — умеет доставать вкусную еду прямо из воздуха.

Он мрачно потыкал вилкой в лежавшие на тарелке обгоревшие, серые куски рыбы. Гарри машинально взглянул на шею Рона и увидел то, что и ожидал увидеть — поблескивающую золотую цепочку крестража. Ему удалось совладать с желанием обругать Рона, он знал, что завтра, когда Рон снимет с себя крестраж, настроение его пусть немного, но все же улучшится.

— Доставать еду из воздуха не может никто, в том числе и твоя мама, — ответила Гермиона. — Еда — это одно из пяти принципиальных исключений из закона элементарных трансфигураций Гэмпа...

— Ой, говори на человеческом языке, ладно? — перебил ее Рон, вытягивая из промежутка между зубами рыбью кость.

— Сделать еду из ничего невозможно! Ее можно приманить, если ты знаешь, где она находится, можно трансформировать, можно увеличить ее в объеме, когда она у тебя уже есть...

— Ну, вот это я увеличивать в объеме не хочу, и без того гадость жуткая, — вставил Рон.

— Гарри поймал эту рыбу, я постаралась приготовить ее, как могла! Почему-то с едой всегда приходится возиться мне — надо думать, по той причине, что я женщина!

— Да нет, по той, что ты у нас главный маг! — выпалил Рон.

Гермиона вскочила, и с ее тарелки соскользнул на землю кусочек жареной щуки.

— Завтра, Рон, еду будешь готовить *ты.* Отыщи все нужное для этого, произнеси необходимые заклинания и сооруди что-нибудь такое, что можно будет положить в рот. А я буду сидеть рядом, корчить рожи и стонать, вот тогда ты увидишь, как...

— Умолкните! — произнес Гарри, вскакивая на ноги и поднимая ладони. — Сию же минуту!

Гермиона разозлилась еще пуще:

— Как ты можешь заступаться за него! Он ни разу даже не попытался приготовить хоть...

— Гермиона, помолчи, по-моему, я слышу чьи-то голоса!

Гарри вслушивался, не опуская поднятых рук. Да, действительно, сквозь шорохи и плеск реки пробивался какой-то разговор. Он оглянулся на вредноскоп. Прибор ничего опасного не показывал.

— Ты ведь прикрыла нас заклинанием Оглохни, так? — прошептал он Гермионе.

— Я прикрыла нас всем, чем могла, — прошептала она в ответ. — Оглохни, Маглоотталкивающим, Дизиллюминационным, всем. Ни услышать, ни увидеть нас они, кем бы они ни были, не смогут.

Кто-то шел, тяжело волоча ноги по земле, потом послышался грохот выворачиваемых камней и треск сучьев. Было ясно, что по лесистому склону, у подножия которого на узком берегу стояла их палатка, спускается несколько человек. Все трое замерли, держа наготове палочки. Заклинаний, которыми они себя окружили, должно было хватить (тем более сейчас, почти в полной тьме) для того, чтобы оградить их от маглов и обычных волшебников и волшебниц. Если же здесь появились Пожиратели смерти, тогда, возможно, их оборонительным укреплениям придется впервые пройти проверку на противодействие Темной магии.

Компания вышла на берег, разговор стал более громким, но оставался по-прежнему неразборчивым. Гарри прикинул — до нее было футов двадцать, не больше, точнее определить расстояние порожистая река не позволяла. Гермиона, схватив бисерную сумочку, порылась в ней, вытащила три Удлинителя ушей и выдала по одному Рону и Гарри. Все торопливо вставили розоватые провода в уши и выбросили другие их концы из входа в палатку.

Спустя пару секунд Гарри услышал усталый мужской голос.

— Здесь должны водиться лососи. Или вы думаете, что для них еще не время? *Акцио, лосось!*

Послышалось несколько отчетливых всплесков, потом шлепок, с каким крупная рыба ударяется о человеческое тело. Кто-то громко крякнул. Гарри просунул конец Удлинителя поглубже в ухо: теперь сквозь рокот реки пробивалось уже несколько голосов, но говорили они не на английском и ни на каком другом когда-либо слышанном им человеческом языке. Этот язык был груб и немелодичен, с бряцающими горловыми звуками, и разговаривали на нем, похоже, двое, один голос был пониже и помедленнее другого.

По другую сторону брезента заплясал огонь, большие тени замелькали между костром и палаткой. По воздуху поплыл аппетитнейший запах поджариваемого лосося. Потом задребезжали тарелки, ножи, вилки, и снова раздался мужской голос:

— Ну вот, Крюкохват, Кровняк, держите.

— Гоблины! — чуть слышно шепнула на ухо Гарри Гермиона, и он кивнул.

— Спасибо, — по-английски ответили гоблины.

— Выходит, вы трое в бегах. И давно? — спросил новый, мягкий и приятный голос, показавшийся Гарри смутно знакомым. Он тут же представил себе мужчину с округлым животиком и румяным лицом.

— Недель шесть... семь... уже не помню, — ответил усталый мужской голос. — В первую пару недель я повстречал Крюкохвата, а дня через два к нам присоединился Кровняк. В компании бродить как-то приятнее. — Наступила пауза, только ножи скребли по тарелкам да кружки поднимались с земли и опускались на нее. Потом тот же голос спросил: — А вы-то почему ушли, Тед?

— Я знал, что за мной придут, — ответил мягкий голос Теда, и Гарри вдруг понял, кто это, — отец Тонкс. — Услышал на прошлой неделе, что в наших краях появились Пожиратели смерти, и решил, что лучше от них сбежать. Регистрироваться в качестве магловского выродка я, видите ли, не желаю в принципе, так что мне ясно было — тут вопрос времени, рано или поздно уходить придется. С женой ничего не случится, у нее кровь чистая. Ну а потом я встретил в этих местах Дина. Когда это было, сынок, пару дней назад?

— Да, — ответил еще один голос, и Гарри, Рон и Гермиона, безмолвные, но взволнованные, обменялись взглядами, поскольку узнали голос своего гриффиндорского однокашника Дина Томаса.

— Так ты тоже родился от магла? — спросил первый мужской голос.

— Точно сказать не могу, — ответил Дин. — Отец ушел от матери, когда я был совсем маленьким. А доказательств того, что он был волшебником, у меня нет.

Какое-то время все молчали, слышно было только, как они жуют, потом снова заговорил Тед:

— Должен вам сказать, Дирк, я удивлен, что встретил вас здесь. Приятно, но удивлен. Поговаривали, будто вас схватили.

— А меня и схватили, — ответил Дирк. — Я уже был на полпути к Азкабану, но мне удалось бежать. Оглушил Долиша, позаимствовал его метлу. Это оказалось легче, чем вы думаете, по-моему, он просто был не в себе. Может, его кто-то Конфундусом стукнул, не знаю. Если так, готов крепко пожать руку любому волшебнику или волшебнице, сделавшим это. Не исключено, что они спасли мне жизнь.

Наступила новая пауза, заполнявшаяся лишь потрескиванием костра и шелестом реки. Потом Тед сказал:

— А как оказались здесь вы двое? У меня... э-э... создалось впечатление, что гоблины, вообще говоря, приняли сторону Сами-Знаете-Кого.

— Неправильное впечатление, — ответил тот из гоблинов, голос у которого был повыше. — Мы ничьей стороны не принимаем. Волшебники воюют — это их дело.

— Так почему же вы в таком случае скрываетесь?

— Я — из благоразумной предосторожности, — ответил гоблин побасовитее. — Отказался выполнить просьбу, которая представилась мне чрезмерно наглой, и понял, что моя безопасность под угрозой.

— А о чем вас попросили? — поинтересовался Тед.

— Об исполнении обязанностей, лежащих ниже достоинства моего народа, — ответил гоблин, и голос его при этом стал более грубым и меньше похожим на человеческий. — Я им все-таки не домовый эльф.

— А что вы, Крюкохват?

— Да примерно то же, — ответил голос более высокий. — Мой народ уже не контролирует «Гринготтс» целиком и полностью. А иметь в хозяевах волшебника я не желаю.

Он прибавил что-то на гоббледуке, и Кровняк рассмеялся.

— Что вас рассмешило? — спросил Дин.

— Он сказал, что существуют вещи, которые волшебникам невдомек, — ответил Дирк.

Наступило недолгое молчание.

— Не понял, — сказал Дин.

— Я немного отомстил им, когда уходил, — сказал на человеческом языке Крюкохват.

— Правильный человек... виноват... гоблин, — торопливо поправился Тед. — Надеюсь, вы заперли кого-то из Пожирателей смерти в один из особо надежных сейфов?

— Если бы я это сделал, его оттуда никакой меч наружу не вывел бы, — ответил Крюкохват. Кровняк расхохотался снова, и даже Дирк испустил сухой смешок.

— И все же мы с Дином так ничего и не поняли, — сказал Тед.

— Вот и Северус Снегг тоже. Правда, он об этом не догадывается, — ответил Крюкохват, и оба гоблина злорадно расхохотались.

Гарри уже еле решался дышать от волнения, он и Гермиона переглядывались, изо всех сил вслушиваясь в разговор.

— Так вы не слышали об этой истории, Тед? — спросил Дирк. — О детях, которые пытались стащить меч Гриффиндора из кабинета Снегга в Хогвартсе?

Гарри словно током ударило. Он замер на месте, и теперь каждая жилка его тела точно позванивала.

— Ни слова, — ответил Тед. — «Пророк» об этом ничего не писал, так?

— Да уж навряд ли, — ответил Дирк. — Мне все рассказал Крюкохват, а он услышал об этом от Билла Уизли, который работает в банке. Среди детишек, пытавшихся спереть меч, была младшая сестра Билла.

Гарри взглянул на Гермиону и Рона — оба цеплялись за свои Удлинители ушей, как утопающий за соломинку.

— Она и еще двое ее друзей пробрались в кабинет Снегга и разбили стеклянный ящик, в котором, судя по всему, держали меч. Снегг застукал их, когда они уже тащили меч вниз по лестнице.

— Ах, благослови их Бог, — произнес Тед. — Они что же, собирались пронзить мечом Сами-Знаете-Кого? Или Снегга?

— Ну, что бы они там ни задумали, Снегг решил, что держать меч на прежнем месте небезопасно, — сказал Дирк. — И через пару дней — думаю, он разрешения ждал от Сами-Знаете-Кого — отправил меч на хранение в Лондон, в «Гринготтс».

Гоблины снова расхохотались.

— Я все-таки не понимаю, что тут смешного, — сказал Тед.

— Это подделка, — проскрежетал Крюкохват.

— Меч Гриффиндора?

— Он самый. Это копия. Правду сказать, копия великолепная, но сделана волшебником. Настоящий меч много веков назад сковали гоблины, он обладает свойствами, присущими лишь оружию гоблинской работы. Где сейчас подлинный меч Гриффиндора, я не знаю, но только не в сейфе банка «Гринготтс».

— Вот теперь я понял, — произнес Тед. — А Пожирателям смерти вы об этом сказать не потрудились?

— Не видел причин обременять их этой информацией, — чопорно сообщил Крюкохват, и теперь уже Тед с Дином расхохотались вместе с Кровняком.

В палатке Гарри закрыл глаза, молясь, чтобы кто-нибудь задал вопрос, ответ на который он жаждал услышать, и спустя минуту, показавшуюся ему не одной, а десятью, Дин исполнил его желание — ведь Дин (внезапно вспомнил Гарри) тоже когда-то ухаживал за Джинни.

— А что сделали с Джинни и другими? Теми, кто пытался украсть меч?

— О, их наказали, и очень жестоко, — безразлично произнес Крюкохват.

— Но они хоть целы? — сразу спросил Тед. — Уизли вовсе не нужно, чтобы покалечили еще одного их ребенка.

— Увечить их, сколько я знаю, не стали, — ответил Крюкохват.

— Ну, будем считать, что им повезло, — заметил Тед. — При послужном списке Снегга можно только радоваться, что они еще живы.

— Так вы верите в эту историю, Тед? — поинтересовался Дирк. — Верите, что Снегг убил Дамблдора?

— Конечно, верю, — ответил Тед. — А вы хотите сказать, что верите россказням о причастности к этой смерти Поттера?

— В наши дни трудно понять, чему можно верить, — пробормотал Дирк.

— Я знаю Гарри Поттера, — сказал Дин, — и считаю его замечательным человеком — Избранным, называйте как хотите.

— Да, сынок, очень многие верят, что таков он и есть, — сказал Дирк, — и я в том числе. Но где он? Судя по всему, сбежал. Тебе не кажется, что если бы он знал что-то, чего не знаем мы, или обладал какими-то особыми способностями, то был бы сейчас здесь, — сражался, сколачивал сопротивление, а не прятался неведомо где.

Ну и сам знаешь, «Пророк» выдвинул против него очень серьезные обвинения...

— «Пророк»? — презрительно фыркнул Тед. — Если вы читаете эту гнусную газетенку, Дирк, то вполне заслуживаете того, чтобы вам врали. Хотите получить факты, обратитесь к «Придире».

Внезапно раздался взрыв давящегося кашля и чуть ли не рвоты плюс гулкие удары по спине — судя по всему, Дирк подавился рыбной костью. Наконец он произнес, отдуваясь:

— К «Придире»? Листку для душевнобольных, который издает Ксено Лавгуд?

— Теперь уже не для душевнобольных, — ответил Тед. — Вам стоило бы в него заглянуть. Ксенофилиус сообщает факты, которые игнорирует «Пророк», а об этих его морщерогих кизляках в последнем номере вообще нет ни слова. Долго ли ему это будет сходить с рук, я не знаю, но на первой странице каждого номера Ксено твердит, что всякий, кто настроен против Сами-Знаете-Кого, должен считать помощь Гарри Поттеру первейшей своей задачей.

— Трудновато помогать мальчишке, который исчез с лица земли, — сказал Дирк.

— Знаете, то, что его до сих пор не схватили, уже достижение, и не малое, — сказал Тед. — Я, конечно, рад был бы услышать о нем. Но ведь и мы пытаемся сделать то же, что он, сохранить свободу, верно?

— Да, тут вы меня подловили, — неторопливо ответил Дирк. — Целое Министерство, все его осведомители ищут мальчишку, остается только дивиться, что его до сих пор не сцапали. Хотя, как знать, может, и сцапали уже, и убили, а сообщать об этом не стали.

— Ох, Дирк, не надо так говорить, — пробормотал Тед.

Наступило долгое молчание, заполнявшееся скрежетанием ножей и вилок по тарелкам. Когда разговор возобновился, то пошел уже о том, стоит ли им заночевать на берегу или лучше вернуться в лес. Решив, что под деревьями укрываться лучше, они затушили костер, полезли вверх по склону и вскоре голоса их стихли вдали.

Гарри, Рон и Гермиона смотали Удлинители ушей. Гарри, которому так трудно было хранить молчание, пока они подслушивали разговор, обнаружил теперь, что не способен сказать ничего, кроме:

— Джинни... меч...

— Знаю! — ответила Гермиона.

Она снова схватила бисерную сумочку, и на этот раз засунула в нее руку по самую подмышку.

— Ну-ка... ну-ка... — повторяла она сквозь стиснутые зубы, вытягивая что-то с самого дна.

Наружу начала медленно выползать богатая рама портрета. Гарри поспешил на помощь, и, как только они вытащили наружу пустой портрет Финеаса Найджелуса, Гермиона направила на него палочку, готовая в любой миг произнести заклинание.

— Если кто-то подменил настоящий меч поддельным прямо в кабинете Дамблдора, — отдуваясь, сказала Гермиона, едва они прислонили портрет к стене палатки, — Финеас Найджелус мог все видеть, его портрет висит прямо над стеклянным ящиком.

— Если только он в это время не дрых, — отозвался Гарри, но тем не менее затаил дыхание, когда Гермиона опустилась перед пустым холстом на колени, наставила палочку в самую его середку, откашлялась и произнесла:

— Э-э... Финеас! Финеас Найджелус!

Ничего не произошло.

— Финеас Найджелус! — повторила Гермиона. — Профессор Блэк! Прошу вас, поговорите с нами. Пожалуйста!

— «Пожалуйста» всегда помогает, — произнес холодный, язвительный голос, и в раму портрета скользнул Финеас Найджелус.

Едва увидев его, Гермиона воскликнула:

— *Затмись!*

Умные темные глаза Финеаса Найджелуса тут же закрыла черная повязка, отчего он врезался лбом в раму и вскрикнул от боли.

— Что... как вы смеете... что вы...

— Мне очень жаль, профессор Блэк, — сказала Гермиона, — но это необходимая предосторожность.

— Немедленно уберите это безобразное добавление! Уберите, говорю! Вы портите великое произведение искусства! Где я? Что происходит?

— Где вы, не суть важно, — ответил Гарри, и Финеас Найджелус немедля замер, прекратив попытки содрать с себя писанную маслом повязку.

— Уж не голос ли это неуловимого мистера Поттера?

— Вполне возможно, — ответил Гарри, понимая, что такой ответ пробудит в Финеасе Найджелусе любопытство. — У нас есть к вам пара вопросов о мече Гриффиндора.

— А, — отозвался Финеас Найджелус, вертя головой и стараясь хоть краем глаза увидеть Гарри, — ну да. Глупая девчонка повела себя чрезвычайно неразумно.

— Не смейте так говорить о моей сестре! — грубо рявкнул Рон.

Финеас Найджелус надменно приподнял брови.

— Кто здесь с вами? — спросил он, поворачивая голову из стороны в сторону. — Мне не нравится этот тон! Девчонка и ее друзья вели себя до крайности безрассудно. Попытаться обокрасть директора школы!

— Это не было кражей, — сказал Гарри. — Меч не принадлежит Снегу.

— Он принадлежит школе, которую возглавляет профессор Снегг, — заявил Финеас Найджелус. — А какими правами на него обладает девчонка Уизли? Она заслужила полученное ею наказание, равно как и идиот Долгопупс с придурковатой Лавгуд.

— Невилл не идиот, а Полумна не придурковатая! — воскликнула Гермиона.

— Где я? — спросил Финеас Найджелус и опять попытался содрать повязку. — Куда вы меня затащили? Зачем унесли из дома моих предков?

— Не важно! Какому наказанию Снегг подверг Джинни, Невилла и Полумну? — требовательно спросил Гарри.

— Профессор Снегг отправил их на исправительные работы в Запретный лес, к этому олуху Хагриду.

— Хагрид не олух! — снова и уже визгливо вскрикнула Гермиона.

— Снегг мог счесть это наказанием, — негромко сказал Гарри, — но Джинни, Невилл и Полумна, скорее всего, от души смеются над ним вместе с Хагридом. Запретный лес, подумаешь... они видали места и похуже Запретного леса.

Он испытывал облегчение, поскольку успел уже напридумывать всяких ужасов, самым меньшим из которых было заклятие Круциатус.

— Что мы действительно хотели бы узнать, профессор Блэк, — начала Гермиона, — так это... м-м-м... извлекался ли меч из ящика прежде. Может быть, его уносили, чтобы почистить или еще куда-то?

Финеас Найджелус помолчал, снова попытался освободить глаза, а потом хихикнул.

— Отродие маглов, — сказал он. — Оружие гоблинской работы не требует чистки, недотепа вы этакая. Серебро гоблинов отталкивает любую земную грязь, принимая в себя лишь то, что его закаляет.

— Не надо называть Гермиону недотепой, — сказал Гарри.

— Я устал от возражений, — сообщил Финеас Найджелус. — Может быть, мне уже пора вернуться в директорский кабинет?

Он на ощупь двинулся по портрету, пытаясь отыскать край рамы, чтобы покинуть холст и возвратиться в Хогвартс. И тут Гарри ощутил внезапный прилив вдохновения.

— Дамблдор! Вы не могли бы привести сюда Дамблдора?

— Прошу прощения? — удивился Финеас Найджелус.

— Там же висит портрет профессора Дамблдора. Вы не могли бы привести профессора сюда, в ваш портрет?

Финеас Найджелус повернулся на голос Гарри:

— Похоже, невежество присуще не только отпрыскам маглов, Поттер. Те, кто изображен на портретах Хогвартса, могут беседовать друг с другом, однако они не способны перемещаться за пределами замка. То есть способны, но лишь для того, чтобы навестить другой свой портрет, висящий где-то еще. Дамблдор не может прийти сюда вместе со мной, а после всего, что я от вас натерпелся, я и сам сюда возвращаться не стану, будьте уверены!

Гарри, немного павший духом, наблюдал за Финеасом, возобновившим попытки покинуть раму.

— Профессор Блэк, — произнесла Гермиона, — а не могли бы вы сказать нам, пожалуйста, когда меч в последний раз вынимали из ящика? Я имею в виду, до того, как его забрала Джинни.

Финеас нетерпеливо всхрапнул.

— Сколько я помню, в последний раз меч Гриффиндора покидал при мне ящик, когда профессор Дамблдор вскрывал с его помощью некий перстень.

Гермиона стремительно повернулась к Гарри. Но говорить что-либо в присутствии Финеаса Найджелуса, сумевшего наконец нащупать выход, они не решились.

— Ну что же, спокойной вам ночи, — не без желчности произнес он и начал выбираться из портрета. Когда на виду остались лишь поля его шляпы, Гарри вдруг крикнул:

— Постойте! А Снеггу вы об этом говорили?

Финеас Найджелус просунул украшенное повязкой лицо обратно в картину:

— Профессору Снеггу хватает важных предметов для размышлений и без многочисленных причуд Альбуса Дамблдора. Всего хорошего, Поттер!

И он исчез окончательно, оставив после себя лишь грязноватый холст.

— Гарри! — вскрикнула Гермиона.

— Я понял! — крикнул в ответ Гарри и, не сдержавшись, пронзил кулаком воздух. Они получили гораздо больше того, на что он смел рассчитывать. Он начал мерить палатку шагами, чувствуя, что может сейчас пробежать целую милю, даже ощущение голода и то покинуло его. Гермиона запихала портрет Финеаса Найджелуса обратно в сумочку и, застегнув ее, отодвинула в сторону и подняла к Гарри сияющее лицо.

— Меч способен уничтожать крестражи! Оружие гоблинской работы принимает в себя лишь то, что его закаляет. Гарри, этот меч пропитан ядом василиска!

— И Дамблдор не отдал мне меч, потому что еще нуждался в нем, собирался уничтожить им медальон...

— ...и, наверное, понял, что, если он завещает меч тебе, они его не отдадут...

— ...и сделал копию...
— ...и поместил подделку в стеклянный ящик...
— ...а настоящий спрятал... Где?

Они уставились друг на друга. Гарри чувствовал, что ответ незримо висит где-то прямо над ними, совсем близко. Почему Дамблдор не сказал ему? Или все же сказал, а Гарри просто не понял?

— Думай! — прошептала Гермиона. — Думай. Где он мог оставить меч?

— Только не в Хогвартсе, — ответил Гарри, возобновляя ходьбу.

— Где-нибудь в Хогсмиде? — предположила Гермиона.

— В Визжащей хижине? — сказал Гарри. — Туда теперь никто не заглядывает.

— Да, но Снегг умеет входить в нее, Дамблдор не стал бы так рисковать.

— Дамблдор доверял Снеггу, — напомнил ей Гарри.

— Не настолько, чтобы сказать ему о подмене меча, — ответила Гермиона.

— Да, ты права, — согласился Гарри и даже обрадовался при мысли о том, что доверие Дамблдора к Снеггу все же было хоть и немного, но ограниченным. — Ладно, допустим, он спрятал меч вдали от Хогсмида, но где? А что думаешь ты, Рон? Рон?

Гарри оглянулся. На один озадачивший его миг ему показалось, что Рон покинул палатку, но тут он увидел каменное лицо Рона, лежавшего на нижней койке.

— О, и обо мне наконец вспомнили, — сказал Рон.

— Что?

Рон, не отрывая взгляда от донышка верхней койки, всхрапнул:

— Продолжайте, продолжайте. Не позволяйте мне портить ваш праздник.

Гарри недоуменно взглянул на Гермиону, рассчитывая на ее помощь, но она, озадаченная, по-видимому, не меньше его, лишь покачала головой.

— В чем проблема-то? — спросил Гарри.

— Проблема? Никакой проблемы нет, — ответил Рон, по-прежнему отказывавшийся смотреть на Гарри. — Во всяком случае, если верить тебе.

По брезенту над их головами ударило несколько капель. Начинался дождь.

— Ладно, значит, проблема имеется у тебя, — сказал Гарри. — Ну так давай, высказывайся.

Рон сбросил с койки длинные ноги и сел. Лицо его было теперь озлобленным, он почти не походил на себя.

— Хорошо. Выскажусь. Только не жди, что я буду скакать по палатке, радуясь еще какой-то обнаруженной вами дряни. Лучше добавь ее к списку вещей, о которых ты ничего не знаешь.

— Не знаю? — переспросил Гарри. — *Я* не знаю?

Плюх, плюх, плюх — дождь становился все гуще, барабанил по покрытому листьями берегу, по реке, что-то тараторившей в темноте. Страх погасил ликование Гарри. Рон говорил в точности то, что, как подозревал Гарри, должен был думать.

— Как-то не похоже, что я переживаю здесь лучшие дни моей жизни, — продолжал Рон. — Сам понимаешь, рука искалечена, жрать нечего и задница каждую ночь отмерзает. Я надеялся, видишь ли, что, пробегав столько недель с высунутым языком, мы хоть чего-то достигнем.

— Рон, — произнесла Гермиона, но так тихо, что он сделал вид, будто не услышал ее сквозь лупивший по брезенту дождь.

— Мне казалось, ты знаешь, на что идешь, — сказал Гарри.

— Да, мне тоже.

— Так что же именно не отвечает твоим ожиданиям? — спросил Гарри. Теперь на помощь ему приходил гнев. — Ты полагал, что мы будем останавливаться в пятизвездных отелях? Находить каждый день по крестражу? Думал, что на Рождество уже вернешься к мамочке?

— Мы думали, ты знаешь, что делаешь! — крикнул Рон, вскакивая, и эти слова словно пронзили Гарри раскаленными ножами. — Думали, Дамблдор тебе объяснил, что нужно делать! Мы думали, у тебя есть настоящий план!

— Рон! — снова произнесла Гермиона, на этот раз перекрыв голосом шум дождя, но Рон и тут не обратил на нее никакого внимания.

— Ну, прости, что подвел тебя, — ответил Гарри. Голос его был совершенно спокойным, хоть на него и навалилось ощущение пустоты, собственной никчемности. — Я с самого начала был откровенен с вами, рассказывал все, что услышал от Дамблдора. И ты, возможно, заметил — один крестраж мы нашли...

— Ага, и сейчас близки к тому, чтобы избавиться от него, примерно так же, как ко всем остальным. Иными словами, и рядом со всем этим не стояли!

— Сними медальон, Рон, — непривычно тонким голосом попросила Гермиона. — Пожалуйста, сними. Ты не говорил бы так, если бы не проносил его весь день.

— Да нет, говорил бы, — сказал Гарри, не желавший подыскивать для Рона оправдания. — По-твоему, я не замечал, как вы шепчетесь за моей спиной? Не догадывался, что именно так вы и думаете?

— Гарри, мы не...

— Не ври! — обрушился на нее Рон. — Ты говорила то же самое, говорила, что разочарована, что думала, будто у нас есть за что ухватиться, кроме...

— Я не так это говорила, Гарри, не так! — закричала она.

Дождь молотил в брезент, по щекам Гермионы текли слезы, восторг, который они испытывали несколько минут назад, исчез, как будто его и не было никогда, сгинул, подобно фейерверку, который вспыхивает и гаснет, оставляя после себя темноту, сырость, холод. Где спрятан меч Гриффиндора, они не знали, да и кто они, собственно, такие — трое живущих в палатке подростков, единственное достижение которых сводится к тому, что они пока еще не мертвы.

— Так почему же ты все еще здесь? — спросил Гарри у Рона.

— Хоть убей, не знаю, — ответил Рон.

— Тогда уходи, — сказал Гарри.

— Может, и уйду! — крикнул Рон и подступил на несколько шагов к не двинувшемуся с места Гарри. — Ты слышал, что они говорили о моей сестре? Но тебе на это чихать с высокой елки, верно? Подумаешь, Запретный лес! Гарри Видавшему-Вещи-Похуже Поттеру плевать, что с ней там происходит. Ну а мне не плевать ни на гигантских пауков, ни на умалишенных...

— Я сказал только, что она там не одна, что с ними Хагрид...

— Да-да, я уже понял, тебе плевать! А как насчет остальной моей семьи? «Уизли вовсе не нужно, чтобы покалечили еще одного их ребенка» — это ты слышал?

— Да, и...

— Не интересуюсь и ими, так?

— Рон, — вставая между ними, сказала Гермиона, — это же не значит, что произошло что-то еще — такое, о чем мы не знаем. Подумай: Билл уже весь в шрамах, многие наверняка видели, как Джорджу оторвало ухо, ты, как считается, лежишь при смерти, я уверена, только об этом он и говорил...

— Ах, ты уверена? Ну отлично, тогда и я за них волноваться не буду. Вам двоим хорошо, вы своих родителей надежно попрятали...

— Мои родители *мертвы*! — взревел Гарри.

— А мои, может быть, в одном шаге от этого! — завизжал Рон.

— Так УХОДИ! — крикнул Гарри. — Возвращайся к ним, притворись, что вылечился от обсыпного лишая, мамочка накормит тебя и...

Рон сделал неожиданное движение. Гарри отреагировал мгновенно, но прежде чем палочки вылетели из их карманов, Гермиона подняла свою.

— *Протего!* — крикнула она, и невидимый щит отделил ее с Гарри от Рона — мощь заклинания заставила всех троих отпрянуть на несколько шагов. Разъяренные Гарри и Рон вглядывались друг в друга сквозь прозрачный барьер, и казалось, будто каждый впервые ясно увидел другого. Ненависть к Рону разъедала Гарри, как ржа: что-то, соединявшее их, было разрушено навсегда.

— Оставь крестраж, — сказал Гарри.

Рон через голову сорвал с шеи цепочку и швырнул медальон в ближайшее кресло. А потом взглянул на Гермиону:

— Что будешь делать?

— О чем ты?

— Ты остаешься — или как?

— Я... — страдальчески произнесла Гермиона. — Да... да, остаюсь. Рон, мы обещали пойти с Гарри, обещали помочь...

— Я понял. Ты выбираешь его.

— Нет, Рон... прошу тебя... не уходи, не уходи!

Однако Гермионе помешали ее же Щитовые чары, а когда она сняла их, Рон уже выскочил в темноту. Гарри стоял неподвижно, молча, слушая, как она рыдает, выкликая среди деревьев имя Рона.

Через несколько минут Гермиона вернулась с мокрыми, липнувшими к лицу волосами.

— Он у-у-ушел! Трансгрессировал!

Она рухнула в кресло, сжалась в комок и заплакала. Гарри охватило странное оцепенение. Он наклонился, поднял крестраж, повесил его себе на шею. Стянул с койки Рона одеяла, накрыл ими Гермиону. А потом забрался на свою и, вслушиваясь в стук дождя, уставился в темную брезентовую крышу.

Глава 16

ГОДРИКОВА ВПАДИНА

Проснувшись на следующее утро, Гарри не сразу вспомнил, что случилось вчера. Потом в нем шевельнулась детская надежда, что все это ему приснилось, что Рон по-прежнему здесь и никуда не уходил. Но, повернув голову на подушке, он увидел пустую койку Рона. Она притягивала взгляд, словно мертвое тело. Гарри соскочил со своей койки, стараясь не смотреть на Ронову постель.

Гермиона уже возилась на кухне. Когда Гарри вошел, она не пожелала ему доброго утра и поскорее отвернулась.

«Ушел, — повторял про себя Гарри. — Ушел. — Умываясь и одеваясь, он думал об одном и том же, как будто можно было свыкнуться с этим. — Ушел и не вернется».

В этом заключалась простая, неприкрашенная правда, потому что, стоит им покинуть стоянку, и защитные заклинания не позволят Рону их найти.

Они позавтракали в молчании. У Гермионы глаза опухли и покраснели: похоже, она всю ночь не спала. Когда собирали вещи, Гермиона копалась дольше обычного. Гарри понимал, почему она тянет время; несколько раз Гермиона вскидывала голову и прислушивалась — наверное, за шумом дождя ей мерещились шаги, но между деревьями не мелькали рыжие лохмы. Гарри всякий раз оглядывался следом за ней, ведь он и сам невольно на что-то надеялся, но каждый раз ничего не видел, кроме поливаемого дождем леса, и внутри у него взрывался очередной заряд злости. В ушах звучали слова Рона: «Мы думали, ты знаешь, что делаешь!», и Гарри с тяжелым сердцем продолжал упаковывать вещи.

Рядом с ними быстро прибывала мутная вода, и река грозила выйти из берегов. Они и так на целый час против обычного задержали свое отбытие. Наконец Гермиона, в третий раз уложив заново расшитую бисером сумочку, не смогла больше выдумать никакого предлога оставаться на месте. Они с Гарри взялись за руки и, переместившись, оказались на поросшем вереском склоне холма, где гулял на просторе ветер.

Гермиона сразу выпустила руку Гарри и пошла прочь. Отойдя на несколько шагов, она села на большой камень и уткнулась лицом в колени, вздрагивая всем телом, — Гарри знал, что она плачет. Надо бы, наверное, подойти к ней, утешить, но Гарри стоял как прикованный. Внутри у него словно все смерзлось; он снова видел перед собой презрительное лицо Рона. Он большими шагами двинулся по кругу, в центре которого убивалась Гермиона, — Гарри наводил защитные заклинания, какие обычно устанавливала она.

Следующие несколько дней они вообще не говорили о Роне. Гарри твердо решил, что никогда в жизни не произнесет больше его имени, а Гермиона как будто понимала, что заговаривать об этом бесполезно, хотя по ночам, когда она думала, что он уснул, Гарри слышал, как она всхлипывает. Сам он завел привычку вытаскивать потихоньку Карту Мародеров и рассматривать ее при свете волшебной палочки. Гарри ждал, когда в коридорах Хогвартса снова появится точка с именем Рона — это будет доказательством, что он благополучно вернулся в уютный замок под защитой своего чистокровного происхождения. Однако Рон не появлялся на Карте, и скоро уже Гарри доставал ее только ради того, чтобы смотреть на имя Джинни в спальне для девочек. Вдруг она почувствует сквозь сон силу его взгляда, вдруг каким-то образом догадается, что он думает о ней и надеется, что у нее все хорошо.

Днем они усердно пытались определить, где сейчас находится меч Гриффиндора, однако чем больше обсуждали, куда Дамблдор мог его запрятать, тем безнадежнее казались все эти разговоры. Гарри, сколько ни ломал голову, не мог вспомнить, чтобы Дамблдор хоть раз упоминал о возможном тайнике. Бывали минуты, когда Гарри и сам не знал, на кого злится больше — на Рона или на Дамблдора. «Мы думали, ты знаешь, что делаешь... Думали, Дамблдор тебе объяснил, что нужно делать... Мы думали, у тебя есть настоящий план!»

Невозможно скрывать от самого себя: Рон был прав — Дамблдор оставил его буквально с пустыми руками. Ну, отыскали они один крестраж, так и тот уничтожить не могут, а остальные крестражи по-прежнему совершенно недоступны. Отчаяние грозило захлестнуть его с головой. Гарри поражался, как у него хватило самонадеянности потащить с собой друзей в это бессмысленное путешествие неведомо куда. Он ничего не знал, ни о чем не имел ни малейшего представления и каждую минуту мучительно ждал, что Гермиона тоже скажет: с нее хватит, — и соберется уходить.

По вечерам они почти не разговаривали. Гермиона вынимала из сумочки портрет Финеаса Найджелуса и устанавливала его на стуле, прислонив к спинке, как будто он мог заполнить пустоту, образовавшуюся после ухода Рона. Несмотря на свои прежние громогласные уверения, что он никогда больше к ним не явится, Финеас Найджелус удостаивал их посещением каждые несколько дней с завязанными глазами — должно быть, не мог удержаться, рассчитывая хоть что-нибудь выведать. Гарри был ему даже рад: все-таки какое-никакое общество, даром что ехидное и зловредное. Они жадно ловили любые новости о том, что делается в Хогвартсе, хотя Финеас Найджелус был далеко не идеальным источником информации. Он искренне почитал Снегга — первого директора-слизеринца со времен самого Финеаса, поэтому Гарри с Гермионой приходилось следить за собой; при всяком критическом отзыве о Снегге или дерзком вопросе по его поводу Найджелус немедленно покидал картину.

Тем не менее кое-какие обрывки удавалось узнать. Снегг, как выяснилось, постоянно сталкивался с глухим сопротивлением части учеников. Джинни запретили прогулки в Хогсмид. Снегг возобновил старый указ Амбридж о запрете собираться вместе трем и более ученикам и об обязательной регистрации ученических организаций.

Из всего этого Гарри заключил, что Джинни, а с нею, возможно, и Полумна с Невиллом стараются возродить Отряд Дамблдора. Ему отчаянно, до ноющей боли в животе захотелось увидеть Джинни, но заодно с ней снова вспомнился Рон, потом Дамблдор и сам Хогвартс, по которому Гарри тосковал почти так же сильно, как по своей бывшей подружке. Пока Финеас рассказывал о выкрутасах Снегга, Гарри на секунду поддался безумию и подумал: не вернуться ли ему спокойно в школу, вместе со всеми сопротивляться Снеггову режиму, а тем временем у него будет еда, мягкая постель, и пускай другие все решают за него — в ту минуту это казалось самым желанным на свете. Однако после он вспомнил, что объявлен Нежелательным лицом номер один, что за его голову назначена награда в десять тысяч галеонов и соваться сейчас в Хогвартс было бы так же неосторожно, как явиться прямиком в Министерство магии. Финеас Найджелус невольно подчеркивал опасность, то и дело ненавязчиво пытаясь выяснить, где сейчас находятся Гарри и Гермиона. Каждый раз, как он это делал, Гермиона бесцеремонно заталкивала его в расшитую бисером сумочку, после чего Финеас неизменно пропадал на несколько дней.

Погода портилась, становилось все холоднее. Гарри и Гермиона не решались подолгу оставаться на одном месте, поэтому из южной части Англии, где разве что по ночам слегка подмораживало, им пришлось переместиться в другие районы. То их забрасывало в горы, где хлестали дожди вперемешку со снегом, то на болота, где палатку залило ледяной водой, то на крохотный островок посреди шотландского горного озера, где их за ночь засыпало снегом чуть ли не по самую крышу.

В окнах домов уже мигали огоньками рождественские елки, и наконец наступил вечер, когда Гарри снова отважился заговорить о единственном, на его взгляд, оставшемся направлении поисков. Они только что закончили необычно вкусный ужин: Гермиона в мантии-невидимке навестила ближайший супермаркет (причем добросовестно положила деньги в кассу), и Гарри надеялся, что она станет более сговорчивой, наевшись спагетти болоньезе и консервированных груш. Кроме того, он предусмотрительно предложил на пару часов отдохнуть от крестража, который висел теперь на спинке кровати.

— Гермиона?

— М-м?

Она устроилась в продавленном кресле со «Сказками барда Бидля» в руках. Гарри не мог себе представить, что еще можно выжать из несчастной книжонки, не такой уж, кстати, и толстой, но Гермиона, как видно, все пыталась что-то расшифровать — рядом с ней на ручке кресла лежал раскрытый «Словник чародея».

Гарри кашлянул. Точно так же он чувствовал себя несколько лет назад, когда собирался с духом, чтобы спросить профессора Макгонагалл, можно ли ему пойти в Хогсмид, хотя Дурсли так и не согласились подписать для него разрешение.

— Гермиона, я тут подумал...

— Гарри, ты можешь мне помочь?

Она явно его не слышала. Гермиона наклонилась вперед и протянула ему книгу.

— Посмотри вот на этот символ. — Она ткнула пальцем в страницу. Вверху располагался, должно быть, заголовок очередной сказки (хотя у Гарри не было полной уверенности, поскольку он не умел читать руны), а над ним было изображено нечто вроде треугольного глаза, зрачок которого пересекала вертикальная черта.

— Гермиона, я же не изучал древние руны.

— Знаю, но это не руна, и в «Словнике» ее нет. Я думала, это просто глаз нарисован, а теперь что-то сомневаюсь. Смотри: знак выполнен чернилами, кто-то его нарисовал в уже готовой книжке. Вспомни, ты никогда не видел его раньше?

— Да нет... Нет, погоди-ка! — Гарри присмотрелся поближе. — Это вроде тот самый символ, который был на шее у отца Полумны?

— Вот и я то же самое подумала!

— Значит, это знак Грин-де-Вальда.

Гермиона уставилась на него, разинув рот.

— Что?!

— Мне Крам рассказывал...

Гарри пересказал свой разговор с Виктором Крамом на свадьбе Билла и Флер. Гермиона была потрясена.

— Символ Грин-де-Вальда?

Она переводила взгляд с Гарри на загадочный знак и обратно.

— Не слышала, чтобы у Грин-де-Вальда был какой-то особый символ. Ни в одной книге об этом не упоминается.

— Ну, я же говорю, Крам сказал, что такой же знак вырезан на стене в Дурмстранге и что оставил его там Грин-де-Вальд.

Гермиона, нахмурившись, откинулась на спинку кресла:

— Очень странно... Если это — символ темной магии, что он делает в детской книге сказок?

— Да, загадка, — согласился Гарри. — Казалось бы, Скримджер должен был его заметить. Министр обязан разбираться во всяких темных делах.

— Знаю... Может, он тоже подумал, что это просто глаз? У всех других сказок есть такие маленькие картиночки над заголовком.

Она умолкла, сосредоточенно разглядывая непонятный знак. Гарри сделал еще одну попытку.

— Гермиона!

— М-м?

— Я тут подумал... Я хочу побывать в Годриковой Впадине.

Гермиона посмотрела на него как-то отрешенно, наверное, все еще размышляя о таинственном символе из книги.

— Да, — произнесла она. — Да, я тоже об этом думала. Я тоже так считаю.

— Ты хоть слышала, что я сказал?

— Конечно. Ты хочешь побывать в Годриковой Впадине. Я согласна с тобой. В смысле, я тоже не представляю, где еще он может быть. Это рискованно, однако чем больше я думаю, тем более вероятным мне кажется, что он там.

— Э-э... кто — он? — удивился Гарри.

Гермиона посмотрела на него с не меньшим недоумением.

— Да меч, конечно! Дамблдор наверняка знал, что ты захочешь туда вернуться, и потом, все-таки Годрик Гриффиндор там родился...

— Правда? Гриффиндор родился в Годриковой Впадине?

— Гарри, ты вообще хоть раз открывал «Историю магии»?

— Э-э-э... — ответил он, улыбаясь, кажется, в первый раз за несколько месяцев; лицевые мышцы уже отвыкли от такого выражения. — Может, и открывал разок, когда покупал... но не больше того.

— Ну, знаешь, мог бы и догадаться, раз деревня названа его именем, — отрезала Гермиона совсем прежним тоном. Гарри уже ждал, что она сейчас отправит его в библиотеку. — Вот подожди, в «Истории магии» об этом кое-что рассказывается...

Она принялась копаться в бисерной сумочке и наконец извлекла оттуда старый школьный учебник — «Историю магии» Батильды Бэгшот — и отыскала нужную страницу.

— «После принятия в 1689 году Статута о секретности волшебники перешли на скрытный образ жизни. Внутри существующих поселений естественным путем возникали маленькие магические сообщества. В небольших деревушках зачастую селились по нескольку волшебных семей, поддерживая и защищая друг друга. Широко известны такие поселения, как Тинворт в Корнуолле, Аппер-Фледжли в Йоркшире и Оттери-Сент-Кэчпоул на южном побережье Англии, где волшебники жили бок о бок с маглами, проявлявшими терпимость или же подвергнутыми заклятию Конфундус. Среди таких полумагических поселений, вероятно, больше всего прославилась Годрикова Впадина в одном из юго-западных графств. Здесь родился великий волшебник Годрик Гриффиндор, и здесь же маг и кузнец Боумен Райт выковал первый золотой снитч. На местном кладбище можно увидеть множество старинных магических фамилий; несомненно, именно этим объясняется обилие рассказов о привидениях, уже много столетий обитающих поблизости от маленькой церквушки».

Ты и твои родители не упомянуты, — сказала Гермиона, захлопывая книгу, — потому что профессор Бэгшот рассматривает только период до конца девятнадцатого века, но ты же видишь? Годрикова Впадина, Годрик Гриффиндор, меч Гриффиндора... Наверное, Дамблдор ожидал, что ты догадаешься?

— Ага...

Гарри не хотелось признаваться, что, предлагая отправиться в Годрикову Впадину, он и думать не думал о мече. Его тянуло туда совсем другое: могилы родителей, дом, где он чудом спасся от смерти, и Батильда Бэгшот.

В конце концов он спросил:

— Помнишь, что говорила Мюриэль?

— Кто?

— Ну, эта... — Гарри запнулся, ему не хотелось упоминать Рона. — Двоюродная бабушка Джинни. Которая сказала, что у тебя костлявые лодыжки.

— А-а, — отозвалась Гермиона.

Момент был щекотливый. Гарри знал, что она почуяла отзвук имени Рона, и торопливо продолжил:

— Мюриэль сказала, что Батильда Бэгшот и сейчас еще живет в Годриковой Впадине.

— Батильда Бэгшот... — пробормотала Гермиона, водя пальцем по рельефно исполненному имени Батильды на обложке «Истории магии». — Ну что ж, пожалуй...

Она внезапно ахнула, да так, что у Гарри все внутри оборвалось; он выхватил волшебную палочку и обернулся, готовый увидеть, как из-под входного клапана высовывается чья-то рука, но там ничего не было.

— Что? — спросил он, наполовину испуганно, наполовину с облегчением. — Ты больше так не делай! Я уж думал, к нам в палатку лезут Пожиратели смерти, не иначе...

— Гарри, а что, если меч у Батильды?! Что, если Дамблдор отдал его ей на хранение?

Гарри задумался. Батильда сейчас, должно быть, уже очень старая и, если верить Мюриэль, «выжила из ума».

Неужели Дамблдор доверил бы ей волшебный меч? А если так, то не слишком ли он полагался на случайности? Ведь Дамблдор не сказал Гарри, что заменил меч подделкой, и ни словом не обмолвился о своей дружбе с Батильдой. Впрочем, момент был не самый подходящий, чтобы подвергать сомнениям теорию Гермионы, которая так неожиданно совпала с заветным желанием Гарри.

— Ага, мог и отдать! Ну что, двинем в Годрикову Впадину?

— Да, только нужно все как следует продумать.

Гермиона расправила плечи. Было видно, что перспектива снова действовать по плану воодушевила ее не меньше, чем Гарри.

— Первым делом нужно потренироваться, чтобы трансгрессировать вместе под мантией-невидимкой, и, пожалуй, стоило бы отработать Дезиллюминационное заклинание, или уж не мелочиться и сразу воспользоваться оборотным зельем, как ты считаешь? Тогда нужно раздобыть чьи-нибудь волосы. Знаешь, Гарри, наверное, так мы и сделаем, вернее будет...

Гарри не перебивал, кивал головой и соглашался, но мысли его были далеко. Он испытывал душевный подъем, в первый раз с тех пор, как узнал, что меч, хранящийся в «Гринготтсе», — подделка.

Скоро он вернется домой, туда, где когда-то жила его семья. Если бы не Волан-де-Морт, он рос бы в Годриковой Впадине, приезжал бы туда на каникулы, приглашал друзей погостить... У него могли быть братья и сестры... Праздничный пирог ему на семнадцатилетие испекла бы мама, а не кто-то другой... Жизнь, которую отняли у него, никогда не казалась такой реальной, как сейчас, когда он собирался увидеть место, где лишился всего этого. Вечером, когда Гермиона легла спать, Гарри тихонько вытащил из расшитой бисером сумочки свой рюкзак, а из рюкзака — альбом с фотографиями, подаренный ему Хагридом много лет назад. Он уже несколько месяцев не смотрел на старые фотографии, с которых улыбались и махали ему папа и мама. Больше у Гарри ничего от них не осталось.

Гарри был бы рад назавтра же помчаться в Годрикову Впадину, однако Гермиона решила иначе. Она не сомневалась, что Волан-де-Морт рассчитывает на возвращение Гарри к месту гибели его родителей, и настаивала на тщательной маскировке. Целую неделю они отрабатывали трансгрессию с мантией-невидимкой, тайком добыли волосы у двоих ничего не подозревающих маглов, совершавших рождественские покупки, и только тогда Гермиона согласилась отправиться в путь.

Они собирались явиться в Годрикову Впадину под покровом темноты, поэтому приняли Оборотное зелье, когда уже смеркалось. Гарри превратился в лысоватого пожилого магла, а Гермиона — в его худенькую, похожую на мышку жену. Бисерную сумочку со всеми их пожитками (кроме крестража, висевшего у Гарри на шее) Гермиона засунула во внутренний карман пальто, застегнутого на все пуговицы. Гарри накинул на них обоих мантию-невидимку, и они провалились в знакомую удушливую тьму.

Чувствуя, как сердце колотится где-то в горле, Гарри открыл глаза. Они с Гермионой стояли, держась за руки, посреди заснеженной дороги. В темно-синем небе слабо мерцали первые звезды. По сторонам узенькой улочки виднелись домики, украшенные к Рождеству. Чуть впереди золотистый свет уличных фонарей указывал центральную площадь деревушки.

— Сколько снега! — прошептала Гермиона под мантией. — Как же мы не подумали? Столько старались, наводили маскировку, а теперь за нами останутся следы! Придется заметать. Я этим займусь, ты иди первым.

Гарри совсем не улыбалось вступить в деревню на манер лошади из пантомимы, стараясь не высунуться из-под мантии и одновременно уничтожая следы.

— Давай снимем мантию, — предложил он.

Гермиона перепугалась, но Гарри сказал:

— Да ладно тебе, мы все равно на себя непохожи, и кто нас тут вообще увидит? Никого же нет!

Он затолкал мантию за пазуху, и они пошли вперед. Морозный воздух обжигал лицо. Любой из коттеджей, мимо которых они проходили, мог оказаться тем самым, где когда-то жили Джеймс и Лили, а может быть, сейчас жила Батильда. Гарри разглядывал парадные двери, засыпанные снегом крыши и крылечки и пытался понять, помнит ли он их, зная в глубине души, что это невозможно, ведь ему едва исполнился год, когда его забрали отсюда. Он даже не был уверен, можно ли еще увидеть их прежний дом. Гарри не знал, что происходит после смерти людей, на которых было наложено заклятие Доверия. Вдруг улочка свернула влево, и перед Гарри с Гермионой открылась уютная деревенская площадь.

Вся она была увешана гирляндами разноцветных фонариков, посередине высился обелиск, его частично заслоняла покачивавшаяся на ветру рождественская ель. Рядом виднелись несколько магазинчиков, почта и паб; на дальней стороне площади драгоценными каменьями сияли цветные витражи в окнах маленькой церкви.

Ноги скользили на плотно утоптанном за день снегу. Через площадь спешили во всех направлениях жители деревни, мелькая в свете уличных фонарей. Когда открывалась дверь паба, оттуда доносились музыка и смех; из церквушки послышался рождественский хорал.

— Гарри, а ведь сегодня сочельник! — воскликнула Гермиона.

— Разве?

Гарри давно потерял счет времени. Они уже несколько недель не видели газет.

— Точно, сочельник, — сказала Гермиона, не отрывая взгляда от церкви. — Они... они, наверное, там, да? Твои мама и папа... Вон кладбище, за церковью.

Гарри охватило чувство, скорее похожее на страх. Оказавшись так близко к цели, он уже не знал, хочет ли в самом деле увидеть их могилы. Гермиона, видно, почувствовала, что с ним происходит, — она схватила его за руку и потянула вперед, в первый раз взяв на себя инициативу. Посреди площади она вдруг остановилась.

— Гарри, смотри!

Гермиона показывала на обелиск. Стоило им приблизиться, как он преобразился. Вместо стелы с множеством имен перед ними возникла скульптура. Трое людей: взлохмаченный мужчина в очках, женщина с длинными волосами и младенец у нее на руках. На головах у всех троих белыми пушистыми шапками лежал снег.

Гарри подошел вплотную, вглядываясь в лица родителей. Он и представить себе не мог, что им поставлен памятник... Так странно было видеть самого себя в виде каменного изваяния. Счастливый, веселый малыш без шрама на лбу...

— Пошли, — буркнул Гарри, насмотревшись, и они снова повернули к церкви.

Переходя через дорогу, Гарри оглянулся через плечо — статуи опять превратились в обелиск.

Ближе к церкви пение слышалось громче. У Гарри перехватило горло, ему так ярко вспомнился Хогвартс: Пивз, распевающий похабные песенки на мотив хоралов, прячась в пустых доспехах, двенадцать рождественских елей в Большом зале, Дамблдор в шляпе с цветами, которую он достал из хлопушки, Рон в свитере ручной вязки...

На кладбище вела узенькая калитка. Гермиона как можно тише отворила ее, и они с Гарри протиснулись внутрь. По обе стороны скользкой дорожки перед входом в церковь лежали сугробы нетронутого снега. Гарри и Гермиона обошли здание кругом, оставляя за собой глубокие борозды и стараясь держаться в тени под ярко освещенными окнами.

За церковью тянулись ряды надгробий, укрытых голубоватым снежным одеялом в крапинках алых, золотых и зеленых искр от озаренных витражей. Гарри подошел к ближайшей могиле, стискивая волшебную палочку в кармане куртки.

— Смотри, здесь какой-то Аббот — может быть, дальний родственник Ханны!

— Тише ты! — шикнула Гермиона.

Они побрели дальше среди могил, увязая в снегу, нагибаясь, чтобы рассмотреть надписи на старых надгробиях, то и дело всматриваясь в темноту — не следит ли кто за ними.

— Гарри, сюда!

Гермиона отстала от него на два ряда; проваливаясь в снег, Гарри вернулся к ней. Сердце тяжело бухало в груди.

— Они?

— Нет, но ты посмотри!

Она показывала на темный надгробный камень. Гарри наклонился и разглядел на мерзлом, в пятнах лишайника граните надпись «Кендра Дамблдор», даты рождения и смерти, а чуть пониже «и ее дочь Ариана». Еще на камне было выбито изречение из Библии: «Где сокровище ваше, там будет и сердце ваше».

Значит, Рита Скитер и Мюриэль не совсем переврали факты. Дамблдоры действительно жили здесь, а некоторые и умирали.

Увидеть могилу своими глазами было хуже, чем просто услышать обо всем. Гарри невольно подумал, что у них обоих с Дамблдором глубокие корни на этом кладбище, а ведь Дамблдор и не подумал рассказать ему об этом. Они могли вместе навещать могилы своих родных. Ему вдруг представилось, как они с Дамблдором приходят сюда вдвоем. Как это объединило бы их, как важно было бы для Гарри! Но для Дамблдора, как видно, ровно ничего не значило, что близкие им люди лежат на одном и том же кладбище, — так, пустячное совпадение, никак не связанное с задачей, которую он предназначил Поттеру.

Гермиона наблюдала за Гарри, и он был рад, что его лицо оказалось в тени. Он еще раз прочел надпись на надгробии: «Где сокровище ваше, там будет и сердце ваше». Он не мог понять, что означают эти слова. Наверное, их выбирал сам Дамблдор, оставшийся главой семьи после смерти матери.

— А он точно не говорил... — начала Гермиона.

— Нет, — отрезал Гарри. — Давай искать дальше.

Он отвернулся, жалея, что увидел этот камень; неприятно было замутнять обидой минуту высокого волнения.

Почти сразу Гермиона снова позвала из темноты:

— Сюда! Ой, нет, прости. Мне показалось, что тут написано «Поттер».

Она смахнула снег с потрескавшегося замшелого камня, присмотрелась, нахмурив брови.

— Гарри, подойди-ка на минуточку.

Он не хотел опять отвлекаться и полез по снегу крайне недовольный.

— Что?

— Гляди!

Могила была очень старая, запущенная, Гарри с трудом разобрал имя. Гермиона указала на символ, выбитый чуть ниже.

— Гарри, это тот знак из книги!

Гарри вгляделся: изображение сильно стерлось, имя почти не читается, но вроде там действительно что-то вроде треугольника.

— Ну да... может быть...

Гермиона зажгла огонек на конце волшебной палочки и осветила имя на надгробии.

— Тут написано Иг... Игнотус, кажется.

— Я пойду поищу родителей, ладно? — сказал Гарри не без яда и двинулся дальше, а Гермиона так и осталась стоять, согнувшись над заброшенной могилой.

То и дело ему попадались знакомые по Хогвартсу фамилии вроде Аббот. Иногда рядом оказывались несколько поколений одной и той же семьи — судя по датам, можно было предположить, что тот или иной род прервался или переехал из Годриковой Впадины. Гарри уходил все дальше среди могил и каждый раз, приближаясь к очередному надгробию, замирал от волнения и ожидания.

Темнота и тишина вдруг словно сделались глубже. Гарри огляделся, невольно подумав о дементорах, но тут же сообразил, что пение в церкви смолкло, болтовня прихожан затихает вдали, на деревенской площади. Кто-то погасил огни в храме.

В третий раз из темноты донесся звонкий голос Гермионы:

— Гарри, они здесь... совсем рядом.

Гарри понял по интонации, что на этот раз там его папа и мама. Он пошел на голос, чувствуя, что какая-то тяжесть сдавила грудь. Такое же чувство было у него, когда умер Дамблдор, — горе физически тяжелым грузом придавило сердце и легкие.

Могила оказалась всего через два ряда от Кендры и Арианы. Надгробие было из белого мрамора, как и у Дамблдоров, оно словно светилось в темноте, так что читать было легко. Гарри не пришлось опускаться на колени, ни даже наклоняться, чтобы прочесть выбитые в камне слова.

Джеймс Поттер. 27 марта 1960 года — 31 октября 1981 года
Лили Поттер. 30 января 1960 года — 31 октября 1981 года
Последний же враг истребится — смерть.

Гарри читал медленно, словно у него больше не будет возможности понять смысл надписи. Последние слова он произнес вслух.

— «Последний же враг истребится — смерть»... — Жуткая мысль вдруг обдала его холодом. — Это ведь лозунг Пожирателей смерти! Почему он здесь?

— Тут совсем не тот смысл, что у Пожирателей смерти, Гарри, — мягко сказала Гермиона. — Имеется в виду... ну, ты знаешь... жизнь после смерти.

«Но они не живые, — подумал Гарри. — Их нет!» Пустые слова не могут изменить того, что бренные останки его родителей лежат здесь, под снегом и камнем, ничего не ведающие, ко всему равнодушные. Вдруг полились слезы, он не успел их удержать; горячие, обжигающие, они мгновенно замерзали на щеках и не было смысла вытирать их. Пусть текут, что толку притворяться? Гарри стиснул губы, уставившись на снег, скрывающий место последнего упокоения Лили и Джеймса. Теперь от них остались только кости или вовсе прах, они не знают и не волнуются о том, что их живой сын стоит здесь, так близко, и его сердце все еще бьется благодаря их самопожертвованию, хотя он уже готов пожалеть, что не спит вместе с ними под занесенной снегом землей.

Гермиона взяла его руку и крепко сжала. Он не мог на нее смотреть, только сжал ей руку в ответ и судорожно глотнул ночной воздух, изо всех сил стараясь снова овладеть собой. Нужно было что-нибудь им принести, как же это он не подумал, а тут, на кладбище, кругом только голые, замерзшие ветки. Но Гермиона повела волшебной палочкой, и перед ними расцвел венок рождественских роз. Гарри подхватил его и положил на могилу.

Как только выпрямился, сразу захотелось уйти; он ни минуты больше не мог здесь выдержать. Гарри положил руку Гермионе на плечи, а она обхватила его за талию, и оба молча пошли прочь, по глубокому снегу, мимо матери Дамблдора и его сестры, мимо темной и тихой церкви к узенькой, невидимой вдали калитке.

Глава 17

СЕКРЕТ БАТИЛЬДЫ

— Гарри, стой!

— В чем дело?

Они только что поравнялись с могилой неведомого Аббота.

— Там кто-то есть! Кто-то на нас смотрит, я чувствую. Вон там, где кусты.

Они застыли на месте, держась друг за друга и всматриваясь в плотную черноту, окаймляющую кладбище. Гарри ничего не мог разглядеть.

— Ты уверена?

— Я видела, там что-то шевелилось, слово даю...

Она высвободила руку с волшебной палочкой.

— Мы же вроде маглы, — напомнил ей Гарри.

— Ага, маглы, которые только что положили цветы на могилу твоих родителей! Гарри, там точно кто-то есть.

Гарри вспомнил «Историю магии» — считается, что на кладбище обитают привидения. Что, если... Но тут он услышал шорох и увидел, как с потревоженной ветки куста осыпается снег. Призраки не могут передвигать снег.

— Кошка, — решил Гарри, подождав еще пару секунд, — или птица. Будь там Пожиратель смерти, мы были бы уже мертвы. Все равно пошли отсюда и давай наденем мантию-невидимку.

Уходя с кладбища, они постоянно оглядывались. Гарри на самом деле чувствовал себя совсем не так оптимистично, как старался показать Гермионе, и был очень рад наконец добраться до калитки и ступить на скользкую мостовую. Они опять накинули на себя мантию. В пабе толпилось еще больше народу, чем раньше; там дружно распевали тот же самый хорал, который звучал в церкви. Гарри подумал было, не укрыться ли им в пабе, но не успел ничего сказать, как Гермиона прошептала: «Сюда», — и потянула его в темную улочку, ведущую к окраине деревни в направлении, противоположном тому, откуда они прибыли. Уже было видно, где кончаются дома и дорога выходит на открытое место. Гарри с Гермионой прибавили шагу. В окнах домов сверкали разноцветные огни, на занавесках виднелись силуэты рождественских елок.

— Как нам найти дом Батильды? — спросила Гермиона. Она чуть-чуть дрожала и все время оглядывалась через плечо. — Гарри, ты как думаешь? Гарри!

Она дернула его за рукав, но Гарри не слушал. Он не мог отвести взгляда от темной массы в самом конце ряда домов. Вдруг он рванулся вперед, волоча за собой Гермиону; она то и дело поскальзывалась на льду.

— Гарри...

— Смотри... Гермиона, смотри!

— Я ничего не... Ой!

Очевидно, заклятие Доверия умерло вместе с Джеймсом и Лили. Живая изгородь успела здорово разрастись за шестнадцать лет, прошедших с того дня, когда Хагрид забрал маленького Гарри из развалин, что лежали среди высокой, по пояс, травы. Большая часть коттеджа устояла, хоть и была сплошь оплетена плющом и покрыта снегом, но правую часть верхнего этажа снесло начисто; Гарри был уверен, что именно там ударило отраженное заклятие. Они с Гермионой стояли у калитки и смотрели, запрокинув головы, на разрушенный дом, который когда-то, наверное, не отличался от соседних коттеджей.

— Не понимаю, почему его не отстроили заново? — шепнула Гермиона.

— Может, его нельзя отстроить? — ответил Гарри. — Может, это как раны, нанесенные темной магией, их ведь нельзя исцелить.

Он высунул руку из-под мантии-невидимки и взялся за ржавую, запорошенную снегом калитку — не для того, чтобы открыть, а просто чтобы коснуться хоть части этого дома.

— Ты же не пойдешь внутрь? По-моему, это опасно, он может... Ой, Гарри, смотри!

Должно быть, прикосновение Гарри привело в действие чары. Над калиткой возникла вывеска, поднявшись из зарослей крапивы и сорной травы, словно странный быстрорастущий цветок. Золотые буквы на деревянной доске гласили:

Здесь в ночь на 31 октября 1981 года
были убиты Лили и Джеймс Поттер.
Их сын Гарри стал единственным волшебником в мире,
пережившим Убивающее заклятие.
Этот дом, невидимый для маглов, был оставлен
в неприкосновенности как памятник Поттерам
и в напоминание о злой силе,
разбившей их семью.

Вокруг аккуратно выведенных строчек доска была сплошь исписана. Здесь приложили руку множество волшебников и волшебниц, приходивших почтить место, где избежал смерти Мальчик, Который Выжил. Кто-то просто расписался вечными чернилами, кто-то вырезал в деревянной доске свои инициалы, многие оставили целые послания. Более свежие выделялись на фоне наслоений магических граффити, скопившихся за шестнадцать лет, а содержание было у всех примерно одно и то же.

«Удачи тебе, Гарри, где бы ты ни был!», «Если ты читаешь это, Гарри, мы с тобой!», «Да здравствует Гарри Поттер!».

— Свинство — портить вывеску! — возмутилась Гермиона.

Но Гарри так и сиял.

— Это же здорово! Мне нравится, что они так написали. Я...

Он резко умолк. К ним приближалась, ковыляя, тепло укутанная фигура. Она выделялась четким силуэтом в отсветах фонарей с центральной площади деревни. Похоже было, что это женщина, хотя судить было трудно. Она двигалась медленно — возможно, боялась поскользнуться на утоптанном снегу. Сгорбленная спина, грузное тело, шаркающая походка — все говорило о глубокой старости. Гарри и Гермиона молча стояли, набюдая, как она подходит ближе. Гарри ждал, что старуха свернет к какому-нибудь коттеджу, однако в глубине души инстинктивно чувствовал, что она этого не сделает. Старуха остановилась за несколько шагов от них и застыла столбом посреди дороги.

Гермиона могла бы и не щипать Гарри за руку, он и так понимал, что старуха вряд ли из маглов. Она смотрела прямо на дом, невидимый для всех, кроме волшебников. Пусть даже она волшебница, все равно довольно странно выходить из дому морозной зимней ночью только ради того, чтобы полюбоваться на развалины. Между тем их с Гермионой видеть она не могла, по всем законам нормальной магии. И все же у Гарри было необъяснимое чувство, что она точно знает, где они. Только эта тревожная мысль мелькнула у него в мозгу, старуха подняла руку в перчатке и поманила его.

Гермиона теснее прижалась к нему под мантией:

— Откуда она знает?

Гарри покачал головой. Старуха поманила снова, с удвоенной энергией. Гарри мог бы придумать множество причин, почему откликаться не следует, но подозрения по поводу того, кто такая эта старуха, становились сильнее с каждой секундой, пока они стояли друг против друга посреди пустынной улицы.

Неужели она их дожидалась все эти долгие месяцы? Неужели Дамблдор велел ей ждать, предупредив, что Гарри обязательно придет? Может, это она и пряталась в тени кустов на кладбище, а потом пришла за ними сюда? Даже то, что она почуяла его под мантией-невидимкой, говорит о способностях вроде Дамблдоровых. Раньше Гарри никогда с таким не сталкивался.

Наконец Гарри заговорил — Гермиона даже подпрыгнула от неожиданности.

— Вы Батильда?

Закутанная фигура кивнула и снова поманила пальцем.

Гарри и Гермиона переглянулись под мантией. Гарри вопросительно поднял брови, Гермиона тревожно кивнула.

Они сделали шаг, и старуха тут же заковыляла прочь, туда, откуда они пришли. Миновав несколько домов, она свернула в калитку. Гарри и Гермиона прошли следом за ней через сад, почти такой же заросший, как и тот, на который они только что смотрели. Повозившись с ключом, старуха открыла дверь и отступила, пропуская их вперед.

От нее скверно пахло, а может, это от дома. Гарри сморщил нос, боком протискиваясь в дверь и стягивая мантию-невидимку. Оказавшись рядом со старухой, он заметил, какая она низенькая; согнутая от старости, она была ему по грудь. Старуха закрыла за ними дверь — синеватые костяшки пальцев резко выделялись на фоне осыпающейся краски — и уставилась Гарри в лицо. Глаза ее, затянутые бельмами, прятались в складках полупрозрачной кожи, лицо было все в красных прожилках сосудов и старческих пигментных пятнах. Непонятно, могла ли она что-нибудь вообще видеть, а если и могла, то разве что лысеющего магла, чью украденную личину носил сегодня Гарри.

Старуха размотала побитую молью черную шаль, открыв реденькие белые волосы, сквозь которые просвечивала кожа. Запах старости, пыли и немытого тряпья стал еще сильнее.

— Батильда? — повторил Гарри.

Она опять кивнула. Гарри вдруг почувствовал, как ожил медальон у него на груди, сквозь холодное золото ощущался пульс. Может быть, то, что скрывается внутри, почуяло угрозу?

Батильда, волоча ноги, прошла мимо них, толкнув по дороге Гермиону, как будто не видела ее, и скрылась в комнате — надо полагать, гостиной.

— Гарри, что-то я сомневаюсь, — зашептала Гермиона.

— Смотри, какая она мелкая. Если что, мы с ней уж как-нибудь справимся, — ответил Гарри. — Слушай, я тебе не говорил, она немного не в себе. Мюриэль сказала, что она выжила из ума.

— Иди сюда! — позвала Батильда из-за двери.

Гермиона дернулась и схватила Гарри за руку.

— Все нормально, — успокоил он ее и первым вошел в гостиную.

Батильда ковыляла по комнате, зажигая свечи, но все-таки здесь было очень темно, не говоря уже о том, что безумно грязно. Под ногами скрипел толстый слой пыли, а нос Гарри различил, кроме запаха затхлости и плесени, нечто гораздо худшее, вроде протухшего мяса. Да когда же в последний раз к Батильде кто-нибудь заглядывал поинтересоваться, не нужна ли ей помощь? Она, кажется, напрочь забыла, что владеет магией, — свечи зажигала неуклюже, одной рукой, рискуя поджечь обвисшую кружевную манжету.

— Давайте я, — предложил Гарри, отбирая у нее спички.

Батильда молча смотрела, как он зажигает свечные огарки, расставленные на блюдечках по всей комнате, на шатких стопках книг и на чайных столиках среди растрескавшихся плесневелых чашек.

Последнюю свечку Гарри обнаружил на пузатом комодике, где теснились фотографии. Вспыхнул огонек, отражение заплясало в пыльных стеклах и на потускневших серебряных рамках. Изображения на снимках чуть заметно зашевелились. Пока Батильда возилась с дровами у очага, Гарри прошептал:

— *Тергео!*

Пыль с фотографий исчезла, и сразу стало видно, что с полдюжины самых больших и вычурных рамок пусты. Интересно, кто вынул фотографии — сама Батильда или кто-нибудь другой? Тут Гарри бросился в глаза один снимок, стоявший сзади. Он схватил фотографию.

Из рамки на Гарри смотрел, лениво улыбаясь, веселый вор с золотыми волосами, сидевший когда-то на корточках на подоконнике в мастерской Грегоровича. И тут Гарри вспомнил, где он видел это лицо, — в книге «Жизнь и обманы Альбуса Дамблдора», рука об руку с молодым Дамблдором. Там же, наверное, и все остальные фотографии, Рита Скитер их прибрала.

— Миссис... мисс Бэгшот! — окликнул Гарри слегка дрожащим голосом. — Кто это?

Батильда стояла посреди комнаты и смотрела, как Гермиона разводит огонь в очаге.

— Мисс Бэгшот? — повторил Гарри, подходя к ней с фотографией.

В камине вспыхнуло пламя. Батильда оглянулась на голос, и крестраж забился чаще у Гарри на груди.

— Кто этот человек? — спросил Гарри, сунув фотографию ей под нос.

Старуха молча воззрилась на снимок, потом на Гарри.

— Вы знаете, кто это? — повторил он очень громко и раздельно. — Этот человек? Вы его знаете? Как его зовут?

Батильда тупо смотрела на Гарри. Он почувствовал глухое отчаяние. И как это Рита сумела ее разговорить?

— Кто этот человек? — громко повторил он.

— Гарри, что ты делаешь? — спросила Гермиона.

— Тут на фотографии тот самый вор, ну, который украл что-то из мастерской Грегоровича! Пожалуйста, вспомните! — взмолился он. — Кто это?

Старуха все так же молча смотрела на него.

— Зачем вы позвали нас, миссис... мисс Бэгшот? — спросила Гермиона, тоже повысив голос. — Вы что-то хотели нам рассказать?

Батильда словно и не слышала Гермиону. Она, шаркая, подступила к Гарри и движением головы указала на дверь.

— Вы хотите, чтобы мы ушли? — спросил Гарри.

Она повторила свой жест, однако на этот раз ткнула пальцем сперва в него, потом в себя, потом в потолок.

— А, понял... Гермиона, по-моему, она хочет, чтобы я поднялся с ней наверх.

— Ладно, пошли, — сказала Гермиона.

Но стоило Гермионе двинуться с места, Батильда на удивление энергично затрясла головой и снова указала на себя и на Гарри.

— Она хочет, чтобы я пошел с ней один.

— Почему это? — резко спросила Гермиона. Ее голос звонко разнесся по освещенной свечами комнате. Старуха качнула головой от громкого звука.

— Может, Дамблдор не велел ей давать меч никому, кроме меня?

— Ты думаешь, она на самом деле знает, кто ты?

— Да, — ответил Гарри, глядя сверху вниз в обращенные к нему белые глаза. — Думаю, знает.

— Ну хорошо, только возвращайся поскорее, Гарри.

— Ведите, — сказал Гарри Батильде.

Она как будто поняла, во всяком случае, заковыляла к двери. Гарри оглянулся и ободряюще улыбнулся Гермионе, хоть и не был уверен, что она это видела. Она стояла, обхватив себя руками, посреди озаренного свечами запустения и не отрывала взгляда от книжного шкафа. Выходя из комнаты, Гарри незаметно сунул за пазуху фотографию незнакомого вора в серебряной рамке.

Лестница была крутая и узкая, Гарри посетило искушение подпереть руками мощный зад Батильды, нависавший у него над головой, чтобы она ненароком не рухнула на него. Медленно, с хрипом дыша, старуха взобралась по ступенькам, на площадке свернула направо и провела Гарри в спальню с низким потолком.

Здесь было черно, хоть глаз выколи, и пахло совсем ужасно. Гарри разглядел выступающий из-под кровати ночной горшок, но тут Батильда закрыла дверь, и комната погрузилась в непроглядный мрак.

— *Люмос!* — произнес Гарри. Волшебная палочка засветилась, и Гарри вздрогнул: за короткие мгновения темноты старуха успела подойти к нему вплотную, а он ничего не услышал.

— Ты Поттер? — прошептала она.

— Да.

Она кивнула, медленно и торжественно. Крестраж на груди у Гарри бился часто-часто, чаще, чем его собственное сердце. Ощущение было неприятное, тревожащее.

— У вас есть что-нибудь для меня? — спросил Гарри, но старуху, похоже, отвлекал огонек на конце волшебной палочки. — У вас есть что-нибудь для меня? — повторил Гарри.

Тогда старуха закрыла глаза, и тут случилось сразу много разных вещей. Шрам кольнуло болью, крестраж забился с такой силой, что приподнял свитер. Темная, душная комната на мгновение словно растаяла, Гарри ощутил вспышку дикой радости и высоким, холодным голосом проговорил: «Взять его!»

Гарри шатнуло. Тесная, вонючая комната снова сомкнулась вокруг него; он не мог понять, что с ним было.

— У вас есть что-нибудь для меня? — спросил он в третий раз, еще громче.

— Там, — шепнула она, указывая в угол.

Гарри поднял волшебную палочку и увидел смутные очертания захламленного туалетного столика возле окна.

На этот раз Батильда не захотела его вести. Гарри протиснулся между нею и разобранной постелью, высоко подняв волшебную палочку и стараясь не упускать старуху из виду.

— Что это? — спросил он, добравшись до столика, на котором было навалено какое-то вонючее тряпье.

— Там, — сказала Батильда, указывая на бесформенную груду.

Гарри на мгновение отвел глаза, отыскивая взглядом украшенную рубинами рукоять меча. Старуха сделала какое-то стремительное движение, Гарри уловил это краем глаза, испуганно обернулся и застыл от ужаса: дряхлое тело осело на пол, а из ворота платья, где только что была шея старухи, выползала громадная змея.

Змея ударила в ту секунду, когда он взмахнул волшебной палочкой. Палочка выскочила из ужаленной руки, крутясь, взлетела к самому потолку и погасла. Сильный удар хвостом в солнечное сплетение вышиб у Гарри весь воздух из легких, он повалился на туалетный столик, прямо в кучу грязных тряпок...

Он откатился и грохнулся на пол, едва увернувшись от огромного хвоста, который обрушился на столик в том месте, где секунду назад был Гарри. Его осыпало дождем осколков. С первого этажа донесся голос Гермионы:

— Гарри!

Он не мог ей ответить — не хватало воздуха. Тяжелая гладкая масса навалилась на него и придавила. Гарри чувствовал, как змея скользит по нему, мощная, мускулистая...

— Нет! — выдохнул он.

— Да, — прошелестел голос. — Да... держжжу... я тебя держжжуу...

— *Акцио... Акцио, волшебная палочка*!

Ничего не получалось, а он не мог освободить руки, которыми отталкивал змею, обернувшуюся кольцом вокруг него, выжимавшую из него дух с такой силой, что крестраж вдавился в тело, — кружок льда, пульсирующий собственной отдельной жизнью так близко к обезумевшему от страха сердцу, а разум затопила волна холодного белого света. Все мысли куда-то пропали, дыхание прервалось, в потоках ослепительного света потонули чьи-то далекие шаги и весь мир...

Металлическое сердце стучало у него на груди, он летел, летел на крыльях своего триумфа, не нуждаясь ни в метле, ни в фестралах...

Гарри вдруг очнулся в кисло пахнущей тьме. Нагайна отпустила его. Он вскочил и увидел силуэт змеи на фоне освещенной лестничной площадки. Змея метнулась вперед, Гермиона с криком отскочила; отраженное заклятие ударило в занавешенное окно, и стекло разлетелось вдребезги. В комнату хлынул морозный воздух. Гарри пригнулся, уклоняясь от нового ливня осколков, под ногу ему попало что-то вроде карандаша... волшебная палочка!

Гарри схватил ее, но змея уже вползала в комнату, молотя своим страшным хвостом. Гермионы не было видно, и Гарри подумал было самое худшее, и тут раздался громкий треск, мелькнула красная вспышка, змея взметнулась в воздух, задев Гарри по лицу. Одно за другим разворачивались тяжелые кольца — вверх, вверх, к самому потолку. Гарри взмахнул волшебной палочкой, и вдруг шрам пронзило болью такой силы, какой не было уже несколько лет.

— Он близко! Гермиона, он сейчас будет здесь!

Одновременно с криком Гарри змея, бешено шипя, плюхнулась на пол. Обрушились какие-то полки, на Гарри посыпались осколки фарфора, он перепрыгнул через кровать и схватил темную фигуру, в которой узнал Гермиону.

Она вскрикнула от боли, когда он потащил ее назад, через кровать. Змея вновь подняла голову, но Гарри знал, что близится нечто похуже змеи. Может быть, он уже у дверей; голова готова была лопнуть от боли...

Змея метнулась вперед в то самое мгновение, когда Гарри бросился к двери, таща за собой Гермиону. Гермиона крикнула на змею:

— *Вспыхни!*

Заклятие разнесло в пыль зеркальную створку платяного шкафа и заметалось по комнате, отскакивая от стен и потолка; Гарри опалило тыльную сторону руки. Осколок стекла рассек ему щеку, когда Гарри, волоча за собой Гермиону, прыгнул с кровати на туалетный столик, а оттуда через разбитое окно — в пустоту. Вопль Гермионы зазвенел в ночи, они перекувырнулись в воздухе...

А потом его шрам словно взорвался, и он был Воландеде-Мортом, он промчался через зловонную спальню и вцепился в подоконник длинными белыми пальцами. У него на глазах лысенький мужичок и щуплая тетка перекувырнулись и растаяли в воздухе, и он закричал от ярости, и крик его смешался с визгом девчонки, отдаваясь далеко среди темных садов, перебивая колокола, славившие Рождество...

Его крик был криком Гарри, его боль была болью Гарри... чтобы это случилось именно здесь, там же, где и прежде... в двух шагах от того, другого дома, где он вплотную приблизился к тому, чтобы познать, что значит смерть... смерть... такая чудовищная боль... вырван из собственного тела... но если у него нет тела, почему так ужасно болит голова... если он умер, отчего же ему так тошно, разве боль не кончается со смертью, разве она не уходит...

Дождливая ветреная ночь. Двое детей, наряженных тыквами, семенят через площадь, витрины разукрашены бумажными пауками — пошлые ухищрения маглов, копирующих мир, в который они не верят... Он скользит над землей, переполненный привычным ощущением силы, цели и правоты. Не гнев — это для слабых духом... торжество — о да... он долго надеялся и ждал этой минуты...

— *Красивый у вас костюм, мистер!*

Он видел, как улыбка сползает с лица мальчишки, стоило тому заглянуть под капюшон, как страх затуманивает размалеванное личико. Ребенок бросился на-

утек... Он нащупал волшебную палочку под мантией... Одно небрежное движение — и сопляк никогда уже не добежит к своей мамочке... но это лишнее, совершенно лишнее...

Он скользнул в другую улицу, где темнее, и вот наконец перед ним цель его путешествия. Заклинание Доверия разбито, хоть они об этом пока еще не знают... Он движется почти бесшумно, только мертвые листья шуршат на мостовой, заглядывает через темную живую изгородь...

Шторы не задернуты, и ему прекрасно видно, как они сидят в своей маленькой гостиной. Черноволосый мужчина в очках пускает клубы разноцветного дыма из волшебной палочки, чтобы позабавить черноволосого малыша в синей пижамке. Малыш хохочет и ловит ручками дым...

Открывается дверь, и входит женщина. Длинные темно-рыжие волосы падают ей на лицо. Ему не слышно, что она говорит. Отец подхватывает сына на руки и передает матери, бросает волшебную палочку на диван, зевает и потягивается...

Калитка чуть скрипнула, когда он ее открывал, но Джеймс Поттер не услышал. Белая рука выхватила из-под плаща волшебную палочку, направила ее на дверь, и та послушно открылась.

Когда он уже шагнул через порог, в прихожую выскочил Джеймс. Все было до того просто, чересчур просто, этот глупец даже не успел подобрать свою волшебную палочку...

— Лили, хватай Гарри и беги! Беги! Быстрее! Я задержу его...

Задержать его с пустыми руками! Он смеялся, произнося заклинание...

— Авада Кедавра!

Зеленая вспышка наполнила тесный коридорчик, осветила детскую коляску у стены, превратила столбики перил в сверкающие молнии... Джеймс Поттер рухнул, совсем как марионетка, у которой перерезали ниточки...

Он слышал ее крики на верхнем этаже. Она в ловушке, но если будет разумно себя вести, опасаться ей нечего... Он поднимался по лестнице, посмеиваясь про себя над ее слабыми попытками загородить дверь... У нее тоже не было при себе волшебной палочки... Как они глупы, доверчивые дураки, разве можно полагаться на верность друзей, разве можно хоть на мгновение выпускать оружие из рук...

Он распахнул дверь, одним движением волшебной палочки отодвинув в сторону стул и наспех наваленные коробки... Она стояла посередине комнаты, держа ребенка на руках. Увидев его, она опустила малыша в кроватку и заслонила собой, раскинув руки, как будто это могло помочь, как будто она надеялась, что, если ребенка не будет видно, ее выберут вместо него...

— Только не Гарри, пожалуйста, не надо!

— Отойди прочь, глупая девчонка... Прочь...

— Пожалуйста, только не Гарри... Убейте лучше меня, меня...

— В последний раз предупреждаю...

— Пожалуйста, только не Гарри, пощадите... Только не Гарри! Только не Гарри! Пожалуйста, я сделаю все, что угодно...

— Отойди... Отойди, девчонка...

Он мог бы просто отшвырнуть ее с дороги, однако счел благоразумным покончить со всей семейкой разом...

Вспыхнул зеленый свет, и она упала точно так же, как и ее муж. За все это время ребенок ни разу не запищал. Он уже умел стоять, ухватившись за прутья кроватки, и с веселым любопытством смотрел в лицо чужаку — может быть, думал, что это его отец прячется под плащом и сейчас покажет еще красивые огоньки, а мама со смехом выглянет откуда-нибудь из-за шкафа...

Он тщательно прицелился, наведя волшебную палочку мальчишке прямо в лицо; он хотел увидеть, как это произойдет, своими глазами наблюдать уничтожение необъяснимой угрозы. Ребенок заплакал — похоже, понял, что перед ним не Джеймс. Плач был неприятен, еще в приюте он не переносил детского нытья.

— Авада Кедавра!

И тогда он был сокрушен. Он был ничто, ничего не осталось, кроме боли и ужаса, он должен был скрыть-

ся, спрятаться, только не здесь, в руинах разрушенного дома, где надрывался от плача испуганный ребенок, а далеко, очень далеко отсюда...

— Нет, — простонал он.

Змея шуршала по грязному, замусоренному полу, и он убил мальчишку, и все же он сам был этим мальчишкой...

— Нет...

А теперь он стоит у разбитого окна в доме старой Батильды, захваченный воспоминаниями о своей великой потере, и у ног его скользит по битому стеклу и фарфору огромная змея... Он смотрит вниз и видит... нечто невероятное...

— Нет...

— Гарри, все хорошо, все в порядке!

Он наклоняется и поднимает разбитую фотографию. Вот он, вор, неведомый воришка, которого он столько времени ищет...

— Нет... Я уронил ее... Уронил...

— Гарри, все хорошо. Очнись, Гарри!

Это он — Гарри. Гарри, не Волан-де-Морт. А то, что здесь шуршит, — не змея.

Он открыл глаза.

— Гарри, — прошептала Гермиона. — Ты как... нормально?

— Да, — соврал он.

Он был в палатке, лежал на нижней койке под грудой одеял. По тишине и особому холодному блеклому свету, падавшему сквозь матерчатую крышу, чувствовалось, что скоро рассвет. Гарри был весь в поту, даже простыни и одеяла намокли.

— Мы удрали.

— Да, — сказала Гермиона. — Пришлось задействовать заклинание Левитации, чтобы уложить тебя на койку, я никак не могла тебя втащить. Ты был... Ну, в общем, ты был немного не того...

Под ее карими глазами залегли фиолетовые тени. В руке у Гермионы Гарри заметил губку — она обтирала ему лицо.

— Плохо тебе было, — заключила она. — Совсем плохо.

— Давно мы оттуда смотались?

— Несколько часов прошло. Уже почти утро.

— А я, значит, был... без сознания, что ли?

— Да не то чтобы, — замялась Гермиона. — Ты кричал, и стонал, и... и вообще, — закончила она таким тоном, что Гарри стало совсем не по себе.

Что он тут вытворял? Выкрикивал заклятия, как Волан-де-Морт? Плакал, как младенец?

— Я еле сняла с тебя крестраж, — сказала Гермиона, явно стремясь переменить тему. — Он прямо-таки прилип к твоей груди. Там даже отметина осталась. Ты прости, мне пришлось применить заклинание ножниц, иначе не получалось его оторвать. Еще и змея тебя укусила, но ранку я промыла, обработала бадьяном...

Гарри стащил промокшую от пота футболку, бросил ее на пол и осмотрел себя. Чуть повыше сердца виднелся багровый овальный ожог от медальона. На запястье он разглядел подживающие ранки от змеиных зубов.

— А куда ты положила крестраж?

— К себе в сумку. Пусть он лучше пока там полежит.

Гарри откинулся на подушки и посмотрел в ее осунувшееся, посеревшее лицо.

— Не надо было нам лезть в Годрикову Впадину. Это все я виноват, Гермиона, прости.

— Ты не виноват, я тоже хотела там побывать. Я вправду думала, что Дамблдор там оставил для тебя меч.

— Угу... Видно, мы ошиблись.

— Что там было, Гарри? Что произошло, когда она отвела тебя наверх? Змея пряталась на втором этаже? Выскочила, убила ее и напала на тебя, да?

— Нет, — ответил Гарри. — Она и была змеей... Вернее, змея была ею... С самого начала.

— Ч-что?

Гарри закрыл глаза. Он все еще чувствовал запах Батильдиного дома, от этого все случившееся казалось ужасно ярким и реальным.

— Наверное, Батильда уже довольно давно умерла. А змея... была у нее внутри. Ее оставил в Годриковой Впадине Сама-Знаешь-Кто, чтобы караулила. Ты была права: он знал, что я туда вернусь.

— Змея была внутри Батильды?

Гарри снова открыл глаза: у Гермионы было такое выражение, как будто ее сейчас стошнит.

— Люпин говорил, что мы столкнемся с магией, которую и представить себе не могли, — пробормотал Гарри. — Она не хотела разговаривать при тебе, потому что говорила-то она на змеином языке, все время говорила на змеином, а я и не заметил, я же ее понимал. Как только мы поднялись наверх, змея известила Сама-Знаешь-Кого, я все слышал мысленно, я почувствовал, как он обрадовался и велел меня схватить... а потом...

Гарри вспомнил, как змея выползала из шеи Батильды. Не обязательно Гермионе знать все подробности.

— ...она преобразилась, обернулась змеей и бросилась на меня. — Он посмотрел на следы от зубов. — Ей не было приказано убить меня, только задержать, пока не явится Сама-Знаешь-Кто.

Если бы только он сумел уничтожить змею, все было бы не напрасно... С тоской на сердце он сел и откинул одеяла.

— Нет, Гарри, тебе же, наверное, надо отдыхать!

— Это тебе надо выспаться. Не обижайся, но вид у тебя кошмарный. А я уже в норме, могу подежурить. Где моя волшебная палочка?

Гермиона молча смотрела на него.

— Где моя палочка, Гермиона?

Она закусила губы, глаза ее наполнились слезами.

— Гарри...

— Где моя волшебная палочка?

Она наклонилась, подняла что-то с пола и показала ему.

Палочка из остролиста переломилась надвое, только стержень от пера феникса удерживал обе половинки вместе. Гарри взял палочку в руки, словно это было живое раненое существо. Он не мог собраться с мыслями, все терялось в тумане страха и неуверенности.

Гарри протянул палочку Гермионе:

— Почини ее! Пожалуйста!

— Гарри, вряд ли я... когда она вот так сломалась...

— Пожалуйста, хоть попробуй, Гермиона!

— Р... репаро!

Отломанная половина приросла на место. Гарри взмахнул палочкой.

— *Люмос!*

Вылетели несколько искорок и сразу потухли. Гарри прицелился в Гермиону:

— *Экспеллиармус!*

Волшебная палочка Гермионы, слабо дернувшись, осталась у нее в руке. Палочка Гарри не выдержала ничтожного магического усилия и снова переломилась пополам. Гарри смотрел на нее с ужасом. У него не укладывалось в голове то, что было перед глазами. Волшебная палочка столько с ним пережила...

— Гарри, — прошептала Гермиона еле слышно, — прости, пожалуйста... Боюсь, что это я ее... Понимаешь, когда мы убегали, змея кинулась на нас, я швырнула в нее Взрывающим заклятием, а оно отскочило и... и, наверное, зацепило...

— Ты же не нарочно, — машинально ответил Гарри. Он чувствовал себя совершенно опустошенным, раздавленным. — Ничего... что-нибудь придумаем.

— Гарри, вряд ли ее можно починить, — со слезами проговорила Гермиона. — Помнишь... помнишь, у Рона сломалась волшебная палочка? Когда вы разбились на машине? Ее так и не смогли исправить, в конце концов пришлось покупать новую.

Гарри вспомнил Олливандера в плену у Волан-де-Морта, вспомнил убитого Грегоровича. Где же он возьмет новую волшебную палочку?

— Ладно, — сказал он фальшиво-бодрым голосом. — Пока что буду одалживать твою. На время дежурства.

Гермиона, заливаясь слезами, протянула ему свою волшебную палочку. Она так и осталась сидеть у его постели, а Гарри выбрался наружу, больше всего на свете мечтая оказаться как можно дальше от нее.

Глава 18

«ЖИЗНЬ И ОБМАНЫ АЛЬБУСА ДАМБЛДОРА»

Всходило солнце, над головой раскинулось огромное выцветшее небо во всей своей чистоте и беспредельности, равнодушное к Гарри и его страданиям. Он сел у входа в палатку и глубоко вдохнул умытый воздух. Просто быть живым, смотреть, как солнце поднимается над блистающими снежными холмами, — это же величайшее сокровище на земле, но Гарри сейчас был неспособен его оценить. Все в нем онемело от сознания страшной беды — потери волшебной палочки. Перед ним лежала укутанная снегом долина, в сверкающей тишине разносился далекий колокольный звон.

Гарри, сам того не замечая, впился пальцами в собственные руки, как будто старался победить физическую боль. Он несчитанное множество раз проливал свою кровь, однажды лишился всех костей в правой руке, и нынешнее путешествие оставило шрамы у него на груди и на запястье вдобавок к тем, что уже были на руке и на лбу, но никогда еще он не чувствовал себя настолько беспомощным, голым и беззащитным, как теперь, словно у него отобрали большую часть магической силы. Он совершенно точно знал, что ответила бы Гермиона, расскажи он ей об этом: волшебная палочка может не больше того, что умеет сам волшебник. Только она ошибается, она ведь не видела, как волшебная палочка Гарри сама собой повернулась, точно стрелка компаса, и выстрелила во врага струей золотого огня. Теперь его больше не защищает родство двух волшебных палочек. Раньше он сам не понимал, как сильно полагался на эту защиту.

Гарри вытащил из кармана половинки волшебной палочки и, не глядя, сунул их в мешочек Хагрида, висевший у него на шее. Мешочек был уже битком набит разными бесполезными обломками. Гарри нащупал сквозь ишачью кожу свой старый снитч и чуть было не поддался искушению выбросить его вон. Упрямо хранящий свою тайну, бесполезный, никчемный, как и все, что оставил ему Дамблдор...

Злость на Дамблдора вдруг нахлынула на Гарри потоком раскаленной лавы, обжигая все внутри, сметая все прочие чувства. Они с отчаяния уговорили самих себя, будто в Годриковой Впадине найдутся ответы на все вопросы, вообразили, будто обязаны явиться туда по некоему тайному плану Дамблдора, но не было на самом деле ни карты, ни плана. Дамблдор предоставил им тыкаться вслепую в темноте, в одиночку сражаться с неведомыми и небывалыми ужасами, ничего не объяснил, никогда ничего не давал бескорыстно. Меча как не было, так и нет, а теперь еще нет и волшебной палочки. И фотографию вора Гарри уронил, по ней Волан-де-Морт без труда выяснит, кто это такой... Теперь Волан-де-Морт знает все, что ему нужно...

— Гарри! — Гермиона подходила нерешительно, как будто боялась, что он ее заколдует ее же собственной волшебной палочкой. Вся заплаканная, она присела рядом с ним на корточки, держа дрожащими руками две чашки с чаем и еще что-то объемистое зажав под мышкой.

— Спасибо, — буркнул Гарри, принимая чашку.

— Можно с тобой поговорить?

— Да, — ответил Гарри, чтобы не обижать ее.

— Помнишь, ты хотел узнать, что за человек был на фотографии? Так вот, у меня тут книга...

Она робко положила ему на колени «Жизнь и обманы Альбуса Дамблдора» — новенький, идеально чистый экземпляр.

— Как? Откуда?

— Валялась в доме у Батильды... Из нее торчала вот эта записка.

Гермиона прочла вслух несколько строк, набросанных ядовито-зелеными чернилами:

— «Дорогая Батти, спасибо за помощь. Дарю экземпляр книги, надеюсь, тебе понравится. Ты все мне открыла, хотя, быть может, не помнишь об этом. Рита». Я думаю, книгу принесли, когда настоящая Батильда была еще жива, только, наверное, читать уже не могла.

— Да, наверное.

Гарри с каким-то злорадством посмотрел в лицо Дамблдора: теперь он узнает все то, что Дамблдор не считал нужным ему рассказывать, а тот не сможет ему помешать.

— Ты все еще сердишься на меня? — спросила Гермиона.

Из глаз у нее снова текли слезы; Гарри понял, что его злость, должно быть, отразилась на лице.

— Нет, — тихо сказал он. — Нет, Гермиона, я знаю, что это вышло нечаянно. Ты замечательная, ты нас вытащила оттуда живыми. Если бы не ты, я бы сейчас уже был мертв.

Она улыбнулась сквозь слезы. Гарри постарался ответить на ее улыбку, а потом уткнулся в книгу. Обложка плохо гнулась — очевидно, книгу еще ни разу не открывали. Гарри перелистал страницы, отыскивая фотографии. Та, которую он искал, попалась почти сразу — молодой Дамблдор и его красивый приятель дружно хохотали над какой-то давно забытой шуткой. Гарри перевел взгляд на подпись: «Альбус Дамблдор вскоре после смерти матери, со своим другом Геллертом Грин-де-Вальдом».

Когда Гарри прочел последнее слово, у него отвисла челюсть. Несколько долгих секунд он изумленно таращился на страницу. Грин-де-Вальд. Друг Дамблдора! Гарри покосился на Гермиону. Она тоже смотрела не отрываясь на напечатанное имя, как будто не верила своим глазам. Потом очень медленно оглянулась на Гарри.

— Грин-де-Вальд?!

Пропустив остальные фотографии, Гарри принялся листать ближайшие страницы — не мелькнет ли еще раз роковое имя. Скоро он отыскал его и начал жадно читать, но быстро запутался. Чтобы хоть как-то понять смысл, нужно было вернуться назад, и в итоге он оказался в начале главы под названием: «Общее благо». Они с Гермионой вместе стали читать.

«На пороге восемнадцатилетия Дамблдор покинул Хогвартс в расцвете славы. Староста школы, лучший ученик, лауреат Премии Варнавы Финкли за выдающиеся успехи в наведении заклятий, представитель британской молодежи в Визенгамоте, удостоенный Золотой медали за эпохальное выступление на Международной алхимической конференции в Каире, Дамблдор планировал для завершения образования предпринять кругосветное путешествие совместно с Элфиасом Дожем по прозвищу Вонючка, своим недалеким, но преданным приспешником в школьные годы.

Молодые люди остановились в лондонском «Дырявом котле», намереваясь на следующее утро отправиться в Грецию, но внезапно Дамблдор получил с совиной почтой известие о смерти своей матери. Вонючка Дож, не пожелавший беседовать с автором этой книги, поделился с читающей публикой своей сентиментальной версией дальнейших событий. Он преподносит смерть Кендры как трагедию, а решение Дамблдора об отказе от путешествия как благородное самопожертвование.

И действительно, Дамблдор сразу же вернулся в Годрикову Впадину якобы для того, чтобы заботиться о младших брате и сестре. Но какова на самом деле была его забота?

— Он был просто больной на голову, этот Аберфорт, — вспоминает Энид Смик; ее семья жила в то время на окраине Годриковой Впадины. — Никакого сладу с ним не было. Надо бы, конечно, его пожалеть, все-таки сиротка, да только он вечно бросался в меня козьими какашками, а сам хохочет-заливается. По-моему, Альбус не шибко-то за него переживал, хотя я, почитай, и не видала их вместе.

Чем же занимался Альбус, если не присматривал за буйным младшим братиком? Надо полагать, по большей части следил, чтобы сестра не вырвалась из-под надзора. Хотя прежняя тюремщица скончалась, в жизни несчастной Арианы Дамблдор не наступило перемены к лучшему. За пределами семьи почти никто не подозревал о ее существовании, кроме разве что немногих доверчивых друзей вроде Вонючки Дожа, кто готов был проглотить историю о ее «слабом здоровье».

Еще одним таким доверчивым другом семьи оказалась Батильда Бэгшот, автор широко известных научных трудов по истории магии, много лет прожившая в Годриковой Впадине. Разумеется, Кендра отвергла первые попытки Батильды наладить добрососедские отношения, однако несколько лет спустя писательница прислала сову Альбусу в Хогвартс, находясь под впечатлением от его статьи о межвидовых превращениях в журнале «Трансфигурация сегодня». Завязалась переписка, которая привела к более близкому знакомству со всей семьей Дамблдоров. Ко времени своей смерти Кендра из всей деревни соглашалась поддерживать общение с одной только Батильдой.

К несчастью, блестящий ум Батильды под конец жизни заметно притупился. «Огонь горит, но в котле пусто», — сказал мне о ней Айвор Диллонсби, или, если воспользоваться более приземленным выражением Энид Смик, «совсем свихнулась бедная старушка». Тем не менее проверенные долгим опытом журналистские приемы позволили мне извлечь крупицы реальных фактов, на основе которых и удалось воссоздать всю эту скандальную историю.

Батильда, как и вся магическая общественность, объясняет преждевременную кончину Кендры неправильно сработавшим заклинанием — это же объяснение приводили позднее Альбус и Аберфорт. Кроме того, Батильда, как попугай, повторяет утверждения родных о слабом здоровье Арианы. И все же я не зря потратила усилия, добывая сыворотку правды! Батильда Бэгшот — единственная, кому известна тщательно охраняемая тайна Альбуса Дамблдора, и сейчас об этом впервые узнает читающая публика. Мое открытие ставит под сомнение столь любимый поклонниками образ Альбуса Дамблдора — непримиримого противника Темных искусств, борца за права маглов и прекрасного семьянина.

В то самое лето, когда Альбус вернулся в Годрикову Впадину главой осиротевшей семьи, к Батильде приехал погостить внучатый племянник — Геллерт Грин-де-Вальд.

Имя Грин-де-Вальда пользуется заслуженной известностью: в списке самых опасных волшебников всех времен и народов он уступает только Сами-Знаете-Кому, явившемуся поколение спустя, чтобы потеснить его с первого места. Впрочем, террор Грин-де-Вальда не затронул Британию, и потому подробности его прихода к власти здесь мало кому известны.

Грин-де-Вальд получил образование в Дурмстранге — эта школа славится своей терпимостью в отношении Темных искусств. Он рано проявил блестящие способности, так же как и Дамблдор. Однако вместо того чтобы направить эти способности на получение премий и наград, Геллерт Грин-де-Вальд избрал для себя иные цели. Даже руководство Дурмстранга не могло смотреть сквозь пальцы на его рискованные эксперименты, и в шестнадцать лет Геллерт Грин-де-Вальд был исключен из школы и уехал.

До недавнего времени было известно только, что Грин-де-Вальд «несколько месяцев провел за границей», но теперь мы можем объявить открыто: Геллерт отправился навестить двоюродную бабушку, проживавшую в Годриковой Впадине, и там, как это ни поразительно, у него возникла крепкая дружба не с кем иным, как с Альбусом Дамблдором.

— По-моему, он был чудесным мальчиком, что бы там ни случилось после, — откровенничает Батильда. — Естественно, я познакомила его с бедным Альбусом, которому так не хватало общества сверстников. Мальчики сразу подружились.

Что верно, то верно! Батильда показала мне сохранившееся у нее письмо, которое однажды глухой ночью Альбус Дамблдор прислал Геллерту Грин-де-Вальду.

— Да, хоть они и проводили целые дни за разговорами — им было о чем порассуждать, они ведь оба такие умницы! — я частенько слышала по ночам, как сова стучится клювом к Геллерту в окошко, приносит записочку от Альбуса. Ему не терпелось поделиться новыми идеями.

И что же это были за идеи? Они способны глубоко шокировать пламенных сторонников Альбуса Дамблдора. Вот перед вами мысли семнадцатилетнего героя, изложенные в письме к его новому лучшему другу (факсимиле письма можно увидеть на странице 463):

Геллерт!

Твой тезис о том, что правление волшебников ПОЙДЕТ НА ПОЛЬЗУ САМИМ МАГЛАМ, на мой взгляд, является решающим. Действительно, нам дана огромная власть, и, действительно, власть эта дает нам право на господство, но она же налагает и огромную ответственность по отношению к тем, над кем мы будем властвовать. Это необходимо особо подчеркнуть, здесь краеугольный камень всех наших построений. В этом будет наш главный аргумент в спорах с противниками — а противники у нас, безусловно, появятся. Мы возьмем в свои руки власть РАДИ ОБЩЕГО БЛАГА, а отсюда следует, что в случае сопротивления мы должны применять силу только лишь в пределах самого необходимого и не больше. (Тут и была главная твоя ошибка в Дурмстранге! Но это и к лучшему, ведь если бы тебя не исключили, мы бы с тобой не встретились.)

Альбус

Пусть это письмо удивит и ужаснет легионы поклонников, но оно ясно доказывает, что Альбус Дамблдор в свое время мечтал ниспровергнуть Международный статут о секретности и утвердить власть волшебников над маглами. Какой удар для всех, кто превозносил Дамблдора как великого защитника маглов и лиц магловского происхождения! Красивые речи о правах маглов становятся пустыми словами в свете новых разоблачительных данных. И в каком недостойном виде предстает сам Альбус Дамблдор, строящий планы мирового господства в то время, когда ему следовало бы оплакивать умершую мать и заботиться о судьбе сестры!

Несомненно, найдутся желающие во что бы то ни стало помочь Дамблдору удержаться на треснувшем пьедестале. Они станут лепетать, что он, дескать, все же не привел свои планы в исполнение — должно быть, он одумался, изменил взгляды... Однако истина куда непригляднее.

Не прошло и двух месяцев, как великие друзья Дамблдор и Грин-де-Вальд расстались и не встречались вновь до своего легендарного поединка (подробнее об этом см. гл. 22). В чем причина внезапного разрыва? В самом ли деле Дамблдор одумался и объявил Грин-де-Вальду, что не желает более принимать участия в его замыслах? Увы, ничего подобного.

— Полагаю, это случилось из-за смерти бедняжки Арианы, — говорит Батильда. — Ужасное несчастье потрясло нас всех. Геллерт был у них, когда это произошло, и прибежал ко мне просто-таки сам не свой. Сказал, что завтра же возвращается домой. Страшно расстроился. Я организовала для него портал, и больше мы с ним не виделись. Альбуса смерть Арианы совсем пришибла. Братья потеряли всех своих родных, остались одни на свете. Неудивительно, что порой они срывались. Аберфорт обвинял Альбуса, будто тот виноват в случившемся, — вы знаете, так бывает с людьми в тяжелые минуты. Да Аберфорт и всегда был с сумасшедшинкой, бедный мальчик. И все-таки сломать нос родному брату прямо на похоронах — это уже выходит за всякие рамки! Кендра не пережила бы, если бы увидела, как ее сыновья дерутся возле мертвого тела ее дочери. Жаль, Геллерт не смог остаться на похороны... Хоть поддержал бы Альбуса...

Кошмарная потасовка у гроба, о которой знают лишь немногие присутствовавшие на похоронах Арианы Дамблдор, вызывает ряд вопросов. Почему Аберфорт Дамблдор винил Альбуса в смерти сестры? Был ли это нервный срыв убитого горем молодого человека, как уверяет Батильда, или для его выходки имелись реальные основания? Грин-де-Вальд, исключенный из Дурмстранга за нападения на других учеников, едва не повлекшие за собой человеческие жертвы, бежит из страны всего через несколько часов после гибели девушки, причем Альбус (возможно, под действием стыда или страха) в дальнейшем уклоняется от встречи с ним до тех пор, пока его не вынуждает к этому давление магической общественности.

Насколько известно, ни Дамблдор, ни Грин-де-Вальд никогда не упоминали о своей недолгой юношеской дружбе, однако нет сомнений, что Дамблдор пять лет всеми способами избегал прямого столкновения с Геллертом Грин-де-Вальдом, несмотря на продолжавшиеся все это время исчезновения, несчастные случаи и прочие бедствия. Что ему мешало — остатки прежних дружеских чувств или страх разоблачения? Быть может, Альбус Дамблдор скрепя сердце отправился на битву с человеком, которым в юности восхищался?

И как все-таки умерла таинственная Ариана? Пострадала случайно в ходе некоего Темного ритуала? Узнала нечто такое, чего ей знать не полагалось, о планах захвата власти, которые строили двое друзей? Неужто Ариана Дамблдор оказалась первой жертвой, погибшей «ради общего блага»?»

Здесь заканчивалась глава. Гарри поднял голову. Гермиона дочитала страницу раньше него. Она выдернула книгу из рук Гарри, явно испуганная выражением его лица, и захлопнула не глядя, словно прятала что-то непристойное.

— Гарри...

Он молча покачал головой. У него как будто сломалась какая-то внутренняя опора. Точно так же было, когда ушел Рон.

Он верил Дамблдору, считал его воплощением добра и мудрости, а теперь все это рассыпалось прахом. Сколько еще можно потерять? Рон, Дамблдор, волшебная палочка с пером феникса...

— Гарри! — Гермиона словно подслушала его мысли. — Гарри, что я тебе скажу. Конечно, это... не очень приятное чтение...

— Да уж, не то слово.

— Но ты не забывай, Гарри, это все пишет Рита Скитер.

— Ты ведь прочла его письмо к Грин-де-Вальду?

— Я... Да, прочла. — Она запнулась, с несчастным видом баюкая чашку чая в замерзших ладонях. — Наверное, это хуже всего. Батильда считала, что у них были одни только разговоры, но «Ради общего блага» — это же был лозунг Грин-де-Вальда, которым он оправдывал все свои зверства. А тут... Получается, Дамблдор и навел его на мысль. Говорят, даже над входом в Нурменгард была надпись: «Ради общего блага».

— Что это — Нурменгард?

— Тюрьма, которую Грин-де-Вальд построил для своих противников, а в конце концов сам в нее сел, когда Дамблдор его победил. И все равно ужасно думать, что идеи Дамблдора помогли Грин-де-Вальду прийти к власти. С другой стороны, даже Рита Скитер признает, что они были знакомы не больше нескольких месяцев, причем оба тогда были совсем молодые и...

— Я так и знал, что ты это скажешь, — бросил Гарри. Он старался не срывать на ней злость, но трудно было справиться с голосом. — Так и знал, что ты скажешь: «Они были совсем молодые». Им было столько, сколько нам сейчас! Мы с тобой рискуем жизнью, сражаясь против Темных искусств, а он в нашем возрасте обнимался со своим лучшим другом и строил планы, как бы захватить власть над маглами!

У Гарри больше не было сил сдерживаться, он вскочил и заходил кругами, чтобы хоть немного успокоиться.

— Я его идеи не защищаю, — сказала Гермиона. — Всякое там «право на господство» — все это просто чушь, та же самая «Магия — сила». Но, Гарри, у него только что умерла мать, он был так одинок...

— Одинок? Он не был одинок! У него был брат, а еще сестра-сквиб, он ее держал взаперти...

— Вот этому я не верю, — твердо сказала Гермиона и тоже встала. — Не знаю, что с ней было не так, но я не думаю, что она была сквибом. Дамблдор, каким мы его знали, никогда бы не допустил....

— Дамблдор, каким мы его знали, не рвался к господству над маглами! — заорал Гарри, так что несколько черных дроздов сорвались с деревьев и с криками закружились в пасмурном небе над вершиной холма.

— Он изменился, Гарри, я тебе говорю! Просто изменился, и все! Может, в семнадцать лет он и верил в эту ерунду, но вся остальная его жизнь была посвящена борьбе против Темных искусств! Именно он, и никто другой, остановил Грин-де-Вальда, он всегда голосовал за защиту маглов, за права волшебников из семей маглов, он с самого начала сражался Сам-Знаешь-с-Кем и погиб в бою!

Книга Риты Скитер лежала на земле между ними, и Дамблдор на обложке печально улыбался обоим.

— Гарри, прости, но, по-моему, ты злишься, потому что Дамблдор сам тебе об этом не рассказал!

— Может, и так! — рявкнул Гарри и обхватил голову руками, то ли чтобы сдержать свою ярость, то ли защищаясь от обрушившегося на него разочарования. — Подумай сама, чего он от меня все время требовал, Гермиона! Рискни жизнью, Гарри! И еще разок! И опять, и снова! И не жди никаких объяснений, ты должен слепо мне верить. Поверь, я знаю, что делаю, поверь, хоть я тебе не доверяю! Ни разу он не сказал всей правды! Ни одного раза!

Голос Гарри сорвался. Они стояли друг против друга посреди белой пустоты, и Гарри казалось, что они ничтожны, словно букашки, под этим бесконечным небом.

— Он любил тебя, — прошептала Гермиона. — Любил, я знаю.

Гарри уронил руки.

— Не знаю, Гермиона, кого он любил, только не меня. Это не любовь, если он бросил меня в такой жуткой каше. Черт, да он с Геллертом Грин-де-Вальдом был откровеннее, чем со мной!

Гарри подобрал упавшую в снег волшебную палочку Гермионы и снова сел у входа в палатку.

— Спасибо за чай. Я додежурю свою смену, а ты иди в тепло.

Гермиона поняла, что ее прогоняют. Она подобрала книгу и ушла в палатку, но, проходя, легко провела рукой по его макушке. Гарри закрыл глаза. Он ненавидел себя за то, что ему так хочется, чтобы ее слова были правдой, чтобы Дамблдору в самом деле было на него не совсем наплевать.

Глава 19

СЕРЕБРЯНАЯ ЛАНЬ

Когда Гермиона пришла сменить его в полночь, шел снег. Гарри снились путаные, тревожные сны, в них то и дело вползала Нагайна, то сквозь гигантский перстень с треснувшим камнем, то сквозь венок из рождественских роз. Гарри в страхе просыпался с ощущением, что кто-то зовет его издали; в шуме ветра, трепавшего палатку, ему мерещились шаги и голоса.

Наконец он встал, еще затемно, и вышел к Гермионе. Она сидела, сгорбившись, у входа в палатку и читала «Историю магии» при свете волшебной палочки. Снег падал густыми хлопьями, и Гермиона очень обрадовалась, когда Гарри предложил пораньше собрать вещи и двигаться дальше.

— Поищем не такое ветреное место, — согласилась она, вся дрожа и натягивая свитер поверх пижамы. — Мне все время кажется, что вокруг кто-то ходит. Я даже вроде видела кого-то раз или два.

Гарри замер, не закончив натягивать джемпер, и посмотрел на безмолвный и неподвижный вредноскоп на столе.

— Наверное, показалось, — нервно проговорила Гермиона. — Снег в темноте, обман зрения... Но все-таки, может, лучше трансгрессируем под мантией-невидимкой, на всякий случай?

Полчаса спустя палатка была свернута и упакована, Гарри надел на шею крестраж, Гермиона сжала в руке расшитую бисером сумочку, и они трансгрессировали. Навалилась привычная давящая темнота, заснеженный склон холма ушел у Гарри из-под ног, а потом он довольно жестко приземлился на мерзлую почву, покрытую опавшими листьями.

— Где мы?

Гарри разглядывал окружившую их чащу, а Гермиона раскрыла сумочку и принялась вытаскивать оттуда палаточный шест.

— Королевский лес Дин, — ответила она. — Мы сюда однажды ходили в поход с мамой и папой.

Здесь на ветвях деревьев тоже лежал снег и было жутко холодно, но хоть ветер не так буйствовал. Гарри и Гермиона почти весь день просидели в палатке. Для тепла жались поближе к весьма полезному в хозяйстве синему пламени, которое мастерски создавала Гермиона; его можно было брать в руки и переносить с места на место в стеклянной банке. У Гарри было такое чувство, как будто он выздоравливает после недолгой, но тяжелой болезни. Это впечатление еще усиливалось от постоянных забот Гермионы. Ближе к вечеру опять повалил снег, даже их укромную полянку покрыла белая пороша.

После двух практически бессонных ночей все чувства Гарри болезненно обострились. После встречи в Годриковой Впадине Волан-де-Морт стал казаться както ближе и страшнее. Когда стемнело, Гермиона предложила посторожить, но Гарри отказался и посоветовал, чтобы она ложилась спать.

Гарри подтащил ко входу в палатку старую диванную подушку и уселся. Он натянул на себя все свои свитера и все равно дрожал от холода. Тьма сгущалась час за часом и стала наконец совсем непроглядной. Гарри уже собрался достать Карту Мародеров и посмотреть, как поживает точка с именем Джинни, но вспомнил, что сейчас рождественские каникулы и она наверняка вернулась домой, в «Нору».

В огромном лесу каждый шорох усиливался во много раз. Конечно, всякий лес полон разной мелкой живности. Нет бы им всем сидеть тихо, чтобы можно было сразу отличить враждебные шаги от их безвредной возни. Гарри вспомнил тот давний шорох плаща по мостовой, среди сухих листьев, и ему тут же показалось, что он слышит его теперь. Он мысленно встряхнулся, отгоняя наваждение. Защитные заклинания исправно работают уже несколько недель, с чего бы они вдруг подвели? И все же ему никак не удавалось избавиться от ощущения, как будто сегодня что-то изменилось.

Несколько раз он вскидывал голову, чувствуя, как затекла шея оттого, что он задремал в неудобной позе, привалившись к стенке палатки. Вокруг стояла такая глубокая бархатная чернота, словно он застрял в перемещении, не закончив трансгрессию. Гарри поднес к лицу руку, пытаясь разглядеть свои пальцы; тут оно и случилось.

Прямо перед ним сверкнул между деревьями яркий серебристый свет. Он двигался совершенно беззвучно, словно плыл по направлению к палатке.

Гарри вскочил и поднял вверх волшебную палочку Гермионы. Крик застрял у него в горле. Свет становился все ярче, деревья на его фоне выделялись черными силуэтами, Гарри прищурился, вглядываясь...

То, что светилось среди деревьев, выступило на поляну. Это была серебристо-белая лань, мерцающая ослепительным лунным сиянием. Ее копытца ступали грациозно и по-прежнему бесшумно и не оставляли следов на свежевыпавшем снегу. Она подошла к Гарри, высоко держа изящную головку с большими глазами и длинными ресницами.

Гарри смотрел во все глаза. Его поражало даже не само появление этого странного существа, а то, что лань кажется такой знакомой. Он как будто ждал ее, только забыл, что они договорились о встрече, а теперь вдруг вспомнил. Ему уже не хотелось звать Гермиону. Он голову готов был прозакладывать, что чудесная лань пришла к нему и ни к кому другому.

Несколько долгих мгновений они смотрели друг на друга, а потом она повернулась и двинулась прочь.

— Постой! — сказал Гарри охрипшим от долгого молчания голосом. — Не уходи!

Лань углубилась в чащу, и скоро толстые черные стволы почти совсем заслонили ее сияние. Ровно одну секунду Гарри колебался, весь дрожа. Осторожность шептала: это обман, ловушка, западня, но всепобеждающий инстинкт говорил: здесь нет темной магии. Гарри кинулся вдогонку.

Снег скрипел у него под ногами, но движения лани были беззвучны, потому что она вся состояла из чистого света. Она уводила его все дальше, в глубь леса. Гарри торопился, он был уверен, что когда она наконец остановится, то позволит ему подойти, и заговорит с ним, и расскажет обо всем, что ему так нужно знать.

Наконец лань остановилась и повернула к нему свою прекрасную голову. Гарри побежал. Вопрос уже вертелся на языке, но стоило ему открыть рот, как она исчезла.

Темнота разом поглотила ее, но сияющий отпечаток все еще горел у него перед глазами, словно выжженный на сетчатке, мешая смотреть. Когда Гарри зажмурился, образ только сделался ярче. Гарри стало жутко; пока лань была здесь, он чувствовал себя в безопасности.

— *Люмос!* — прошептал он.

На конце волшебной палочки зажегся свет.

Образ серебряной лани постепено тускнел. Гарри стоял, моргая, и прислушивался к лесным шорохам, потрескиванию сучьев, тихому шуршанию снега. Что, если на него сейчас нападут? Неужели она нарочно заманила его? Там действительно кто-то стоит на самом краю освещенного круга или ему это кажется со страху?

Он поднял палочку над головой. Никто на него не бросался, не ударил из-за деревьев зеленый луч. Зачем же она привела его сюда?

В свете волшебной палочки что-то блеснуло, Гарри круто обернулся, но увидел всего лишь замерзшее озерцо. Черный потрескавшийся лед заблестел, когда Гарри поднял палочку повыше, чтобы лучше его рассмотреть.

Он осторожно подобрался к берегу. Поверхность льда отразила его искаженную тень, луч света от волшебной палочки, а в глубине под толстой мутно-серой коркой блестело что-то еще... Похоже на большой серебряный крест...

Сердце Гарри подпрыгнуло и застряло в горле. Он упал на колени в снег, поднес волшебную палочку к самому льду. Густо-красный отблеск... Это же меч, и рукоять украшена рубинами... На дне лесного озерца лежал меч Гриффиндора.

Гарри смотрел на него затаив дыхание. Как это может быть? Откуда здесь, в глухом лесу, совсем рядом с их палаткой взялся этот меч? Какая-то неведомая магия заставила Гермиону устроить стоянку именно на этом месте или серебряная лань, которую он сначала принял за Патронуса, на самом деле что-то вроде хранительницы озера? Или меч поместили в озеро уже после того, как они здесь появились? А тогда где сейчас человек, который это сделал? Гарри снова нацелил волшебную палочку на кусты и деревья, высматривая между ними очертания человеческой фигуры или блеск глаз, но никого не увидел. Остатки страха только подстегивали его ликование, когда он снова наклонился над заледенелым озерцом, на дне которого покоился меч.

Гарри указал волшебной палочкой на серебристый контур и проговорил вполголоса:

— *Акцио, меч!*

Меч не шелохнулся, да Гарри этого и не ожидал. Будь все так легко, меч просто оставили бы лежать на земле, а не в глубине замерзшего озерца. Гарри обошел круглое ледяное окошко, усиленно вспоминая, как в прошлый раз меч оказался у него. Он тогда был в ужасной опасности и попросил о помощи.

— Помоги! — прошептал Гарри, однако меч остался неподвижен.

Гарри снова двинулся вокруг озерца. Что же такое сказал тогда Дамблдор? «Вынуть меч из Шляпы может только истинный гриффиндорец». А какие качества отличают истинного гриффиндорца? Тоненький голосок в голове у Гарри ответил словами из песни Распределяющей шляпы: «Быть может, вас ждет Гриффиндор, славный тем, что учатся там храбрецы. Сердца их отваги и силы полны, к тому ж благородны они».

Гарри остановился и тяжело вздохнул, пар от его дыхания быстро рассеялся в морозном воздухе. Теперь он знал, что нужно делать. Если честно, он опасался этого с той минуты, как увидел меч подо льдом.

Он снова оглянулся по сторонам, хоть и был уже уверен, что никто на него нападать не собирается. Если бы среди деревьев таились враги, у них было больше чем достаточно возможностей прикончить Гарри, пока он бродил в одиночестве по берегу. Нет, он просто оттягивал неприятный момент, поскольку предстоящее дело отнюдь его не радовало.

Гарри начал стаскивать с себя одежду, путаясь в многочисленных свитерах. Не совсем понятно, при чем тут благородство, мелькнула едкая мысль, разве только считать благородным поступком, что он не заставил Гермиону лезть в озеро вместо него.

Вдалеке заухала сова, и у Гарри сжалось сердце — он вспомнил Буклю. Его колотило от холода, зубы стучали, но он упорно продолжал раздеваться, пока не остался в одних трусах стоять босиком на снегу. Положив на кучку одежды мешочек с обломками волшебной палочки, маминым письмом, осколком зеркала и старым снитчем, Гарри взмахнул палочкой Гермионы, направив ее на лед.

— *Диффиндо!*

Ледяная корка лопнула с треском, похожим на выстрел, куски льда закачались на темной воде. Насколько Гарри мог судить, здесь было неглубоко, но, чтобы достать меч, нужно было окунуться с головой.

Если стоять на берегу и раздумывать, задача не станет проще и вода в озере не согреется. Гарри шагнул к кромке воды, положил на землю светящуюся палочку Гермионы и, не давая себе времени подумать о том, как ему сейчас будет холодно, прыгнул.

Каждая клеточка его тела громко протестовала, воздух в легких словно смерзся в твердый ком, как только Гарри погрузился по плечи в ледяную воду. Его так трясло, что невозможно было вздохнуть, а по воде к берегам озерца побежали мелкие волны. Гарри нащупал меч онемевшей ногой, чтобы не пришлось нырять два раза.

Он невольно тянул с погружением, задыхаясь и дрожа, пока в конце концов не сказал себе, что деваться все равно некуда, собрал последние остатки мужества и нырнул.

Холод был убийственный. Вода обжигала, как огонь. Кажется, даже мозги замерзли напрочь. Раздвигая руками темную воду, Гарри потянулся к мечу. Пальцы сомкнулись на рукоятке.

Он потащил меч наверх, и вдруг что-то туго сдавило шею. Гарри подумал было, что это водоросли, хотя ничего такого ему не попалось, пока он нырял. Он пошарил рукой и понял, что водоросли тут ни при чем, а душит его цепочка от крестража.

Гарри забился, порываясь к поверхности, но только врезался в каменистую стенку берега под водой. Он задыхался, корчился, дергал цепочку застывшими пальцами, в голове взрывались разноцветные огни, он ничего не мог сделать, оставалось только утонуть, и руки, обхватившие его поперек туловища, были, конечно, руками Смерти...

Очнулся он, лежа ничком на снегу, давясь и отплевываясь, окоченевший, как никогда в жизни. Рядом с ним кто-то еще пыхтел и кашлял, бродя по берегу неверными шагами. Гермиона опять пришла на помощь, как тогда, со змеей... Нет, на нее что-то непохоже — слишком хриплый кашель, слишком тяжелые шаги...

У Гарри не было сил поднять голову и посмотреть на своего спасителя. Он мог только дотянуться трясущейся рукой до горла и нащупать место, где медальон врезался в тело. Медальон исчез — кто-то перерезал цепочку.

Тут над головой у него раздался задыхающийся голос:

— Ты... это... совсем спятил?

Только потрясение от звука этого голоса придало Гарри сил вскочить на ноги. Он дрожал всем телом и пошатывался, а перед ним стоял Рон, полностью одетый, но промокший до нитки, с прилипшими к лицу волосами, держа в одной руке меч Гриффиндора, а в другой — крестраж, болтающийся на оборванной цепочке.

— Какого черта ты не снял эту пакость, раньше чем соваться в воду? — пропыхтел Рон, размахивая крестражем, который покачивался взад-вперед, как на сеансе гипноза.

Гарри не ответил — слова не шли. Серебряная лань — ничто, полнейшее ничто по сравнению с тем, что Рон вернулся. Гарри никак не мог в это поверить. Трясясь от холода, он подобрал барахло, валявшееся на берегу озера, и стал одеваться. Натягивая на себя один свитер за другим, Гарри каждый раз ожидал, что Рон исчезнет, пока он не может его видеть, но тот всякий раз оказывался на месте. Он тоже нырнул в озерцо, он спас Гарри.

— Эт-то был т-ты? — спросил наконец Гарри все еще придушенным голосом и стуча зубами.

— Ага, — сказал Рон с довольно смущенным видом.

— Т-ты наколдовал эту лань?

— Чего? Да нет, конечно! Я думал, она твоя.

— Мой Патронус — олень.

— Ах, да, то-то мне показалось, что она немножко другая. Безрогая.

Гарри снова повесил Хагридов мешочек на шею, напялил последний свитер, наклонился подобрать волшебную палочку Гермионы и опять повернулся к Рону:

— Откуда ты взялся?

Рон, как видно, надеялся, что об этом речь зайдет позже, а может, и вообще не зайдет.

— Ну, ты понимаешь... Я... Я вернулся. Если... — Он прокашлялся. — Ну, ты знаешь. Если вы меня примете.

Наступило молчание. При воспоминании о том, как Рон ушел, между ними как будто выросла стена. Но сейчас-то он здесь. Он вернулся. Он только что спас Гарри жизнь.

Рон смотрел на свои руки, словно удивляясь, что держит какие-то вещи.

— А, да, я его вытащил, — сообщил он очевидное, показывая Гарри меч. — Ты ведь за ним полез, так?

— Ага, — сказал Гарри. — Только я не пойму, как ты-то здесь оказался? Как ты нас нашел?

— Долго рассказывать, — буркнул Рон. — Я вас давно уже ищу. Лес такой здоровенный. Я уж думал, придется заночевать под деревом, и тут вижу — олень, и ты за ним.

— Ты больше никого не видел?

— Нет, — сказал Рон. — Я...

Он запнулся, глядя на два дерева чуть в стороне, растущие почти вплотную друг к другу.

— Мне вроде показалось, что там что-то шевелится, но я торопился, потому что ты нырнул и с концами, я не мог особо там разглядывать... Эй!

Гарри уже сорвался с места и бежал туда, куда указал Рон. Два дуба росли совсем рядышком, между стволами оставался небольшой просвет, как раз на уровне глаз — идеально, чтобы все видеть, а самому оставаться невидимым. Правда, снега у корней не было и следов тоже. Гарри вернулся к Рону, все еще державшему в руках меч и крестраж.

— Что-нибудь нашел? — спросил Рон.

— Нет, — ответил Гарри.

— А как меч попал в озеро?

— Его положил тот, кто прислал Патронуса.

Оба посмотрели на серебряный меч. Украшенная рубинами рукоять поблескивала при свете Гермиониной волшебной палочки.

— Думаешь, настоящий? — спросил Рон.

— Проверить можно только одним способом, правильно? — сказал Гарри.

Крестраж по-прежнему раскачивался на цепочке. Медальон чуть-чуть подергивался. Гарри знал, что обитающая в нем тварь волнуется. Она почуяла угрозу и попыталась убить Гарри, лишь бы он не завладел мечом. Что тут долго рассусоливать, надо уничтожить медальон раз и навсегда. Гарри огляделся, высоко подняв волшебную палочку Гермионы, и увидел подходящее место — плоский камень, лежавший на земле в тени платана.

— Иди сюда!

Гарри первым подошел к камню, смахнул с него снег и протянул руку за крестражем. Рон протянул сначала меч, но Гарри покачал головой:

— Давай ты.

— Я? — изумился Рон. — Почему?

— Ты достал меч из озера — значит, он твой.

Гарри не пытался играть в великодушие. Как перед этим он почувствовал, что лани можно доверять, так и теперь он точно знал, что мечом должен орудовать Рон. Это будет правильно. Хоть этому Дамблдор его научил — что бывает особая, неуловимая магия, которая связывает между собой вещи и поступки.

— Я его открою, — объяснил Гарри, — а ты шарахнешь мечом. Сразу, понял? Потому что эта дрянь будет отбиваться. Тот кусочек Реддла, что жил в дневнике, меня чуть не прикончил.

— А как ты его откроешь? — испуганно спросил Рон.

— Попрошу на змеином языке, — сказал Гарри.

Ответ пришел как будто сам собой, словно Гарри давно уже его знал в глубине души и только теперь понял, — может быть, помогла встреча с Нагайной. Он посмотрел на изогнутую букву «S», выложенную из сверкающих зеленых камушков; нетрудно было себе представить, что это крошечная змейка свернулась на холодном камне.

— Стой! — крикнул Рон. — Не открывай, серьезно!

— Почему? — спросил Гарри. — Отделаемся от этой мерзости, она мне уже поперек горла...

— Гарри, я не могу. Правда, давай лучше ты...

— Да почему?

— Потому что эта штука плохо на меня действует! — выпалил Рон и попятился от камня, на котором лежал медальон. — Я с ней не справляюсь! Гарри, я не оправдываюсь, она действительно на меня сильнее действует, чем на вас с Гермионой. У меня от нее всякие дрянные мысли лезут в голову. Вроде я и раньше о том же думал, но от нее все становится еще гаже. Не могу объяснить, а как сниму эту штуковину — вроде и в голове проясняется, а потом как опять надену... Не могу я, Гарри!

Он отступил еще дальше, волоча за собой меч и мотая головой.

— Можешь, — сказал Гарри. — Можешь! Ты же достал меч — значит, ты и должен ее разрубить. Ну я тебя прошу, разделайся с ней, Рон!

Звук собственного имени словно пришпорил Рона. Он вздохнул и, громко сопя, опять подошел к камню.

— Скажи, когда будет пора, — сипло попросил он.

— На счет три, — сказал Гарри.

Он уставился на медальон, сощурив глаза и мысленно представляя змею на месте буквы «S». То, что обитало в медальоне, задрыгалось, точно пойманный таракан. Его даже можно было пожалеть, вот только ссадина от цепочки еще горела на шее Гарри.

— Раз... два... три... Откройся!

Последнее слово прозвучало рычащим шипением, и золотые створки, щелкнув, раскрылись. За стеклышками, вправленными в створки, блестели живые глаза — два красивых темных глаза, какие были, наверное, у Тома Реддла до того, как они стали красными, с вертикальным зрачком.

— Бей, — сказал Гарри, придерживая раскрытый медальон на камне.

Рон дрожащими руками поднял меч. Кончик меча завис над бешено вращавшимися глазами. Гарри крепче ухватил медальон — он уже приготовился увидеть, как из-за разбитых стекол брызнет кровь.

Вдруг из крестража раздался голос:

— Я видел твое сердце, и оно — мое!

— Не слушай его! — прохрипел Гарри. — Бей!

— Я видел твои сны, Рональд Уизли, я видел твои страхи. То, о чем ты мечтаешь, может сбыться, но и то, чего ты боишься, может сбыться тоже...

— Бей! — заорал Гарри.

Его голос эхом прокатился между деревьями. Клинок задрожал — Рон не мог оторвать взгляда от глаз Реддла.

— Нелюбимый сын у матери, которая всегда мечтала о дочери... И девушку не сумел удержать, она предпочла твоего друга... Вечно на вторых ролях, вечно в тени...

— Рон, бей скорее! — рявкнул Гарри, чувствуя, как содрогается медальон под его руками, и пугаясь того, что может случиться. Рон еще выше занес меч, и тут глаза Реддла вспыхнули красным.

Из глаз в окошечках медальона выступили нелепыми пузырями две причудливо искаженные головы — Гарри и Гермионы.

Рон вскрикнул от неожиданности и попятился. Фигуры продолжали расти, поднимаясь над медальоном — по плечи, потом по пояс, потом по щиколотку, и вот они уже стоят, покачиваясь, словно деревья с одним общим корнем, над настоящим Гарри и Роном. Медальон раскалился добела, Гарри отдернул руки.

— Рон! — крикнул он, но призрачный Гарри уже говорил голосом Волан-де-Морта, а Рон, как зачарованный, смотрел ему в лицо.

— Зачем ты вернулся? Нам было лучше без тебя, мы были счастливы, мы радовались, что ты ушел... Мы смеялись над твоей глупостью, над твоей трусостью, над твоим самомнением...

— Самомнением! — подхватила призрачная Гермиона.

Она была гораздо красивее настоящей, но она наводила страх, раскачиваясь и насмехаясь над Роном, который смотрел на нее с ужасом и все-таки не мог отвести глаз, бессильно опустив руки с мечом.

— Кому ты нужен, когда рядом Гарри Поттер? Что ты сделал в своей жизни, чтобы сравниться с Избранным? Кто ты такой против Мальчика, Который Выжил?

— Бей, Рон, бей! — кричал Гарри, но Рон стоял неподвижно, широко раскрыв глаза, в которых отражались призрачные Гарри с Гермионой. Их волосы развевались языками пламени, глаза горели красным, голоса звучали зловещим дуэтом.

— *Твоя мама хотела, чтобы я был ее родным сыном,* — глумился фальшивый Гарри, — *она сама так говорила, она бы рада была променять тебя на меня...*

— *Его бы всякая предпочла, ни одна женщина тебя не выберет! Ты ничтожество рядом с ним,* — проворковала призрачная Гермиона и, как змея, обвилась вокруг призрачного Гарри, сжимая его в объятиях. Их губы встретились.

Рон смотрел на них с мукой в лице. Он высоко поднял меч дрожащими руками.

— Давай, Рон! — завопил Гарри.

Рон глянул на него, и Гарри почудился красный отблеск в его глазах.

— Рон!

Сверкнул меч, Гарри шарахнулся в сторону, послышался звон металла, потом протяжный вопль. Гарри стремительно обернулся, поскальзываясь на снегу и держа наготове волшебную палочку, но сражаться было не с кем.

Их с Гермионой чудовищные копии исчезли без следа. Рон стоял с мечом в опущенной руке, а перед ним на камне лежали обломки разбитого медальона.

Гарри медленно подошел к нему, не зная, что нужно сказать или сделать. Рон тяжело дышал. Глаза у него снова были нормальные, голубые, а не красные, только мокрые от слез.

Гарри нагнулся, притворившись, что ничего не заметил, и поднял разрубленный крестраж. Рон разбил стекло в обоих окошках — глаза Реддла исчезли, а запятнанная шелковая подкладка слегка дымилась. Тварь, что жила в крестраже, сгинула.

Звякнул меч — Рон уронил его и рухнул на колени, схватившись за голову. Он весь дрожал, только не от холода. Гарри сунул сломанный медальон в карман, встал на колени возле Рона и осторожно положил руку ему на плечо.

— Когда ты ушел, — очень тихо заговорил он, радуясь, что лица Рона не видно, — она плакала целую неделю.

Может, и дольше, но так, чтобы я не видел. Мы целыми вечерами вообще не разговаривали. Без тебя...

Он не смог закончить фразу. Только теперь, когда Рон вернулся, Гарри по-настоящему понял, чего им стоило его отсутствие.

— Она мне как сестра, — продолжал Гарри. — Я люблю ее как сестру, и она, я думаю, так же ко мне относится. И всегда так было. Я думал, ты знаешь.

Рон не ответил. Он отвернулся от Гарри и шумно высморкался в рукав. Гарри встал и отошел туда, где валялся громадный рюкзак Рона, который тот бросил, когда бежал вытаскивать Гарри из воды. Гарри взвалил рюкзак на спину и вернулся к Рону. Тот поднялся на ноги с красными глазами, но вполне владея собой.

— Извини, — сказал он севшим голосом. — Я жалею, что ушел. Знаю, я поступил как...

Он огляделся, будто надеялся, что из темноты к нему прилетит достаточно ругательное слово.

— Ты сегодня вроде как все это наверстал, — сказал Гарри. — Вытащил меч. Прикончил крестраж. Мне жизнь спас.

— Звучит куда круче, чем все было на самом деле, — пробормотал Рон.

— А оно всегда звучит куда круче, чем было на самом деле, — сказал Гарри. — Я тебе уже много лет об этом талдычу.

Они одновременно шагнули друг другу навстречу и обнялись. Под руками Гарри захлюпала водой промокшая куртка Рона.

— Теперь бы еще найти палатку, — заметил Гарри, когда они отступили друг от друга.

Но палатка отыскалась без труда. Гарри казалось, что он долго бежал по лесу за серебряной ланью, а обратная дорога вдвоем вышла на удивление короткой. Гарри не терпелось разбудить Гермиону. С бьющимся сердцем он нырнул в палатку. Рон топтался позади.

После озера и заснеженного леса здесь было упоительно тепло. Уютно светились синенькие язычки волшебного огня в миске на полу. Гермиона крепко спала, свернувшись в клубочек под одеялом, и не проснулась, пока Гарри не позвал ее несколько раз по имени.

— Гермиона!

Она пошевелилась, потом резко села, откидывая волосы с лица.

— Гарри? Что случилось? Ты цел?

— Все в порядке, все отлично. Даже замечательно. Тут к нам кое-кто пришел...

— Ты о чем это? Кто?..

Она увидела Рона — он стоял с мечом в руке, и вода капала с него на потертый ковер. Гарри отступил в темный угол, стряхнул с себя Ронов рюкзак и постарался стать по возможности незаметным.

Гермиона выскользнула из кровати и, двигаясь как во сне, шагнула к Рону, не сводя глаз с его бледного лица. Она остановилась перед ним, приоткрыв губы и широко распахнув глаза. Рон слабо, с надеждой улыбнулся и протянул к ней руки.

Гермиона кинулась на него и принялась колотить по чем попало.

— Ай, Гермиона, ой! Ты чего? А-а!

— Рональд... Уизли... ты... последняя... задница!

Каждое слово сопровождалось ударом. Рон пятился, прикрывая голову, Гермиона наступала на него.

— Приполз... обратно... столько... времени... собирался... где моя волшебная палочка?!!!

Похоже, она была готова вырвать палочку из рук Гарри. Он отреагировал на чистом инстинкте.

— *Протего!*

Между Роном и Гермионой возник невидимый щит. Гермиону отбросило на пол. Она выплюнула попавшие в рот волосы и снова вскочила.

— Гермиона! — крикнул Гарри. — Успокойся...

— Не успокоюсь! — завизжала она.

Гарри никогда еще не видел ее в таком состоянии. Она была прямо как безумная.

— Отдай мою волшебную палочку! Дай сюда, я сказала!!!

— Гермиона, остановись...

— Нечего тут командовать, Гарри Поттер! — крикнула она. — Не смей мне указывать! Отдай сейчас же! А ты!!!

Она обвиняюще ткнула пальцем в сторону Рона, словно проклиная. Гарри не мог винить Рона за то, что тот отступил на несколько шагов.

— Я бежала за тобой! Я тебя звала! Я умоляла тебя вернуться!

— Знаю, — пробормотал Рон. — Гермиона, прости. Я правда жалею, что ушел...

— Ах, жалеешь!

Гермиона пронзительно расхохоталась. Рон беспомощно посмотрел на Гарри, но тот только растерянно развел руками.

— Столько времени шлялся неизвестно где, а теперь явился и воображаешь, что достаточно будет сказать: ты, мол, жалеешь, — и все будет в порядке?!

— А что еще я могу сказать? — заорал Рон.

«Хорошо, что он хоть как-то пытается постоять за себя», — подумал Гарри.

— Даже не знаю! — с жутким сарказмом ответила Гермиона. — Ты уж подумай, Рон, напряги извилины — на это много времени не надо, их всего-то две с половиной...

— Гермиона, — встрял Гарри, не вынеся такого низкого приема, — он меня спас...

— А мне плевать! — завопила Гермиона. — Меня не волнует, что он там совершил! Столько времени прошло, мы могли десять раз погибнуть, а ему и горя мало...

— Я знал, что вы не погибли! — рявкнул Рон, впервые перекричав ее и подскочив к самому щиту. — Про Гарри без конца пишут в «Пророке», и по радио говорят, и везде вас ищут, прямо с ума все посходили, я бы сразу услышал, если бы вас поймали, вы даже не знаете, каково мне пришлось...

— *Тебе* пришлось?

Голос у Гермионы все повышался, еще чуть-чуть — и его смогли бы воспринимать только летучие мыши. От возмущения у нее не хватило слов, и Рон тут же этим воспользовался.

— Я, как только трансгрессировал, сразу и пожалел, я бы вернулся в ту же минуту, только наскочил на егерей, понимаешь, Гермиона, и они меня загребли!

— На кого наскочил? — спросил Гарри.

Гермиона бросилась в кресло и так решительно скрестила руки и ноги, как будто собиралась просидеть в этой позе несколько лет.

— На егерей, — повторил Рон. — Они теперь повсюду шастают, целыми бандами, зарабатывают золотишко тем, что ловят лиц магловского происхождения и предателей чистокровных. Министерство за каждого дает награду. Я был один, а по возрасту вроде школьник, вот они и обрадовались — решили, я из семьи маглов и скрываюсь.

— Что ты им сказал?

— Сказал, что я — Стэн Шанпайк. Первое, что пришло в голову.

— И они поверили?

— Они умом-то не особо блистали. Один по виду вообще частично тролль, и по запаху тоже...

Рон покосился на Гермиону, явно надеясь, что она оценит юмор и смягчится, но Гермиона по-прежнему сидела с каменным лицом, прочно сплетя руки.

— В общем, они там заспорили, Стэн я или нет. Довольно жалкие типы, если честно, только их было пятеро, а я один, и палочку они отобрали. Потом двое сцепились, остальные отвлеклись, я одного, который меня держал, укусил в живот и выдернул волшебную палочку. Обезоружил того, который держал мою, и трансгрессировал. Вышло не очень удачно, у меня опять случился расщеп... — Рон показал правую руку — на двух пальцах не хватало ногтей. Гермиона холодно подняла брови. — И потом, я оказался за несколько миль от вас. Пока добрался по берегу до места ночевки... вас уже там не было.

— Боже, какая захватывающая история, — надменно сказала Гермиона. Она всегда говорила таким тоном, когда хотела обидеть. — Бедненький, как ты натерпелся! А мы с тобой, Гарри, что делали? Побывали в Годриковой Впадине, и что же там такое было, даже и не припомню... Ах да, Сам-Знаешь-Чья змея на нас набросилась, мало что не убила, а потом и Сам-Знаешь-Кто появился, мы с ним разминулись буквально на секунду...

— Что? — спросил Рон, потрясенно глядя то на нее, то на Гарри, но Гермиона не удостоила его вниманием.

— Вообрази, Гарри, он лишился двух ноготочков! Вот это настоящее страдание, я понимаю...

— Гермиона, — тихо сказал Гарри, — Рон спас мне жизнь.

Она словно не слышала.

— Одно только мне хотелось бы знать, — проговорила она, уставившись в точку над головой Рона. — Как ты нашел нас сегодня? Это очень важно. Если мы это поймем, сможем в дальнейшем обезопасить себя от непрошеных гостей.

Рон угрюмо посмотрел на нее и вытащил из кармана джинсов какую-то серебряную вещицу.

— Вот этим.

Гермионе пришлось перевести взгляд на Рона, чтобы разглядеть, что он показывает.

— Делюминатор? — спросила она, от удивления забыв держаться холодно и неприступно.

— Он, оказывается, не просто свет включает и выключает, — объяснил Рон. — Не знаю, как он устроен и почему это случилось именно в тот момент, а не раньше — я ведь все это время хотел вернуться. В общем, я слушал радио утром на Рождество и вдруг услышал... тебя.

Он смотрел прямо на Гермиону.

— Ты услышал меня по радио? — недоверчиво переспросила она.

— Нет, из кармана. Твой голос шел из этой штуки. — Он снова поднял вверх делюминатор.

— И что же я сказала? — В голосе Гермионы скептицизм боролся с любопытством.

— Сказала мое имя — Рон. И еще... что-то про волшебную палочку.

Гермиона жарко покраснела. Гарри вспомнил, что в рождественское утро имя Рона прозвучало между ними впервые с того дня, когда он ушел. Гермиона произнесла его, когда пыталась починить волшебную палочку Гарри.

— Ну вот, я его вынул, — продолжал Рон, глядя на делюминатор, — и вроде он выглядел как всегда, но я же точно слышал твой голос. Так что я щелкнул. В комнате свет погас, но зато появился другой, прямо за окном.

Рон ткнул пальцем перед собой, как будто видел что-то такое, чего Гарри и Гермиона видеть не могли.

— Это был как будто пульсирующий шар света, синеватый такой, вроде того, что бывает вокруг портала, знаете?

— Ага, — в один голос машинально ответили Гарри с Гермионой.

— Я понял, что это мне и надо, — сказал Рон. — Похватал барахло, нацепил рюкзак и пошел в сад. Шарик света меня дожидался, а как я вышел, он полетел вперед, так это подпрыгивая, а я двинулся за ним. Он привел меня за сарай, а потом... ну, переместился в меня.

— Это как? — спросил Гарри, решив, что неправильно расслышал.

— Он вроде как подплыл ко мне, — Рон показал пальцем точку поблизости от сердца, — вот сюда, а потом как будто провалился внутрь. Я его чувствовал, он такой горячий. Я сразу сообразил, что надо делать. Понятно было, что он вынесет меня, куда нужно. Я трансгрессировал и попал на какой-то холм. Там лежал снег...

— Мы там были! — подхватил Гарри. — Две ночи там провели, и на вторую ночь мне все казалось, что кто-то ходит и зовет меня в темноте.

— Ага, это, наверное, был я, — сказал Рон. — Ваши защитные заклинания здорово работают — я вас так и не смог увидеть и услышать тоже, но я был уверен, что вы где-то рядом, так что в итоге вытащил спальник и стал ждать, пока вы появитесь. Думал, увижу, когда вы будете складывать палатку.

— Да нет, — сказала Гермиона, — в тот раз мы трансгрессировали под мантией-невидимкой, для перестраховки. И отправились очень рано, потому что, как Гарри сказал, слышали, будто кто-то бродит вокруг.

— Ну вот, а я целый день просидел на холме, — продолжал Рон. — Все ждал, что вы покажетесь. А когда стало темнеть, я понял, что упустил вас, и опять щелкнул делюминатором, синий свет вошел в меня, я трансгрессировал и оказался здесь, в лесу. Ну, вас опять не было видно, оставалось только надеяться, что кто-то из вас объявится... Гарри и объявился. То есть сначала-то я увидел серебряную лань...

— Что ты увидел? — резким тоном переспросила Гермиона.

Они стали рассказывать ей о том, что случилось. Гермиона хмурилась, переводила взгляд с одного на другого и слушала так сосредоточенно, что забыла держать скрещенными руки и ноги.

— Это явно был чей-то Патронус! — воскликнула она. — Ты так и не видел, кто ее создал? Вообще никого не видел? И лань привела тебя к мечу? Даже не верится! А потом что было?

Рон рассказал, как увидел, что Гарри прыгнул в озерцо, стал ждать, когда он вынырнет, потом сообразил, что что-то не так, бросился в воду и вытащил Гарри, а потом нырнул еще раз, за мечом. Дойдя до того, как открылся медальон, Рон замялся, и Гарри закончил за него:

— И тогда Рон как даст по нему мечом!

— И он... уничтожился? И все? — прошептала Гермиона.

— Ну... Он здорово орал, — ответил Гарри, покосившись на Рона. — Вот.

Он бросил ей на колени бывший крестраж. Гермиона опасливо взяла медальон и осмотрела разбитые окошечки.

Гарри наконец решился убрать щит и повернулся к Рону:

— Когда ты удирал от егерей, у тебя вроде образовалась лишняя волшебная палочка?

— Что? — отозвался Рон, глядя на Гермиону, рассматривавшую медальон. — А, ну да.

Он расстегнул пряжку на кармане рюкзака и вытащил короткую палочку из темного дерева.

— Вот, я подумал, что невредно будет иметь запасную.

— Как ты был прав! — сказал Гарри, протягивая руку. — Моя сломалась.

— Серьезно? — сказал Рон, но тут Гермиона поднялась на ноги, и он испуганно съежился.

Гермиона спрятала обезвреженный крестраж в расшитую бисером сумочку, забралась в кровать и молча укрылась одеялом.

Рон передал Гарри новую палочку.

— Кажется, обошлось, — пробормотал Гарри.

— Угу, — согласился Рон. — Могло быть и хуже. Помнишь, как она на меня птичек натравила?

— Я и сейчас еще не исключаю такой возможности, — раздался из-под одеяла приглушенный голос Гермионы, но Гарри видел, что Рон потихоньку улыбается, вытаскивая из рюзака свою бордовую пижаму.

Глава 20

КСЕНОФИЛИУС ЛАВГУД

Гарри не ожидал, что гнев Гермионы утихнет за одну ночь, и потому нисколько не удивился, что на следующее утро она общалась с ними обоими в основном посредством демонстративного молчания и зловещих взглядов. Рон при ней держался неестественно скорбно, как бы в знак глубокого раскаяния. Пока они втроем сидели в палатке, Гарри чувствовал себя единственным бестактно бодрым гостем на небогатых похоронах. Зато когда они вдвоем отправлялись за водой или за грибами, Рон начинал беззастенчиво радоваться жизни.

— Кто-то нам помогает! — повторял он. — Кто-то прислал ту серебряную лань. У нас есть союзник. С одним крестражем разделались, дружище!

Воодушевившись победой над медальоном, они принялись вычислять, где могут находиться другие крестражи. Хоть они уже сто раз все это обсуждали, Гарри был полон оптимизма. За первой удачей наверняка последуют другие! Мрачный вид Гермионы не мог испортить ему настроения. Внезапный поворот к лучшему, таинственная лань, обретенный меч Гриффиндора, а главное — возвращение Рона... Гарри был так счастлив, что с трудом сохранял серьезное выражение лица.

Во второй половине дня Рон и Гарри снова удрали от свирепой Гермионы, якобы искать среди голых кустов мифическую ежевику, и продолжили обмен новостями. Гарри наконец-то рассказал Рону об их с Гермионой странствиях, включая все подробности событий в Годриковой Впадине, а Рон теперь излагал Гарри известия из внешнего мира. Он рассказал, как отчаявшиеся волшебники из семей маглов скрываются от Министерства, потом спросил:

— А откуда ты узнал о Табу?

— О чем, о чем?

— Вы с Гермионой наконец-то перестали называть Сами-Знаете-Кого по имени!

— Ну да, просто поддались дурной привычке, — сказал Гарри. — Но я спокойно могу его называть и В...

— Молчи! — заорал Рон так, что Гарри свалился в колючие кусты, а Гермиона, сидевшая с книгой у входа в палатку, сердито посмотрела на них издали.

— Извини, — сказал Рон, вытаскивая Гарри из ежевичного куста, — только его имя теперь заколдовано, они через него выслеживают людей! Если произнесешь его имя, все защитные заклятия разрушаются. Оно вызывает типа магические помехи. Так нас и отловили тогда, на Тотнем-Корт-роуд!

— Из-за того, что мы произнесли его имя?

— Ну да! Вообще-то логично. Надо признать, они не дураки. Это имя не боялись произносить только самые сильные его противники, вроде Дамблдора, а с тех пор, как на него установили Табу, всякого, кто так говорит, можно легко отследить. Простой и удобный способ выявить всех членов Ордена! Кингсли вот чуть не поймали...

— Серьезно?

— Ага, Билл рассказывал. Пожиратели смерти навалились на него целой толпой, но он ушел и теперь в бегах, вроде как мы. — Рон задумчиво почесал подбородок волшебной палочкой. — Слушай, может, это Кингсли прислал тебе лань?

— У него Патронус в виде рыси. Мы же видели на свадьбе, помнишь?

Они двинулись вдоль кустов, подальше от палатки и Гермионы.

— Гарри... а как ты думаешь, вдруг это Дамблдор?

— Что — Дамблдор?

Рон слегка замялся, но все-таки выговорил, понизив голос:

— Дамблдор... эта лань? Я в том смысле... — Рон краешком глаза наблюдал за Гарри. — Он последним держал в руках настоящий меч, правда?

Гарри не поднял Рона на смех, потому что очень хорошо понимал, какая тоска прячется за этим вопросом. Никакими словами не описать, насколько было бы легче жить, думая, что Дамблдор каким-то образом вернулся и оберегает их.

Гарри покачал головой:

— Дамблдор умер. Это случилось у меня на глазах. Его больше нет. И потом, его Патронус — феникс, а не лань.

— Ну все-таки... Патронусы иногда меняются, — не отступал Рон. — У Тонкс изменился Патронус, нет?

— Если Дамблдор жив, почему он не показывается? Взял бы и просто передал нам меч.

— Я откуда знаю? — огрызнулся Рон. — Потому же, почему он тебе его не передал, пока был жив. Почему оставил тебе в наследство старый снитч, а Гермионе — детскую книжку.

— Так почему? — Гарри круто повернулся к Рону. Ему до смерти хотелось услышать ответ.

— Не знаю... — протянул Рон. — Я, когда злился, думал иногда — он просто насмехается, а может, нарочно усложняет нам задачу. Только теперь я так не думаю. Он знал, что делал, когда оставил мне делюминатор — скажешь, нет? Он... — Уши Рона запылали, он вдруг ужасно заинтересовался пучком травы у себя под ногами и принялся ковырять его носком ботинка. — Он, наверное, знал, что я вас брошу.

— Нет, — поправил Гарри, — он знал, что ты обязательно вернешься.

Рон посмотрел на него благодарно и смущенно. Гарри поторопился сменить тему:

— Кстати, ты слышал, какую книгу о нем настрочила Рита Скитер?

— А, да, — кивнул Рон, — все о ней говорят. Дамблдор дружил с Грин-де-Вальдом — большая была бы новость, если бы не все эти дела. А так — просто небольшой плевок в лицо общественности: оказывается, он не такой безупречный, как все считали. А по-моему, ничего тут нет такого ужасного. Он тогда был совсем молодой...

— Как мы, — сказал Гарри.

Точно так же он ответил раньше Гермионе, и что-то, вероятно, было в его лице, отчего Рону не захотелось продолжать разговор.

На кусте висела замерзшая паутина, в центре ее сидел паук. Гарри прицелился волшебной палочкой, которую дал ему Рон, а позднее Гермиона милостиво согласилась осмотреть и пришла к выводу, что палочка сделана из терновника.

— *Энгоргио!*

Паук слегка дернулся и подпрыгнул в своей паутине. Гарри попробовал опять. На этот раз паук чуть-чуть увеличился.

— Прекрати! — занервничал Рон. — Ну извини, что я сказал — Дамблдор был молодой...

Гарри и забыл, что Рон не переносит пауков.

— Прошу прощения... *Редукто!*

Паук не стал меньше. Гарри посмотрел на терновую палочку. Он успел испробовать с ней несколько простеньких заклинаний, и все они выходили хуже, чем с волшебной палочкой из пера феникса. Новая палочка казалась агрессивно непривычной, как будто ему пришили чужую руку.

— Просто надо поупражняться, — сказала Гермиона.

Она неслышно подошла сзади и наблюдала за попытками Гарри увеличить, а потом уменьшить паука.

— Тут самое главное — уверенность!

Гарри понимал, почему ей так хочется, чтобы с новой палочкой все оказалось в порядке: Гермиона все еще чувствовала себя виноватой, что испортила прежнюю. Он промолчал, хотя ответ напрашивался сам собой — пусть она тогда отдаст ему свою, а себе оставит замечательную терновую. Гарри удержался, чтобы не заводить лишних ссор. Ему страшно хотелось, чтобы все они наконец помирились, но, когда Рон рискнул улыбнуться Гермионе, она тут же отошла прочь и снова уткнулась в книгу.

Когда стемнело, все вернулись в палатку, и Гарри взялся дежурить первым. Сидя у входа, он старался с помощью терновой палочки заставить левитировать мелкие камушки, но магия по-прежнему не слушалась. Гермиона лежала у себя на койке и читала, а Рон сперва все косился на нее, потом достал из рюкзака маленький деревянный радиоприемник и принялся крутить ручки.

— Есть тут одна программа, — вполголоса объяснил он Гарри, — по ней рассказывают настоящие новости. Все остальные станции переметнулись Сам-Знаешь-к-Кому и все повторяют за Министерством, а эти... Вот подожди, сам услышишь, это классно. Только они не каждую ночь выходят в эфир, им приходится все время перемещаться, и еще, чтобы подключиться к ним, нужен пароль, а я как раз пропустил прошлую передачу...

Он легонько стукнул по приемнику волшебной палочкой, наугад бормоча себе под нос какие-то слова. При этом он исподтишка поглядывал на Гермиону, явно опасаясь, как бы она опять на него не налетела, но Гермиона старательно делала вид, будто его здесь нет. Так прошло минут десять. Рон бормотал и стучал палочкой, Гермиона перелистывала страницы, а Гарри упражнялся со своим новым приобретением.

Наконец Гермиона встала. Рон сразу перестал стучать.

— Если тебе мешает, я не буду! — торопливо заверил он.

Гермиона не снизошла до того, чтобы ответить. Она подошла к Гарри.

— Нам надо поговорить.

Он посмотрел на книгу, которую Гермиона держала в руке: «Жизнь и обманы Альбуса Дамблдора».

— Ну что? — спросил он неохотно.

У него мелькнула мысль: вдруг там есть глава, посвященная ему? Гарри не чувствовал в себе сил знакомиться с тем, как Рита излагает свою версию его отношений с Дамблдором. Однако Гермиона сказала совсем не то, что он ожидал.

— Я хочу повидаться с Ксенофилиусом Лавгудом.

Гарри вытаращил глаза.

— Что-что?

— Ксенофилиус Лавгуд, папа Полумны. Я хочу с ним поговорить!

— А... зачем?

Гермиона сделала глубокий вдох, как будто готовилась к прыжку, и выпалила:

— Да все этот знак из «Сказок». Вот, смотри!

Она сунула Гарри под нос «Жизнь и обманы Альбуса Дамблдора», раскрытую на странице с копией письма Грин-де-Вальду, написанного таким знакомым, летящим косым почерком Дамблдора. Гарри было тошно видеть перед собой окончательное доказательство, что письмо — не выдумка Риты Скитер, что Дамблдор в самом деле написал эти слова.

— Подпись, — подсказала Гермиона. — Посмотри на подпись!

Гарри посмотрел. Сперва он не понял, в чем дело, но потом пригляделся, поднеся к книге светящуюся волшебную палочку, и увидел, что Дамблдор вместо буквы «А» в слове «Альбус» нарисовал крошечный треугольный значок, такой же, как в сборнике сказок.

— Э-э-э... вы о чем? — заикнулся было Рон, но Гермиона испепелила его взглядом и снова повернулась к Гарри.

— Все время этот знак всплывает, понимаешь? Конечно, Виктор Крам говорил, что это символ Грин-де-Вальда, но мы же его видели на той старой могиле в Годриковой Впадине, а даты на ней намного раньше Грин-де-Вальда! И теперь еще это письмо. Ну, Дамблдора или Грин-де-Вальда мы не можем спросить, что это значит, — я даже не знаю, жив еще Грин-де-Вальд или нет, — зато можно спросить мистера Лавгуда! Он тогда пришел на свадьбу с этим символом на шее. Я уверена, Гарри, что это очень важно!

Гарри ответил не сразу. Он посмотрел на исполненную азарта Гермиону, потом в темноту за палаткой и глубоко задумался. Наконец он сказал:

— Не надо нам еще одной Годриковой Впадины. Мы тогда убедили друг друга, будто нам туда очень нужно, и что вышло?

— Но он же все время нам попадается, Гарри! Дамблдор завещал мне «Сказки барда Бидля», так откуда ты знаешь, что не ради этого знака?

— Ну вот, опять все сначала! — Гарри вдруг вышел из себя. — Мы все время уговариваем сами себя, что Дамблдор оставил нам какие-то тайные указания, намеки...

— Делюминатор здорово пригодился, — подал голос молчавший до этого Рон. — По-моему, Гермиона права. Я думаю, надо навестить этого Лавгуда.

Гарри мрачно глянул на него. Он был совершенно уверен, что Рон просто подлизывается к Гермионе, а глубокий смысл треугольного значка его нисколько не волнует.

— И тут не то же самое, что в Годриковой Впадине, — прибавил Рон. — Лавгуды на нашей стороне. «Придира» с самого начала был за тебя, он постоянно всех призывает помогать тебе!

— Я уверена, что это важно! — твердила Гермиона.

— А вы не думаете, что, если бы это было так важно, Дамблдор сам бы мне все рассказал, пока был жив?

— Может, это что-то такое, что ты обязательно должен узнать сам, — предположила Гермиона, явно хватаясь за соломинку.

— Вот-вот, — льстиво поддакнул Рон. — Все логично!

— Совсем не логично, — огрызнулась Гермиона, — но все равно я считаю, что мы должны поговорить с мистером Лавгудом. Символ, который связывает Дамблдора, Грин-де-Вальда и Годрикову Впадину... Да мы просто обязаны все о нем выяснить!

— А давайте проголосуем, — подал идею Рон. — Кто за то, чтобы навестить Лавгуда...

Он вскинул руку даже раньше Гермионы. Ее губы подозрительно дрогнули. Она тоже подняла руку.

— Извини, Гарри, ты в меньшинстве, — объявил Рон и хлопнул друга по спине.

— Ладно, — сдался Гарри, не зная, смеяться ему или злиться. — Только давайте после Лавгуда поищем еще крестражей, идет? Где они хоть живут, эти Лавгуды? Кто-нибудь знает?

— Да недалеко от нас, — ответил Рон. — Точно не знаю, но мама с папой, когда о них говорят, всегда показывают в сторону холмов. Мы их легко найдем.

Когда Гермиона вернулась к себе на койку, Гарри тихонько сказал Рону:

— Ты просто перед ней выслуживаешься, и больше ничего.

— В любви и на войне все средства хороши, — бодро ответил Рон. — А у нас тут и то и другое. Гляди веселей! Сейчас каникулы, Полумна наверняка дома!

На следующее утро, переместившись, они оказались на продуваемом всеми ветрами склоне холма. Оттуда открывался прекрасный вид на деревушку Оттери-Сент-Кэчпоул. С высоты домики казались игрушечными. Косые лучи солнца падали на землю в разрывы облаков. Заслоняя глаза руками, друзья смотрели в сторону «Норы», но смогли разглядеть только живые изгороди и деревья в саду, защищавшие нелепый домик семьи Уизли от взглядов любопытствующих маглов.

— Странное ощущение — совсем рядом, а зайти нельзя, — сказал Рон.

— Вряд ли ты успел соскучиться. Ты ведь был здесь на Рождество, — холодно промолвила Гермиона.

— Не был! — возмутился Рон. — Ты что, думаешь, я бы явился к ним и сообщил, что бросил вас в лесу? Ага, Фред и Джордж меня бы за это по головке погладили. А уж Джинни бы как меня поняла!

— Где же тогда ты был? — удивилась Гермиона.

— У Билла и Флер, в их новом доме. Коттедж «Ракушка». Билл всегда со мной нормально обращался. Он, конечно, не пришел в восторг, когда услышал, что я наворотил, но жилы тянуть не стал. Он видел, что я всерьез об этом жалею. А больше никто из наших не знал, что я у него. Билл сказал маме, что они с Флер не поедут в «Нору», хотят провести Рождество наедине — типа, первый праздник после свадьбы и так далее. Флер вроде была не против. Она терпеть не может Селестину Уорлок.

Рон повернулся спиной к «Норе».

— Пошли поищем вон там. — И он решительно двинулся к перевалу.

Они бродили по холмам несколько часов. Гермиона потребовала, чтобы Гарри прятался под мантией-невидимкой. Невысокие холмы оказались необитаемыми, если не считать маленького коттеджа, жителей которого нигде не было видно.

— Может, это их дом, а они уехали на Рождество, как вы думаете? — спросила Гермиона, заглядывая через окно в чистенькую кухоньку с геранью на подоконнике.

Рон громко фыркнул:

— Я думаю, если бы тут жили Лавгуды, это было бы заметно. Пошли теперь вон к тем холмам.

Они трансгрессировали на несколько миль к северу. Ветер мгновенно принялся трепать волосы и одежду.

— Ага! — завопил Рон. Он показывал на вершину ближайшего холма. На фоне неба вырисовывался очень странный дом — громадный черный цилиндр, над которым средь бела дня висела призрачная луна.

— Это точно дом Полумны, кто еще будет жить в такой жуткой конструкции? Похоже на гигантскую ладью!

— По-моему, на лодку совсем не похоже, — возразила Гермиона, сурово разглядывая башню.

— Я имел в виду шахматную ладью, — объяснил Рон. — Ты ее называешь «тура».

Рон как самый длинноногий первым добрался до вершины. Когда Гарри с Гермионой догнали его, пыхтя и держась за сердце, то увидели, что Рон ухмыляется во весь рот.

— Это точно их дом. Вы гляньте!

Возле покосившейся калитки были прибиты три самодельные таблички. На первой была надпись: «Кс. Лавгуд, главный редактор журнала «Придира», на второй: «Омела на ваш выбор», на третьей: «Не наступайте на сливы-цеппелины!».

Калитка скрипнула, открываясь. Дорожка, зигзагами ведущая к дому, вся заросла самыми причудливыми растениями, включая куст, увешанный оранжевыми плодами в форме редисок, — Полумна часто носила их в ушах вместо серег. Гарри заметил растение, похожее на цапень, и постарался обойти его как можно дальше. У входной двери стояли, как часовые, две старые яблони, согнувшиеся от ветра, без единого листочка, зато на их ветвях висели ярко-красные яблочки размером с вишню и лохматые клубки омелы в бусинках белых ягод. С одной ветки на гостей смотрела маленькая сова с приплюснутой ястребиной головкой.

— Ты, Гарри, наверное, сними мантию-невидимку, — сказала Гермиона. — Мистер Лавгуд стремится помогать тебе, а не нам.

Гарри стащил с себя мантию и отдал Гермионе, та сунула ее в бисерную сумочку. Потом Гермиона трижды стукнула дверным молотком в форме орла по массивной черной двери, утыканной железными гвоздями.

Не прошло и десяти секунд, как дверь отворилась. На пороге стоял Ксенофилиус Лавгуд, босой, в одеянии, похожем на замызганную ночную рубашку. Его длинные седые волосы, напоминающие сладкую вату, были нечесаны и, похоже, давно не мыты. По сравнению с этой картиной на свадьбе у Билла и Флер Ксенофилиус был прямо-таки элегантен.

— Что такое? Кто вы? Что вам нужно? — закричал он пронзительным, сварливым голосом, глядя сначала на Гермиону, потом на Рона и, наконец, на Гарри. Тут его рот раскрылся, образовав идельно ровную букву «О».

— Здравствуйте, мистер Лавгуд, — сказал Гарри, протягивая руку. — Я — Гарри. Гарри Поттер.

Ксенофилиус не пожал протянутую руку, хотя тот его глаз, что не косил к носу, уставился прямо на шрам у Гарри на лбу.

— Можно, мы войдем? — спросил Гарри. — Нам нужно вас кое о чем спросить.

— Я... думаю, лучше не стоит, — прошептал Ксенофилиус. Он судорожно сглотнул и окинул быстрым взглядом сад. — Это несколько неожиданно... Право... Я... боюсь, что... В самом деле, лучше не надо...

— Мы ненадолго, — сказал Гарри, слегка разочарованный таким прохладным приемом.

— Я... Ну что ж, входите, только быстро. Быстро!

Едва они успели переступить порог, мистер Лавгуд захлопнул за ними дверь. Они оказались в самой удивительной кухне на свете. Она была совершенно круглой, как будто они стояли внутри гигантской солонки. Все в комнате было изогнутым по форме стен: плита, рукомойник, шкафы с посудой — и все расписано птицами, цветами и насекомыми ярких, чистых оттенков. Гарри подумал, что тут чувствуется стиль Полумны; эффект в замкнутом пространстве получился довольно-таки ошеломляющий.

Чугунная винтовая лестница в центре комнаты вела на верхние этажи. Над головой что-то громко лязгало и громыхало. Что же такое там делает Полумна?

— Поднимемся наверх, — пригласил мистер Лавгуд.

Держась по-прежнему скованно, он первым начал подниматься по лестнице.

Комната этажом выше оказалась одновременно гостиной и мастерской, а захламлена она была еще сильнее, чем кухня. Чем-то она напоминала Выручай-комнату в тот незабвенный день, когда та превратилась в громадный лабиринт скопившихся за долгие столетия припрятанных вещей, только эта была поменьше размером и круглая. Повсюду лежали высоченные стопки разных бумаг и книг. С потолка свисали искусно сделанные модельки самых невероятных существ, и все они хлопали крыльями и щелкали челюстями.

Полумны здесь не было, а гремела, как выяснилось, загадочная деревянная штуковина с магически вращающимися штырьками и колесиками. Она была похожа на какую-то странную помесь верстака и старого шкафа. Присмотревшись, Гарри понял, что это старомодный печатный станок — из него непрерывным потоком лезли «Придиры».

— Прошу прощения, — сказал Ксенофилиус, выдернул из-под мгновенно развалившейся груды книг неопрятную скатерть и накрыл ею станок. Грохот и лязг стали чуточку глуше. Мистер Лавгуд повернулся к Гарри. — Зачем вы сюда пришли?

Гарри не успел ответить — Гермиона вдруг вскрикнула:

— Мистер Лавгуд, что это у вас?

Она показывала пальцем на большущий серый закрученный винтом рог, немного похожий на рог единорога. Он был прибит к стене и выдавался в комнату чуть ли не на целый метр.

— Это рог морщерогого кизляка, — сказал Ксенофилиус.

— Ничего подобного! — сказала Гермиона.

— Гермиона, — зашептал, сконфузившись, Гарри, — сейчас не время...

— Гарри, это же рог взрывопотама! Класс «В» по списку запрещенных к продаже материалов, его категорически нельзя держать в доме!

— Откуда ты взяла, что это рог взрывопотама? — спросил Рон, бочком отходя в сторону, насколько это позволял царивший в комнате беспорядок.

— Он описан в книге «Фантастические звери и места их обитания». Мистер Лавгуд, его нужно немедленно отсюда убрать! Разве вы не знаете, что он взрывается от малейшего прикосновения?

— Морщерогие кизляки, — завел Ксенофилиус с выражением ослиного упрямства на лице, — это чрезвычайно пугливые и в высшей степени волшебные существа, а их рог...

— Мистер Лавгуд, я же вижу по бороздкам у основания — это рог взрывопотама, он невероятно опасен... Даже не понимаю, откуда вы его взяли...

— Купил, — авторитетным тоном ответил Ксенофилиус. — Две недели назад, у очаровательного молодого волшебника, который знает, что я интересуюсь этими чудесными животными — кизляками. Рождественский сюрприз для моей Полумны. Так зачем вы все-таки ко мне пришли, мистер Поттер?

— Нам нужна помощь, — ответил Гарри, не дав Гермионе снова открыть рот.

— А! — сказал Ксенофилиус. — Помощь. Хм-м... — Его здоровый глаз опять обратился к шраму Гарри. Он казался одновременно испуганным и словно завороженным. — Да-а... Видите ли... Помогать Гарри Поттеру... небезопасно...

— Вы же все время пишете в своем журнале, что наш первейший долг — помогать Гарри Поттеру! — вмешался Рон.

Ксенофилиус покосился на печатный станок, который гудел и звякал под скатертью.

— Ну да, ну да, мне случалось высказывать подобные взгляды. Однако...

— По-вашему, это относится ко всем, кроме вас? — спросил Рон.

Ксенофилиус не ответил. Он то и дело мучительно сглатывал, глаза у него бегали. Гарри показалось, что в нем происходит жестокая внутренняя борьба.

— А где Полумна? — спросила вдруг Гермиона. — Пусть она скажет свое мнение.

Ксенофилиус поперхнулся, потом как будто взял себя в руки и произнес дрожащим голосом, еле слышным за шумом печатного станка:

— Полумна пошла на ручей, наловить пресноводных заглотов. Она... Она будет вам рада. Я пойду позову ее... А потом, так и быть, помогу вам.

Он шмыгнул вниз по лестнице. Друзья услышали, как внизу открылась и закрылась дверь. Они переглянулись.

— Шпендрик трусливый, — высказался Рон. — Полумна в десять раз храбрее его!

— Он, наверное, беспокоится, что с ними будет, если Пожиратели смерти узнают, что я сюда приходил, — сказал Гарри.

— А по-моему, Рон прав! — объявила Гермиона. — Мерзкий лицемерный старикашка, всех уговаривает тебе помогать, а сам увиливает. И, ради всего святого, держитесь подальше от этого рога!

Гарри подошел к дальнему окну. Оттуда было видно ручей — узкую блестящую ленту далеко внизу, у подножия холма. Башня была страшно высокая. Мимо окна пролетела птица. Гарри посмотрел в сторону «Норы», невидимой за длинной грядой холмов. Там Джинни... Они еще ни разу не были так близко друг к другу со дня свадьбы Билла и Флер, только Джинни не подозревает, что он здесь и думает о ней. Наверное, нужно этому радоваться, ведь всякий, кто приближается к нему, оказывается в опасности. Поведение Ксенофилиуса — только лишнее тому свидетельство.

Гарри отвернулся от окна, и тут на глаза ему попался еще один специфический предмет, стоявший среди прочего хлама на изогнутом серванте. Это был каменный бюст прекрасной, но строгой с виду волшебницы в необыкновенном головном уборе. По бокам торчали изогнутые золотые штуковины, напоминавшие слуховые рожки. Через темя шла кожаная полоска с укрепленными на ней сверкающими синими крылышками, лоб охватывал другой ремешок, к которому была прицеплена оранжевая редиска.

— Эй, посмотрите на это! — позвал Гарри.

— Потрясающе, — хмыкнул Рон. — Как еще он не надел эту штуку на свадьбу...

Внизу хлопнула дверь, и через минуту Ксенофилиус взобрался по винтовой лестнице. Его тощие ноги были теперь обуты в резиновые сапоги, а в руках он держал поднос с разнокалиберными чашками и чайником, от которого шел пар.

— А-а, вы заметили мое любимое изобретение!

Он сунул поднос в руки Гермионе и остановился рядом с Гарри перед статуей.

— Я считаю, что весьма удачно выбрал образец — голову прекрасной Кандиды Когтевран. «Ума палата дороже злата»! — Он указал на слуховые рожки. — Это сифоны для мозгошмыгов, чтобы ничто не отвлекало мыслителя от раздумий. Это, — он обвел рукой крошечные крылышки, — пропеллер австралийской веретенницы, для возвышенного образа мыслей, а это, — он ткнул пальцем в оранжевую редиску, — слива-цеппелин, для обострения восприимчивости ко всему новому и необычному.

Ксенофилиус вернулся к чайному подносу, который Гермиона кое-как уместила на одном из заваленных всякой всячиной столиков.

— Позвольте вам предложить настой лирного корня? Домашнего изготовления!

Разливая по чашкам густо-фиолетовый, цвета свекольного сока, напиток, Ксенофилиус прибавил:

— Полумна там, у Нижнего моста. Очень обрадовалась, что вы нас навестили. Скоро придет, она уже наловила порядочно заглотов, должно хватить на уху для всех нас. Садитесь, пожалуйста, берите сахар. — Итак, — он снял с кресла шаткую стопку бумаг, сел и скрестил ноги в резиновых сапогах, — чем я могу вам помочь, мистер Поттер?

— Понимаете, — начал Гарри и оглянулся на Гермиону; она ободряюще кивнула. — Это насчет символа, который был у вас на шее на свадьбе Билла и Флер. Мистер Лавгуд, мы хотели спросить, что он означает?

Ксенофилиус поднял брови:

— Вы имеете в виду знак Даров Смерти?

Глава 21

СКАЗКА О ТРЕХ БРАТЬЯХ

Гарри обернулся к Рону и Гермионе. Они, по-видимому, тоже не поняли то, что сказал Ксенофилиус.

— Дары Смерти?

— Совершенно верно, — подтвердил мистер Лавгуд. — Вы о них не слыхали? Это меня не удивляет. Очень, очень немногие волшебники в них верят, чему подтверждением — тот твердолобый юноша на свадьбе вашего брата, — он поклонился Рону, — который набросился на меня, приняв этот знак за символ известного темного волшебника. Какое невежество! В Дарах Смерти нет ничего темного — по крайней мере в том смысле, какой обычно вкладывают в это слово. Те, кто верит в Дары, носят этот знак, чтобы по нему узнавать единомышленников и помогать друг другу в Поисках.

Он бросил в чашку с настоем лирного корня несколько кусочков сахару и размешал.

— Простите, — сказал Гарри, — я так ничего и не понял.

Он из вежливости отхлебнул настой и чуть не задохнулся — это была жуткая гадость, что-то вроде разжиженного драже «Берти Боттс» со вкусом соплей.

— Видите ли, те, кто верят, разыскивают Дары Смерти, — объяснил мистер Лавгуд и причмокнул губами, явно наслаждаясь вкусом настоя.

— А что это такое — Дары Смерти? — спросила Гермиона.

Ксенофилиус отставил в сторону пустую чашку:

— Я полагаю, вы все читали «Сказку о трех братьях»?

— Нет, — сказал Гарри.

— Да, — сказали Рон и Гермиона.

Ксенофилиус торжественно кивнул:

— С этой сказки все и началось, мистер Поттер. Где-то у меня она была...

Он рассеянно оглядел горы книг и пергаментов, но тут Гермиона сказала:

— Мистер Лавгуд, у меня с собой есть экземпляр. — Она вытащила из сумочки «Сказки барда Бидля».

— Оригинал? — вскинулся Ксенофилиус. Гермиона кивнула. — В таком случае, может быть, вы прочитаете нам ее вслух? Тогда всем сразу станет ясно, о чем речь.

— Ну... хорошо, — неуверенно согласилась Гермиона.

Она раскрыла книгу, и Гарри увидел наверху страницы тот самый символ. Гермиона кашлянула и начала читать.

— «Жили-были трое братьев, и вот однажды отправились они путешествовать. Шли они в сумерках дальней дорогой...»

— А нам мама всегда говорила — в полночь, — перебил Рон.

Он устроился слушать с удобством, развалившись в кресле, вытянув ноги и закинув руки за голову. Гермиона раздраженно взглянула на него.

— Извини, просто «в полночь» как-то страшнее! — сказал Рон.

— Ага, нам в жизни как раз страхов не хватает, — не удержался Гарри и тут же, спохватившись, оглянулся на Ксенофилиуса, но тот как будто не особенно прислушивался, стоя у окна и глядя в небо. — Читай дальше, Гермиона!

— «...и пришли к реке. Была она глубокая — вброд не перейти, и такая быстрая, что вплавь не перебраться. Но братья были сведущи в магических искусствах. Взмахнули они волшебными палочками — и вырос над рекою мост. Братья были уже на середине моста, как вдруг смотрят — стоит у них на пути кто-то, закутанный в плащ.

И Смерть заговорила с ними...»

— Извини, — перебил Гарри. — С ними заговорила Смерть?

— Это же сказка!

— А, понятно, извини. Давай дальше.

— «И Смерть заговорила с ними. Она очень рассердилась, что три жертвы ускользнули от нее, ведь обычно путники тонули в реке. Но Смерть была хитра. Она притворилась, будто восхищена мастерством троих братьев, и предложила каждому выбрать себе награду за то, что они ее перехитрили.

И вот старший брат, человек воинственный, попросил волшебную палочку, самую могущественную на свете, чтобы ее хозяин всегда побеждал в поединке. Такая волшебная палочка достойна человека, одолевшего саму Смерть! Тогда Смерть отломила ветку с куста бузины, что рос неподалеку, сделала из нее волшебную палочку и дала ее старшему брату.

Второй брат был гордец. Он захотел еще больше унизить Смерть и потребовал у нее силу вызывать умерших. Смерть подняла камешек, что лежал на берегу, и дала его среднему брату. Этот камень, сказала она, владеет силой возвращать мертвых.

Спросила Смерть младшего брата, чего он желает. Младший был самый скромный и самый мудрый из троих и не доверял он Смерти, а потому попросил дать ему такую вещь, чтобы он смог уйти оттуда и Смерть не догнала бы его. Недовольна была Смерть, но ничего не поделаешь — отдала ему свою мантию-невидимку».

— У Смерти есть мантия-невидимка? — снова перебил Гарри.

— Чтобы подкрадываться к людям незаметно, — объяснил Рон. — Иногда ей надоедает гоняться за ними, вопя и размахивая руками... Извини, Гермиона.

— «Тогда отступила Смерть и пропустила троих братьев через мост. Пошли они дальше своею дорогой, и всё толковали промеж собой об этом приключении да восхищались чудесными вещицами, что подарила им Смерть.

Долго ли, коротко ли, разошлись братья каждый в свою сторону.

Первый брат странствовал неделю, а может, больше, и пришел в одну далекую деревню. Отыскал он там волшебника, с которым был в ссоре. Вышел у них поединок, и, ясное дело, победил старший брат — да и как могло быть иначе, когда у него в руках Бузинная палочка? Противник остался лежать мертвым на земле, а старший брат пошел на постоялый двор и там давай хвастаться, какую чудо-палочку он добыл у самой Смерти, — с нею никто не победит его в бою.

В ту же ночь один волшебник пробрался к старшему брату, когда он лежал и храпел, пьяный вдрызг, на своей постели. Вор унес волшебную палочку, а заодно перерезал старшему брату горло.

Так Смерть забрала первого брата.

Тем временем средний брат вернулся к себе домой, а жил он один-одинешенек. Взял он Камень, что мог вызывать мертвых, и три раза повернул в руке. Что за чудо — стоит перед ним девушка, на которой он мечтал жениться, да только умерла она раннею смертью.

Но была она печальна и холодна, словно какая-то занавесь отделяла ее от среднего брата. Хоть она и вернулась в подлунный мир, не было ей здесь места и горько страдала она. В конце концов средний брат сошел с ума от безнадежной тоски и убил себя, чтобы только быть вместе с любимой.

Так Смерть забрала и второго брата.

Третьего же брата искала Смерть много лет, да так и не нашла. А когда младший брат состарился, то сам снял Мантию-невидимку и отдал ее своему сыну. Встретил он Смерть как давнего друга, и своей охотой с нею пошел, и как равные ушли они из этого мира».

Гермиона закрыла книгу.

С полминуты Ксенофилиус как будто не замечал, что она закончила чтение, потом встрепенулся, оторвал взгляд от окна и сказал:

— Ну вот.

— Простите? — переспросил Гарри.

— Вот это и есть Дары Смерти, — ответил Ксенофилиус.

Он выудил из кучи всякого хлама гусиное перо и вытянул обрывок пергамента, засунутый между книгами.

— Бузинная палочка. — Ксенофилиус провел на пергаменте вертикальную черту. — Воскрешающий камень. — Он изобразил поверх черточки круг. — Мантия-невидимка. — Он заключил черту и круг в треугольник.

Получился тот самый знак, что не давал покоя Гермионе.

— Все вместе — Дары Смерти, — объяснил мистер Лавгуд.

— Но в сказке даже нет таких слов — Дары Смерти! — воскликнула Гермиона.

— Конечно нет, — согласился Ксенофилиус с дико раздражающим самодовольством. — Это детская сказка, ее рассказывают для забавы, а не для наставления. Но люди понимающие знают, что легенда эта очень древняя и в ней идет речь о трех волшебных предметах, трех Дарах, обладатель которых победит саму Смерть.

Наступила пауза. Ксенофилиус опять выглянул в окно. Солнце уже спустилось к самому горизонту.

— Должно быть, Полумна уже наловила достаточно заглотов, — тихо проговорил он.

Рон сказал:

— Вы говорите: «победит Смерть», это в смысле...

— Победит. — Ксенофилиус небрежно махнул рукой. — Одолеет. Истребит. Ниспровергнет. Называйте как угодно.

— Получается... — Гермиона запнулась, явно стараясь, чтобы ее голос звучал не слишком скептически. — Вы верите, что эти волшебные предметы — эти Дары — существуют на самом деле?

Ксенофилиус снова поднял брови:

— Разумеется!

— Но ведь это... — Гермиона уже с трудом держала себя в руках. — Мистер Лавгуд, как же вы можете верить в такую...

— Полумна рассказывала мне о вас, юная леди, — повернулся к ней Ксенофилиус. — Насколько я понимаю, вы не лишены интеллекта, но страдаете крайней узостью мышления. Зашоренность ограничивает ваш кругозор.

— Ты бы примерила эту шапочку, Гермиона, — предложил Рон, давясь от смеха и кивая на дурацкую сбрую с крылышками.

— Мистер Лавгуд, — опять заговорила Гермиона, — как всем известно, мантии-невидимки существуют. Они очень редки, но они есть. Однако...

— Нет-нет, мисс Грейнджер, третий Дар Смерти — не простая мантия-невидимка! То есть это не обычная дорожная мантия, насыщенная дезиллюминационными чарами или заговоренная для отвода глаз, — поначалу она успешно скрывает своего владельца, но с годами чары истощаются и мантия мутнеет. Нет, тут речь идет об истинном чуде — Мантии, которая делает своего хозяина абсолютно невидимым на неограниченное время, причем его невозможно обнаружить никакими заклинаниями! Много вам таких попадалось, мисс Грейнджер?

Гермиона открыла рот и тут же опять закрыла, совсем смешавшись. Все трое переглянулись. Гарри понял, что они думают об одном и том же. Именно такая Мантия была при них в эту самую минуту.

— Вот видите! — сказал Ксенофилиус, как будто только что сразил их неопровержимым аргументом. — Никто из вас не встречал подобной вещи. Ее владелец был бы невероятно богат, не правда ли?

Он еще раз выглянул в окно. Вечернее небо чуть заметно порозовело.

— Ладно, — растерянно проговорила Гермиона. — Предположим, что Мантия существует. А как же Камень, мистер Лавгуд? Как вы его назвали — Воскрешающий камень?

— И что вас интересует?

— Такого не может быть!

— Докажите, — сказал Ксенофилиус.

Гермиона чуть не задохнулась от возмущения:

— Это же... Простите, мистер Лавгуд, но это просто смешно! Как я могу доказать, что Камня не существует? Может, мне собрать все камни на свете, перебрать по одному и проверить? Так можно договориться до того, что вообще все возможно, если никто не доказал, что этого не существует!

— Вот именно, — сказал Ксенофилиус. — Приятно видеть, что вы наконец-то впустили в свое сознание более широкий взгляд на вещи.

— А Бузинная палочка, — быстро спросил Гарри, не давая Гермионе времени ответить, — вы считаете, она тоже существует?

— О, тому есть много свидетельств! — воскликнул Ксенофилиус. — Судьбу Бузинной палочки легче всего проследить благодаря своеобразному способу, каким она переходит от одного владельца к другому.

— А как она переходит? — спросил Гарри.

— Новый хозяин Бузинной палочки должен силой отнять ее у прежнего владельца, — ответил Ксенофилиус. — Вы, конечно, слышали о том, как Эгберт Эгоист в смертном бою добыл Бузинную палочку у Эмерика Отъявленного? Также о том, как Годелот скончался в собственном подвале после того, как у него забрал эту Палочку родной сын Геревард? О злодее Локсии, забравшем ее у Варнавы Деверилла, которого он убил? По страницам истории волшебного мира тянется кровавый след Бузинной палочки!

Гарри покосился на Гермиону. Она хмуро уставилась на Ксенофилиуса, однако возражать не пыталась.

— И где, по-вашему, сейчас Бузинная палочка? — спросил Рон.

— Увы, кто знает? — отозвался Ксенофилиус, глядя в окно. — Кто знает, где сокрыта Бузинная палочка? След прерывается на Аркусе и Ливии. Кто может сказать, который из них на самом деле победил Локсия и забрал Бузинную палочку? И кем он был, в свою очередь, побежден? Об этом, увы, история умалчивает.

Наступила пауза. Наконец Гермиона спросила довольно натянуто:

— Мистер Лавгуд, а семья Певереллов имеет какое-нибудь отношение к Дарам Смерти?

Ксенофилиус как будто растерялся, а у Гарри в голове шевельнулось какое-то воспоминание. Певерелл... он уже слышал раньше эту фамилию...

— Так что же вы мне голову морочили, барышня! — Ксенофилиус выпрямился в кресле, выпучив глаза на Гермиону. — Я думал, вы ничего не знаете о Поиске! Многие искатели убеждены, что семья Певереллов имеет самое что ни на есть прямое отношение к Дарам Смерти!

— Кто это — Певереллы? — спросил Рон.

— Это имя было написано на надгробном камне в Годриковой Впадине, и там был знак! — Гермиона не сводила глаз с мистера Лавгуда. — Там был похоронен Игнотус Певерелл.

— Именно, именно! — откликнулся Ксенофилиус, наставительно подняв кверху палец. — Знак Даров Смерти на могиле Игнотуса и есть решающее доказательство!

— Доказательство чего? — спросил Рон.

— Того, что три брата из сказки на самом деле — трое братьев Певереллов: Антиох, Кадм и Игнотус! Они и были первыми владельцами Даров.

Ксенофилиус в очередной раз выглянул в окно, встал, забрал поднос и направился к лестнице.

— Останетесь пообедать? — крикнул он, спускаясь. — У нас все спрашивают рецепт ухи из пресноводных заглотов!

— Чтобы представить его в Отделение ядов в больнице святого Мунго, — тихонько пробормотал Рон.

Гарри подождал, пока не стало слышно, как мистер Лавгуд возится на кухне, и только тогда спросил Гермиону:

— Что скажешь?

— Ох, Гарри, это же полная чепуха! Символ наверняка означает что-то совсем другое. Только время зря потеряли.

— Ну так это же человек, который подарил миру морщерогих кизляков! — хмыкнул Рон.

— Ты тоже ему не веришь? — спросил Гарри.

— Нет, конечно. Самая обычная сказочка с моралью, разве нет? «Не нарывайся на неприятности, не хвастайся, не лезь в драки, не суйся, куда не просят. Всяк сверчок знай свой шесток, сиди тише воды, ниже травы, и все будет хорошо». Может, отсюда и пошло это суеверие, якобы бузинные палочки приносят несчастье.

— Это ты о чем?

— Типичный предрассудок. «Родилась в мае — выйдешь замуж за магла». «В сумерки наколдовано — к полночи развеется». «Палочка из бузины доведет до беды». У мамы полно таких присказок. Да вы, наверное, сто раз слышали.

— Мы с Гарри выросли среди маглов, — напомнила Гермиона. — У них совсем другие суеверия.

Она тяжело вздохнула — из кухни повеяло чем-то на редкость вонючим. Одно хорошо: разозлившись на мистера Лавгуда, она забыла наконец, что гневается на Рона.

— Я думаю, ты прав, — сказала она Рону. — Это обыкновенная сказка с моралью. Совершенно очевидно, какой из Даров нужно выбрать...

Дальше все трое заговорили одновременно.

— Мантию, — сказала Гермиона.

— Палочку, — сказал Рон.

— Камень, — сказал Гарри.

Они ошарашенно уставились друг на друга.

— Ясно, что по идее нужно выбрать Мантию, — сказал Рон Гермионе, — только с такой палочкой никакая невидимость не нужна. Палочка, с которой невозможно проиграть, подумай сама, Гермиона!

— Мантия-невидимка у нас уже есть, — сказал Гарри.

— И она нас очень здорово выручала, если помните! — воскликнула Гермиона. — А от Палочки этой одни только неприятности...

— Просто орать про нее не надо на всех углах, — возразил Рон. — Только полный придурок станет бегать, махать ею над головой и вопить: «Смотрите, у меня непобедимая палочка, а ну суньтесь, если вы такие крутые!» Если помалкивать о ней...

— А получится ли помалкивать? — с сомнением спросила Гермиона. — Знаете, в одном Ксенофилиус оказался прав: веками ходят легенды о сверхмогущественных волшебных палочках.

— Серьезно? — удивился Гарри.

Гермиона сердито уставилась на него. Это выражение лица было им так знакомо, что Гарри и Рон растроганно улыбнулись друг другу.

— Смертоносная палочка, или Жезл судьбы, — они возникают под разными именами на протяжении столетий, как правило, в руках какого-нибудь темного волшебника, который ими хвастается направо и налево. Профессор Бинс упоминал некоторые из них, но... А, да все это ерунда. Волшебная палочка может не больше того, на что способен ее владелец. Просто некоторые волшебники обожают хвастаться, что их волшебная палочка длиннее и лучше, чем у других.

— А откуда известно, что все эти Смертоносные палочки и Жезлы судьбы на самом деле не одна и та же волшебная палочка? — спросил Гарри. — Просто в разные эпохи ее называли по-разному.

— А на самом деле это, значит, и есть Бузинная палочка Смерти? — уточнил Рон.

Гарри засмеялся. Ему вдруг пришла в голову дикая мысль... Нет, это чушь. Его волшебная палочка была не из бузины, а из остролиста, и сделал ее Олливандер, пусть она и вела себя странно в ту ночь, когда Волан-де-Морт гнался за ним по небу. И разве могла она сломаться, если была непобедимой?

— А почему ты выбрал бы Камень? — поинтересовался Рон.

— Если бы можно было вызывать мертвых, мы могли бы вернуть Сириуса... Грозного Глаза... Дамблдора... Моих родителей...

Рон и Гермиона не засмеялись.

— Только если верить этому барду, они сами не захотят вернуться, так? — сказал Гарри, думая о сказке, которую они сейчас услышали. — Вообще-то, по-моему, не так много сказок о Камне, вызывающем умерших, да, Гермиона?

— Да, — грустно подтвердила она. — Я думаю, только мистер Лавгуд способен всерьез вообразить, что это возможно. Скорее всего, Бидль взял за основу идею философского камня — тот дарует бессмертие, а этот воскрешает мертвых.

Вонь из кухни стала заметно сильнее. Пахло горелыми трусами. Гарри сомневался, хватит ли у них сил из вежливости съесть Ксенофилиусову стряпню.

— А Мантия? — медленно проговорил Рон. — Знаете, тут он прав. Я так привык к мантии Гарри, даже не задумывался, какая она замечательная. А ведь я никогда о другой такой не слышал. Она действует безотказно. Нас ни разу никто под ней не увидел.

— Естественно, Рон, она же невидимка!

— Нет, но он правду говорил про другие мантии-невидимки, хотя их тоже не на кнат ведро, между прочим! Мне как-то в голову не приходило, только сейчас сообразил: я много раз слышал о том, что со временем чары на них изнашиваются, а от заклятий они рвутся и на них остаются дыры. Мантия Гарри не такая уж новая, она раньше была у его папы, а работает... идеально!

— Допустим, Рон, но вот Камень...

Пока друзья шепотом препирались, Гарри бродил по комнате, не слишком прислушиваясь. Он подошел к лестнице, рассеянно посмотрел вверх и обалдел. С потолка комнаты следующего этажа на него смотрело его собственное лицо.

Придя в себя, он понял, что это не зеркало, а роспись. Гарри стало любопытно, и он полез вверх по лестнице.

— Гарри, ты что? Нельзя же без приглашения!

Но Гарри уже добрался до верхнего этажа.

Потолок в комнате Полумны украшали пять замечательно выписанных лиц: Гарри, Рон, Гермиона, Джинни и Невилл. В отличие от хогвартских портретов, они не двигались, но все же какая-то магия в них была. Гарри показалось, что они дышат. Среди портретов, объединяя их в единое целое, вилась тонкая золотая цепочка, но, приглядевшись, Гарри понял, что на самом деле это тысячи раз повторенное золотыми чернилами слово: друзья... друзья... друзья...

Он почувствовал огромную нежность к Полумне. Оглядевшись, он увидел на столике у кровати фотографию: маленькая Полумна и рядом женщина, очень похожая на нее. Они стояли, обнявшись. Полумна на снимке выглядела куда более ухоженной, чем в жизни. Фотография была покрыта слоем пыли. Это показалось Гарри странным. Он осмотрелся внимательнее.

Что-то в комнате явно было не так. Светло-голубой ковер тоже был весь пыльный. В шкафу с распахнутыми дверцами не висела одежда, кровать выглядела холодной и неуютной, как будто в ней давно не спали. Поперек ближайшего окна на фоне кроваво-красного неба протянулась паутина.

Гарри сломя голову кинулся вниз по лестнице.

— Что случилось? — спросила Гермиона.

Гарри не успел ответить — из кухни показался Ксенофилиус, держа поднос, уставленный суповыми тарелками.

— Мистер Лавгуд, — крикнул Гарри, — где Полумна?

— Прошу прощения?

— Где Полумна?

Ксенофилиус застыл на верхней ступеньке.

— Я... я вам уже говорил. Она у ручья, возле Нижнего моста, ловит заглотов.

— А почему тогда вы накрыли поднос всего на четверых?

Ксенофилиус пытался заговорить и не мог. В комнате слышался только мерный стук печатного станка и тихий звон тарелок на подносе — у Ксенофилиуса дрожали руки.

— По-моему, Полумны давно здесь не было, — сказал Гарри. — Ее одежды не видно, кровать не застелена. Где она? И почему вы все время смотрите в окно?

Поднос выпал у Ксенофилиуса из рук. Тарелки запрыгали по полу, разбиваясь на куски. Гарри, Рон и Гермиона выхватили волшебные палочки. Ксенофилиус замер, не дотянувшись рукой до кармана. В этот миг печатный станок громко задребезжал, и из-под скатерти лавиной хлынули «Придиры». Станок перестал греметь. В комнате наконец-то наступила тишина.

Гермиона нагнулась и подобрала с пола журнал, не отводя волшебной палочки от мистера Лавгуда.

— Гарри, смотри!

Он подошел к ней, перешагивая через нагромождения журналов. На обложке он увидел свою фотографию крупным планом, а поперек нее слова «Нежелательное лицо № 1» и объявление о награде.

— Видно, «Придира» поменял курс? — холодно спросил Гарри. Он стремительно соображал. — Так зачем вы выходили в сад, мистер Лавгуд? Отправить сову в Министерство?

Ксенофилиус облизал губы.

— Мою Полумну забрали, — прошептал он. — Из-за моих статей. Полумну забрали, и я не знаю, где она, что с ней сделали. Но, может быть, они ее отпустят, если я... если я...

— Сдадите им Гарри? — закончила за него Гермиона.

— Не выйдет, — отрезал Рон. — Уходим! Освободите дорогу!

На Ксенофилиуса страшно было смотреть: он словно постарел на сотню лет, губы растянулись в ужасной усмешке.

— Они будут здесь с минуты на минуту. Я должен спасти Полумну. Я не могу ее потерять! Вы никуда не уйдете.

Он раскинул руки, загораживая лестницу, и Гарри вдруг представилась мама, точно так же заслонившая собой детскую кроватку.

— Мы не хотим с вами драться, — сказал он. — Отойдите, мистер Лавгуд.

— ГАРРИ!!! — вскрикнула Гермиона.

За окном промелькнули несколько человек верхом на метлах. Как только трое друзей отвернулись, Ксенофилиус выхватил волшебную палочку. Гарри вовремя понял свою ошибку и прыгнул в сторону, оттолкнув Рона и Гермиону. Оглушающее заклятие Ксенофилиуса пролетело через всю комнату и задело рог взрывопотама.

Раздался чудовищный взрыв. Комната содрогнулась от грохота, посыпались щепки, бумажки и всякий мусор, поднялась густая белая пыль. Гарри подбросило в воздух, потом основательно приложило об пол. Он ничего не видел, только прикрывал голову руками от падающих обломков. Закричала Гермиона, что-то завопил Рон, жутко загромыхало железо — видно, Ксенофилиус не удержался на ногах и покатился вниз по винтовой лестнице.

Заваленный мусором и обломками, Гарри попытался встать. От пыли было не продохнуть и почти ничего не видно вокруг. Часть потолка обрушилась, в дыре торчали ножки кровати. На полу рядом с Гарри валялся бюст Кандиды Когтевран с отбитой щекой, в воздухе летали обрывки пергамента, а печатный станок опрокинулся набок и застрял поперек лестницы, ведущей в кухню. Рядом с Гарри зашевелилась белая фигура — Гермиона, покрытая пылью и похожая на еще одну статую, прижала палец к губам.

Внизу со стуком распахнулась дверь.

— Я говорил вам, Трэверс, что спешить некуда? — послышался грубый голос. — Говорил я, что этот псих, как обычно, бредит?

Раздался громкий треск, и Ксенофилиус вскрикнул от боли.

— Нет... нет... наверху... Поттер!

— Я тебя предупреждал на той неделе, Лавгуд, что мы больше не будем сюда мотаться по ложным вызовам! Не забыл еще прошлую неделю? Как ты пытался всучить нам за свою дочурку какое-то идиотское устройство для головы? А на позапрошлой... — Снова треск, снова вскрик. — Размечтался, что получишь ее, если сумеешь нам доказать, что на свете существуют морще... (треск) рогие... (треск) кизляки!

— Нет! Нет! Умоляю! — захлебывался рыданиями Ксенофилиус. — Там правда Поттер! Правда!

— А теперь, оказывается, ты задумал нас взорвать! — проревел Пожиратель смерти.

Последовала целая очередь магических ударов, перемежавшихся жалобными криками Ксенофилиуса.

— Селвин, по-моему, тут сейчас все рухнет, — спокойно заметил другой голос, эхом отдавшись от искореженных ступеней. — Лестница засыпана. Попробуем расчистить? Как бы дом не обвалился.

— Ты, лживая мразь! — крикнул волшебник по имени Селвин. — Ты небось в глаза не видел никакого Поттера! Вздумал заманить нас и прикончить? Думаешь, за такие штучки тебе вернут твою девчонку?

— Я клянусь... клянусь чем хотите — Поттер наверху!

— *Гоменум ревелио!* — произнес второй голос у подножия лестницы.

Гарри услышал, как ахнула Гермиона, и почувствовал, будто что-то пролетело над головой; на миг его накрыла тень.

— Селвин, там и впрямь кто-то есть, — резким тоном произнес второй волшебник.

— Это Поттер, я же говорю, это Поттер! — всхлипывал Ксенофилиус. — Пожалуйста, отдайте мне Полумну, только отдайте Полумну...

— Получишь свою малявку, Лавгуд, — ответил Селвин, — если поднимешься сейчас наверх и приведешь мне Гарри Поттера. Но смотри, если это засада и там нас поджидает твой сообщник — не знаю, останется ли от твоей девчонки хоть кусочек, чтобы ты мог его похоронить.

У Ксенофилиуса вырвался протяжный крик, полный страха и отчаяния. Потом на лестнице послышались скрип и скрежет — это Ксенофилиус разгребал завалы.

— Пошли, — шепнул Гарри. — Надо уносить ноги.

Он начал выкапываться из-под обломков под прикрытием возни Ксенофилиуса на лестнице. Рона засыпало сильнее всех. Гарри и Гермиона как можно тише подобрались к нему через груды мусора и попробовали сдвинуть тяжелый комод, придавивший ему ноги. Пока Ксенофилиус пробивался все ближе к ним, Гермиона исхитрилась освободить Рона, применив заклинание Левитации.

— Отлично, — выдохнула Гермиона.

Лежавший поперек лестницы печатный станок затрясся. Ксенофилиусу оставалось одолеть всего несколько ступенек. Гермиона была все еще белая от пыли.

— Гарри, ты мне доверяешь?

Гарри кивнул.

— Хорошо, — шепнула Гермиона, — тогда дай мне мантию-невидимку. Под ней пойдет Рон.

— Я? А как же Гарри...

— Рон, не спорь! Гарри, держи меня крепче за руку. Рон, хватайся за плечо.

Гарри протянул ей левую руку. Рон исчез под мантией. Печатный станок задрожал сильнее — Ксенофилиус пытался приподнять его при помощи заклинания Левитации. Гарри не мог понять, чего дожидается Гермиона.

Она прошептала:

— Держитесь крепче... Вот сейчас...

Над сервантом показалось белое как бумага лицо Ксенофилиуса.

— *Обливиэйт!* — крикнула Гермиона, прицелившись ему в лицо волшебной палочкой, потом направила палочку в пол: — *Депримо!*

Она пробила здоровенную дыру в полу гостиной. Все трое камнем полетели вниз. Гарри мертвой хваткой вцепился в руку Гермионы. Внизу раздался крик, и Гарри на мгновение увидел двоих людей, разбегающихся в стороны, в то время как сверху на них валилась поломанная мебель и куски камня. Гермиона перекувырнулась в воздухе, и под грохот рушащегося дома Гарри утащило в темноту.

Глава 22

ДАРЫ СМЕРТИ

Гарри упал, задыхаясь, на траву, и сразу вскочил на ноги. Солнце только что зашло; они приземлились на краю какого-то поля. Гермиона уже бегала по кругу, размахивая волшебной палочкой.

— *Протего тоталум... Сальвио гексиа...*

— Подлый предатель! — пропыхтел Рон, вылезая из-под мантии-невидимки и перебрасывая ее Гарри. — Гермиона, ты гений, просто гений! До сих пор не верю, что мы оттуда выскочили!

— *Каве инимикум...* Я же говорила, что это рог взрывопотама! Я ему говорила! И вот его дом развалился.

— Так ему и надо, — буркнул Рон, рассматривая порванные джинсы и ссадины на ногах. — Как вы думаете, что с ним теперь сделают?

— Ох, надеюсь, они его не убьют! — застонала Гермиона. — Я потому и хотела, чтобы Пожиратели смерти успели увидеть Гарри — пусть знают, что Ксенофилиус их не обманывал!

— А меня почему спрятала? — спросил Рон.

— Ты же, считается, лежишь дома и болеешь обсыпным лишаем! Полумну схватили, потому что ее отец печатал в своем журнале статьи в защиту Гарри. Как ты думаешь, что будет с твоими родными, если тебя увидят с ним?

— А как же твои мама и папа?

— Они в Австралии. С ними ничего не должно случиться, они вообще ничего не знают.

— Ты гений, — повторил Рон, глядя на нее с благоговением.

— Это точно, Гермиона, — с жаром поддержал его Гарри. — Не знаю, что бы мы без тебя делали.

Гермиона просияла улыбкой, но сразу же снова стала серьезной.

— А как же Полумна?

— Ну, если они сказали правду и она еще жива... — начал Рон.

— Замолчи, замолчи! — вскрикнула Гермиона. — Она не могла погибнуть, не могла!

— Тогда она, наверное, в Азкабане, — предположил Рон. — Выживет ли она там — это другой вопрос. Многие не выдерживают...

— Полумна выдержит, — сказал Гарри. Он просто не мог допустить иного исхода. — Она гораздо крепче, чем кажется. Небось просвещает сейчас товарищей по камере насчет нарглов и мозгошмыгов.

— Надеюсь, что так, — вздохнула Гермиона и провела рукой по глазам. — Мне было бы ужасно жалко Ксенофилиуса, если бы...

— Если бы он не выдал нас Пожирателям смерти, ага, — сказал Рон.

Они поставили палатку, забились внутрь, и Рон заварил на всех чай. После того как они едва спаслись, холодная и душная палатка казалась уютной, родной и надежной.

Какое-то время все молчали, потом Гермиона воскликнула:

— И зачем только мы туда сунулись? Гарри, ты был прав: получилось, как в Годриковой Впадине, бездарная потеря времени и ничего больше! Дары Смерти... Чушь какая... Хотя вообще-то... — ей пришла в голову новая мысль, — может, Ксенофилиус все это сам выдумал? Не верит он ни в какие Дары, просто хотел нас задержать, пока не явятся Пожиратели смерти!

— Непохоже, — возразил Рон. — Между прочим, в состоянии стресса не так легко что-нибудь придумать. Вот я, когда меня поймали егеря, назвался Стэном Шанпайком, потому что о нем хоть что-то знал. Притвориться другим человеком проще, чем выдумать совсем новую личность. У папаши Лавгуда тоже был стресс, когда он старался нас задержать. Я думаю, он сказал правду — ну, по крайней мере, он сам верил, что это правда.

— По-моему, это несущественно, — сказала Гермиона. — Даже если он не врал, все равно я такой ужасной чепухи в жизни не слышала.

— Погоди, — сказал Рон. — Тайную комнату тоже считали выдумкой, так?

— Да не может этого быть, и все тут! Даров Смерти не существует!

— Ты все время это повторяешь, — сказал Рон, — а ведь один из них точно существует — Мантия-невидимка.

— «Сказка о трех братьях» — это просто легенда, — твердо заявила Гермиона. — По сути, это история о страхе человека перед смертью. Если бы можно было выжить, просто спрятавшись под мантией-невидимкой, так у нас уже есть все, что надо!

— Ну, не знаю. По-моему, непобедимая волшебная палочка нам бы тоже не помешала, — проворчал Гарри, вертевший в руках нелюбимую палочку из терновника.

— Нет такой палочки, Гарри!

— Ты сама сказала, что таких палочек полным-полно — и Смертоносная палочка, и этот, как его...

— Ладно, даже если вообразить, что Бузинная палочка существует взаправду, что тогда скажешь про Воскрешающий камень? — Гермиона пальцами изобразила кавычки вокруг названия камня, и тон ее исходил сарказмом. — Никакая магия не способна воскрешать мертвых, и ничего тут не поделаешь!

— Когда моя палочка столкнулась с палочкой Сами-Знаете-Кого, появились мои мама и папа... и Седрик...

— Так ведь они на самом деле не вернулись из мертвых! — сказала Гермиона. — Это были вроде как... бледные подобия, это совсем не то же самое, что воскреснуть по-настоящему.

— Ну, и в сказке девушка тоже не воскресла по-настоящему. Там сказано, что для умерших нет места в подлунном мире. Но все-таки второй брат мог видеть ее и говорить с ней... Они даже жили вместе какое-то время...

Гарри заметил в глазах Гермионы довольно странное выражение — сочувствие и еще что-то трудноопределимое. Она покосилась на Рона, и Гарри вдруг понял, что это — страх. Он напугал ее своими разговорами о жизни с покойниками.

— А этот тип, Певерелл, который похоронен в Годриковой Впадине, — быстро сказал он, стараясь рассуждать как человек со здоровой психикой, — ты о нем и правда ничего не знаешь?

— Нет, — ответила Гермиона, явно обрадовавшись перемене разговора. — Я проверила. Будь он знаменитостью, наверняка о нем было бы где-нибудь сказано. Я нашла только одно упоминание фамилии «Певерелл» — в книге «Природная знать. Родословная волшебников». Я ее взяла почитать у Кикимера, — объяснила она, заметив, что Рон поднял брови. — Там перечислены чистокровные волшебники, чей род к нашему времени прервался по мужской линии. Как я поняла, с семьей Певерелл это случилось с одной из первых.

— Как это — прервался по мужской линии? — переспросил Рон.

— Это значит, что фамилию этой семьи уже никто не носит, — объяснила Гермиона, — хотя вполне могут быть потомки по женской линии, просто фамилия у них уже другая.

И тут Гарри осенило. Он понял, что шевельнулось у него в памяти, когда он услышал фамилию «Певерелл»: неопрятный старик тычет безобразное кольцо под нос чиновнику из Министерства. Гарри крикнул вслух:

— Марволо Мракс!

— Что-что? — дружно спросили Рон и Гермиона.

— Марволо Мракс! Дедушка Сами-Знаете-Кого! В Омуте памяти, у Дамблдора! Марволо Мракс говорил, что он потомок Певереллов!

Рон и Гермиона по-прежнему ничего не понимали.

— Перстень, перстень, который превратился в крестраж! Марволо Мракс говорил, что на нем герб Певереллов! Я видел, как он им размахивал перед лицом того деятеля из Министерства, он ему это кольцо чуть в нос не засунул!

— Герб Певереллов? — насторожилась Гермиона. — Ты его хорошо разглядел?

— Не очень, — ответил Гарри. — Вроде там ничего такого особенного и не было — так, несколько черточек. Я вблизи-то его видел, уже когда он был треснутый.

Глаза Гермионы внезапно расширились — до нее дошло. Рон ошеломленно смотрел на них с Гарри.

— Ух ты... Думаете, это опять тот же знак? Символ Даров Смерти?

— А почему нет? — взволнованно ответил Гарри. — Марволо Мракс был необразованный старикашка, жил в свинарнике и ничем не интересовался, кроме своей родословной. Если кольцо передавали из поколения в поколение, он мог и не знать, что это на самом деле такое. В его доме не было книг, и можете мне поверить, он не читал сказки вслух своим детям. Ему приятно было думать, что рисунок в перстне — это герб, потому что, с его точки зрения, быть чистокровным — все равно что быть королем.

— Да... Все это очень интересно, — осторожно сказала Гермиона, — и все-таки, Гарри, если ты считаешь, что я подумала...

— А почему нет? Почему нет? — закричал Гарри. — В перстне ведь камень, правильно? — Он взглянул на Рона, надеясь на его поддержку. — Что, если это и есть Воскрешающий камень?

Рон даже рот раскрыл.

— Ух ты... А разве он может работать, если Дамблдор его разбил?

— Работать? Работать?! Рон, да он никогда не работал! Нет никакого Воскрешающего камня! — Гермиона вскочила на ноги, окончательно выйдя из себя. — Гарри, ты все на свете стараешься подогнать под эту историю о Дарах Смерти...

— Подогнать? — повторил Гарри. — Так если все само сходится! Я знаю, что на камне в перстне был знак Даров Смерти! А Мракс говорил, что получил его по наследству от Певереллов!

— Только что ты говорил, что не разглядел перстень как следует!

Рон спросил:

— Гарри, а как ты думаешь, где сейчас перстень? Когда Дамблдор его разбил, что он с ним потом сделал?

Но им с Гермионой было не угнаться за воображением Гарри.

Три волшебных предмета, или Дара, которые, соединившись вместе, помогут своему владельцу победить Смерть... Победить... Одолеть... Ниспровергнуть... Последний же враг истребится — Смерть...

Он уже видел самого себя, владеющего тремя Дарами, лицом к лицу с Волан-де-Мортом, чьи крестражи не шли ни в какое сравнение... *Ни один из них не может жить спокойно, пока жив другой...* Может, это и есть ответ? Дары против крестражей? Все-таки есть возможность, что он победит? Если у него будут все три Дара, может быть, они его защитят?

— Гарри!

Он почти не слышал Гермиону. Он вытащил мантию-невидимку и пропустил ее сквозь пальцы. Ткань была текучая, как вода, и легкая, как воздух. За семь лет жизни в мире волшебников Гарри ни разу не встречал ничего подобного. Именно такая, как говорил Ксенофилиус: *мантия, которая делает своего хозяина абсолютно невидимым на неограниченное время, причем его невозможно обнаружить никакими заклинаниями...*

Вдруг Гарри ахнул:

— В ту ночь, когда погибли мои родители, мантия была у Дамблдора!

Гарри чувствовал, что у него горят щеки и голос дрожит, но ему было все равно.

— Мама говорила в письме Сириусу, что Дамблдор взял мантию на время! Так вот в чем дело! Он хотел ее изучить, он тоже думал, что это — третий Дар! Игнотус Певерелл похоронен в Годриковой Впадине... — Гарри слепо заходил по палатке. Перед ним открывались невероятные истины. — Он — мой предок! Я — потомок третьего брата! Все сходится!

Эта уверенность придавала ему сил, как будто мысль о волшебных Дарах сама по себе была защитой. Он счастливо повернулся к друзьям.

— Гарри, — снова сказала Гермиона, но ему было не до нее; он развязывал дрожащими пальцами тесемки Хагридова мешочка, висевшего на шее.

— Читай!

Гарри протянул Гермионе письмо своей мамы.

— Читай! Гермиона, Дамблдор взял мантию-невидимку! Зачем еще она ему понадобилась? Он умел накладывать дезиллюминационное заклинание такой силы, что становился невидимым без всякой мантии!

Что-то блестящее упало на пол и закатилось под стул — доставая письмо из мешочка, Гарри нечаянно зацепил снитч. Он наклонился подобрать крылатый мячик, и вдруг на него обрушилось новое озарение. Гарри заорал от потрясения и восторга:

— Он здесь! Дамблдор оставил мне перстень! Он здесь, в снитче!

— Думаешь?

Гарри не мог понять, почему Рон так ошарашен. Для Гарри все было яснее ясного. Все одно к одному... Мантия — третий Дар, и как только он выяснит, как открывается снитч, у него будет второй, останется только отыскать первый Дар, Бузинную палочку, и тогда...

Вдруг словно занавес упал над ярко освещенной сценой — волнение и радостная надежда разом погасли, и Гарри остался один в темноте. Восхитительные чары развеялись.

— Он ее ищет... — Перемена в его голосе еще больше напугала Рона и Гермиону. — Сами-Знаете-Кто ищет Бузинную палочку.

Гарри повернулся спиной к их вытянувшимся, недоверчивым лицам. Он знал, что это правда. Все сходится! Волан-де-Морт вовсе не ищет новую волшебную палочку — он ищет очень даже старую волшебную палочку. Гарри подошел ко входу в палатку и, позабыв про Рона и Гермиону, уставился в ночь...

Волан-де-Морт рос в магловском приюте для сирот. Некому было рассказать ему сказку о трех братьях, точно так же как и Гарри. А взрослые волшебники большей частью не верят в Дары Смерти. Так откуда Волан-де-Морту об этом знать?

Гарри смотрел в темноту... Если бы Волан-де-Морту было известно о Дарах Смерти, он наверняка захотел бы их получить — еще бы, три волшебных предмета, хозяин которых может победить Смерть! Знай он о Дарах Смерти, ему бы и крестражи не понадобились. Уже то, что он превратил в крестраж один из Даров, показывает — он не знает эту последнюю великую волшебную тайну.

А значит, Волан-де-Морт разыскивает Бузинную палочку, не понимая всей ее силы... Он понятия не имеет, что всего Даров три... Просто Бузинную палочку не очень-то скроешь, поэтому о ней многим известно... *По страницам истории волшебного мира тянется кровавый след Бузинной палочки...*

Гарри поднял глаза к облачному небу. Из-за плывущих по нему дымно-серых и серебряных завитков выглядывала белая луна. Голова у Гарри кружилась от нахлынувших на него открытий.

Он вернулся в палатку и удивился, увидев, что Рон и Гермиона так и стоят на том месте, где он их оставил. Гермиона все еще держала в руках письмо Лили, Рон выглядел слегка встревоженным. Понимают ли они, какой огромный путь он проделал всего за несколько минут?

— Теперь все ясно, — сказал Гарри, стараясь разделить с ними сияние собственной изумленной уверенности. — Это все объясняет. Дары Смерти существуют на самом деле, и у меня есть один из них... Может быть, даже два... — Он поднял повыше снитч. — А Сами-Знаете-Кто охотится за третьим, только он не понимает... Он думает, что это просто очень сильная волшебная палочка...

— Гарри... — Гермиона подошла к нему и отдала письмо Лили. — Прости, но, по-моему, ты глубоко ошибаешься.

— Да как ты не понимаешь? Все же сходится!

— Ничего подобного, — сказала Гермиона. — Совсем не сходится. Гарри, ты просто увлекся. Ну пожалуйста! — воскликнула она, когда он хотел заговорить. — Пожалуйста, ответь мне только на один вопрос. Если Дары Смерти действительно существуют и Дамблдор о них знал, если он знал, что человек, собравший у себя все три Дара, победит Смерть, почему он тебе об этом не сказал? Почему?

Ответ у Гарри был уже готов.

— Ты же это и сказала, Гермиона! Потому что это обязательно нужно узнать самому! Так устроен Поиск!

— Я просто так сказала, лишь бы уговорить тебя пойти к Лавгуду! — потеряв терпение, закричала Гермиона. — На самом деле я ничего такого не думала!

Гарри ее слова не смутили.

— Дамблдор все время устраивал так, чтобы я доходил до всего своим умом. Он давал мне возможность попробовать свои силы, не мешал рисковать. Это в его стиле.

— Гарри, тут уже не игра, все всерьез! Все по-настоящему! Дамблдор оставил тебе четкую задачу: найти и уничтожить крестражи! Этот символ ничего не значит, забудь о Дарах Смерти, мы не можем позволить себе отвлекаться...

Гарри ее почти не слушал. Он вертел в руках снитч, втайне надеясь, что тот откроется и все увидят Воскрешающий камень. Тогда Гермиона поймет, что он прав.

Она бросилась за помощью к Рону.

— Ты ведь во все это не веришь?

Гарри тоже поднял голову. Рон замялся.

— Не знаю... Ну, то есть... Вроде и правда, сходится... Но если посмотреть на все в целом... — Он набрал побольше воздуху. — Я думаю, Гарри, все-таки наше дело — избавиться от крестражей. Это нам поручил Дамблдор. Наверное... лучше не заморачиваться с этими Дарами Смерти.

— Спасибо, Рон, — сказала Гермиона. — Я первая подежурю.

Она прошагала мимо Гарри и уселась у входа в палатку, как бы поставив в разговоре жирную точку.

В ту ночь Гарри почти не спал. Мысль о Дарах Смерти захватила его, он никак не мог успокоиться, в голове крутилось все одно и то же. Палочка, Камень и Мантия — если бы все они оказались у него...

Я открываюсь под конец... Что значит — под конец? Почему нельзя получить Камень прямо сейчас? Будь у него Камень, он мог бы прямо спросить обо всем Дамблдора... Гарри что-то шептал снитчу в темноте, перепробовал всевозможные слова, даже на змеином языке, но золотой шарик упрямо не хотел открываться.

А Палочка, Бузинная палочка? Где она спрятана? Где ее ищет Волан-де-Морт? Гарри хотелось, чтобы шрам заболел и показал ему мысли Волан-де-Морта. Впервые они с Волан-де-Мортом стремятся к одному и тому же. Гермиона, конечно, такую идею не одобрит. Ксенофилиус был по-своему прав, когда говорил, что у нее зашоренное сознание. На самом деле ее просто пугает мысль о Дарах Смерти, особенно о Воскрешающем камне... И Гарри снова поднес к губам снитч, целовал его, только что не проглотил, но холодный металл не поддавался...

Ближе к рассвету Гарри вдруг вспомнил Полумну. Она сейчас совсем одна, в камере в Азкабане, среди дементоров. Гарри стало стыдно. Замечтался о Дарах Смерти и совсем о ней забыл! Вот бы ее вытащить, но с таким количеством дементоров им не справиться. Кстати, он ведь еще не пробовал создавать Патронуса палочкой из терновника... Надо будет поэкспериментировать.

Если бы можно было раздобыть палочку получше...

И снова его захлестнуло желание завладеть Бузинной палочкой — смертоносной, непобедимой...

Утром они свернули палатку и двинулись дальше под унылым моросящим дождем. Дождик упорно преследовал их до самого побережья. Там они установили палатку и остались на целую неделю, перемещаясь среди промокших насквозь пейзажей, которые наводили на Гарри беспросветную тоску. Он ни о чем не мог думать, кроме Даров Смерти. Внутри него как будто горело пламя, которое ничто не могло погасить — ни откровенное неверие Гермионы, ни сомнения Рона. И в то же время чем сильнее разгоралось стремление к Дарам, тем больше из него уходила радость. Он винил в этом Рона и Гермиону — их равнодушие действовало так же угнетающе, как неотступный дождь, однако его уверенность ничто не могло поколебать. Вера в Дары и жажда их до того захватили Гарри, что как будто отделили его от Рона и Гермионы, с их бзиком насчет крестражей.

— Бзиком? — тихо и яростно повторила Гермиона, когда Гарри однажды вечером неосторожно обронил это слово, потому что Гермиона в очередной раз допекла его упреками за недостаток рвения в поисках оставшихся крестражей. — Гарри, это не у нас бзик, а у кого-то другого! Мы только стараемся выполнить волю Дамблдора!

Но Гарри остался глух ко всем укорам. Сам Дамблдор оставил Гермионе знак, чтобы она его расшифровала, и он же, по глубокому убеждению Гарри, оставил ему Воскрешающий камень, спрятанный в золотом снитче. *Ни один из них не может жить спокойно, пока жив другой... Победить смерть...* Ну почему Рон с Гермионой не понимают?

— «Последний же враг истребится — смерть», — спокойно процитировал Гарри.

— Я думала, мы боремся против Сам-Знаешь-Кого? — возразила Гермиона, и Гарри махнул на нее рукой.

Даже тайна серебряной лани, которую без конца обсуждали Гермиона и Рон, больше не казалась Гарри слишком важной. Так, любопытная интермедия, не более того. Единственное, что волновало его, кроме Даров Смерти, — вновь начавшееся покалывание в шраме, которое он скрывал от друзей. Гарри прятался от них, когда это случалось, но видения его разочаровали. Они стали нечеткими, размытыми, словно бы не в фокусе. Гарри с трудом разобрал неясные очертания какого-то предмета, похожего на череп, и еще гору, но не материальную, вроде тени. Гарри привык к отчетливым, как сама реальность, картинкам, и перемена сбивала его с толку. Он опасался, не ослабела ли связь между ним и Волан-де-Мортом — связь, которой он боялся и в то же время дорожил, что бы он там ни говорил Гермионе. Иногда Гарри начинал подозревать, что качество видений ухудшилось из-за гибели его волшебной палочки, как будто палочка из терновника была виновата, что он больше не может заглядывать в мысли Волан-де-Морта.

Тянулись одна за другой недели, и Гарри, при всей своей погруженности в себя, невольно замечал, что Рон все больше и больше берет на себя командование. Может, ему хотелось как-то возместить то, что он их тогда бросил, а может, отрешенность Гарри пробудила в нем способности лидера; во всяком случае, теперь именно Рон тормошил и подбадривал остальных.

— Осталось три крестража, — повторял он. — Ну давайте составим план действий! Где мы еще не искали? Сиротский приют...

Косой переулок, Хогвартс, усадьба Реддлов, «Горбин и Бэркес», Албания — Рон с Гермионой снова и снова перебирали все места, где жил или работал Том Реддл, где он бывал и где его убивали. Гарри соглашался участвовать в этих обсуждениях, только чтобы Гермиона перестала его донимать. Он был бы рад сидеть один в уголке и подсматривать мысли Волан-де-Морта — может, удастся вызнать что-нибудь новое про Бузинную палочку, но Рон изобретал самые невероятные тайники, которые необходимо проверить. Гарри был уверен, что он делает это, лишь бы не давать им засиживаться на одном месте.

— Мало ли что! — твердил Рон свой вечный припев. — Аппер-Фледжли — волшебная деревня, он мог там на время поселиться. Давайте там поразведаем.

Во время частых вылазок на волшебные территории друзьям случалось видеть издали егерей.

— Некоторые из них ничуть не лучше Пожирателей смерти, — говорил Рон. — Те, что меня тогда схватили, были довольно жалкие типы, но Билл считает, что среди них попадаются по-настоящему опасные. В «Поттеровском дозоре» сообщали...

— В чем? — спросил Гарри.

— В «Поттеровском дозоре». Я разве не говорил, что передача так называется? Ну, которая по радио, я ее все время пытаюсь поймать. Чуть ли не единственная станция, которая рассказывает правду о том, что делается в мире. Все программы подпевают Сами-Знаете-Кому, только не «Поттеровский дозор». Я так хочу, чтобы вы тоже послушали, но на нее ужасно трудно настроиться...

Рон целыми вечерами отбивал разнообразные ритмы волшебной палочкой по радиоприемнику и крутил ручки. Иногда до них долетали обрывки советов о том, как лечить драконью оспу, а однажды — несколько строчек из песни «Котел, полный крепкой, горячей любви». Рон тихонько бормотал всевозможные слова, пытаясь подобрать пароль.

— Обычно они выбирают что-нибудь связанное с Орденом, — объяснил он. — Билл здорово их угадывает. Я наверняка рано или поздно попаду...

Только в марте Рону наконец улыбнулась удача. Гарри дежурил, сидя у входа в палатку и тупо разглядывая пробившиеся из-под земли гроздевые гиацинты, и вдруг Рон взволнованно закричал:

— Поймал, поймал! Пароль «Альбус»! Гарри, давай сюда!

Впервые за все это время Гарри заинтересовался чем-то, помимо Даров Смерти. Он бросился в палатку. Рон и Гермиона стояли на коленях, склонившись над крошечным приемником, откуда доносился очень знакомый голос.

«Просим прощения за временное отсутствие в эфире. Это было связано с участившимися визитами в наши края очаровательных Пожирателей смерти...»

— Это же Ли Джордан! — воскликнула Гермиона.

Рон так и сиял.

— Ага! Скажи, круто?

«Теперь мы нашли для себя новое укрытие, — говорил Ли, — и я рад представить вам двух постоянных участников нашей передачи. Добрый вечер, ребята!»

«Привет».

«Добрый вечер, Бруно».

— Бруно — это Ли, — объяснил Рон. — У них у всех клички, но догадаться нетрудно...

— Ш-ш! — сказала Гермиона.

«Однако прежде чем мы послушаем Ромула и Равелина, — продолжал Ли, — позвольте на минутку отвлечься, чтобы сообщить о потерях, которые не считают нужным освещать в программе новостей Волшебного радиовещания и в «Ежедневном пророке». К огромному сожалению, мы должны сообщить нашим слушателям о гибели Теда Тонкса и Дирка Крессвелла».

У Гарри что-то болезненно сжалось в животе. Они с Гермионой и Роном в ужасе уставились друг на друга.

«Также был убит гоблин по имени Кровняк. Предположительно, путешествовавшие вместе с Тонксом, Крессвеллом и Кровняком волшебник из семьи маглов Дин Томас и еще один гоблин спаслись. Если Дин нас сейчас слышит или если у кого-нибудь есть о нем известия, его родители и сестры будут рады любым новостям.

Между тем в Гэддли найдены мертвыми в своем доме семья маглов из пяти человек. По утверждению магловских властей, причиной смерти стала утечка газа, но члены Ордена Феникса сообщают мне, что истинная причина — Убивающее заклятие. Еще один пример, подтверждающий то, что давно уже стало общеизвестным: убийство маглов стало при новым режиме одним из способов проведения досуга.

И наконец, мы с сожалением сообщаем радиослушателям, что в Годриковой Впадине обнаружены останки Батильды Бэгшот. Судя по их состоянию, Батильда умерла несколько месяцев назад. Орден Феникса сообщает, что на ее теле обнаружены явные признаки применения темной магии.

Дорогие радиослушатели, я приглашаю вас вместе с нами провести минуту молчания в память Теда Тонкса, Дирка Крессвелла, Батильды Бэгшот, Кровняка и неизвестных маглов, убитых Пожирателями смерти».

Наступила тишина. Гарри, Рон и Гермиона молчали. Гарри рвался слушать еще и в то же время боялся того, что может услышать. Впервые за долгое время у него появилась связь с внешним миром.

«Спасибо, — сказал голос Ли Джордана. — А теперь я обращаюсь к нашему постоянному участнику Равелину за последними новостями о том, как новый порядок в волшебном мире отражается на жизни маглов».

«Спасибо, Бруно», — произнес голос, который невозможно было не узнать, — низкий, неторопливый, от него сразу становилось спокойнее на душе.

— Кингсли! — завопил Рон.

— Мы поняли! — шикнула на него Гермиона.

«Маглы по-прежнему не подозревают, в чем причина их несчастий. Количество пострадавших не становится меньше, — говорил Кингсли Бруствер. — Однако внушает надежду то, что нередки случаи, когда волшебники и волшебницы, рискуя собственной жизнью, защищают своих друзей-маглов и просто соседей, часто даже без ведома самих маглов. Я хотел бы призвать наших слушателей следовать их примеру. Хотя бы обеспечьте защитными чарами жилища маглов на своей улице. Такие несложные меры могут спасти множество жизней».

«Равелин, а что ты скажешь тем радиослушателям, по мнению которых в наши опасные времена нужно следовать принципу "волшебники — прежде всего"?» — спросил Ли.

«Скажу, что от принципа «волшебники — прежде всего» один шаг до принципа «чистокровные — прежде всего», а там и просто «Пожиратели смерти», — ответил

Кингсли. — Все мы люди, верно? Каждая человеческая жизнь бесценна».

«Отлично сказано, Равелин! Если мы все-таки выкарабкаемся из этой заварушки, я буду голосовать за тебя на выборах министра магии. А теперь послушаем Ромула в нашей постоянной рубрике "Друзья Поттера"».

«Спасибо, Бруно», — послышался другой знакомый голос.

Рон открыл было рот, но Гермиона его опередила:

— Мы поняли, что это Люпин!

«Ромул, ты по-прежнему утверждаешь, как и в каждое свое появление на нашей передаче, что Гарри Поттер до сих пор жив?»

«Да, — твердо ответил Люпин. — Я ни на минуту не сомневаюсь, что о его гибели Пожиратели смерти кричали бы на всех углах. Они не упустили бы такой случай подорвать боевой дух противников нового режима. Мальчик, Который Выжил воплощает все то, за что мы сражаемся: торжество добра, силу чистой души, необходимость продолжать сопротивление».

Гарри почувствовал, как в нем поднимается благодарность, смешанная со стыдом. Значит, Люпин простил ему все те ужасные вещи, что он тогда наговорил?

«Ромул, а что бы ты сказал Гарри, если бы знал, что он сейчас нас слушает?»

«Я сказал бы, что все мы мысленно с ним, — ответил Люпин и добавил после короткого колебания: — И еще я сказал бы ему: всегда следуй своему инстинкту, он почти никогда не ошибается».

Гарри посмотрел на Гермиону: у нее в глазах стояли слезы.

— Почти никогда не ошибается, — прошептала она.

— О, я разве вам не говорил? — удивился Рон. — Билл рассказывал, что Люпин вернулся к Тонкс! И она, говорит, уже такая круглая...

«И, как всегда, новости о друзьях Поттера, пострадавших за свои убеждения?» — спросил Люпина Ли Джордан.

«Наши постоянные слушатели уже знают об арестах нескольких наиболее заметных сторонников Гарри

Поттера. Среди них — бывший главный редактор журнала «Придира» Ксенофилиус Лавгуд...»

— Хотя бы живой, — пробормотал Рон.

«Также за последние часы стало известно, что Рубеус Хагрид... — Все трое ахнули и чуть не пропустили конец предложения. — ...известный многим хогвартский лесничий, едва не был арестован на территории школы, где он, по слухам, организовал вечеринку в поддержку Гарри Поттера. Тем не менее захватить Хагрида не смогли. Насколько нам известно, теперь он в бегах».

«Надо думать, спасаться от Пожирателей смерти намного сподручнее, если у тебя есть сводный братик в шестнадцать футов ростом?» — ввернул Ли.

«Это, безусловно, большое преимущество, — очень серьезно согласился Люпин. — Хотелось бы только добавить, что, хотя все сотрудники «Поттеровского дозора» восхищены отвагой Хагрида, мы настоятельно советуем сторонникам Гарри Поттера воздержаться от подобных мероприятий. Устраивать вечеринки в поддержку Гарри Поттера — не самая разумная линия поведения в настоящий момент».

«В самом деле, Ромул, — согласился Ли Джордан. — Поэтому мы предлагаем вам, дорогие радиослушатели, выражать свою верность парню со шрамом в виде молнии, продолжая слушать нашу передачу! А теперь перейдем к новостям о волшебнике, столь же неуловимом, как и Гарри Поттер. Мы обычно называем его Главным Пожирателем смерти, и сейчас с нами поделится своими взглядами на некоторые безумные слухи по его поводу наш новый корреспондент Грызун!»

«Грызун?!» — послышался еще один знакомый голос.

Гарри, Рон и Гермиона хором воскликнули:

— Фред!

— Нет... Кажется, Джордж.

— По-моему, все-таки Фред, — сказал Рон, подавшись ближе к приемнику.

Тем временем близнец — который бы он ни был — возмущенно произнес:

«Я не желаю быть Грызуном! Я сказал, что буду Рапирой!»

«Ну хорошо, Рапира, ты можешь прокомментировать для нас разнообразные истории, которые рассказывают о Главном Пожирателе смерти?»

«Да, конечно, Бруно, — сказал Фред. — Как известно нашим радиослушателям — если они не прячутся от жизни на дне садового пруда или где-нибудь вроде этого, — Сами-Знаете-Кто предпочитает оставаться в тени и тем успешно создает панику среди населения. Правда, если верить всем слухам о его появлениях, выходит, что по нашей стране разгуливают не меньше девятнадцати штук Сами-Знаете-Кого».

«Это его вполне устраивает, — сказал Кингсли. — Атмосфера тайны наводит куда больший ужас, чем открытые появления».

«Согласен, — ответил Фред. — А потому, народ, давайте-ка немножко поспокойнее. Все и так довольно скверно, ни к чему еще придумывать разные страхи. Например, эта новая идея, якобы Сами-Знаете-Кто умеет убивать взглядом. Дорогие мои, это василиск! Простая проверка: посмотрите, есть ли ноги у существа, которое сверлит вас взглядом. Если есть — можете смело смотреть ему в глаза, хотя, если вы и вправду столкнулись Сами-Знаете-с-Кем, это, возможно, окажется последним, что вы увидите в своей жизни».

Гарри хохотал впервые за много недель; он чувствовал, как отпускает напряжение.

«А слухи о том, что его несколько раз видели за границей?» — спросил Ли Джордан.

«Кому не захочется устроить себе небольшой отдых от трудов праведных? — отозвался Фред. — Главное, люди, не поддавайтесь ложному чувству безопасности: он, мол, далеко, и все в порядке. Может, он и далеко, но не надо забывать, что он умеет перемещаться быстрее, чем Северус Снегг от шампуня, так что избегайте ненужного риска. В жизни не думал, что могу сказать такое, и все-таки: безопасность прежде всего!»

«Спасибо тебе за эти мудрые слова, Рапира, — сказал Ли. — Дорогие радиослушатели, вот и подошел к концу очередной выпуск «Поттеровского дозора». Мы не знаем, когда удастся снова выйти в эфир, но не сомневайтесь — мы обязательно вернемся. Крутите ручки! Пароль следующего выпуска: «Грозный Глаз». Берегите друг друга! Не теряйте веры! Спокойной ночи».

Ручка настройки завертелась, огоньки на шкале погасли. Гарри, Рон и Гермиона улыбались во весь рот. Голоса друзей подействовали на них, как какой-то невероятный тоник. Гарри уже так привык скрываться и прятаться — он почти совсем забыл, что, кроме него, другие люди тоже борются против Волан-де-Морта. Он как будто очнулся от долгого сна.

— Хорошо, а? — радостно спросил Рон.

— Потрясающе, — ответил Гарри.

— Они такие молодцы, — восхищенно вздохнула Гермиона. — Если их поймают...

— Ты же слышала — они все время перемещаются, — сказал Рон. — Как мы.

— Нет, вы слышали, что сказал Фред? — азартно спросил Гарри. Как только передача закончилась, он мысленно вернулся к всепоглощающей теме. — Он за границей! Он все еще ищет Палочку! Я так и знал!

— Гарри...

— Да ну тебя, Гермиона, почему ты такая упрямая? Признай наконец, что Волан...

— ГАРРИ, НЕ НАДО!

— ...де-Морт охотится за Бузинной палочкой!

— На его имени Табу! — заорал Рон, вскакивая, и тут же снаружи палатки раздался оглушительный хлопок.

— Гарри, я тебе говорил! Нельзя произносить его имя! Скорее, надо восстановить защитные заклинания... так они и находят...

Рон умолк, и Гарри понял почему. Вредноскоп на столе засветился и начал вращаться. Все ближе слышались голоса — грубые, возбужденные. Рон выхватил из кармана делюминатор и щелкнул: в палатке погас свет.

— Руки вверх, выходи по одному! — раздался из темноты скрежещущий голос. — Мы знаем, что вы там! На вас нацелено полдюжины волшебных палочек. Колдуем без предупреждения!

Глава 23

В ПОМЕСТЬЕ МАЛФОЕВ

Гарри оглянулся — его друзья были теперь просто силуэтами в темноте. Он увидел, как Гермиона нацелила волшебную палочку — не на вход в палатку, а ему в лицо. Раздался тихий хлопок, полыхнул свет, и Гарри рухнул на пол, скрючившись от боли. Ничего не видя, он только чувствовал, как распухает под ладонями лицо. Совсем рядом протопали тяжелые шаги.

— Встать, отродье!

Чьи-то руки грубо подняли Гарри. Не успел он опомниться, как кто-то обшарил его карманы и забрал палочку из терновника. Гарри держался за лицо, изнемогая от боли. Лицо раздуло, так что кожа туго натянулась, как будто от какой-нибудь жуткой аллергии. От глаз остались щелочки, видеть ими было почти невозможно. Очки свалились, когда Гарри выволакивали из палатки. Он мог только различить размытые очертания четырех или пяти человек, которые тащили из палатки Рона и Гермиону.

— Пустите ее! Пустите! — орал Рон.

Раздался отчетливый звук удара сжатым кулаком. Рон охнул, а Гермиона закричала:

— Нет! Не трогайте его! Не надо!

— Твой дружок еще не то получит, если я найду его в списке, — сказал знакомый до дрожи скрежещущий голос. — Чудная девочка... Лакомый кусочек... Обожаю такую мягкую кожу...

У Гарри все внутри перевернулось. Он узнал этот голос: Фенрир Сивый, оборотень, которому дозволили носить мантию Пожирателя смерти за его беспощадную свирепость.

— Обыщите палатку! — приказал другой голос.

Гарри швырнули на землю, лицом вниз. Раздался глухой стук — рядом бросили Рона. Слышались шаги и грохот — незнакомцы обшаривали палатку, опрокидывая стулья.

— Так, посмотрим, кто нам попался, — злорадно произнес над головой Фенрир.

Гарри перевернули на спину. Луч света от волшебной палочки упал на его лицо. Сивый расхохотался:

— Ну, этого надо будет запивать сливочным пивом, не то в глотке застрянет! Что с тобой такое, рожа?

Гарри не ответил.

— Я сказал, — повторил Сивый, и Гарри получил удар под дых, от которого сложился пополам, — что с тобой такое?

— Ужалили, — просипел Гарри.

— Ага, похоже на то, — сказал второй голос.

— Фамилия? — прорычал Фенрир.

— Дадли, — ответил Гарри.

— Полное имя?

— Вернон... Вернон Дадли.

— Проверь по списку, Струпьяр, — велел Сивый.

Гарри услышал, как он подошел к Рону.

— А ты кто таков, рыжий?

— Стэн Шанпайк, — ответил Рон.

— Черта с два, — сказал человек по имени Струпьяр. — Стэна Шанпайка мы знаем, он нам как-то подкидывал работенку.

Снова звук удара.

— Бедя зобут Барди, — выговорил Рон. По звуку было слышно, что у него полон рот крови. — Барди Уизли.

— Уизли? — повторил Сивый. — Стало быть, ты в родстве с осквернителями крови, даже если сам не грязнокровка. Ну, и на закуску — твоя хорошенькая подружка...

От его плотоядной интонации у Гарри мурашки поползли по коже.

— Полегче, Сивый, — предостерег Струпьяр под мерзкие смешки своих приятелей.

— Да я не собираюсь сразу ее кусать. Сперва посмотрим, может, она пошустрее вспомнит свое имя, чем этот Барни. Ты кто, деточка?

— Пенелопа Кристал. — Голос Гермионы звучал испуганно, но очень искренне.

— Статус крови?

— Полукровка, — ответила Гермиона.

— Легко проверить, — заметил Струпьяр. — Только все они вроде школьники по возрасту.

— Мы бдосили шголу, — прогнусавил Рон.

— Бросили, вот оно как, рыжий? — отозвался Струпьяр. — Отправились в поход с палаткой? И так это для смеха решили произнести имя Темного Лорда?

— Не двя смеха, — сказал Рон. — Недяянно.

— Нечаянно? — вокруг опять заржали.

— Ты знаешь, Уизли, кто любит трепать имя Темного Лорда? — прорычал Фенрир. — Орден Феникса! Тебе это название о чем-нибудь говорит?

— Нед.

— Они, понимаешь, не проявляли должного уважения к Темному Лорду, поэтому на его имя наложили заклятие Табу. С его помощью выследили несколько членов Ордена. Ладно, посмотрим. Свяжите их вместе с теми двумя!

Кто-то схватил Гарри за волосы и вздернул на ноги. Его протащили несколько шагов, толкнули, так что он с размаху сел на землю, и начали привязывать к кому-то спиной к спине. Он все еще почти ничего не видел сквозь щелочки заплывших глаз. Когда те, кто связывал пленников, наконец отошли, Гарри прошептал:

— У кого-нибудь осталась волшебная палочка?

— Нет, — ответили справа и слева от него Рон и Гермиона.

— Это все я виноват. Назвал имя сдуру... Простите меня.

— Гарри?

Новый голос, но тоже знакомый, прямо за спиной у Гарри. Говорил человек, привязанный слева от Гермионы.

— Дин?!

— Точно, ты! Если они поймут, кого зацапали... Это егеря, они просто ловят тех, кто скрывается от Министерства, и сдают за деньги...

— Неплохой улов за одну ночь! — заметил Сивый.

Мимо Гарри прошагала пара подбитых гвоздями сапог, из палатки снова донеслись треск и грохот.

— Грязнокровка, беглый гоблин и трое скрывающихся от закона! Ты уже проверил имена по списку, Струпьяр?

— Угу. Тут нет никакого Вернона Дадли, Сивый.

— Интересно, — отозвался Фенрир. — Очень интересно.

Он присел на корточки рядом с Гарри, и тот увидел через просвет между опухшими веками серые космы и острые грязно-бурые зубы во рту с запекшимися в уголках болячками. От Сивого воняло точно так же, как тогда, на вершине башни, где умер Дамблдор: грязью, потом и кровью.

— Тебя, значит, не разыскивают, Вернон? А может, ты в списке под другим именем? На каком факультете ты учился в Хогвартсе?

— Слизерин, — на автомате ответил Гарри.

— Смехота! Почему-то они все думают, что мы страх как хотим это услышать, — хмыкнул в темноте Струпьяр. — И ни один не может сказать, где у них общая комната.

— В подземелье, — четко отрапортовал Гарри. — Вход через стену. Там черепа и всякое такое. Подземелье прямо под озером, поэтому свет такой зеленоватый.

Последовала короткая пауза.

— Ну-ну. Похоже, мы и впрямь поймали слизеринчика, — протянул Струпьяр. — Повезло тебе, Вернон. Слизеринцев-полукровок не так уж и много. Кто твой отец?

— Он работает в Министерстве, — соврал Гарри. Он понимал, что при ближайшем рассмотрении его легенда развалится; с другой стороны, она все равно рухнет, как только заклинание Гермионы истощится и его лицо снова примет нормальный вид. — Отдел магических происшествий и катастроф.

— Знаешь что, Сивый, — сказал Струпьяр, — помнится, там и правда был какой-то Дадли...

Гарри затаил дыхание. Неужели повезло и они все-таки прорвутся?

— Ну-ну, — отозвался Фенрир, и Гарри послышались в его голосе опасливые нотки.

Сивому явно было неуютно от мысли, что они по ошибке схватили и связали сына министерского чиновника. Сердце Гарри отчаянно колотилось под веревками, стягивающими ребра, он бы не удивился, если бы Фенрир это увидел.

— Если ты правду говоришь, рожа, тебе нечего бояться. Прогуляешься до Министерства, и все дела. Твой папашка нас еще наградит за то, что подобрали тебя.

У Гарри пересохло во рту.

— А может, вы нас просто отпустите?

— Эй! — крикнул кто-то из палатки. — Посмотри-ка, Сивый, что тут есть!

Перед ними вырос темный силуэт, и Гарри увидел, как блеснуло серебро при свете волшебных палочек. Они нашли меч Гриффиндора!

— Оч-чень симпатично, — восхитился Фенрир, приняв меч из рук приятеля. — Очень и очень. Гоблинской работы штучка. Откуда это у вас?

— Это папин, — соврал Гарри, изо всех сил надеясь, что Фенрир в темноте не разглядит имя на клинке. — Мы его одолжили хворост рубить для костра...

— Постой-ка, Сивый! Глянь вот здесь, в «Пророке»...

Едва Струпьяр это сказал, шрам Гарри взорвался болью на туго натянутой коже. Он вдруг увидел, куда яснее всего окружающего, громадную мрачную крепость, черную и зловещую. Мысли Волан-де-Морта были острее бритвы: он скользил по воздуху к огромному зданию, упиваясь близостью цели.

Так близко... Уже совсем рядом...

Страшным усилием воли Гарри закрыл свой разум от мыслей Волан-де-Морта, заставив себя вернуться к реальности, где он сидел в темноте, привязанный к Рону, Гермионе, Дину и Крюкохвату, и слушал, как Фенрир Сивый разговаривает со Струпьяром.

— «Гермиона Грейнджер, — читал Струпьяр, — грязнокровка, путешествующая с Гарри Поттером...»

Шрам жгло как огнем, но Гарри не давал себе уплыть в сознание Волан-де-Морта. Он слышал, как скрипнули сапоги Фенрира, — тот присел на корточки перед Гермионой.

— Знаешь что, девчушечка? Эта фотография чертовски похожа на тебя.

— Нет! Это не я!

Панический писк Гермионы был равносилен признанию.

— «Путешествующая с Гарри Поттером», — негромко проговорил Сивый.

Наступила мертвая тишина. Шрам терзала мучительная боль, но Гарри изо всех сил сопротивлялся мыслям Волан-де-Морта. Никогда еще для него не было так важно оставаться в полном сознании.

— А ведь это многое меняет, — прошептал Фенрир.

Все молчали. Гарри чувствовал, как застыли егеря, как дрожит вплотную к нему рука Гермионы. Фенрир встал, шагнул к Гарри и снова присел на корточки, всматриваясь в его раздувшееся лицо.

— Что это у тебя на лбу, Вернон? — вкрадчиво спросил Сивый, дыша прямо в ноздри Гарри, и ткнул грязным пальцем в натянутый до предела шрам.

— Не трогай! — заорал Гарри. Он не мог сдержаться, его даже затошнило от боли.

— Ты вроде носишь очки, Поттер? — выдохнул Фенрир.

— Я нашел очки! — завопил кто-то в задних рядах. — Там были очки, в палатке! Погоди, Сивый...

Через пару секунд очки насадили Гарри на нос. Егеря обступили его, разглядывая.

— Он и есть! — проскрежетал Фенрир. — Мы поймали Поттера!

Егеря расступились, потрясенные. Гарри не мог придумать, что бы такое сказать — он все еще боролся, чтобы остаться в своей раскалывающейся от боли голове. На краю сознания мелькали обрывочные видения...

...он скользит у высоких черных стен...

Нет, он Гарри, связанный и безоружный, в ужасной опасности...

...поднимает взгляд выше, выше, к верхнему окну самой высокой башни...

Он Гарри, и егеря вполголоса решают его судьбу...

...пора лететь...

— В Министерство?

— Да провались оно, это Министерство, — прорычал Сивый. — Всю славу себе загребут, а нас побоку. Отведем его прямо к Сами-Знаете-Кому.

— Ты что, вызовешь его? Сюда?! — перепугался Струпьяр.

— Нет, — рыкнул Сивый. — У меня же нет... Говорят, у него база в поместье Малфоев. Туда и отведем мальчишку.

Гарри догадывался, почему Сивый не может вызвать Волан-де-Морта. Хоть оборотню и позволяли носить мантию Пожирателя смерти, пока были нужны его услуги, Черной Меткой клеймили только ближний круг Волан-де-Морта. Этой чести Фенрир не был удостоен.

Шрам снова полоснуло болью.

...он поднимался в ночь, прямо к окну на вершине башни...

— Точно уверен, что это он? А то, если вдруг осечка, нам конец...

— Кто здесь главный? — загремел Фенрир, торопясь отыграться за свою неполноценность. — Я сказал — Поттер, значит, Поттер, и волшебная палочка при нем, это двести тысяч галеонов! А если у вас кишка тонка, так я вас с собой не тащу — мне больше достанется. Если повезет, еще и девчонку мне откинут.

...окно — узкая прорезь в черном камне. Взрослому человеку не пролезть... Истощенный узник скорчился под тонким одеялом... Умер или спит?..

— Ладно! — решился Струпьяр. — Мы с тобой. А остальных куда, Сивый?

— С собой прихватим. Двое грязнокровок — уже десять галеонов. И меч давайте. Если там рубины, это тоже целое богатство.

Пленников грубо подняли на ноги. Гарри слышал частое испуганное дыхание Гермионы.

— Держите их, да покрепче, а я возьму Поттера!

Сивый сгреб в кулак волосы на макушке Гарри, царапая кожу длинными желтыми ногтями.

— На счет «три»! Раз... два... три!

Егеря трансгрессировали вместе с пленниками. Гарри дернулся было, пытаясь стряхнуть руку Сивого, но это было совершенно бесполезно. Он был зажат между Роном и Гермионой и все равно не смог бы отделиться от группы. Грудь сдавило, а шрам заболел еще сильнее...

...он змеей протиснулся в узкое окно и легко, словно клуб дыма, опустился на пол в тесной комнате, похожей на тюремную камеру...

Пленники повалились друг на друга, приземляясь на загородной аллее. Гарри глазами-щелочками разглядел чугунные ворота, а за ними — что-то вроде подъездной дорожки. Он перевел дух. Все-таки худшего пока не случилось: Волан-де-Морта здесь нет. Это Гарри знал точно благодаря видению, которое всеми силами старался отогнать. Волан-де-Морт в какой-то странной крепости, наверху высокой башни. Много ли времени ему нужно, чтобы перенестись оттуда, как только он узнает, что Гарри пойман, — это уже совсем другое дело...

Один из егерей подошел к воротам и потряс решетку.

— Как нам войти? Тут заперто, Сивый! Я никак... Тьфу, черт!

Он в страхе отдернул руки. Абстрактные завитки чугунной решетки зашевелились, складываясь в свирепую морду, которая лязгающим голосом пролаяла:

— Цель посещения?

— Мы Поттера поймали! — победно проревел Сивый. — Мы поймали Гарри Поттера!

Створки ворот распахнулись.

— Пошли! — скомандовал Сивый своим людям.

Пленников втолкнули в ворота и погнали по дорожке между живыми изгородями, приглушающими шаги. Гарри увидел вверху призрачно-белый силуэт и понял, что это павлин-альбинос. Гарри споткнулся, и Фенрир снова вздернул его на ноги. Гарри ковылял боком, стараясь попадать в такт с другими пленниками. Он закрыл опухшие глаза и на мгновение поддался боли — ему хотелось проверить, знает ли Волан-де-Морт, что его схватили...

...костлявая фигура под одеялом пошевелилась, повернулась набок. На лице, напоминающем череп, от-

крылись глаза. Еле живой узник приподнялся и сел. Ввалившиеся глаза обратились к Волан-де-Морту. Узник улыбнулся. У него почти не осталось зубов.

— Все-таки пришел. Я думал, что ты придешь... когда-нибудь. Зря старался. У меня ее никогда не было.

— Ложь!

Гнев Волан-де-Морта вспыхнул у Гарри в мозгу, голова чуть не лопнула от боли. Он рывком вернул сознание в собственное тело, цепляясь за реальность. Пленников втолкнули на крыльцо.

Из приоткрывшейся двери на них упал луч света.

— В чем дело? — осведомился холодный женский голос.

— Мы пришли к Тому-Кого-Нельзя-Называть! — проскрежетал Фенрир.

— Кто вы?

— Меня-то вы знаете! — В голосе оборотня звучала обида. — Я — Фенрир Сивый! Мы поймали Гарри Поттера!

Сивый вытащил Гарри на свет, отчего другим пленникам пришлось, перебирая ногами, сдвинуться по кругу.

— Он, видите ли, маленько опух, сударыня, но это точно он! — вмешался Струпьяр. — Вы посмотрите получше, видите шрам? А на девчонку гляньте! Та самая грязнокровка, что вместе с ним путешествует, мэм! Он это, ясен цапень, и волшебную палочку мы прихватили. Вот, сударыня...

Нарцисса Малфой вгляделась в раздутое лицо Гарри. Струпьяр подал ей волшебную палочку из терновника. Она подняла брови.

— Ведите их в дом! — приказала Нарцисса.

Пленников пинками погнали вверх по широким ступеням и втолкнули в просторную прихожую с портретами по стенам.

— Следуйте за мной! Мой сын Драко приехал из школы на Пасхальные каникулы. Если это Гарри Поттер, он его узнает.

После ночной темноты в гостиной было ослепительно светло. Даже с почти закрытыми глазами Гарри видел, что комната огромна. С потолка свисала хрустальная люстра, на темно-фиолетовых стенах висели еще портреты. Из кресел у резного мраморного камина поднялись два человека.

— Что такое?

Знакомый, лениво растягивающий слова голос Люциуса Малфоя резал слух. Гарри стало по-настоящему страшно — он не видел пути к спасению. Страх помогал отгородиться от мыслей Волан-де-Морта, хоть шрам все еще горел.

— Они говорят, что поймали Поттера, — произнес холодный голос Нарциссы. — Драко, подойди.

Гарри не смел прямо посмотреть на Драко. Краем глаза он видел высокую, чуть выше себя, фигуру, бледное лицо с заостренным подбородком — размытое пятно в обрамлении светлых, почти белых волос.

Сивый подтолкнул пленников, так что Гарри оказался прямо под люстрой.

— Ну, что скажете? — проскрежетал оборотень.

Прямо против Гарри висело над камином огромное зеркало в резной золоченой раме. Он увидел свое отражение — впервые с тех пор, как они покинули дом на площади Гриммо.

Лицо у Гарри раздулось до невероятных размеров. Оно было розовым и блестело. Заклинание Гермионы исказило каждую черточку. Черные волосы доставали до плеч, на подбородке лежала темная тень. Не знай Гарри, что это он здесь стоит, сам бы удивился: кто это надел его очки? Он решил хранить молчание, думая, что голос наверняка его выдаст, и все-таки старался не смотреть в глаза подошедшему Драко.

— Ну что, Драко? — с жадным интересом спросил Люциус Малфой. — Это он? Это Гарри Поттер?

— Н-не знаю... Не уверен, — ответил Драко. Он старался держаться как можно дальше от Сивого и явно боялся посмотреть на Гарри, точно так же как Гарри боялся посмотреть на него.

— Да ты погляди хорошенько! Подойди к нему поближе!

Гарри никогда не слышал такого волнения в голосе Люциуса.

— Драко, если мы передадим Поттера в руки Темного Лорда, нам все прос...

— Давайте-ка не будем забывать, кто его поймал на самом деле, а, мистер Малфой? — с угрозой проговорил Фенрир.

— Конечно-конечно! — нетерпеливо отозвался Люциус.

Он сам приблизился к Гарри, так что тот, хоть и заплывшими глазами, во всех подробностях мог разглядеть обычно такое равнодушное бледное лицо. Гарри смотрел из-за раздувшейся маски своего лица, как из-за тюремной решетки.

— Что вы с ним сделали? — спросил Фенрира старший Малфой. — Почему он в таком состоянии?

— Это не мы!

— На мой взгляд, похоже на Жалящее заклинание, — объявил Люциус.

Серые глаза внимательно осмотрели лоб Гарри.

— Здесь что-то виднеется, — прошептал он. — Может быть, и шрам, только туго натянутый... Драко, иди сюда, посмотри как следует! Как ты считаешь?

Теперь лицо Драко тоже оказалось прямо перед Гарри. Они с отцом были удивительно похожи, только старший Малфой был вне себя от волнения, в то время как Драко смотрел на Гарри неохотно и даже, кажется, со страхом.

— Не знаю я, — пробормотал он и отошел к Нарциссе, стоявшей у камина.

— Мы должны знать наверняка, Люциус! — крикнула она мужу холодным, ясным голосом. — Нужно совершенно точно убедиться, что это Поттер, прежде чем вызывать Темного Лорда... Эти люди сказали, что взяли его волшебную палочку, — прибавила она, разглядывая палочку из терновника, — однако она совсем не подходит под описание Олливандера. Если тут ошибка и мы зря побеспокоим Темного Лорда... Помнишь, что он сделал с Долоховым и Роулом?

— А грязнокровка? — прорычал Фенрир.

Гарри чуть не упал — егеря повернули связанных пленников так, чтобы на свет вышла Гермиона.

— Постойте, — резким тоном произнесла Нарцисса. — Да! Она была с Поттером в ателье у мадам Малкин! Я видела фотографию в «Пророке»! Смотри, Драко, это Грейнджер?

— Не знаю... Может быть... Вроде да...

— А это — мальчишка Уизли! — вскричал Малфой-старший, остановившись напротив Рона. — Это они, друзья Поттера! Драко, взгляни, это действительно сын Артура Уизли, как его там?..

— Вроде да, — не оборачиваясь, повторил Драко. — Может, и он.

За спиной у Гарри открылась дверь. Послышался женский голос, при звуке которого Гарри окончательно перепугался.

— Что здесь происходит? В чем дело, Цисси?

Беллатриса Лестрейндж медленно обошла пленников кругом и остановилась справа от Гарри, глядя на Гермиону из-под тяжелых век.

— Это же та самая грязнокровка! — вполголоса проговорила она. — Это Грейнджер?

— Да, да, Грейнджер! — откликнулся Люциус. — А рядом с ней, похоже, Поттер! Поттер и его друзья попались наконец-то!

— Поттер? — взвизгнула Беллатриса и попятилась, чтобы лучше рассмотреть Гарри. — Ты уверен? Так нужно поскорее известить Темного Лорда!

Она засучила левый рукав. Гарри увидел выжженную на коже Черную Метку и понял, что сейчас Беллатриса коснется ее и вызовет своего обожаемого повелителя...

— Я сам собирался призвать его! — Люциус перехватил запястье Беллатрисы, не давая ей коснуться Метки. — Я вызову его, Белла! Поттера привели в мой дом, и потому мое право...

— Твое право! — фыркнула Беллатриса, пытаясь вырвать руку. — Ты потерял все права, когда лишился волшебной палочки, Люциус! Как ты смеешь! Не трогай меня!

— Ты здесь ни при чем, не ты поймала мальчишку...

— С вашего разрешения, мистер Малфой, — вмешался Сивый, — Поттера поймали мы, так что нам и получать золото...

— Золото! — расхохоталась Беллатриса, продолжая вырываться и свободной рукой нащупывая в кармане волшебную палочку. — Забирайте свое золото, жалкие стервятники, на что оно мне? Мне дорога милость моего... моего...

Она вдруг застыла, устремив взгляд темных глаз на что-то, чего Гарри не мог видеть. Люциус взликовал, выпустил ее руку и рванул кверху свой собственный рукав...

— Остановись! — пронзительно крикнула Беллатриса. — Не прикасайся! Если Темный Лорд появится сейчас, мы все погибли!

Люциус замер, держа палец над Черной Меткой. Беллатриса отошла в сторону и пропала из поля зрения Гарри. Он услышал ее голос:

— Что это такое?

— Меч, — буркнул кто-то из егерей.

— Дайте мне!

— Он не ваш, миссис, он мой! Я его нашел.

Раздался треск, и полыхнуло красным — Гарри понял, что Беллатриса вывела егеря из строя Оглушающим заклятием. Его товарищи возмущенно загомонили. Струпьяр выхватил волшебную палочку.

— Это что еще за игры, дамочка?

— *Остолбеней!* — завизжала она. — *Остолбеней!*

Силы были явно неравны, даже с четырьмя егерями против нее одной. Гарри знал, что Беллатриса обладает огромным магическим мастерством при полном отсутствии совести. Ее противники так и упали, где стояли, за исключением одного Сивого; он рухнул на колени, вытянув вперед руки. Краем глаза Гарри видел, как Беллатриса подскочила к оборотню, сжимая в руке меч Гриффиндора. Лицо ее залила восковая бледность.

— Где вы взяли этот меч? — прошипела она, вырвав волшебную палочку из обмякшей руки Фенрира.

— Как ты смеешь? — зарычал он в ответ. Только губами он и мог шевелить, злобно глядя на нее снизу вверх и оскалив острые зубы. — Отпусти меня, женщина!

— Где вы нашли меч? — повторила она, тыча клинок ему в лицо. — Снегг отправил его на хранение в мой сейф в Гринготтс!

— Он был у них в палатке, — прохрипел Фенрир. — Отпусти меня, я сказал!

Беллатриса взмахнула волшебной палочкой. Оборотень одним прыжком вскочил на ноги, но приблизиться к ней не решился. Он зашел за кресло и вцепился кривыми ногтями в спинку.

— Драко, убери отсюда этот сброд, — приказала Беллатриса, указывая на лежащих без сознания людей. — Если самому их прикончить характера не хватает, оставь их во дворе, я потом займусь.

— Не смей так разговаривать с Драко! — вспыхнула Нарцисса, но Беллатриса прикрикнула на нее:

— Помолчи, Цисси! Положение серьезнее, чем ты думаешь!

Слегка задыхаясь, она осматривала меч, приглядывалась к рукоятке, потом обернулась к притихшим пленникам.

— Если это в самом деле Поттер, нужно позаботиться, чтобы ему не причинили вреда, — пробормотала она как будто самой себе. — Темный Лорд желает сам разделаться с Поттером... Но если он узнает... Я должна... Должна знать! — Она снова повернулась к сестре. — Пусть пленников запрут в подвале, а я пока подумаю, что нам делать.

— Нечего распоряжаться в моем доме, Белла!

— Выполняй! Ты даже не представляешь, какая опасность нам грозит! — завизжала Беллатриса.

Она словно обезумела от страха, тонкая огненная струйка вырвалась из ее волшебной палочки и прожгла дыру в ковре.

Нарцисса после короткого колебания приказала оборотню:

— Отведите пленников в подвал, Фенрир.

— Постойте! — вмешалась Беллатриса. — Всех, кроме... Кроме грязнокровки.

Сивый радостно хмыкнул.

— Нет! — закричал Рон. — Лучше меня, меня оставьте!

Беллатриса ударила его по лицу так, что зазвенело по комнате.

— Если она умрет во время допроса, тебя возьму следующим, — пообещала волшебница. — Для меня предатели чистокровных немногим лучше грязнокровок. Отведи их в подвал, Сивый, и запри хорошенько, но зубы пока не распускай.

Она швырнула оборотню его волшебную палочку и достала из складок мантии серебряный кинжал. Перерезав веревку, Беллатриса отделила Гермиону от других пленников и за волосы вытащила на середину комнаты. Сивый тем временем погнал оставшихся четверых к дальней двери, потом по темному коридору. Он выставил перед собой волшебную палочку, и невидимому магическому давлению невозможно было противиться.

— Надеюсь, она мне оставит от девчонки хоть шматочек! — размечтался Фенрир, подгоняя пленников. — Ну хоть пару разочков укусить мне обломится, а, рыжий?

Гарри чувствовал, как Рона трясет. Пленники спустились по крутой лестнице, рискуя в любой момент свалиться и сломать себе шею, — ведь они были по-прежнему связаны спиной к спине. Внизу оказалась тяжелая дверь. Сивый отпер ее, коснувшись волшебной палочкой, втолкнул пленников в сырую затхлую комнату и удалился, оставив их в полной темноте. Еще не замер звук захлопнувшейся двери, когда прямо над ними раздался ужасный протяжный крик.

— ГЕРМИОНА! — заорал Рон, дергаясь в общей связке, так что Гарри пошатнулся и еле устоял на ногах. — ГЕРМИОНА!

— Тише! — сказал Гарри. — Рон, заткнись, нужно придумать, как нам...

— ГЕРМИОНА! ГЕРМИОНА!

— Кончай орать, нужно составить план... Как-то развязать веревки...

— Гарри? — послышался шепот в темноте. — Рон? Это вы?

Рон замолчал. Рядом зашуршало. Гарри увидел, что к нему приближается какая-то тень.

— Гарри? Рон?

— Полумна?!

— Да, это я! Ох, нет, я так не хотела, чтобы вас поймали!

— Полумна, ты можешь нам помочь вылезти из веревок? — спросил Гарри.

— Да, наверное... Здесь есть один старый гвоздь, мы им пользуемся, когда нужно что-нибудь разорвать... Сейчас, сейчас...

Наверху опять закричала Гермиона. Было слышно, что Беллатриса тоже кричит, только слов не удавалось разобрать, потому что Рон снова заорал:

— ГЕРМИОНА! ГЕРМИОНА!

— Мистер Олливандер? — услышал Гарри голос Полумны. — Мистер Олливандер, гвоздик у вас? Подвиньтесь, пожалуйста, немножко... Он, кажется, был около кувшина...

Вскоре она вернулась.

— Стойте спокойно, — попросила она.

Гарри почувствовал, как она ковыряет гвоздем толстую веревку, стараясь ослабить туго затянутые узлы. Сверху донесся голос Беллатрисы:

— Спрашиваю еще раз: где вы взяли меч? Где?!

— Нашли... Мы его нашли... Пожалуйста, не надо!

Гермиона снова закричала. Рон рванулся, ржавый гвоздь выскользнул из пальцев Полумны и упал на запястье Гарри.

— Рон, стой, пожалуйста, тихо! — прошептала Полумна. — Я же ничего не вижу...

— В кармане! — сказал Рон. — У меня в кармане делюминатор, в нем полно света!

Через несколько секунд послышался щелчок. Из делюминатора вылетели сияющие шары света, которые он собрал в палатке. Не имея возможности вернуться в свои лампы, они просто повисли в воздухе, словно маленькие солнышки, озаряя весь подвал. Гарри увидел Полумну — одни глаза на белом лице — и недвижную фигуру мастера Олливандера, сжавшегося в комочек на полу у дальней стены. Вывернув шею, Гарри увидел наконец других пленников — Дина и Крюкохвата. Гоблин почти без чувств висел на веревках, которыми был привязан к людям.

— Ой, спасибо, Рон, так гораздо удобнее! — обрадовалась Полумна и с новой силой принялась за узлы. — Здравствуй, Дин!

Наверху снова зазвучал голос Беллатрисы.

— Ты лжешь, паршивая грязнокровка! Вы забрались в мой сейф в банке! Правду, говори правду!

Еще один ужасный вопль...

— ГЕРМИОНА!

— Что еще вы взяли? Что еще вы там взяли? Говори правду, не то, клянусь, я тебя зарежу вот этим кинжалом!

— Готово!

Веревки упали. Гарри повернулся, растирая запястья, и увидел, что Рон бегает по комнате, запрокинув голову к низкому потолку, в надежде отыскать люк. Дин, весь в крови, лицо в синяках, сказал Полумне: «Спасибо», — и остался стоять, сильно дрожа, а Крюкохват в полуобморочном состоянии осел на пол. На его смуглом лице виднелись багровые рубцы.

Рон попытался трансгрессировать без помощи волшебной палочки.

— Отсюда никак не выбраться, Рон, — сказала Полумна, наблюдавшая за его усилиями. — Я тоже пробовала. Мистер Олливандер здесь давно, он уже все перепробовал.

Снова закричала Гермиона, ее крики резали Гарри, как ножом. Не замечая ноющей боли в шраме, он тоже стал бегать по подвалу, ощупывая стены, хоть и знал в глубине души, что это бесполезно.

— Что еще вы там взяли, что еще? ОТВЕЧАЙ! *КРУЦИО!*

Крики Гермионы эхом отдавались от стен. Рон, всхлипывая, заколотил по стене кулаками. Гарри в отчаянии сорвал с шеи мешочек Хагрида и стал шарить в нем. Он вытащил снитч и встряхнул, сам не зная, на что надеется, но ничего не случилось. Он взмахнул сломанной волшебной палочкой с пером феникса — ни искры магии. Осколок зеркала, сверкнув, упал на пол — и Гарри увидел блеск ярчайшего голубого...

Из зеркала на него смотрел глаз Дамблдора.

— Помогите! — закричал ему Гарри, словно обезумев. — Мы в подвале, в доме Малфоев, помогите нам!

Глаз мигнул и исчез.

Гарри не мог даже сказать с уверенностью, что ему не померещилось. Он наклонял осколок то в одну сторону, то в другую, но там ничего не отражалось, кроме стен и потолка, а наверху Гермиона закричала еще ужаснее, и Рон опять заорал во все горло:

— ГЕРМИОНА! ГЕРМИОНА!

— Как вы забрались в мой сейф? — визжала Беллатриса. — Вам помог этот мерзкий гоблин?

— Мы с ним только сегодня встретились! — рыдала Гермиона. — Не забирались мы в ваш сейф... Этот меч — не настоящий! Подделка, просто подделка!

— Подделка? — хрипло каркнула Беллатриса. — Очень правдоподобно!

— Это легко проверить! — послышался вдруг голос Люциуса. — Драко, приведи гоблина. Он скажет, настоящий этот меч или нет.

Гарри кинулся к Крюкохвату, скорчившемуся на полу.

— Крюкохват, — прошептал он в заостренное ухо гоблина, — пожалуйста, скажи им, что это подделка! Нельзя, чтобы они узнали, что меч настоящий...

На лестнице прозвучали торопливые шаги, и в следующую секунду за дверью раздался дрожащий голос Драко:

— Отойдите к стене! Без глупостей, или я вас убью!

Все послушно отступили к стене. Как только заскрипел замок, Рон щелкнул делюминатором, и огни убрались к нему в карман. В подвале снова стало темно.

Распахнулась дверь. Держа перед собой волшебную палочку, появился Малфой, бледный и решительный. Он схватил маленького гоблина за руку и, пятясь задом, выволок его наружу. Дверь захлопнулась, и в то же самое мгновение посреди подвала раздался громкий треск.

Рон щелкнул делюминатором. Три световых шара взмыли под потолок, и все увидели домового эльфа Добби.

— ДОБ...

Гарри ударил Рона по руке, чтобы прекратил орать. Рон оглянулся на него, в ужасе от своего промаха. Над головой проскрипели шаги: Драко подвел Крюкохвата к Беллатрисе.

Добби вовсю таращил глаза, похожие на теннисные мячики, и дрожал от пяток до кончиков заостренных ушей. Оказавшись в доме своих бывших хозяев, он был сам не свой от страха.

— Гарри Поттер! — пропищал он тоненьким голоском. — Добби пришел спасти вас!

— А откуда ты...

Страшный крик заглушил слова Гарри — наверху опять мучили Гермиону. Гарри оставил ненужные вопросы, сосредоточившись на главном.

— Ты можешь трансгрессировать отсюда? — спросил он Добби.

Тот кивнул, хлопая ушами.

— И забрать с собой людей?

Добби опять кивнул.

— Хорошо! Добби, возьми, пожалуйста, Полумну, Дина и мистера Олливандера и перенеси их... перенеси их... Куда бы их перенести?

— К Биллу и Флер, — подсказал Рон. — Коттедж «Ракушка» на окраине Тинворта!

Домовик кивнул в третий раз.

— А потом возвращайся! — сказал Гарри. — Сможешь?

— Конечно, Гарри Поттер! — прошептал Добби.

Домовик подбежал к мистеру Олливандеру, который, похоже, плохо сознавал, что происходит. Добби взял его за руку, свободную руку протянул Полумне и Дину. Те не шелохнулись.

— Гарри, мы хотим помочь тебе! — шепнула Полумна.

— Не можем же мы тебя здесь бросить, — сказал Дин.

— Давайте живее! Встретимся у Билла и Флер.

Пока Гарри говорил, его шрам вдруг заболел хуже прежнего. На несколько секунд перед ним вместо мистера Олливандера появился совсем другой старик. Он был такой же худой и смеялся презрительным смехом.

— Так убей же меня, Волан-де-Морт! Я с радостью встречу смерть. Да только моя смерть не поможет тебе отыскать то, что ты ищешь... Ты многого не понимаешь... Очень многого...

Гарри чувствовал гнев Волан-де-Морта, но Гермиона закричала снова, и он отшвырнул от себя все постороннее и вернулся в подвал, к ужасной действительности.

— Давайте, давайте, — торопил он Полумну и Дина. — Отправляйтесь! Мы сразу за вами.

Полумна и Дин ухватились за пальцы домовика. Раздался громкий треск — Добби, Полумна, Дин и Олливандер исчезли.

— Что это? — вскрикнул наверху Люциус Малфой. — Вы слышали? Что там за шум в подвале?

Гарри и Рон замерли, уставившись друг на друга.

— Драко... Нет, позови Хвоста! Пускай сходит проверит.

Прозвучали шаги, потом наверху все стихло. В гостиной прислушивались, не донесется ли еще какой-нибудь звук из подвала.

— Надо будет на него навалиться, — прошептал Гарри на ухо Рону.

Другого выхода не оставалось: как только заметят, что трое пленников сбежали, им конец.

— Оставь свет, — прибавил Гарри.

Кто-то спускался по лестнице. Они прижались к стене слева и справа от двери.

— Отойдите! — раздался голос Хвоста. — Я вхожу!

Дверь открылась. Долю секунды Хвост остолбенело таращился на пустой подвал, озаренный ярким светом трех миниатюрных солнышек. Гарри и Рон бросились на него. Рон поймал руку с волшебной палочкой и рванул ее вверх. Гарри зажал Хвосту рот. Они молча боролись, из волшебной палочки посыпались искры, пальцы серебряной руки сомкнулись у Гарри на горле.

— Что там, Хвост? — крикнул сверху Люциус Малфой.

— Ничего! — проорал в ответ Рон, довольно похоже подражая сиплому голосу Хвоста. — Все в порядке!

Гарри задыхался.

— Хочешь меня убить? — еле выговорил он, безуспешно пытаясь оторвать от себя металлические пальцы. — Я тебе жизнь спас! Ты у меня в долгу, Хвост!

Хватка серебряной руки неожиданно ослабла. Гарри, изумившись, вырвался. Он все еще зажимал Хвосту рот. Водянистые глазки похожего на крысу человечка испуганно выпучились — он, казалось, не меньше Гарри удивился внезапному милосердию собственной руки и еще энергичнее начал вырываться, словно желая загладить минутную слабость.

— А это давайте-ка сюда, — пробормотал Рон, выдирая из другой руки Хвоста волшебную палочку.

Безоружный, беспомощный Петтигрю таращил глаза с расширенными от ужаса зрачками. Его взгляд был направлен не в лицо Гарри, а куда-то в сторону. Пальцы серебряной руки неумолимо приближались к его собственному горлу.

— Нет...

Гарри, не задумываясь, перехватил металлическую руку, но остановить ее не было никакой возможности. Серебряное оружие, подаренное Волан-де-Мортом самому трусливому и никчемному из его слуг, обратилось против своего владельца. Петтигрю настигла расплата за мимолетное колебание. Мгновение жалости сгубило его: он задыхался на глазах у двоих друзей.

— Нет!

Рон тоже выпустил Хвоста и вместе с Гарри вцепился в серебряные пальцы, однако все было бесполезно. Петтигрю уже посинел.

— *Релашио!* — сказал Рон, направив волшебную палочку на металлическую руку, но безрезультатно.

Петтигрю упал на колени, и в ту же секунду наверху дико закричала Гермиона. Глаза Хвоста закатились, он в последний раз судорожно дернулся и затих.

Гарри и Рон переглянулись и, оставив мертвое тело Петтигрю валяться на полу, бросились вверх по лестнице. Прокравшись по коридору, они добрались до приоткрытой двери в гостиную. Отсюда было хорошо видно Беллатрису — она смотрела сверху вниз на Крюкохвата, державшего в длиннопалых руках меч Гриффиндора. Гермиона, не шевелясь, лежала у ног Беллатрисы.

— Ну? — спросила Крюкохвата Беллатриса. — Настоящий этот меч или нет?

Гарри затаил дыхание, стараясь не замечать ноющей боли в шраме.

— Нет, — сказал Крюкохват. — Подделка.

— Ты уверен? — задохнулась Беллатриса. — Совершенно уверен?

— Да, — ответил гоблин.

Беллатриса вздохнула с облегчением и заметно расслабилась.

— Хорошо!

Небрежным взмахом волшебной палочки она хлестнула гоблина по лицу, так что на нем мгновенно вспух новый рубец, и Крюкохват с криком рухнул к ее ногам. Беллатриса пинком оттолкнула его в сторону.

— А теперь, — победно звенящим голосом провозгласила она, — вызовем Темного Лорда!

Беллатриса отвернула рукав и коснулась Черной Метки.

Сразу же шрам Гарри снова полоснуло болью. Реальность исчезла, он был Волан-де-Мортом, и истощенный волшебник насмехался над ним, хохоча во весь беззубый рот. Неожиданный вызов привел его в ярость. Он же предупреждал, он запретил им вызывать его по пустякам! Если они опять ошиблись, вообразив, будто поймали Поттера...

— Так убей же меня! — издевался старик. — Ты никогда не победишь, ты не можешь победить! Та волшебная палочка никогда не будет твоей...

Злоба Волан-де-Морта перехлестнула через край. Вспышка зеленого света озарила тюремную камеру, хрупкое дряхлое тело подбросило в воздух и снова швырнуло на жесткую кровать бездыханным. Волан-де-Морт отвернулся к окну, едва сдерживая свою ярость. Если его побеспокоили напрасно, они получат по заслугам...

— Полагаю, — раздался голос Беллатрисы, — грязнокровка нам больше не нужна. Забирай ее, Сивый, если хочешь.

— НЕЕЕЕЕЕЕЕЕЕЕТ!

Рон ворвался в гостиную. Беллатриса оглянулась в изумлении, навела волшебную палочку на Рона...

— *Экспеллиармус!* — проревел он, прицелившись в Беллатрису волшебной палочкой Хвоста.

Палочка вырвалась из рук волшебницы и отлетела прямо в руки Гарри — он вбежал в комнату вслед за Роном. Люциус, Нарцисса, Драко и Сивый обернулись разом, Гарри крикнул: *«Остолбеней!»* — и Люциус повалился прямо в камин. Заклятия Драко, Нарциссы и Фенрира огненными струями чиркнули мимо Гарри, он бросился на пол и откатился за диван.

— СТОЯТЬ, ИЛИ ОНА УМРЕТ!

Гарри, задыхаясь, выглянул из-за дивана. Беллатриса держала на весу Гермиону, которая, похоже, была без сознания. Волшебница приставила к ее горлу серебряный кинжал.

— Бросайте волшебные палочки, — прошептала она. — Бросайте, или мы сейчас увидим, насколько у нее грязная кровь!

Рон окаменел, сжимая в кулаке палочку Петтигрю. Гарри выпрямился с палочкой Беллатрисы в руке.

— Я сказала: бросайте! — провизжала Беллатриса, крепче прижимая лезвие кинжала к горлу Гермионы.

На коже выступили капельки крови.

— Ладно! — крикнул Гарри и швырнул на пол волшебную палочку Беллатрисы.

Рон сделал то же самое с палочкой Хвоста. Оба подняли руки.

— Молодцы! — злорадно улыбнулась Беллатриса. — Драко, подними палочки! Темный Лорд скоро будет здесь, Гарри Поттер! Близится твоя смерть!

Гарри и сам это понимал. Шрам разрывала боль. Гарри чувствовал, как Волан-де-Морт летит по небу, где-то очень далеко, над темным бурным морем. Скоро он будет достаточно близко, чтобы трансгрессировать. Выхода Гарри не видел.

— А пока, — негромко проговорила Беллатриса, глядя, как Драко подбирает с пола волшебные палочки, — я думаю, Цисси, нужно заново связать этих маленьких героев, а Сивый пусть позаботится о мисс Грязнокровке. Я уверена, Сивый, Темный Лорд не пожалеет для тебя девчонки после того, что ты сделал для него этой ночью.

При последних словах над головой послышалось какое-то странное дребезжание. Все посмотрели вверх. Громадная хрустальная люстра дрожала всеми своими подвесками. Вдруг она оборвалась и полетела вниз. Беллатриса стояла прямо под ней; волшебница едва успела отскочить, уронив Гермиону. Люстра грохнулась об пол грудой цепей и хрусталя, накрыв Гермиону и гоблина, который так и не выпустил из рук меч Гриффиндора. Во все стороны брызнули сверкающие осколки; Драко согнулся пополам, прижимая ладони к окровавленному лицу.

Рон бросился вытаскивать Гермиону из-под обломков, а Гарри решил рискнуть — он перепрыгнул через кресло и вырвал три волшебные палочки из руки Драко. Нацелил все три на Сивого и крикнул:

— *Остолбеней!*

Тройное заклинание вышло таким мощным, что оборотня оторвало от земли, подбросило к самому потолку и с треском швырнуло на пол.

Нарцисса оттащила Драко в сторонку, подальше от беды, а Беллатриса вскочила на ноги, с развевающимися волосами, размахивая серебряным кинжалом. Нарцисса нацелилась волшебной палочкой на дверь.

— Добби! — вскрикнула она. Даже Беллатриса оцепенела. — Ты! Это ты обрушил люстру?

Крошечный домовик рысцой вбежал в комнату, наставив трясущийся палец на свою бывшую хозяйку.

— Не тронь Гарри Поттера! — пропищал он.

— Убей его, Цисси! — завопила Беллатриса, но тут опять раздался треск, и палочка Нарциссы, вылетев у нее из рук, приземлилась у дальней стены.

— Ах ты, дрянная мартышка! — зашлась криком Беллатриса. — Как ты смеешь отнимать палочку у волшебницы? Как смеешь не слушаться хозяев?

— У Добби нет хозяев! — пропищал он в ответ. — Добби — свободный домовик, и он пришел спасти Гарри Поттера и его друзей!

От боли в шраме Гарри почти ослеп. Он смутно сознавал, что у них осталось всего несколько секунд до появления Волан-де-Морта.

— Рон, держи — и ходу! — рявкнул он, бросая Рону одну из волшебных палочек.

Потом он нагнулся и выволок из-под люстры Крюкохвата. Взвалив на плечо стонущего гоблина, всё еще сжимавшего меч мертвой хваткой, он схватил Добби за руку и повернулся на месте, чтобы трансгрессировать.

Уже погружаясь в темноту, он в последний раз увидел перед собой гостиную: бледных, застывших Нарциссу и Драко, рыжий сполох шевелюры Рона и размытый серебряный блеск — кинжал Беллатрисы летел через всю комнату прямо в исчезающего Гарри...

К Биллу и Флер... Коттедж «Ракушка»... К Биллу и Флер...

Его утащило в неизвестность. Гарри мог только повторять про себя место назначения, надеясь, что этого хватит, чтобы не промахнуться. От боли во лбу голова разваливалась на куски, гоблин тяжелым грузом давил на плечи, меч Гриффиндора колотился о спину. Рука Добби дернулась в его руке, Гарри подумал, что домовик пытается направить их к нужному месту, и чуть-чуть сжал его пальцы, давая понять, что готов следовать за ним...

И тут они почувствовали под ногами твердую землю, а в воздухе — запах соли. Гарри упал на колени, выпустил руку Добби и постарался как можно мягче опустить на землю Крюкохвата.

— Ты как, ничего? — спросил он, видя, что гоблин пошевелился, но Крюкохват только что-то невнятно проскулил в ответ.

Гарри осмотрелся, щурясь в темноте. Ему показалось, что невдалеке под звездным небом виднеется домик, а рядом с ним движутся какие-то люди.

— Добби, это коттедж «Ракушка»? — спросил он шепотом, стискивая две волшебные палочки, захваченные в доме Малфоев, готовый драться, если понадобится. — Мы попали, куда нужно? Добби? — Гарри огляделся. Крошечный домовик стоял в нескольких шагах от него. — Добби!

Домовик покачнулся, и звезды отразились в его огромных блестящих глазах. Они с Гарри одновременно перевели взгляд на серебряную рукоятку кинжала, торчавшего в тяжело вздымающейся груди Добби.

— Добби... нет... ПОМОГИТЕ! — заорал Гарри, обернувшись к дому и суетившимся возле него людям. — ПОМОГИТЕ!

Он не знал, волшебники там или маглы, друзья или враги, все это было неважно. Значение имело только темное пятно, расползавшееся на груди Добби, и то, что он умоляюще протянул к Гарри руки. Гарри подхватил его и уложил на бок на траву.

— Добби, не надо, только не умирай, только не умирай...

Глаза домовика встретили его взгляд, губы задрожали, с усилием складывая слова:

— Гарри... Поттер...

А потом домовик дернулся и затих. В его неподвижных, словно стеклянные шарики, глазах искрился свет звезд, которых он уже не мог увидеть.

Глава 24

МАСТЕР ВОЛШЕБНЫХ ПАЛОЧЕК

Гарри словно опять провалился в свой старый кошмар: опять он стоит на коленях возле мертвого тела Дамблдора у подножия самой высокой башни Хогвартса; но на самом деле перед ним на траве лежало крошечное тельце, пронзенное серебряным кинжалом Беллатрисы. Он все повторял: «Добби... Добби...» — хотя и знал, что домовик уже ушел туда, где его нельзя позвать.

Через минуту или две Гарри понял, что все-таки прибыл куда хотел, потому что рядом оказались Билл и Флер, Дин и Полумна. Они толпились вокруг него, а он стоял на коленях над телом домового эльфа.

— Гермиона? — вдруг сказал Гарри. — Где она?

Билл ответил:

— Рон отвел ее в дом. С ней все будет хорошо.

Гарри снова посмотрел на домовика, осторожно вытянул острый кинжал из его тела, потом стащил куртку и укутал ею Добби, как одеялом.

Где-то близко билось о камни море. Гарри слушал, как оно шумит, пока остальные переговаривались, обсуждали какие-то никому не нужные проблемы, что-то решали. Дин унес в дом раненого Крюкохвата, Флер побежала с ними. Билл завел речь о том, что нужно бы похоронить домового. Гарри соглашался, толком не понимая, что говорит. Он все смотрел на крошечное мертвое тельце, шрам дергало болью, и какой-то частью сознания Гарри, словно в перевернутую подзорную трубу, видел, как Волан-де-Морт наказывает тех, кто остался в доме Малфоев. Ярость Темного Лорда была ужасна, и все-таки рядом с его горем она словно бы уменьшилась — отголоски далекой грозы долетали до Гарри будто через огромный безмолвный океан.

— Я хочу похоронить Добби как следует, — это были первые слова, которые Гарри произнес в полном сознании. — Без волшебства. У вас найдется лопата?

Прошло совсем немного времени, и вот уже он копает могилу там, где указал ему Билл, — на краю сада, среди кустов. Гарри рыл с каким-то остервенением, наслаждаясь тяжелой физической работой, упиваясь ее немагичностью. Каждая капля пота и каждая мозоль на ладонях словно были подарком домовику, который их всех спас.

Шрам горел, но теперь боль подчинялась Гарри. Он чувствовал ее как бы со стороны. Он наконец научился контролировать эту связь, научился закрывать свой разум от Волан-де-Морта, чего так добивался Дамблдор, заставляя его ходить на занятия к Снеггу. Точно так же как Волан-де-Морт не смог вселиться в Гарри, когда он был переполнен горем после смерти Сириуса, так и теперь его мысли не могли проникнуть в сознание Гарри, пока он горевал о Добби. Похоже, горе способно отогнать Волан-де-Морта... Хотя Дамблдор, наверное, сказал бы — любовь...

Гарри рыл и рыл, все глубже вгрызаясь в мерзлую землю. Он топил горе в поту, отказываясь обращать внимание на боль в шраме. В темноте, где слышны были только шум моря и собственное хриплое дыхание, к нему понемногу возвращалось все то, что произошло в доме Малфоев. Гарри вспоминал, что там говорилось, и мало-помалу на него снизошло понимание...

Равномерные взмахи лопаты попадали в такт его мыслям. Дары... Крестражи... Дары... Крестражи... Но теперь его уже не жгла та странная, неистовая жажда. Горе и страх прогнали ее прочь. Гарри пришел в чувство, как будто от пощечины.

Он все глубже погружался в свежевырытую могилу. Гарри знал, где побывал сегодня Волан-де-Морт и кого он убил в самой высокой камере Нурменгарда; знал, почему он это сделал...

Он вспоминал Хвоста, погибшего из-за одного малюсенького проблеска милосердия... Дамблдор и это предвидел. Сколько еще предвидел Дамблдор?

Гарри потерял счет времени. Он знал только, что вокруг чуть-чуть посветлело, когда к нему подошли Рон и Дин.

— Как Гермиона?

— Лучше, — сказал Рон. — Флер за ней ухаживает.

Гарри уже приготовился огрызнуться, когда они станут приставать к нему с вопросами, почему он не создал отличную аккуратную могилу с помощью волшебной палочки, но огрызаться не понадобилось. Они молча спрыгнули к нему, каждый со своей лопатой, и все трое работали вместе, пока могила не показалась им достаточно глубокой.

Гарри поуютнее закутал домовика в свою куртку. Рон сел на край могилы, разулся и надел свои носки на босые ноги домового. Дин отдал свою вязаную шапку, и Гарри осторожно надел ее на голову Добби, натянув на уши, напоминающие крылья летучей мыши.

— Надо закрыть ему глаза.

Гарри не слышал, как они подошли из темноты — Билл в дорожном плаще, Флер в длинном белом фартуке, из кармана которого торчал пузырек — Гарри узнал «Костерост». Гермиона куталась в одолженный у Флер халат, она была очень бледная и нетвердо держалась на ногах. Когда она подошла, Рон обнял ее за плечи. Полумна в куртке Флер присела на корточки и, нежно коснувшись век домового, закрыла остекленевшие глаза.

— Вот, — тихо сказала она, — теперь он как будто спит.

Гарри опустил домовика в могилу, устроил поудобнее руки и ноги, словно Добби отдыхает. Потом вылез наверх и в последний раз посмотрел на маленькое тельце. Он не позволил себе плакать. Ему вспомнились похороны Дамблдора — ряды золоченых стульев, министр магии в первом ряду, перечисление заслуг Дамблдора, пышная гробница из белого мрамора. Добби заслужил не меньший почет, а его положили в наскоро вырытую яму среди кустов.

— По-моему, нужно что-нибудь сказать, — подала голос Полумна. — Я первая, хорошо?

Под взглядами всех стоявших вокруг она встала в изножье могилы и обратилась к мертвому домовику:

— Спасибо тебе большое, Добби, за то, что ты спас меня из подвала. Ужасно несправедливо, что тебе пришлось умереть, когда ты такой хороший и храбрый. Я всегда буду помнить то, что ты сделал для меня. Надеюсь, что сейчас ты счастлив.

Она выжидающе оглянулась на Рона. Рон прокашлялся и хрипло сказал:

— Да... Спасибо, Добби...

— Спасибо, — пробормотал Дин.

Гарри проглотил комок в горле.

— Прощай, Добби, — прошептал он.

Больше он ничего не сумел выдавить, но ведь Полумна все уже сказала за него.

Билл взмахнул волшебной палочкой — кучка земли возле могилы поднялась в воздух и плавно опустилась, образовав небольшой красноватый холмик.

— Ничего, если я немножко тут постою? — спросил Гарри.

Они пробормотали что-то неразборчивое, кто-то хлопнул Гарри по спине, и все двинулись к дому, оставив Гарри одного около могилы.

Он огляделся. Клумбы были выложены по краю красивыми гладкими белыми камнями, обточенными морем. Гарри выбрал один, побольше, и уложил его, словно подушку, в том месте, где сейчас была голова домовика. Потом сунул руку в карман за волшебной палочкой.

Их оказалось две. Он и забыл, и сейчас не мог сказать, чьи это палочки, помнил только, что вырвал их у кого-то. Гарри выбрал ту, что покороче — она почему-то показалась симпатичнее на ощупь, — и направил ее на камень.

Следуя его шепоту, на камне медленно проступили слова. Гарри знал, что Гермиона начертила бы их гораздо красивее и, наверное, быстрее, но ему хотелось сделать это самому, так же как он копал могилу. Когда Гарри снова выпрямился, на камне была вырезана надпись:

Здесь лежит Добби, свободный домовик.

Еще несколько секунд Гарри смотрел на свою работу, потом пошел прочь. Шрам чуть-чуть покалывало, а голову переполняли мысли, что пришли, когда он рыл могилу, и обрели форму в темноте — ужасные и завораживающие.

Когда он вошел в дом, все сидели в гостиной и слушали, что говорит Билл. Комната была очень хорошенькая, в светлых тонах, в камине ярко горел огонь. Гарри не хотелось пачкать ковер землей, поэтому он остался стоять у двери.

— Удачно, что Джинни приехала домой на каникулы. Будь она в Хогвартсе, ее могли схватить раньше, чем мы успеем к ней добраться. А так она тоже в безопасности.

Билл оглянулся и заметил Гарри.

— Я всех забрал из «Норы», — объяснил он. — Переправил их к тете Мюриэль. Раз Пожиратели смерти узнали, что Рон с тобой, к ним наверняка явятся... Да не извиняйся ты, — прибавил он, заметив, какое у Гарри стало лицо. — Это все равно рано или поздно случилось бы, папа давно нас предупреждал. Наша семья — самые отъявленные осквернители чистоты крови.

— А чем их защитили? — спросил Гарри.

— Заклятием Доверия. Хранитель Тайны — папа. На нашем коттедже такое же заклятие, а я Хранитель Тайны. На работу нам, конечно, уже нельзя, но это теперь не так уж важно. Олливандера и Крюкохвата тоже переправим к тете Мюриэль, как только они чуть-чуть придут в себя. У нее места хватает, а у нас тесновато. Ноги у Крюкохвата уже заживают, Флер напоила его «Костеростом». Через час, наверное, можно будет их обоих...

— Нет, — сказал Гарри.

Билл удивленно взглянул на него.

— Они оба мне нужны. Я хочу с ними поговорить. Это очень важно.

Гарри услышал в своем голосе неожиданную властность, ту уверенность в своей цели, что пришла к нему, пока он копал могилу для Добби. На него смотрели недоуменные лица.

— Я пойду умоюсь, — сказал Гарри Биллу, глядя на свои руки, измазанные землей и кровью Добби. — А потом мне надо поговорить с ними, срочно.

Он вошел в маленькую кухоньку, к умывальнику у окна, выходящего на море. Над горизонтом разгорался рассвет, перламутрово-розовый и золотистый. Гарри стал умываться, одновременно продолжая цепочку мыслей, начатую в темном саду.

Добби уже не сможет рассказать, кто отправил его к ним в подвал, но Гарри точно знал, что он видел. Ярко-голубой глаз выглянул из осколка зеркальца, и помощь пришла. *В Хогвартсе тот, кто просит помощи, всегда ее получает.*

Гарри вытер руки, не замечая красоты за окном, не прислушиваясь к разговору в гостиной. Глядя на океан, он чувствовал, что как никогда близко подошел к самой сути происходящего.

Шрам все еще покалывало, и Гарри знал, что Волан-де-Морт тоже приближается к цели. Гарри понимал — и в то же время не понимал. Чутье подсказывало одно, разум говорил совсем другое. Дамблдор в его воображении улыбался, сложив вместе кончики пальцев, как будто в молитве.

Ты оставил Рону делюминатор... Ты понимал его... и дал ему возможность вернуться.

Ты и Хвоста понимал... Ты знал, что в глубине души он все-таки жалеет...

Если ты так хорошо их знал... Что ты знал обо мне, Дамблдор?

Неужели так нужно — чтобы я знал о Дарах, но не искал их? Ты представлял себе, как это будет трудно? Потому всячески усложнял задачу? Чтобы я успел до этого додуматься?

Гарри замер на месте, застывшим взглядом уставившись вдаль, где поднимался из-за горизонта ослепительный золотой ободок. Потом взглянул на свои чистые руки и удивился, что все еще держит полотенце. Отложил его в сторону и снова вернулся в прихожую. Шрам вдруг резанула боль, и в голове промелькнул — стремительно, словно отражение стрекозы на поверхности пруда — силуэт хорошо знакомого здания.

У подножия лестницы стояли Билл и Флер.

— Мне нужно поговорить с Крюкохватом и Олливандером, — сказал Гарри.

— Нет, — сказала Флер. — П'гидется подождать, 'Арри. Они больны, измучены...

— Мне очень жаль, — без нажима ответил Гарри, — но я не могу ждать. Я должен поговорить с ними сейчас. Наедине... с каждым по отдельности. Это срочно.

— Проклятье, Гарри, что происходит? — не выдержал Билл. — Ты являешься к нам с мертвым домовиком и полуобморочным гоблином, у Гермионы такой вид, как будто ее пытали, а Рон наотрез отказывается что-нибудь рассказывать...

— Мы не можем рассказать, чем мы заняты, — напрямик объявил Гарри. — Ты из Ордена, Билл, ты знаешь, что Дамблдор завещал нам дело и велел никому больше об этом не рассказывать.

Флер что-то нетерпеливо пробормотала, но Билл не смотрел на нее, он смотрел на Гарри. Трудно было понять выражение его изуродованного шрамами лица. Наконец Билл сказал:

— Хорошо. С кем ты хочешь говорить первым?

Гарри заколебался. Он знал, как много зависит от его решения. Времени почти не осталось, нужно выбирать. Дары или крестражи?

— С Крюкохватом, — сказал Гарри. — Сначала я поговорю с Крюкохватом.

Сердце у него стучало, как будто он только что бежал стометровку и при этом одолел невероятно сложный барьер.

— Тогда за мной, — сказал Билл и первым пошел вверх по лестнице.

Поднявшись на несколько ступенек, Гарри оглянулся.

— Вы мне тоже нужны! — крикнул он Рону и Гермионе, державшимся в тени у двери в гостиную.

Они вышли на свет, как будто с облегчением.

— Ты как? — спросил Гарри Гермиону. — Ты вообще замечательная — придумала такую складную историю, когда эта ведьма тебя мучила...

Гермиона бледно улыбнулась. Рон крепче обхватил ее за плечи.

— Что теперь, Гарри? — спросил он.

— Увидите. Идем.

Билл провел Гарри, Рона и Гермиону на второй этаж. На тесную лестничную площадку выходило три двери.

— Сюда.

Билл открыл дверь своей с Флер комнаты. За окном тоже было море, оно все искрилось золотом в лучах восхода. Гарри остановился у окна, повернувшись спиной к невероятному пейзажу, и скрестил руки на груди. Шрам покалывало. Гермиона устроилась за туалетным столиком, Рон присел на ручку ее кресла.

Снова появился Билл, неся на руках маленького гоблина. Он уложил Крюкохвата на постель, тот что-то буркнул в виде благодарности, и Билл ушел, закрыв за собой дверь.

— Простите, что пришлось вас вытащить из кровати, — сказал Гарри. — Как ваши ноги?

— Болят, — ответил гоблин. — Но заживают.

Он все еще сжимал в руках меч Гриффиндора, и выражение лица у него было странное: наполовину задиристое, наполовину любопытное. Гарри рассматривал гоблина: изжелта-бледная кожа, длинные тонкие пальцы, черные глаза. Флер сняла с него башмаки: длинные ступни были грязными. Он был ненамного крупнее домовика, а вытянутая кверху голова была заметно больше, чем у человека.

— Вы, наверное, не помните... — начал Гарри.

— Что именно я сопровождал вас к вашему банковскому сейфу, когда вы впервые посетили «Гринготтс»? — договорил за него Крюкохват. — Я помню, Гарри Поттер. Вы очень знамениты, даже среди гоблинов.

Гарри и гоблин оценивающе присматривались друг к другу. Шрам у Гарри все еще болел. Ему не терпелось поскорее отделаться от разговора с Крюкохватом, и в то же время он боялся сделать неверный шаг. Пока Гарри придумывал, с чего начать, гоблин нарушил молчание.

— Вы похоронили домовика, — сказал он неожиданно резко. — Я видел в окно, из соседней спальни.

— Да, — сказал Гарри.

Крюкохват наблюдал за ним раскосыми черными глазами.

— Вы — необычный волшебник, Гарри Поттер.

— Почему? — спросил Гарри, бессознательно потирая шрам.

— Вы вырыли могилу.

— Ну и что?

Крюкохват не ответил. Гарри решил, что гоблин его презирает, — копал могилу вручную, словно магл! Впрочем, его мало волновало одобрение Крюкохвата. Он наконец собрался с духом.

— Крюкохват, я должен спросить...

— Также вы спасли гоблина.

— Что?

— Вы перенесли меня сюда. Спасли от смерти.

— Надеюсь, вы не против? — теряя терпение, спросил Гарри.

— Нет, не против, Гарри Поттер, — ответил Крюкохват, закручивая на палец тощую черную бородку, — но вы крайне необычный волшебник.

— Вот и ладно, — сказал Гарри. — Так я говорю, мне нужна помощь, Крюкохват, и вы можете мне помочь.

Гоблин никак не отозвался на этот призыв, только хмурился на Гарри, как будто видел перед собой какую-то диковинку.

— Мне нужно проникнуть в банковский сейф в «Гринготтсе».

Гарри хотел подойти к делу постепенно, но в шраме опять стрельнуло, и слова вырвались сами собой. Снова перед глазами возникли очертания Хогвартса, и Гарри отогнал видение. Разговор с Крюкохватом сейчас важнее.

Рон и Гермиона смотрели на Гарри, как на сумасшедшего.

— Гарри... — начала было Гермиона, однако ее прервал Крюкохват.

— Проникнуть в сейф в «Гринготтсе»? — Гоблин чуть поморщился, устраиваясь поудобнее на кровати. — Невозможно!

— Возможно, — тут же возразил Рон. — Были случаи, когда проникали.

— Вот-вот, — подхватил Гарри. — В тот день, когда мы с вами познакомились, Крюкохват. Мой день рождения, семь лет назад.

— Тот сейф был уже пуст, — огрызнулся гоблин. — Он не так строго охранялся.

Гарри понял, что Крюкохват, хоть и не работает больше в банке «Гринготтс», все еще болеет за него душой.

— А тот сейф, куда нам нужно попасть, — не пустой, и охраняют его, наверное, будь здоров, — сказал Гарри. — Это сейф Лестрейнджей.

Рон и Гермиона переглянулись. Будет время все им объяснить после того, как Крюкохват даст ответ.

— Без шансов, — твердо сказал гоблин. — Абсолютно исключено. «Если пришел за чужим ты сюда»...

— «Отсюда тебе не уйти никогда» — я помню, — сказал Гарри. — Только я не за богатствами туда собираюсь. Мне нужен этот сейф не ради выгоды — можете вы мне поверить?

Гоблин искоса посмотрел на Гарри. Молниевидный шрам снова дергало болью, но Гарри не обращал на это внимания — он отказывался признавать эту боль и отвечать на ее приглашение.

— Если есть на свете волшебник, которому я мог бы поверить, что он не ищет для себя выгоды, то это вы, Гарри Поттер, — произнес наконец Крюкохват. — Гоблины и домовые эльфы не привыкли к тому, чтобы им оказывали уважение, как это сделали вы нынче ночью. Мы не привыкли к такому от носящих волшебные палочки.

— Носящих волшебные палочки... — повторил Гарри.

Эти слова произвели на него странное впечатление. Шрам снова полоснула боль — Волан-де-Морт обратился мыслями к северу. Гарри жгло нетерпение поскорее расспросить Олливандера, лежавшего в соседней комнате.

Гоблин тихо проговорил:

— Волшебники и гоблины давно уже спорят о праве носить волшебную палочку.

— Так ведь гоблины умеют колдовать без всяких палочек, — заметил Рон.

— Неважно! Волшебники не желают делиться тайными знаниями о волшебных палочках с другими магическими народами. Они препятствуют нам развивать свои возможности!

— Гоблины тоже ни с кем не делятся секретами своей магии, — сказал Рон. — Вы никому не рассказываете, как вы делаете мечи и доспехи. Гоблины умеют обрабатывать металлы, как волшебникам никогда не...

— Это все сейчас несущественно, — поспешно сказал Гарри, заметив, что лицо Крюкохвата побагровело. —

Речь идет не о спорах волшебников с гоблинами и другими магическими существами...

— Да нет, как раз об этом! — неприятно засмеялся Крюкохват. — Чем больше власти забирает себе Темный Лорд, тем больше ваш народ притесняет моих сородичей! В банке «Гринготтс» заправляют волшебники, домовиков истребляют, а кто из носящих волшебные палочки протестует против этого?

— Мы! — сказала Гермиона. Она сидела очень прямо, глаза ее сверкали. — Мы протестуем! За мной, например, охотятся, как за любым гоблином или домовиком. Ведь я грязнокровка!

— Не называй себя так! — крикнул Рон.

— А почему? — возразила Гермиона. — Да, я грязнокровка и горжусь этим! При новом порядке мне живется ничуть не лучше, чем вам, Крюкохват! Меня, а не кого-нибудь другого выбрали для допроса с пытками там, у Малфоев!

Она отогнула ворот халата, так что стало видно красную полосу пореза от кинжала Беллатрисы.

— А вы знаете, что это Гарри освободил Добби от рабства? — спросила Гермиона. — Знаете, что мы уже много лет боремся за освобождение домовых эльфов? — Рон смущенно заерзал на ручке кресла. — Мы не меньше вашего стремимся свергнуть Сами-Знаете-Кого!

Гоблин воззрился на Гермиону с таким же любопытством, как перед тем на Гарри, и вдруг спросил:

— Что вам нужно в сейфе Лестрейнджей? Меч, который хранится там, — подделка. Настоящий — вот. — Он обвел взглядом троих друзей. — Я думаю, вы это и сами знаете. Вы просили меня солгать о нем.

— Но ведь в сейфе не только меч? — спросил вместо ответа Гарри. — Вы не видели, что там еще хранится?

Сердце у него забилось еще сильнее. Гарри всеми силами отгораживался от боли в шраме.

Гоблин опять принялся накручивать бородку на палец.

— Правила «Гринготтса» не позволяют обсуждать содержимое банковских сейфов. Мы — хранители несметных сокровищ и обязаны оберегать то, что нам доверено, тем более что немалая часть этих драгоценностей создана нашими руками.

Гоблин погладил меч. Взгляд его черных глаз перешел с Гарри на Гермиону, потом на Рона и опять на Гарри.

— Вы так молоды, — сказал он наконец, — а сражаетесь против стольких врагов.

— Вы поможете нам? — спросил Гарри. — Без вашей помощи у нас нет никакой надежды проникнуть в сейф. Вы — наш единственный шанс.

— Я... подумаю, — произнес Крюкохват, словно испытывая их терпение.

— Но... — сердито начал Рон.

Гермиона ткнула его локтем под ребра, и он замолчал.

— Спасибо, — сказал Гарри.

Гоблин в ответ наклонил громадную голову, потом согнул коротенькие ножки, снова разогнул и демонстративно разлегся на кровати Билла и Флер.

— Кажется, действие «Костероста» завершается. Я наконец-то смогу поспать. Вы уж меня извините...

— Да, конечно!

Выходя из комнаты, Гарри прихватил с собой меч Гриффиндора, лежавший под боком у Крюкохвата. Гоблин не стал возражать, но Гарри показалось, что в раскосых черных глазах мелькнула досада.

— Мелкий пакостник, — прошептал Рон, как только за ними закрылась дверь. — Он просто куражится над нами!

— Гарри, — также шепотом заговорила Гермиона, оттаскивая друзей от двери на темную лестничную площадку, — ты имеешь в виду то, о чем я подумала? Считаешь, у Лестрейнджей в сейфе — крестраж?

— Да, — ответил Гарри. — Видели, как перепугалась Беллатриса, когда подумала, что мы туда залезли? А почему? Что еще мы могли там взять? Она до смерти боялась, как бы Сами-Знаете-Кто не узнал.

— Так мы вроде искали в местах, связанных Сами-Знаете-с-Кем, — озадаченно проговорил Рон. — Разве он когда-нибудь бывал в сейфе Лестрейнджей?

— Я даже не знаю, был ли он когда-нибудь в банке «Гринготтс», — ответил Гарри. — В молодости он не хранил там золото, потому что никто не оставил ему наследства, а снаружи должен был его увидеть в первый же раз, как оказался в Косом переулке.

В шраме пульсировала боль, но Гарри старался не отвлекаться на нее. Он хотел, чтобы Рон и Гермиона как следует все поняли насчет «Гринготтса» прежде, чем они пойдут разговаривать с Олливандером.

— Он, наверное, страшно завидовал тем, у кого есть ключик от сейфа в банке «Гринготтс». Считал это знаком принадлежности к волшебному миру. Не забывайте, как он доверял Беллатрисе и ее мужу, — они были его самыми преданными слугами еще до падения, они разыскивали его, когда он исчез. Я слышал, он так сказал в ту ночь, когда вернулся.

Гарри потер лоб:

— Все-таки вряд ли он рассказал Беллатрисе, что это крестраж. Он ведь и Люциусу Малфою не говорил правды про дневник. Наверное, просто велел ей положить в сейф нечто необычайно ценное. Как мне говорил Хагрид: если хочешь что-нибудь спрятать, то «Гринготтс» — самое надежное место в мире, кроме, может быть, Хогвартса.

Когда Гарри замолчал, Рон потряс головой:

— Здорово ты его понимаешь!

— Частично, — ответил Гарри. — Если бы я еще Дамблдора так же хорошо понимал... Ну ладно, это мы посмотрим. А теперь пошли к Олливандеру.

Рон и Гермиона были слегка ошарашены, но речь Гарри явно произвела на них впечатление. Все вместе они подошли к двери напротив и постучались. В ответ раздалось еле слышное «Войдите!».

Мастер волшебных палочек лежал на двуспальной кровати, с той стороны, что дальше от окна. Его продержали в подвале больше года и по крайней мере один раз пытали. Он страшно исхудал, кости лица выпирали из-под желтоватой кожи. Большие серебристые глаза ввалились. Руки, лежавшие поверх одеяла, могли бы принадлежать скелету.

Гарри присел на свободную половину кровати, рядом сели Рон с Гермионой. Отсюда не было видно восходящего солнца: окно выходило в сад, с видом на утесы и свежую могилу.

— Мистер Олливандер, простите, что мы вас побеспокоили, — начал Гарри.

— Мой милый мальчик, — слабым голосом отвечал Олливандер, — ты спас нас всех. Я уж думал, мы умрем в этом подвале... Не знаю, как тебя и благодарить.

— Мы были только рады это сделать.

Шрам дергало болью. Гарри был уверен, что уже не успевает опередить Волан-де-Морта и не сможет ему помешать добраться до цели. В нем шевельнулся страх... Но он уже сделал свой выбор, когда решил говорить сначала с Крюкохватом. Притворяясь спокойным, Гарри нащупал на шее мешочек Хагрида и вынул из него сломанную пополам волшебную палочку.

— Мистер Олливандер, мне нужна помощь.

— Все, что угодно! Все, что угодно! — чуть слышно ответил мастер.

— Вы можете это починить? Ее вообще можно починить?

Олливандер протянул дрожащую руку. Гарри положил ему на ладонь соединенные хрупкой перемычкой половинки волшебной палочки.

— Остролист и перо феникса, — проговорил Олливандер срывающимся голосом. — Одиннадцать дюймов. Тонкая и гибкая...

— Да, — сказал Гарри. — Так вы можете?..

— Нет, — прошептал Олливандер. — Мне очень, очень жаль, но я не знаю средства починить волшебную палочку, получившую настолько серьезные повреждения.

Гарри заранее приготовился услышать такой ответ, и все-таки это был тяжелый удар. Он забрал половинки палочки и снова спрятал их в мешочек. Олливандер смотрел на мешочек, где исчезла сломанная палочка, и отвел взгляд, только когда Гарри вынул из кармана две волшебные палочки, захваченные у Малфоев.

— Вы можете определить, чьи они?

Мастер взял первую палочку и поднес ее к самым глазам. Повертел узловатыми пальцами, чуть согнул.

— Грецкий орех и сердечная жила дракона, — проговорил он. — Двенадцать и три четверти дюйма. Прочная, жесткая. Эта палочка принадлежала Беллатрисе Лестрейндж.

— А эта?

Олливандер так же внимательно осмотрел вторую палочку.

— Боярышник и волос единорога. Ровно десять дюймов. Умеренной упругости. Это была палочка Драко Малфоя.

— Была? — повторил Гарри. — Она же и сейчас его?

— Не думаю. Если вы взяли ее с бою...

— Ну да.

— Скорее всего, она теперь ваша. Разумеется, тут имеет значение, как именно волшебная палочка перешла из рук в руки. Многое зависит и от самой палочки. Но в целом волшебная палочка, взятая в бою, честно служит новому владельцу.

В комнате было очень тихо, только вдалеке плескалось море.

— Вы так говорите о волшебных палочках, как будто они живые, — сказал Гарри. — Как будто они чувствуют, сами что-то решают.

— Волшебная палочка выбирает себе волшебника, — сказал Олливандер. — Те, кто изучает волшебные палочки, всегда знали об этом.

— И все-таки можно пользоваться волшебной палочкой, которая тебя не выбирала? — спросил Гарри.

— О да, если вы настоящий волшебник, то можете направлять свою магию практически через любой инструмент. Однако самые лучшие результаты достигаются в тех случаях, когда между палочкой и волшебником существует духовное родство. Эти взаимоотношения очень сложны. Вначале взаимное притяжение, потом совместный опыт... Палочка учится у волшебника, волшебник — у палочки.

Волны разбивались о берег и снова откатывались назад — печальный звук.

— Я отобрал эту палочку у Драко Малфоя, — сказал Гарри. — Будет она меня слушаться?

— Полагаю, да. Принадлежностью волшебной палочки управляют сложнейшие законы, но, как правило, палочка побежденного покоряется новому хозяину.

— А мне, значит, можно пользоваться этой? — Рон вытащил из кармана и протянул Олливандеру палочку Хвоста.

— Каштан и сердечная жила дракона, девять дюймов с четвертью. Хрупкая. Меня заставили сделать ее вскоре после того, как похитили, — для Питера Петтигрю. Да, если вы взяли ее с бою, она будет слушаться вас охотней, чем любая другая палочка.

— Это со всеми палочками так? — спросил Гарри.

— Думаю, да, — ответил Олливандер, глядя на Гарри выпуклыми глазами. — Вы задаете глубокие вопросы, мистер Поттер. Наука о волшебных палочках — весьма сложная отрасль магии, полная тайн и загадок.

— Выходит, не обязательно убивать прежнего хозяина, чтобы завладеть волшебной палочкой? — спросил Гарри.

Олливандер поперхнулся:

— Убивать прежнего хозяина? Что вы, я бы не сказал, что это обязательно.

— Существуют легенды, — проговорил Гарри; сердце у него забилось сильнее, и шрам сразу отозвался болью. Гарри не сомневался, что Волан-де-Морт приступил к выполнению своего плана. — Легенды о волшебной палочке — или нескольких палочках, — которые переходили от одного хозяина к другому посредством убийства.

Олливандер побледнел. Его лицо казалось тускло-серым на фоне белоснежной наволочки, огромные глаза в кровавых прожилках выпучились, как будто от страха.

— Я думаю, всего одна палочка, — прошептал он.

— И Сами-Знаете-Кто интересуется этой палочкой, так? — спросил Гарри.

— Я... как вы узнали? — прохрипел Олливандер, с мольбой оглядываясь на Рона и Гермиону.

— Он хотел, чтобы вы научили его, как преодолеть связь между нашими волшебными палочками, — сказал Гарри.

Олливандер пришел в ужас.

— Он мучил меня, поймите! Заклятие Круциатус! Я... я не мог не рассказать ему, о чем знал... вернее, догадывался...

— Я понимаю, — сказал Гарри. — Вы рассказали ему о перьях-близнецах? Посоветовали просто-напросто одолжить чужую волшебную палочку?

Олливандер медленно кивнул, потрясенный осведомленностью Гарри.

— Только это не сработало, — продолжал Гарри. — Моя палочка все равно победила ту, одолженную. Вы можете объяснить, почему так вышло?

Олливандер покачал головой — так же медленно, как только что кивал.

— Я... никогда не слышал ни о чем подобном. В ту ночь ваша палочка совершила нечто беспрецедентное. Связь двух сердцевин — редчайшее явление, а уж почему ваша волшебная палочка переломила чужую, взятую на время, я просто не могу себе представить...

— Мы сейчас говорили о другой палочке — той, что переходит из рук в руки посредством убийства. Когда Сами-Знаете-Кто понял, что моя волшебная палочка ведет себя странно, он опять пришел к вам и спросил про ту самую, другую, правильно?

— Откуда вы знаете?

Гарри не ответил.

— Да, он спросил, — прошептал Олливандер. — Он требовал рассказать все, что я знаю о волшебной палочке, которую именуют то Смертоносной, то Жезлом Судьбы или же Бузинной палочкой.

Гарри покосился на Гермиону. Она была потрясена до глубины души.

— Темный Лорд, — испуганным шепотом продолжал Олливандер, — всегда был доволен палочкой, которую я для него сделал — тис и перо феникса, тринадцать с половиной дюймов, — пока не узнал о родстве двух сердцевин. Теперь он ищет себе другую палочку, более могущественную, считая это единственным способом победить вас.

— Очень скоро он узнает, что моя палочка безнадежно сломана, — тихо сказал Гарри. — А может быть, уже знает.

— Нет! — вскрикнула Гермиона. — Откуда он может это узнать, Гарри?

— «Приори инкантатем», — ответил Гарри. — Твоя палочка, Гермиона, и палочка из терновника остались у Малфоев. Если они их как следует осмотрят и заставят воспроизвести свои последние заклинания, то поймут, что твоя палочка разбила мою, увидят, как ты пыталась ее починить и у тебя ничего не получилось. Они поймут, что я потому и пользовался палочкой из терновника.

Гермиона, к которой только-только вернулся румянец после сегодняшних испытаний, опять побелела. Рон взглянул на Гарри с упреком.

— Давайте пока не будем об этом...

Но Рона перебил мистер Олливандер:

— Темный Лорд не только из-за вас ищет Бузинную палочку, мистер Поттер. Он стремится завладеть ею, считая, что она сделает его поистине непобедимым.

— А это правда?

— Владелец Бузинной палочки должен постоянно опасаться нападения, — сказал мистер Олливандер. — Однако нельзя не признаться, идея о Темном Лорде, владеющем Бузинной палочкой, впечатляет.

Гарри вдруг вспомнил, как при первой встрече долго не мог понять, нравится ли ему мистер Олливандер. Даже и теперь, после долгого плена и пыток, мысль о Темном Лорде, завладевшем Бузинной палочкой, похоже, не столько отталкивала его, сколько восхищала.

— Так вы думаете, эта палочка существует на самом деле, мистер Олливандер? — спросила Гермиона.

— О да! — ответил мистер Олливандер. — Вполне возможно проследить ее судьбу. Есть, безусловно, пробелы, значительные промежутки времени, когда она терялась или же ее скрывали, но всякий раз она снова выходила на свет. Есть характерные признаки, по которым человек сведущий всегда может ее опознать. И я, и другие исследователи изучали письменные источники, некоторые из которых с трудом поддаются толкованию, но подлинность их несомненна.

— А вы... не думаете, что это просто сказки или мифы? — с надеждой спросила Гермиона.

— Нет, — ответил Олливандер. — Не знаю, впрочем, является ли убийство предыдущего владельца обязательным условием. У этой палочки кровавая история, но, возможно, это объясняется обычной человеческой алчностью. Волшебная палочка такой невероятной мощи опасна, попади она в недостойные руки, и в то же время бесконечно привлекательна для всякого, кто интересуется свойствами волшебных палочек.

Гарри сказал:

— Мистер Олливандер, вы ведь сказали Сами-Знаете-Кому, что Бузинная палочка сейчас у Грегоровича?

Олливандер побледнел еще сильнее, хотя сильнее было уже некуда. Он стал похож на привидение.

— Откуда же вы... откуда...

— Неважно, откуда я узнал, — ответил Гарри, зажмурившись, — шрам снова жгло как огнем, и на секунду он увидел главную улицу Хогсмида: там было еще темно, ведь Хогсмид расположен намного дальше к северу. — Вы сказали Сами-Знаете-Кому, что она у Грегоровича?

— Ходили такие слухи, — прошептал Олливандер. — Много лет назад, вас тогда еще и на свете не было. По-моему, Грегорович сам их распускал. Вы же понимаете, это очень полезно для бизнеса, если заказчики будут думать, что мастер изучает Бузинную палочку и может воспроизвести ее свойства!

— Да, понятно, — сказал Гарри и встал. — Мистер Олливандер, еще один последний вопрос, а потом мы оставим вас в покое. Что вы знаете о Дарах Смерти?

— О... о чем? — переспросил Олливандер в полном недоумении.

— О Дарах Смерти.

— Боюсь, я вас не понимаю. Это как-то связано с волшебными палочками?

Гарри посмотрел в его исхудалое лицо и понял, что Олливандер не притворяется, — он действительно ничего не знает о Дарах.

— Спасибо, — сказал Гарри. — Спасибо вам большое. Теперь мы уходим, а вы отдыхайте.

Олливандер жалобно посмотрел на него:

— Он пытал меня... Заклятие Круциатус... Вы не можете себе представить...

— Еще как могу, — сказал Гарри. — Постарайтесь отдохнуть, и спасибо за все, что вы нам рассказали.

Гарри сбежал по лестнице на первый этаж, Рон и Гермиона спустились следом. В кухне сидели Билл, Флер, Полумна и Дин, перед ними стояли чашки с чаем. Все они встрепенулись, увидев в дверях Гарри, но он только кивнул на ходу и вышел в сад, Рон и Гермиона — за ним.

Впереди виднелся красноватый холмик, под которым лежал Добби. Гарри подошел к нему, чувствуя, как нарастает боль. Бороться с ней стало ужасно трудно, но Гарри знал, что осталось потерпеть совсем немного. Скоро он уступит видениям, которые настойчиво рвутся в его разум, — нужно убедиться, что его теория верна. Еще только одно усилие, чтобы объяснить все Рону и Гермионе.

— Бузинная палочка была у Грегоровича очень давно, — сказал Гарри. — Я видел, как Сами-Знаете-Кто искал его. Когда он его нашел, оказалось, что у Грегоровича палочки больше нет; у него ее украл Грин-де-Вальд. Как Грин-де-Вальд узнал, где палочка, понятия не имею, но если у Грегоровича хватило ума самому распускать об этом слухи, тогда все понятно.

Волан-де-Морт достиг ворот Хогвартса. Гарри видел, как он стоит в предрассветных сумерках, а по дороге от замка спешит ему навстречу человек с раскачивающимся фонарем в руке.

Грин-де-Вальд пришел к власти, используя Бузинную палочку. А когда он был на вершине своего могущества, Дамблдор понял, что никто другой не сможет его остановить, вызвал Грин-де-Вальда на поединок и победил. И тогда он забрал Бузинную палочку.

— Бузинная палочка была у Дамблдора? — изумился Рон. — А сейчас-то она где?

— В Хогвартсе, — ответил Гарри, из последних сил удерживаясь в реальности, на краю прибрежных утесов рядом с Роном и Гермионой.

— Тогда бежим! — всполошился Рон. — Гарри, бежим, заберем ее, пока он туда не явился!

— Поздно. — Гарри не удержался и схватился за голову, борясь с наплывающими видениями. — Ему известно, где палочка. Он уже там.

— Гарри! — в ярости заорал Рон. — Давно ты об этом знаешь? Зачем мы время теряли? Почему ты сначала пошел разговаривать с Крюкохватом? Мы бы успели! Может, еще успеем...

— Нет. — Гарри упал на колени в траву. — Гермиона права: Дамблдор не хотел, чтобы я гонялся за этой палочкой. Он хотел, чтобы я уничтожил крестражи.

— Непобедимая палочка, Гарри! — застонал Рон.

— Я не должен... Мое дело — крестражи...

Вокруг стало темно и прохладно; солнце только-только выглянуло из-за горизонта, когда он заскользил рядом со Снеггом вверх по склону, к берегу озера.

— Я буду сразу вслед за вами, — произнес он высоким холодным голосом. — А пока оставьте меня.

Снегг поклонился и зашагал к замку. Черный плащ развевался у него за спиной. Гарри замедлил шаги, выжидая, пока Снегг скроется вдали. Ни Снегг и никто другой не должен видеть, куда он направляется. Впрочем, в окнах школы не светились огни, а скрываться он умел как никто... В одну секунду он набросил на себя Дезиллюминационные чары, которые скрыли его от всех, даже от собственного взгляда.

Он шел по берегу озера, наслаждаясь очертаниями возлюбленного замка — первого своего царства, принадлежащего ему по праву рождения...

И вот она — стоит на берегу, отражаясь в темной воде. Белая мраморная гробница, ненужное пятно в таком знакомом пейзаже. Вновь его охватила еле сдерживаемая эйфория, голову кружило ощущение разрушительной мощи. Он взмахнул своей старой тисовой палочкой. Именно ей и подобает совершить это последнее великое деяние!

Гробница разом раскололась от изножья до изголовья. Закутанная в саван фигура была такой же, как при жизни, худой и длинной. Он снова взмахнул волшебной палочкой.

Гробовые пелены соскользнули. Мертвое лицо было бледно до прозрачности, иссохшее, но почти нетронутое тлением. Очки оставили на кривоватом носу — что за насмешка! Руки Дамблдора были сложены на груди, а в руках была она — похороненная вместе с ним.

Неужто старый дурень вообразил, будто мрамор и смерть защитят его волшебную палочку? Рассчитывал, что Темный Лорд не посмеет разграбить его гробницу? Белая рука, подобно пауку, нырнула вперед и схватила добычу. Дождь искр осыпал мертвое тело прежнего владельца — волшебная палочка была готова служить новому хозяину.

Глава 25

КОТТЕДЖ «РАКУШКА»

Коттедж Билла и Флер стоял на отшибе, на самом краю прибрежных утесов. Белые оштукатуренные стены были украшены морскими раковинами. Безлюдное место и очень красивое. И в доме, и в саду постоянно был слышен шум моря, точно сонное дыхание какого-то огромного существа. За несколько дней, проведенных здесь, Гарри то и дело под разными предлогами удирал из перенаселенного домика и смотрел с утесов на просторное небо и огромное пустынное море, подставив лицо холодному соленому ветру.

Гарри до сих пор пугала огромность собственного решения — отказаться от борьбы с Волан-де-Мортом за Бузинную палочку. Никогда еще он не выбирал бездействие. Гарри переполняли сомнения, а Рон не упускал случая выразить эти сомнения вслух.

— А если Дамблдор хотел, чтобы мы вовремя расшифровали знак и успели забрать палочку? Что, если это и была проверка, достоин ли ты владеть Дарами Смерти? Гарри, если это на самом деле Бузинная палочка, как же мы теперь справимся Сам-Знаешь-с-Кем?

Ответа у Гарри не было. Временами он начинал думать, что просто подвинулся умом, позволив Волан-де-Морту без помех взломать гробницу. Он даже толком не мог объяснить, почему так решил. Каждый раз, когда

Гарри пытался восстановить цепь рассуждений, которая привела его к этому выбору, они казались все слабее.

Что самое странное, поддержка Гермионы выбивала его из колеи не меньше, чем сетования Рона. Вынужденная признать существование Бузинной палочки, она теперь твердила, что это предмет злой магии, что способ, каким ее получил Волан-де-Морт, отвратителен и даже думать об этом невозможно.

— Ты ни за что не сделал бы так, Гарри, — повторяла она без конца. — Ты не смог бы разрушить гробницу Дамблдора!

Но почтение к мертвому телу значило для Гарри гораздо меньше, чем страх, что он неправильно разгадал планы, составленные Дамблдором при жизни. Он попрежнему блуждал в темноте. Гарри выбрал свой путь, однако постоянно оглядывался назад, гадая, верно ли прочитал знаки. Вдруг нужно было выбрать другую дорогу? Временами на него снова накатывала злость на Дамблдора — словно волны, хлещущие по основанию утесов. Почему он не объяснил все как следует, пока был жив?

— А он точно умер? — спросил Рон через три дня после их появления в коттедже.

Они с Гермионой отыскали Гарри в саду. Он стоял и смотрел через ограду, отделяющую сад от утесов, и почти пожалел, что друзья его нашли, — у него не было ни малейшего желания снова ввязываться в спор.

— Да, Рон, умер, давай не будем опять все это пережевывать!

— Прими во внимание факты, Гермиона, — сказал Рон поверх головы Гарри, упорно смотревшего в даль. — Серебряная лань. Меч Гриффиндора. Гарри видел глаз в зеркальце...

— Гарри признал, что глаз ему мог и померещиться! Правда, Гарри?

— Мог, — ответил Гарри, не оглядываясь.

— Но ты ведь не думаешь, что он тебе примерещился? — спросил Рон.

— Нет, не думаю, — ответил Гарри.

— Вот видишь! — воскликнул Рон, пока Гермиона не успела еще что-нибудь возразить. — Если это не был

Дамблдор, откуда Добби узнал, что мы там, в подвале, а, Гермиона?

— Не знаю... А как, по-твоему, Дамблдор мог его отправить к нам, если сам лежал в гробнице в Хогвартсе?

— Ну, мало ли... Может, явился в виде привидения!

— Дамблдор не стал бы привидением, — сказал Гарри. В последнее время он мало что мог сказать с уверенностью о Дамблдоре, но уж это знал точно. — Он бы пошел дальше.

— Что значит — «дальше»? — удивился Рон.

Гарри не успел ответить — у них за спиной раздался голос:

— 'Арри? — К ним подошла Флер. Ее длинные серебристые волосы развевались на ветру. — 'Арри, Крюкохват хочет с тобой погово'ить. Он в маленькой спальне — гово'гит, что не хочет, чтобы вас подслушали.

Ей явно не нравилось быть у гоблина на побегушках. Передав поручение, она раздраженно повернулась и ушла в дом.

Как и сказала Флер, Крюкохват ждал их в самой малюсенькой из трех спален — той, где ночевали Полумна и Гермиона. Гоблин задернул красные ситцевые занавески, отгородившись от ярко-синего, пестрящего облаками неба. В комнате стоял огненный полумрак, резко отличаясь от обычной светлой и воздушной атмосферы коттеджа.

— Я принял решение, Гарри Поттер, — провозгласил гоблин. Он сидел, скрестив ноги, в низеньком кресле и барабанил пальцами по подлокотнику. — Хоть гоблины в банке «Гринготтс» сочтут это подлой изменой, я готов вам помочь...

— Вот здорово! — обрадовался Гарри. — Спасибо, Крюкохват, мы вам очень...

— ...за соответствующую плату, — закончил гоблин.

Гарри слегка растерялся:

— А сколько вы хотите? У меня есть золото...

— Нет, — сказал Крюкохват. — Золото и у меня есть. — Его черные глазки без белков засверкали. — Я хочу получить меч. Меч Годрика Гриффиндора.

Гарри упал духом.

— Это мы не можем отдать, — сказал он. — Извините.

— В таком случае, — вкрадчиво произнес гоблин, — у нас проблема.

— Мы можем вам еще что-нибудь дать, — вмешался Рон. — У Лестрейнджей в сейфе наверняка куча всякого добра. Когда мы туда залезем, вы можете выбрать себе, что захотите.

Это он сказал зря. Крюкохват покраснел от злости.

— Мальчик, я не вор! Мне чужие сокровища не нужны!

— Так ведь меч-то — наш...

— Не ваш, — возразил гоблин.

— Мы — гриффиндорцы, а это — меч Годрика Гриффиндора...

— А чьим он был до Гриффиндора? — спросил гоблин, выпрямляясь в кресле.

— Ничьим, — ответил Рон. — Его же для Гриффиндора сделали!

— Нет! — вскричал гоблин, весь ощетинившись и наставив на Рона длинный указательный палец. — Вечное высокомерие волшебников! Меч принадлежал Рагнуку Первому и был отнят у него Годриком Гриффиндором! Это утраченная драгоценность, шедевр гоблинского мастерства! Он должен принадлежать гоблинам! Такова цена моей помощи, а не хотите — как хотите.

Глаза Крюкохвата горели злобой. Гарри сказал, покосившись на Рона с Гермионой:

— Нам нужно посоветоваться. Можно, мы выйдем на пару минут?

Гоблин кивнул с весьма кислым видом.

В пустой гостиной на первом этаже Гарри подошел к камину, сдвинув брови и ломая голову, что теперь делать. У него за спиной Рон воскликнул:

— Да он просто издевается! Нельзя отдавать ему меч.

— А это правда? — спросил Гарри Гермиону. — Гриффиндор действительно украл меч?

— Не знаю, — убитым тоном ответила она. — Волшебная история часто умалчивает о том, какой ущерб волшебники причинили тому или другому магическому народу... Во всяком случае, я никогда не слышала, чтобы Гриффиндор получил свой меч нечестным путем.

— Очередная гоблинская байка, — отмахнулся Рон. — Они постоянно рассказывают, как волшебники их обижают. Надо еще радоваться, что он не потребовал какую-нибудь из наших волшебных палочек!

— У гоблинов есть причины недолюбливать волшебников, Рон, — сказала Гермиона. — В прошлом с ними часто обходились невероятно жестоко.

— Ну, гоблины и сами не такие уж белые и пушистые, — упорствовал Рон. — Знаешь, сколько наших они убили? И между прочим, не брезгуют грязными приемчиками!

— Вряд ли имеет смысл заводить сейчас дискуссию с Крюкохватом о том, чей народ подлее и больше зверствует, как ты думаешь?

Наступила пауза. Все старались придумать выход из тупика. Гарри смотрел в окно на могилу Добби. Полумна устанавливала возле камня букет розмарина в стеклянной банке.

— Ладно, — сказал Рон, и Гарри повернулся к нему. — Давайте так: мы скажем Крюкохвату, что расплатимся с ним, когда войдем в сейф, а до этого, мол, меч нам нужен. Там ведь лежит поддельный, правильно? Мы его подменим и отдадим Крюкохвату копию.

— Рон, да он их отличает лучше нас! — воскликнула Гермиона. — Он первый и заметил подделку!

— А мы сделаем ноги, пока он не разобрался...

Рон увял под взглядом Гермионы.

— Это низость, — тихо сказала она. — Попросить его о помощи, а потом обмануть? И ты еще удивляешься, что гоблины не любят волшебников?

Уши Рона пылали.

— Ладно, ладно! Просто я ничего другого не могу придумать. А ты что посоветуешь?

— Нужно предложить ему что-нибудь другое, не менее ценное.

— Какая ты умная! Пойду принесу еще один мечик древней гоблинской работы, а ты заверни его покрасивее.

Они снова замолчали. Гарри был совершенно уверен, что гоблин не примет другой платы, даже будь у них что-нибудь достаточно ценное, чтобы ему предложить. Но и без меча им никак, это единственное оружие против крестражей.

Гарри закрыл глаза, слушая, как шумит море. Неприятно было думать, что Гриффиндор, возможно, украл меч. Гарри всегда гордился тем, что он гриффиндорец. Гриффиндор защищал тех, кто родился в семьях маглов, он противостоял Слизерину, помешанному на чистоте крови...

— Может быть, он и врет, — сказал Гарри, открывая глаза. — В смысле, Крюкохват. Может быть, Гриффиндор ни у кого не отнимал меч. Откуда мы знаем, что гоблин говорит правду?

— А какая разница? — спросила Гермиона.

— Разница в том, что я по этому поводу чувствую. — Гарри сделал глубокий вдох. — Скажем ему, что отдадим меч после того, как он проведет нас в сейф, только не сообщим, когда именно мы это сделаем.

По лицу Рона медленно расползлась улыбка. Гермиона, наоборот, встревожилась.

— Гарри, нельзя же так...

— Так мы его правда отдадим, — сказал Гарри, — когда уничтожим все крестражи. Я сам прослежу за тем, чтобы Крюкохват его получил. Я не собираюсь никого обманывать.

— Да ведь на это могут уйти годы! — вскрикнула Гермиона.

— Знаю, но он-то не знает. Все-таки это не вранье... по сути.

Гарри смотрел Гермионе в глаза — пристыженно и в то же время с вызовом. Он вспомнил слова, начертанные над входом в Нурменгард: «Ради общего блага». Гарри отогнал эту мысль. Разве у них есть выбор?

— Не нравится мне это, — сказала Гермиона.

— Мне тоже, — признался Гарри.

— А по-моему, гениально! — воскликнул Рон и встал. — Пошли, скажем ему.

Они вернулись в маленькую спальню. Гарри высказал свое предложение, тщательно сформулировав его так, чтобы обойти вопрос о времени передачи меча. Пока он говорил, Гермиона хмуро разглядывала пол, и Гарри боялся, как бы это их не выдало. Но Крюкохват смотрел только на него одного.

— Вы даете слово, Гарри Поттер, что отдадите мне меч Гриффиндора, если я вам помогу?

— Да, — сказал Гарри.

— В таком случае, пожмем друг другу руки. — Гоблин протянул руку.

Гарри пожал ее, пытаясь понять, улавливают ли эти черные глаза неуверенность в его собственном взгляде. Затем Крюкохват выпустил его руку и хлопнул в ладоши:

— Итак, приступим!

Повторялась история с подготовкой вторжения в Министерство. Они работали в маленькой спальне — по требованию Крюкохвата здесь царил полумрак.

— Я всего однажды побывал в сейфе Лестрейнджей, — сообщил Крюкохват. — В тот раз мне было поручено поместить туда поддельный меч. Это отделение — одно из самых древних. Старейшие семьи волшебников хранят свои сокровища на очень глубоком уровне, там самые большие сейфы и самая лучшая защита...

Они часами просиживали в этой крошечной, похожей на чулан комнатке. Дни складывались в недели. Стоило решить одну проблему, как возникала другая. Не в последнюю очередь их тревожило, что запас Оборотного зелья почти закончился.

— Тут только на одного, — сказала Гермиона, рассматривая против света пузырек с густым, тягучим зельем, похожим на жидкую грязь.

— Этого хватит, — решил Гарри, изучая нарисованный Крюкохватом план залегающих в глубине коридоров.

Другие обитатели коттеджа «Ракушка» не могли не заметить, что рядом с ними что-то затевается, поскольку Гарри, Рон и Гермиона целыми днями сидели, запершись, и выходили только, чтобы поесть. Никто ни о чем не спрашивал, хотя Гарри не раз ловил на себе обеспокоенный взгляд Билла.

Чем больше времени они проводили вчетвером, тем яснее Гарри понимал, что гоблин ему не нравится. Крюкохват оказался неожиданно кровожадным, его веселила мысль о том, чтобы причинять боль низшим созданиям, и страшно радовала идея, что им, возможно, придется ранить кого-нибудь из волшебников, прорываясь к сейфу Лестрейнджей. Гарри чувствовал, что Рону и Гермионе это тоже противно, хоть они и не обсуждали Крюкохвата между собой: гоблин был им нужен.

Крюкохват весьма неохотно соглашался есть вместе со всеми. Даже когда ноги у него окончательно зажили, он по-прежнему требовал, чтобы еду приносили ему в комнату на подносе, как и все еще хворавшему Олливандеру. В конце концов Флер взбунтовалась, и Билл, поднявшись наверх, объяснил гоблину, что так не пойдет. После этого Крюкохват стал выходить со всеми к столу, хоть и отказывался от общей еды, требуя сырого мяса, кореньев и разнообразных грибов.

Гарри чувствовал себя виноватым; в конце концов, именно он добился, чтобы гоблина оставили в коттедже «Ракушка», из-за него семья Уизли вынуждена скрываться, а Билл, Джордж, Фред и мистер Уизли не могут работать.

— Мне ужасно совестно, — сказал он как-то Флер ветреным апрельским вечером, когда помогал ей готовить обед. — Я не хотел, чтобы все это на вас свалилось.

Флер как раз запускала в работу несколько ножей — резать бифштексы для Крюкохвата и Билла (Билл после своей встречи с Фенриром предпочитал мясо с кровью). Когда ножи бодро застучали по разделочной доске, Флер повернулась к Гарри, лицо ее, в последнее время часто довольно раздраженное, смягчилось.

— 'Арри, ты спас мою сест'гу, я не забыла!

Строго говоря, Гарри ее не спас, ведь жизни Габриэль на самом деле ничто не угрожало, но он решил не уточнять.

— К тому же, — Флер направила волшебную палочку на кастрюльку с соусом, который тут же закипел и забулькал, — мисте'г Олливанде'г сегодня вече'гом пе'геби'гается к Мю'гиэль, и станет полегче. Гоблин, — она слегка поморщилась, заговорив о нем, — пе'геедет на пе'гвый этаж, а вы с Дином и 'Гоном сможете занять его комнату.

— Нам и в гостиной хорошо, — быстро сказал Гарри.

Он знал, что Крюкохват не обрадуется, если его попросят спать на диване, а для них важнее всего, чтобы гоблин был доволен.

Флер пыталась настаивать, но Гарри добавил:

— Мы с Роном и Гермионой тоже недолго здесь задержимся.

— Что значит — недолго? — нахмурилась Флер, застыв над кастрюлькой с волшебной палочкой в руке. — Не надо вам никуда уходить, вы здесь в безопасности!

Она вдруг стала страшно похожа на миссис Уизли.

К счастью, тут отворилась задняя дверь и вошли Полумна и Дин с намокшими от дождя волосами и охапками плавника в руках.

— И крошечные ушки, — тараторила Полумна, — папа говорит, как у бегемота, только фиолетовые и мохнатые. А если хочешь их позвать, надо напевать какую-нибудь мелодию, только не очень быструю, лучше всего — вальс...

Дин, слегка смущенный, пожал плечами, взглянув на Гарри. Они с Полумной понесли топливо в гостиную, совмещенную со столовой, — там Рон и Гермиона накрывали на стол. Гарри воспользовался случаем, схватил два кувшина с тыквенным соком и побежал за ними, улизнув от неудобных расспросов.

— ...а если ты как-нибудь нас навестишь, я покажу тебе рог. Папа мне о нем писал, только я его еще не видела, потому что Пожиратели смерти сняли меня с хогвартского экспресса и я так и не попала домой на Рождество, — сказала Полумна, помогая Дину укладывать топливо в камине.

— Полумна, мы же тебе рассказывали, — крикнула через всю комнату Гермиона. — Рог взорвался. Это был рог взрывопотама, а никакого не морщерогого кизляка...

— Нет, это был определенно рог кизляка, — безмятежно отозвалась Полумна. — Папа подробно его описал. Наверное, он уже восстановился, они ведь замечательно умеют самоисцеляться.

Гермиона только головой покачала, продолжая раскладывать вилки.

Билл привел мистера Олливандера. Мастер волшебных палочек все еще был очень слаб и цеплялся за руку Билла, который поддерживал его и нес большой чемодан.

Полумна подошла к старику:

— Мне будет вас очень не хватать!

— И мне вас тоже, моя дорогая, — ответил Олливандер, погладив ее по плечу. — Вы были мне огромным утешением в том ужасном месте.

Флер расцеловала его в обе щеки:

— Итак, *au revoir*[1], мисте'г Олливанде'г! Не могли бы вы оказать мне любезность? П'гошу вас, пе'гедайте это тетушке Билла. Я так и не соб'галась ве'гнуть ей диадему.

— Почту за честь, — отвечал Олливандер с легким поклоном. — Это самое меньшее, что я могу сделать в благодарность за вашу доброту и гостеприимство.

Флер принесла потертый бархатный футляр и открыла, показывая мистеру Олливандеру. Диадема засверкала при свете низко висящей люстры.

— Бриллианты и лунные камни, — определил Крюкохват, который успел незаметно, бочком пробраться в комнату. — Гоблинская работа, если не ошибаюсь?

— Оплачена волшебниками, — негромко ответил Билл.

Гоблин глянул на него вызывающе и в то же время трусливо.

Ветер бушевал вокруг коттеджа, когда Билл с мистером Олливандером скрылись в ночи. Остальные уселись за стол, еле втиснувшись локоть к локтю, и принялись за еду. В камине потрескивал огонь. Гарри заметил, что Флер только ковыряет вилкой в тарелке и поминутно смотрит в окно. Впрочем, Билл вернулся еще до конца ужина. Ветер растрепал его длинные волосы.

— Все хорошо, — сказал он. — Олливандера устроили на новом месте. Мама и папа передают привет, Джинни тоже. Фред и Джордж довели Мюриэль до истерики — они продолжают рассылку заказов совиной почтой из ее гостиной. По крайней мере, тетушка очень обрадовалась диадеме — говорит, она думала, что мы ее украли.

— Ах, она п'госто п'гелесть, эта твоя тетушка, — сердито ответила Флер, взмахом волшебной палочки заставляя грязные тарелки подняться в воздух и сложиться в стопку. Потом подхватила всю стопку и прошествовала на кухню.

---

[1] До свидания *(фр.)*.

— Папа тоже сделал диадему, — заявила Полумна. — Вернее, венец.

Рон ухмыльнулся, переглянувшись с Гарри. Гарри понял, что он вспоминает кошмарный головной убор, который они видели у Ксенофилиуса.

— Да, он хочет воссоздать утерянную диадему Кандиды Когтевран. Он уже вычислил большинство составных частей. Пропеллер австралийской веретенницы особенно пришелся к месту...

Раздался громкий стук в парадную дверь. Все головы повернулись в ту сторону. Из кухни прибежала испуганная Флер. Билл вскочил на ноги, направив волшебную палочку на дверь, Гарри, Рон и Гермиона сделали то же самое. Крюкохват тихонько нырнул под стол.

— Кто там? — крикнул Билл.

— Я, Римус Люпин! — донеслось из-за двери под завывания ветра.

У Гарри сжалось сердце: что еще случилось?

— Я оборотень, женат на Нимфадоре Тонкс, адрес коттеджа «Ракушка» назвал мне ты, Хранитель Тайны, и пригласил приходить в экстренных случаях!

— Люпин! — Билл подбежал к двери и рывком распахнул ее.

Люпин ввалился в прихожую — весь белый, в дорожном плаще, седые волосы встрепаны ветром. Он выпрямился, оглядел комнату, проверяя, кто здесь есть, и громко крикнул:

— У нас мальчик! Мы назвали его Тедом, в честь Дориного отца!

Гермиона восторженно завизжала.

— Что?! Тонкс! У вас родился ребенок?

— Да, да, родился! — заорал Люпин.

Все принялись ахать, восхищаться и радоваться. Гермиона и Флер пищали:

— Поздравляем!

Рон сказал:

— Ух ты, ребенок! — как будто в жизни не слыхал о такой штуке.

— Да, да! Мальчик! — повторял Люпин, словно оглушенный собственным счастьем.

Он обошел вокруг стола и крепко обнял Гарри, точно и не было той сцены в подвальном этаже дома на площади Гриммо.

— Будешь крестным отцом? — спросил он, выпустив Гарри из объятий.

— Я? — поперхнулся Гарри.

— Ты, конечно, кто же еще? Дора тоже так считает.

— Я... ага... ух ты...

Гарри был сражен, ошарашен и дико счастлив. Билл принес бутылку вина, и Флер стала уговаривать Люпина посидеть с ними.

— Я ненадолго, мне нужно домой, — сияя, говорил Люпин. Он помолодел на несколько лет. — Спасибо! Спасибо, Билл.

Билл разлил вино. Все встали и подняли бокалы.

Люпин сказал тост:

— За Тедди Римуса Люпина, будущего великого волшебника!

— На кого он похож? — спросила Флер.

— По-моему, на Дору, но она говорит, что на меня. Почти лысенький. Родился он с черными волосиками, но я клянусь, через час они уже были рыжими! К моему возвращению, наверное, станет блондином. Андромеда говорит, что у Тонкс волосы начали менять цвет с первого дня жизни. — Люпин осушил бокал. — Ну хорошо, еще только один, — добавил он, когда Билл подошел налить ему еще.

Ветер ревел за окнами маленького коттеджа, в камине плясал огонь, Билл откупорил еще одну бутылку. Известие Люпина заставило их забыть, что они в осаде. Новая жизнь — потрясающее событие! Одного только гоблина не захватила общая праздничная атмосфера. Он вскоре убрался к себе в спальню, которую теперь занимал единолично. Гарри подумал было, что никто, кроме него, этого не заметил, но потом поймал взгляд Билла, направленный вслед уходящему Крюкохвату.

— Нет-нет! Мне правда нужно идти!

Люпин решительно отказался от очередного бокала, встал на ноги и расправил дорожный плащ.

— До свидания, до свидания! На днях постараюсь забежать, покажу фотографии... Все будут страшно рады узнать о вас новости...

Он запахнул плащ и распрощался, обняв по очереди всех женщин и пожав руку мужчинам, а потом, все так же сияя, канул в ночь.

— Крестный отец, Гарри! — воскликнул Билл, когда они вернулись на кухню, помогая убирать со стола. — Вот это честь! Поздравляю!

Гарри поставил на стол пустые бокалы. Билл прикрыл дверь, отрезав веселые голоса, — после ухода Люпина все еще продолжали праздновать.

— Вообще-то я хотел с тобой поговорить с глазу на глаз. Нелегко поймать момент, если в доме толпится столько народу. — Билл запнулся. — Гарри, вы планируете какие-то совместные дела с Крюкохватом.

Это был не вопрос, а утверждение, и Гарри не стал ничего отрицать, просто молча смотрел на Билла и ждал, что будет дальше.

— Я хорошо знаю гоблинов, — сказал Билл. — Я работаю в банке «Гринготтс» с тех пор, как закончил Хогвартс. Если возможна дружба между волшебниками и гоблинами, то у меня есть друзья-гоблины — по крайней мере, есть знакомые гоблины, которые мне симпатичны. — Билл снова замялся. — Гарри, что тебе нужно от Крюкохвата и что ты пообещал ему взамен?

— Этого я не могу тебе сказать, Билл, — ответил Гарри. — Извини.

Флер попыталась протиснуться в дверь с остатками пустых бокалов в руках.

— Подожди минутку, — сказал ей Билл.

Она попятилась, и Билл плотно прикрыл дверь.

— Тогда я вот что скажу, — продолжил он. — Если ты заключил с Крюкохватом сделку и особенно если речь идет о сокровищах, будь предельно осторожен. У гоблинов свои понятия о собственности и оплате — совсем не такие, как у людей.

Гарри стало не по себе, как будто внутри у него шевельнулась крошечная змея.

— Это как?

— Наши народы очень разные. У волшебников с гоблинами сложные отношения — да ты это и так знаешь из истории магии. За много веков, конечно, случалось всякое, и не только со стороны гоблинов. Я не говорю, что волшебников совсем не в чем упрекнуть, но многие гоблины — и не в последнюю очередь те, что работают в банке «Гринготтс» — считают, что по части золота и драгоценностей волшебникам нельзя доверять, потому что они не уважают гоблинское право собственности.

— Я уважаю... — начал Гарри, но Билл покачал головой:

— Ты не понимаешь, Гарри. Это невозможно понять, пока не поработаешь с гоблинами бок о бок. С точки зрения гоблина, истинный полноправный хозяин каждой вещи — тот, кто ее создал, а не покупатель. Они считают, что любой предмет гоблинской работы по праву принадлежит им.

— А если его купили...

— С их точки зрения, человек, заплативший деньги, как бы взял эту вещь напрокат. Они не принимают идею передачи гоблинских изделий по наследству от волшебника к волшебнику. Видел, какими глазами Крюкохват смотрел на диадему? Наверняка он считает, что ее следовало вернуть гоблинам после смерти первого владельца. Для них наш обычай получать по наследству изделия гоблинской работы — просто-напросто кража.

Гарри стало совсем нехорошо. Неужели Билл угадал больше, чем показывает?

— Я только об одном тебя прошу, — сказал Билл, взявшись за ручку двери, — будь очень осторожен с обещаниями. Ограбить «Гринготтс» — и то не так опасно, как нарушить слово, данное гоблину.

— Ладно, — сказал Гарри ему в спину. — Спасибо. Я учту.

Когда он выходил из кухни, ему в голову пришла довольно зловещая мысль — несомненно, порожденная вином: похоже, он станет для Тедди Люпина таким же безответственным крестным, каким был для него Сириус.

Глава 26

«ГРИНГОТТС»

Все планы были составлены, приготовления закончены. В крохотной спальне стоял на каминной полке стеклянный флакончик, а в нем свернулся одинокий жесткий черный волос, снятый Гермионой со свитера, который был на ней в доме Малфоев.

— И еще у тебя будет ее волшебная палочка. — Гарри кивнул в сторону палочки из грецкого ореха. — Должно получиться убедительно.

Гермиона взяла палочку в руки с таким видом, словно боялась, что та ее укусит.

— Ненавижу эту штуковину, — тихо сказала она. — Ух как ненавижу! Она не ложится в руку и не слушается совсем. Как будто часть ее самой...

Гарри сразу вспомнил, как Гермиона отмахивалась, когда он жаловался, что палочка из терновника не хочет ему служить, и советовала побольше упражняться. Все-таки он удержался и не стал ей напоминать об этом — назавтра им предстояло ограбить банк, не стоило зря нервировать Гермиону.

— Зато это поможет тебе вжиться в образ! — утешил Рон. — Подумай о том, что в свое время творила эта палочка!

— В том-то и дело! — воскликнула Гермиона. — Эта волшебная палочка мучила маму и папу Невилла и еще невесть сколько других людей. Она убила Сириуса!

Об этом Гарри не подумал. Его посетило свирепое желание сломать эту палочку, разрубить ее мечом Гриффиндора — тот как раз стоял рядом, прислоненный к стене.

— Мне так не хватает моей палочки, — пожаловалась Гермиона. — Вот бы мистер Олливандер сделал и мне новую!

В то утро мистер Олливандер прислал Полумне новую волшебную палочку. Сейчас она испытывала подарок на заднем дворе, в лучах заходящего солнца. Дин мрачно наблюдал за нею — его волшебную палочку отобрали егеря.

Гарри посмотрел на палочку из боярышника, принадлежавшую когда-то Драко Малфою. К его приятному удивлению, эта палочка слушалась его не хуже, чем Гермионина. Он вспомнил объяснения мистера Олливандера и догадался, почему у Гермионы такие сложности, — она не отвоевала ореховую палочку в бою с Беллатрисой.

Открылась дверь, и вошел Крюкохват. Гарри инстинктивно схватился за рукоять и подтянул меч поближе к себе, но тут же пожалел об этом: гоблин явно все заметил. Гарри сказал, стараясь замять неловкий момент:

— Мы тут решили еще раз все перепроверить, Крюкохват. Мы сказали Биллу и Флер, что уходим завтра утром и чтобы они не вставали нас проводить.

Об этом они просили особенно настойчиво, поскольку Гермионе предстояло перед уходом преобразиться в Беллатрису, а Биллу и Флер совсем ни к чему было знать такие подробности. Кроме того, друзья предупредили, что не намерены возвращаться. Старую палатку Перкинса они потеряли в ту ночь, когда попались егерям, и Билл одолжил им свою. Сейчас она была уложена в расшитую бисером сумочку Гермионы, которую та, к огромному восхищению Гарри, спасла от егерей очень простым способом: запихала в носок.

Гарри знал, что будет скучать по Биллу, Флер, Полумне и Дину, не говоря уже о домашнем уюте, в котором они нежились несколько недель, и все-таки ему не терпелось проститься с коттеджем «Ракушка». Надоело без конца проверять, не слышит ли их кто, надоело торчать в тесной полутемной спальне, а больше всего ему обрыдло общество Крюкохвата. Как отделаться от гоблина, не отдавая ему меч, оставалось неразрешимой проблемой. Гарри, Рон и Гермиона не могли толком ни о чем договориться, потому что Крюкохват почти никогда не оставлял их одних больше чем на пять минут. Не успеешь оглянуться — а уже в дверную щель просовываются его длинные пальцы.

— Моей бы маме у него поучиться, — ворчал Рон.

Гермиона так пылко осуждала замысел Гарри, что он отчаялся добиться от нее помощи. Рон в те редкие минуты, когда Крюкохват оставлял их в покое, не мог придумать ничего лучшего, чем:

— Хватаем меч и сваливаем по-быстрому.

Гарри плохо спал в ту ночь. Лежа без сна в предутренние часы, он вспоминал, как чувствовал себя накануне налета на Министерство магии. Тогда он был полон решимости, даже какого-то упоения, а сейчас его грызли сомнения и тревога. Ему все казалось, что что-нибудь пойдет не так. Он твердил себе, что план отработан до мелочей, что Крюкохват знает, с чем им придется столкнуться, что все возможные осложнения предусмотрены — и все равно у него душа была не на месте. Раз или два Гарри слышал, как Рон ворочается в постели — видно, тоже не спит, но в гостиной они ночевали втроем с Дином, так что поговорить не было возможности.

Наконец-то пробило шесть часов. Рон и Гарри вылезли из спальных мешков, оделись впотьмах и тихонько выбрались в сад, где они договорились встретиться с Гермионой и Крюкохватом. Было по-утреннему холодно, хоть и безветренно, по майскому времени. Над головой еще мерцали бледные звезды, шумело море, накатываясь на утесы, — Гарри знал, что ему будет не хватать этого звука.

На могиле Добби пробивались из земли крошечные зеленые росточки. Через год холмик будет сплошь покрыт цветами. Белый камень с именем домовика уже казался обветренным, словно лежал здесь давным-давно. Гарри понимал, что они вряд ли могли найти для Добби более красивое место, и все-таки ужасно грустно было оставлять его здесь. Стоя у могилы, Гарри в который раз ломал голову: откуда домовик узнал, что их нужно спасать? Он рассеянно дотронулся до мешочка на шее и нащупал осколок зеркала. Гарри был уверен, что видел в нем глаз Дамблдора! Тут в доме открылась дверь, и он обернулся.

Через лужайку к ним стремительно шагала Беллатриса Лестрейндж в сопровождении Крюкохвата. На ходу она засовывала крохотную сумочку во внутренний карман старой мантии, которую они прихватили с площади Гриммо. Гарри отлично знал, что это Гермиона, и все-таки не мог сдержать дрожь омерзения. Она была выше него. Длинные черные волосы струились по спине, глаза с тяжелыми веками презрительно уставились в лицо Гарри, но стоило ей заговорить, и Гарри сразу услышал Гермиону в низком голосе Беллатрисы Лестрейндж.

— Она на вкус такая противная, хуже лирного корня! Так, Рон, иди сюда, я тебя обработаю...

— Ладно, только не забудь, я не хочу слишком длинную бороду...

— Господи боже, нашел время думать о красоте!

— При чем здесь красота? Она мешает! А нос сделай покороче — мне понравилось, как было в прошлый раз.

Гермиона вздохнула и принялась за работу, что-то ворча себе под нос. Нужно было полностью изменить Рону внешность в расчете на то, что его защитит зловещая аура Беллатрисы. Гарри и Крюкохват по плану должны были прятаться под мантией-невидимкой.

— Ну вот, — сказала Гермиона. — Как смотрится, Гарри?

Под маскировкой едва можно было различить привычные черты Рона, да и то только потому, что Гарри хорошо его знал. Волосы Рона стали длинными и волнистыми, появились густые каштановые усы и борода, веснушки исчезли, нос стал коротким и широким, брови — густыми и насупленными.

— Не в моем вкусе, а так — сойдет, — вынес вердикт Гарри. — Ну что, отправляемся?

Трое друзей оглянулись на коттедж «Ракушка», темный и тихий под угасающими звездами, потом повернулись и зашагали к калитке, за которой прекращалось действие заклинания Доверия и можно было трансгрессировать.

Как только вышли за ограду, Крюкохват заговорил:

— Мне пора залезать, правильно, Гарри Поттер?

Гарри нагнулся, и гоблин вскарабкался ему на плечи, обхватив руками за шею. Он был не тяжелый, но Гарри было неприятно чувствовать его у себя на спине, тем более что хватка у гоблина оказалась неожиданно цепкая. Гермиона вытащила из сумочки мантию-невидимку и набросила на них.

— Идеально! — сказала она, наклоняясь, чтобы проверить, надежно ли укрыты ноги Гарри. — Ничего не видно. Пошли!

Гарри повернулся на месте, с Крюкохватом на плечах. Он изо всех сил сосредоточился мыслями на «Дырявом котле» — кабачке, откуда открывался ход в Косой переулок. Гоблин еще крепче стиснул ему горло, вокруг сомкнулась удушливая тьма, а в следующую секунду Гарри почувствовал под ногами мостовую. Он открыл глаза. Они стояли на Чаринг-Кросс-роуд, мимо брели по-утреннему унылые маглы, не подозревая о существовании крохотного кабачка.

В общем зале «Дырявого котла» было почти совсем пусто. Том, сутулый и беззубый владелец таверны, протирал стаканы за стойкой; парочка магов о чем-то шепталась в углу и при появлении Гермионы отодвинулась в тень.

— Мадам Лестрейндж, — пробормотал Том и подобострастно поклонился Гермионе.

— Доброе утро, — поздоровалась Гермиона.

Том проводил ее изумленным взглядом.

Гарри, скрючившись под мантией с гоблином на спине, догнал Гермиону во дворе и зашептал ей в ухо:

— Слишком вежливо! Ты должна разговаривать свысока, как будто вокруг одно отребье.

— Ладно, поняла!

Гермиона вытащила из-под мантии волшебную палочку Беллатрисы и коснулась ничем не примечательного с виду кирпича в стене, огораживающей задний двор таверны. Тут же все кирпичи пришли в движение, в стене открылся проем, он становился все шире, и в конце концов образовалась арка, выходящая на узкую, мощенную булыжником улочку — Косой переулок.

Здесь было тихо, магазины едва только начали открываться, и покупатели еще не появились. Извилистая улочка сильно изменилась, в ней трудно было узнать оживленный шумный переулок, где Гарри когда-то делал покупки перед поступлением в Хогвартс. По сравнению с прошлым годом еще больше магазинов стояло с заколоченными окнами, зато открылись несколько новых заведений, специализирующихся на Темных искусствах. С плакатов, расклеенных над витринами, на Гарри смотрело его собственное изображение с надписью: «Нежелательное лицо № 1».

У дверей магазинов сидели какие-то оборванцы. Они жалобными, ноющими голосами окликали редких прохожих, выпрашивая золото и уверяя, что они на самом деле волшебники. У одного глаз был завязан окровавленной тряпкой.

Едва попрошайки заметили Гермиону, их как ветром сдуло. Они разбегались в разные стороны, натягивая пониже капюшоны. Гермиона смотрела на них с любопытством, но тут дорогу ей загородил, пошатываясь, человек с окровавленной повязкой.

— Мои дети! — закричал он, тыча в нее пальцем. — Где мои дети? Что он с ними сделал? Ты знаешь, ты-то уж наверняка знаешь!

— Я? Я... послушайте... — заикалась Гермиона.

Человек бросился на нее, порываясь вцепиться в горло. Раздался треск, полыхнуло красным, и неизвестный без сознания упал на землю. Рон держал в вытянутой руке волшебную палочку, и даже сквозь бороду было видно, как он ошарашен. Из всех окон выглядывали любопытные лица, а несколько солидного вида прохожих, подобрав мантии, кинулись рысцой в противоположную от места происшествия сторону.

Вряд ли можно было более эффектно обставить их появление в Косом переулке. Гарри подумал: не лучше ли сейчас удрать и разработать какой-нибудь другой план. Только они не успели даже посоветоваться — сзади кто-то воскликнул:

— Это вы, мадам Лестрейндж!

Гарри круто обернулся, Крюкохват изо всех сил ухватился за его шею. К ним приближался высокий худой волшебник с пышной гривой седых волос и длинным острым носом.

— Это Трэверс, — прошипел гоблин на ухо Гарри.

Гарри не мог сразу вспомнить, кто такой Трэверс. Гермиона тем временем выпрямилась в полный рост и сказала как могла презрительнее:

— А вам что нужно?

Трэверс остановился на всем ходу, заметно обидевшись.

— Он тоже Пожиратель смерти! — задохнулся Крюкохват.

Гарри подскочил к Гермионе и шепотом передал ей эту информацию.

— Я всего лишь хотел поздороваться, — холодно произнес Трэверс, — но если мое общество вам неприятно...

Теперь Гарри узнал его голос: Трэверс был одним из двух Пожирателей смерти, приходивших за ним в дом Ксенофилиуса.

— Нет, что вы, что вы, Трэверс! — быстро поправилась Гермиона. — Как поживаете?

— Признаюсь, Беллатриса, я удивлен, что вы уже появляетесь на людях.

— В самом деле? Почему? — спросила Гермиона.

Трэверс кашлянул.

— Я слышал, что обитателям поместья Малфоев не позволено выходить из дома со времени... хм-м... побега.

Гарри мысленно заклинал Гермиону не терять головы. Если это правда...

— Темный Лорд прощает тех, кто верно и преданно служил ему в прошлом, — изрекла Гермиона, великолепно копируя надменную манеру Беллатрисы. — Возможно, о вас, Трэверс, у него составилось не столь хорошее мнение...

Пожиратель смерти явно был задет, но зато и подозрительности у него поубавилось. Он посмотрел на бесчувственного человека, которого оглушил Рон.

— Чем это отродье оскорбило вас?

— Неважно, больше это не повторится, — равнодушно ответила Гермиона.

— Эти Лишенные палочек бывают иногда до крайности докучливы, — сказал Трэверс. — Пока они просто клянчат милостыню, еще бы ничего, но одна, вообразите, осмелилась приставать ко мне с просьбами замолвить за нее словечко в Министерстве! «Я волшебница, сэр, я волшебница, позвольте я докажу», — пропищал он, передразнивая просительницу. — Как будто я дал бы ей в руки свою волшебную палочку! Кстати, чьей палочкой вы сейчас пользуетесь, Беллатриса? — с любопытством спросил Трэверс. — Я слышал, что ваша...

— Моя палочка при мне, — спокойно ответила Гермиона, показывая палочку Беллатрисы. — Не знаю, где вы набрались этих слухов, Трэверс, но они далеки от действительности.

Трэверс, растерявшись, повернулся к Рону:

— Кто ваш друг? Я его не узнаю.

— Это Драгомир Деспард, — ответила Гермиона. Они заранее решили, что безопаснее всего будет выдавать Рона за иностранного волшебника. — Он почти не говорит по-английски, но всецело сочувствует целям Темного Лорда. Он специально приехал из Трансильвании познакомиться с нашим новым режимом.

— Что вы говорите? Добрый день, Драгомир!

— Брыйднь, — буркнул Рон, протягивая руку.

Трэверс подал ему два пальца, он как будто боялся запачкаться, пожимая руку Рона.

— Что же привело сюда вас и... хм-м... вашего сочувствующего друга в столь ранний час?

— Мне нужно в «Гринготтс», — ответила Гермиона.

— Увы, мне тоже! — воскликнул Трэверс. — Золото, презренное золото! Без него не прожить, хотя, признаюсь, меня огорчает необходимость вести дела с нашими длиннопалыми друзьями.

Гарри почувствовал, как руки Крюкохвата на мгновение впились ему в глотку.

— Что ж, идемте? — сказал Трэверс, пропуская Гермиону вперед.

Ничего не оставалось, как идти с ним туда, где над мелкими лавчонками возвышалось белоснежное здание банка «Гринготтс». Рон плелся рядом с Гермионой и Трэверсом, Гарри и Крюкохват кое-как поспевали за ними.

Вот уж без чего они вполне могли бы обойтись, так это без бдительного Пожирателя смерти! Мало того — пока Трэверс держался возле мнимой Беллатрисы, у Гарри не было никакой возможности перемолвиться словом с Гермионой и Роном. Скоро они уже стояли на мраморных ступенях перед высокими бронзовыми дверями. Как и предупреждал Крюкохват, вместо гоблинов в форменном наряде по бокам от двери стояли теперь двое волшебников, и каждый держал наготове длинный тонкий золотой стержень.

— А, Детекторы лжи! — театрально вздохнул Трэверс. — Как это примитивно... Но ведь действенно!

Он первым поднялся по ступенькам, кивнув сперва одному волшебнику, потом другому. Те стали водить датчиками по его телу.

Гарри знал, что Детекторы распознают любые маскирующие заклинания и скрытые магические предметы. У него оставались считанные секунды. Гарри нацелил волшебную палочку Драко Малфоя на каждого из охранников по очереди и два раза прошептал:

— *Конфундо!*

Трэверс вглядывался во внутренний зал и не заметил, как охранники чуть-чуть вздрогнули, настигнутые заклинанием.

Гермиона поднялась по ступеням, взметнув длинные черные волосы.

— Одну минутку, сударыня, — сказал охранник, поднимая Детектор.

— Вы же только что меня проверили! — произнесла Гермиона властным, высокомерным голосом Беллатрисы.

Трэверс оглянулся, вопросительно подняв брови. Охранник был совсем сбит с толку. Он уставился на тонкий золотой Детектор, потом на своего напарника. Тот сказал немного невнятно:

— Да, Мариус, ты только что их всех проверил.

Гермиона проплыла в двери, Рон не отставал от нее, Гарри с Крюкохватом, невидимые, рысили следом. На пороге Гарри оглянулся — волшебники дружно чесали в затылках.

Перед следующей, серебряной дверью стояли два гоблина, а наверху были начертаны стихи — предостережение для возможных воров. Гарри вдруг пронзило воспоминание: он стоит на этом самом месте в день, когда ему исполнилось одиннадцать, свой самый чудесный день рождения, и Хагрид произносит: «Я ж тебе говорил, надо быть сумасшедшим, чтобы попытаться ограбить этот банк». Тогда «Гринготтс» казался ему какой-то пещерой чудес, зачарованным хранилищем золотого клада, хозяином которого Гарри неожиданно оказался. Ему и в голову не могло прийти, что когда-нибудь он вернется сюда грабителем... Но они уже вошли в просторный мраморный зал.

За длинным прилавком сидели на высоких табуретках гоблины, обслуживая ранних посетителей. Гермиона, Рон и Трэверс направились к старому гоблину, который был занят тем, что рассматривал толстую золотую монету, вставив в глаз увеличительное стекло. Гермиона притворилась, что объясняет Рону различные детали, и пропустила Трэверса вперед.

Гоблин отбросил монету и сказал в пространство: «Лепрекон!» — после чего поздоровался с Трэверсом. Тот вручил ему крошечный золотой ключик. Гоблин осмотрел ключик и вернул его владельцу.

Гермиона шагнула к прилавку.

— Мадам Лестрейндж! — изумился гоблин. — Надо же! Чем могу служить?

— Я хочу посетить свой сейф, — сказала Гермиона.

Старый гоблин отшатнулся. Гарри огляделся по сторонам. Мало того что Трэверс задержался у прилавка, прислушиваясь к их разговору, еще и другие гоблины отвлеклись от работы и таращились на Гермиону.

— Чем можете подтвердить свою личность? — спросил гоблин.

— Подтвердить? У меня никогда раньше не требовали подтвердить свою личность! — возмутилась Гермиона.

— Они знают! — зашептал Крюкохват на ухо Гарри. — Должно быть, их предупредили, что возможен обман!

— Достаточно будет предъявить волшебную палочку, сударыня, — сказал гоблин и протянул чуть дрожащую руку.

Гарри озарило: гоблины в «Гринготтсе» знают, что палочка Беллатрисы украдена!

— Скорее, скорее! — шипел ему в ухо Крюкохват. — Заклятие Империус!

Гарри взмахнул под мантией палочкой из боярышника, нацелил ее на старого гоблина и впервые в жизни прошептал:

— *Империо!*

Словно горячая волна, зародившись в мозгу, прошла по его руке, по сухожилиям и кровеносным сосудам прямо в волшебную палочку.

Гоблин взял палочку Беллатрисы, внимательно осмотрел и произнес:

— Ага, у вас новая волшебная палочка, мадам Лестрейндж!

— Что? — удивилась Гермиона. — Нет-нет, это моя...

— Новая палочка? — Трэверс подошел ближе. Другие гоблины продолжали наблюдать. — Как же это? У какого мастера вы ее заказывали?

Гарри действовал не раздумывая: он направил палочку на Трэверса и еще раз прошептал:

— *Империо!*

— Ах да, вижу, — сказал Трэверс, глядя прямо на палочку Беллатрисы. — Очень красивая. И хорошо работает? Я всегда замечал, что новую волшебную палочку требуется для начала объездить, а вы как считаете?

Гермиона совершенно растерялась от всех этих странностей, но, к счастью, промолчала.

Старый гоблин за прилавком хлопнул в ладоши, и появился другой гоблин, помладше.

— Мне понадобятся Звякалки, — сказал старший гоблин.

Молодой умчался и через минуту прибежал обратно с кожаным мешком, в котором лязгало что-то металлическое. Он передал мешок старшему.

— Хорошо, хорошо! Следуйте за мной, мадам Лестрейндж!

Старый гоблин спрыгнул с табуретки, и его стало не видно за прилавком.

— Я провожу вас к вашему сейфу.

Он показался сбоку прилавка и бодро потрусил к ним, гремя мешком. Трэверс стоял неподвижно, разинув рот. Рон озадаченно смотрел на него, привлекая тем самым общее внимание.

— Погодите... Богрод!

Еще один гоблин выскочил из-за прилавка.

— У нас инструкции, — проговорил он, кланяясь Гермионе. — Простите, мадам Лестрейндж, но нам даны особые указания насчет сейфа Лестрейнджей.

Он что-то тревожно зашептал на ухо Богроду, но старый гоблин, связанный заклятием Империус, только отмахнулся.

— Я знаю об особых указаниях. Мадам Лестрейндж желает посетить свой сейф. Старинное семейство... Давние клиенты... Сюда, пожалуйста...

Продолжая громыхать мешком, он засеменил к одной из многочисленных дверей, выходивших в зал. Гарри посмотрел на Трэверса. Тот так и стоял на месте с бессмысленным выражением. Гарри решился — взмахнув волшебной палочкой, он заставил Трэверса идти с ними. Пожиратель смерти покорно побрел за всей компанией в открывшийся за дверью коридор, грубо вырубленный в скале и освещенный пылающими факелами.

Как только дверь за ними захлопнулась, Гарри сбросил мантию-невидимку.

— Дело плохо, они нас подозревают!

Крюкохват спрыгнул у него со спины. Трэверс и Богрод нисколько не удивились неожиданному появлению Гарри Поттера.

— Они под заклятием Империус, — объяснил Гарри Рону и Гермионе, которые никак не могли понять, почему те стоят столбом, тупо уставившись прямо перед собой. — Не знаю только, достаточно ли прочно я их заколдовал...

Промелькнуло еще одно воспоминание: как он впервые попытался применить непростительное заклятие и настоящая Беллатриса Лестрейндж кричала ему: «Ты должен по-настоящему *хотеть*, чтобы они подействовали, Поттер!»

Рон спросил:

— Что будем делать? Удираем, пока еще можно?

— Если еще можно.

Гермиона оглянулась; никто не знал, что сейчас происходит за дверью, в главном зале.

— Раз уж мы здесь, идем дальше, — решил Гарри.

— Хорошо! — сказал Крюкохват. — Значит, так, нам нужен Богрод, чтобы управлять тележкой, — у меня уже нет на это полномочий. А волшебнику места не хватит.

Гарри направил на Трэверса волшебную палочку:

— *Империо!*

Волшебник повернулся и довольно резво двинулся прочь по темному коридору.

— Куда ты его отправил?

— Прятаться, — ответил Гарри и махнул волшебной палочкой в сторону Богрода.

Старый гоблин свистнул, и тут же из темноты, громыхая по рельсам, подкатила тележка. Все забрались в нее — Богрод впереди с Крюкохватом, Гарри, Рон и Гермиона втиснулись сзади. Гарри чудилось, что из главного зала доносятся крики.

Тележка дернулась и покатилась вперед, набирая скорость. Они проехали мимо Трэверса, пытавшегося забиться в трещину в стене. Дальше начался лабиринт запутанных ходов, которые вели все время вниз. За грохотом тележки ничего не было слышно. Ветер трепал волосы Гарри, мимо пролетали сталактиты, тележка мчалась куда-то в глубь земли. Гарри все время оглядывался. Они ужасно наследили. Чем больше Гарри думал об этом, тем глупее казалась ему идея замаскировать Гермиону под Беллатрису, да еще и взять с собой Беллатрисину палочку, когда Пожирателям смерти отлично известно, кто ее украл...

Гарри никогда раньше не забирался так глубоко в «Гринготтс». Тележка, не сбавляя хода, завернула за угол, и перед ними возник водопад, обрушивавшийся прямо на рельсы.

Крюкохват закричал: «Нет!» — но затормозить они уже не успевали. Тележка на полной скорости пронеслась под водопадом. Вода заливалась Гарри в рот и в глаза, было нечем дышать. Тележка перевернулась, и все посыпались на рельсы. Гарри слышал, как тележка разбилась на куски о стену туннеля, что-то кричала Гермиона, Гарри невесомо заскользил по воздуху и плавно приземлился на каменный пол.

— Ам-мортизирующие чары, — отплевываясь, объяснила Гермиона.

Рон помог ей подняться, и Гарри с ужасом увидел, что она больше не Беллатриса. Гермиона, мокрая насквозь, стояла перед ними в собственном обличье; мантия сразу стала ей велика. Рон тоже снова был рыжим и безбородым. Они посмотрели друг на друга, поняли все и кинулись ощупывать свои лица.

— «Гибель воров»! — прокряхтел Крюкохват, поднимаясь на ноги и оглядываясь на водопад. Гарри уже догадался, что это не простая вода. — Он смывает любые чары и магическую маскировку. В «Гринготтсе» ждали, что мы попробуем сюда проникнуть, и заранее приняли меры!

Гарри увидел, как Гермиона проверила, на месте ли бисерная сумочка, и сам торопливо сунул руку под куртку — мантия-невидимка никуда не делась. Богрод недоуменно мотал головой: должно быть, вода смыла с него заклятие Империус.

— Он нам нужен, — повторил Крюкохват. — Без гринготтского гоблина не войти в охраняемый сейф. И Звякалки тоже необходимы!

— *Империо!* — в который раз повторил Гарри.

Его голос гулко прозвучал среди каменных стен. Он опять почувствовал, как волна его воли прокатилась от мозга по руке в волшебную палочку. Богрод покорился заклятию. Озадаченное выражение на лице старого гоблина сменилось вежливым равнодушием. Рон подобрал мешок с загадочными инструментами.

— Рон, по-моему, кто-то идет! — сказала Гермиона.

Она протянула палочку Беллатрисы к водопаду и выкрикнула:

— *Протего!*

Магический щит пронесся по коридору, расплескав поток заколдованной воды.

— Здорово придумано! — восхитился Гарри. — Крюкохват, идем дальше!

Все побежали за гоблином. Богрод едва поспевал за ними, пыхтя, словно старый пес.

— А выбираться как? — спросил Рон.

— Об этом будем волноваться потом. — Гарри прислушался. Ему казалось, что поблизости что-то лязгает. — Далеко еще, Крюкохват?

— Недалеко, Гарри Поттер, недалеко...

Они свернули за угол и увидели то, что готовились увидеть, — и все-таки зрелище застало их врасплох.

Дорогу к четырем или пяти сейфам загораживал прикованный цепями громадный дракон. От долгого пребывания под землей чешуя чудовища стала бледной и шелушилась, глаза были молочно-розового цвета. К тяжелым железным браслетам на задних лапах дракона крепились цепи, приделанные к вбитым в скальную породу кольям. Огромные шипастые крылья были тесно прижаты к туловищу, в развернутом виде они заполнили бы весь подземный зал. Дракон повернул к пришедшим безобразную голову, заревел так, что задрожали каменные стены, и, разинув пасть, выпустил струю огня. Друзья отбежали за угол.

— Он почти ослеп, — пропыхтел Крюкохват, — но от этого только сделался еще злее. Однако у нас есть средство с ним справиться. Он знает, что бывает, когда появляются Звякалки. Давайте их сюда.

Рон передал гоблину мешок, и Крюкохват вытащил оттуда целую кучу мелких металлических инструментов, которые при встряхивании издавали громкий звон, точно крошечные молоточки били по наковальням. Крюкохват раздал всем по такой штуке. Богрод послушно взял свою.

— Вы знаете, что надо делать, — сказал Крюкохват. — Он привык, что за шумом следует боль. Он отойдет в сторону, а Богрод пусть приложит ладонь к двери сейфа.

Они осторожно выглянули из-за угла и двинулись вперед, гремя Звякалками. Шум отдавался от скалистых стен, усилившись до того, что у Гарри в голове все гудело. Дракон опять хрипло заревел и попятился. Гарри видел, что он весь дрожит мелкой дрожью. Подойдя ближе, Гарри разглядел у него на морде жуткие шрамы и понял, что дракона приучали бояться Звякалок при помощи раскаленных мечей.

— Заставьте его приложить ладонь к двери! — крикнул Крюкохват.

Гарри направил палочку на Богрода. Старый гоблин подчинился, приложил руку к деревянной панели, и дверь сейфа растаяла в воздухе. Перед ними открылось нечто вроде пещеры, забитое от пола до потолка. Там громоздились золотые монеты и кубки, серебряные доспехи, шкуры неведомых животных — одни в колючках, другие с обвисшими крыльями, — драгоценные сосуды с зельями, череп в короне.

— Ищите, быстро! — сказал Гарри, и все бросились в пещеру.

Гарри подробно описал Рону и Гермионе чашу Пенелопы Пуффендуй, но если в сейфе хранился какой-то другой, неизвестный ему крестраж, никто и понятия не имел, как он может выглядеть. Впрочем, Гарри едва успел осмотреться — позади глухо звякнуло, дверь вернулась на место и запечатала их в сейфе, в полной темноте. Рон вскрикнул от неожиданности.

— Ничего страшного, Богрод потом нас выпустит! — успокоил всех Крюкохват. — Засветите, что ли, свои волшебные палочки. И поторопитесь, времени очень мало!

— *Люмос!*

Гарри повел вокруг светящейся волшебной палочкой. В луче засверкали драгоценные камни — Гарри узнал поддельный меч Гриффиндора, лежавший на полке в куче каких-то цепей. Рон и Гермиона тоже засветили волшебные палочки и рассматривали груды сокровищ.

— Гарри, может, вот это? А-а-а-а-а!

Гермиона закричала от боли. Гарри посветил в ту сторону и увидел, как у нее из рук выпал украшенный драгоценностями кубок. Ударившись об пол, он рассыпался целым дождем кубков. В один миг десятки одинаковых кубков раскатились по всей пещере, настоящий уже невозможно было отличить.

— Я обожглась! — простонала Гермиона, дуя на пальцы.

— Заклятия Умножения и Пылающей руки! — воскликнул Крюкохват. — Все, до чего вы дотронетесь, будет обжигать вас и умножаться, но копии ничего не стоят, а если их станет слишком много, нас просто задавит тяжестью золота!

— Так, ничего не трогаем! — отчаянно крикнул Гарри, но в этот самый миг Рон подпрыгнул на месте — подошва его ботинка прогорела насквозь, коснувшись раскаленного металла.

— Стой, не двигайся! — Гермиона схватила Рона за руку.

— Только смотрим! — сказал Гарри. — Помните: чаша золотая, довольно маленькая, с двумя ручками, на ней выгравирован барсук. Если не найдется, ищите что-нибудь со знаком Когтеврана — орлом...

Они осторожно поворачивались вокруг своей оси, освещая все углы и закоулки, но совсем ничего не задеть было невозможно. От прикосновения Гарри посыпались поддельные галеоны, пополнив груду кубков на полу. Теперь в пещере буквально некуда было ступить, от раскаленного золота веяло жаром, как из кузнечной печи. Свет волшебной палочки скользил по щитам и шлемам гоблинской работы, наваленным на полках до самого потолка. Гарри поднимал палочку все выше, и вдруг луч выхватил из темноты предмет, при виде которого у Гарри замерло сердце и рука задрожала.

— Вон она — там, наверху!

Рон и Гермиона посветили туда же. В тройном луче искрилась маленькая золотая чаша, принадлежавшая когда-то Пенелопе Пуффендуй и перешедшая по наследству Хэпзибе Смит, у которой ее украл Том Реддл.

— А как мы ее достанем, если ничего трогать нельзя? — поинтересовался Рон.

— *Акцио, чаша!* — крикнула Гермиона — с горя, как видно, забыв, о чем их предупреждал Крюкохват.

— Бесполезно, не подействует! — проворчал гоблин.

— Что же тогда делать? — сердито спросил Гарри. — Если хотите получить меч, Крюкохват, помогите нам... Стойте! А мечом можно прикасаться? Гермиона, дай мне его!

Гермиона пошарила в складках мантии, вытащила расшитую бисером сумочку и, покопавшись в ней, достала блистающий меч. Гарри схватил усыпанную рубинами рукоять и коснулся клинком ближайшего серебряного кувшина. Кувшин не размножился.

— Если подцепить мечом за ручку... Только как я туда доберусь?

Даже Рон, самый высокий из них, не смог дотянуться до полки. От заколдованных сокровищ расходились волны жара, у Гарри по лицу и спине катился пот. Он мучительно пытался придумать, как добраться до чаши, и тут за дверью взревел дракон и загрохотали Звякалки.

Вот теперь они по-настоящему попались: выйти из сейфа можно было только через дверь, а там, судя по всему, собралась целая орда гоблинов. Гарри увидел ужас на лицах Рона и Гермионы. Лязганье зазвучало громче.

Гарри сказал:

— Гермиона, мне обязательно нужно добраться до верхней полки...

Она взмахнула волшебной палочкой и прошептала:

— *Левикорпус!*

Гарри вздернуло в воздух за лодыжку. Взлетая, он ударился о какие-то латы, их раскаленные добела копии тут же посыпались на пол. В пещере и так уже было тесно; Рон, Гермиона и двое гоблинов отскочили, вопя от боли и налетая на другие предметы, которые тоже начали множиться. Злосчастные взломщики кричали и барахтались в прибывающей лавине раскаленных сокровищ. Гарри подцепил клинком ручку чаши.

— *Импервиус!* — взвизгнула Гермиона в отчаянной попытке защитить себя, Рона и гоблинов от обжигающего металла.

Новый крик, еще ужаснее прежних, отвлек внимание Гарри. Он оглянулся — Рон и Гермиона еще стояли по пояс в сокровищах, держа за руки Богрода, а Крюкохвата уже засыпало с головой, торчали только кончики длинных пальцев.

Гарри вцепился в эти пальцы и рванул. Обожженный гоблин с воем показался из-под завала.

— *Либеракорпус!* — заорал Гарри.

Они с Крюкохватом грохнулись на растущую гору сокровищ, и меч вылетел из руки Гарри.

— Держи! — завопил Гарри, еле выдерживая боль от ожогов и тяжесть Крюкохвата, который снова полез к нему на плечи, спасаясь от раскаленного металла. — Где меч? На нем чаша!

Звяканье за дверью стало уже оглушительным. Поздно, слишком поздно...

— Есть!

Крюкохват первым заметил меч и прыгнул. В эту секунду Гарри понял, что гоблин с самого начала не верил, что они сдержат слово. Ухватив Гарри одной рукой за волосы, чтобы не свалиться в бурное море обжигающего золота, Крюкохват поймал рукоять и поднял меч высоко над головой Гарри.

Золотая чаша сорвалась с клинка и взлетела в воздух. Гарри с гоблином на плечах нырнул за ней и успел-таки схватить. Она обожгла ему руки до мяса, но Гарри не выпустил ее, хотя сверху на него посыпались бесчисленные сверкающие чаши. Дверь сейфа распахнулась, лавина пышущего жаром золота и серебра вынесла Гарри, Рона и Гермиону во внешнюю пещеру.

Почти не чувствуя боли от ожогов, Гарри сунул чашу в карман и потянулся за мечом, но Крюкохвата уже и след простыл. Гоблин при первой возможности соскочил со спины Гарри и кинулся удирать, размахивая клинком и вопя: «Караул! Грабят! Караул!» Он мигом скрылся в толпе своих соплеменников, которые были все до одного вооружены кинжалами и поверили ему без колебаний.

Оскальзываясь на раскаленном металле, Гарри поднялся на ноги и понял, что нужно прорываться.

— *Остолбеней!* — прокричал он.

Рон и Гермиона подхватили. Струи красного огня полетели в толпу. Несколько гоблинов повалились на пол, зато другие хлынули вперед. Из-за угла выбежали несколько волшебников.

Прикованный дракон взревел, и над головами гоблинов прошелся огненный вихрь. Волшебники, пригибаясь, умчались, откуда пришли. Гарри охватило вдохновение, а может, безумие. Он направил волшебную палочку на железные ножные кандалы огромного зверя:

— *Релашио!*

Кандалы со стуком упали.

— За мной! — Гарри бросился к слепому дракону, на бегу посылая Оглушающие заклятия в толпу гоблинов.

— Гарри, Гарри, что ты делаешь? — кричала Гермиона.

— Давайте, залезайте, скорее!

Дракон еще не понял, что наконец-то свободен. Гарри наступил на сгиб его задней лапы и, подтянувшись, забросил себя на спину зверя. Чешуя была тверже стали, дракон, кажется, его даже не почувствовал. Гермиона вскарабкалась следом за Гарри. За ней залез Рон. Еще секунда — и до дракона дошло, что он больше не привязан.

Он с ревом поднялся на дыбы. Гарри изо всех сил уперся коленями, цепляясь за неровную чешую. Развернулись крылья, сшибая визжащих гоблинов, точно кегли. Дракон взмыл в воздух. Гарри, Рон и Гермиона распластались у него на спине, чтобы не задеть о потолок. Дракон метнулся к выходу в туннель. Гоблины с воплями швыряли в него кинжалы, но оружие отскакивало от бронированных боков.

— Не пролезем, он слишком большой! — закричала Гермиона, и тут дракон распахнул пасть и снова дохнул огнем, круша стены и потолок туннеля.

Дракон всей своей мощью протискивался в дыру. Гарри зажмурился от жара и пыли. Он чуть не оглох от грохота камней и рева дракона и только цеплялся из последних сил, каждую секунду ожидая, что сейчас свалится на пол. Вдруг он услышал голос Гермионы:

— *Дефодио!*

Гермиона помогала зверю расширять отверстие туннеля.

Дракон рвался вверх, к свежему воздуху, прочь от вопящих и лязгающих гоблинов. Гарри и Рон стали помогать Гермионе, разбивая потолок на куски заклинаниями Долота.

Они миновали подземное озеро, и громадный рычащий зверь словно почуял впереди свободу. Он замолотил шипастым хвостом, сзади рушились гигантские сталактиты, крики гоблинов и лязг металла затихали вдали. Дракон расчищал себе дорогу огнем...

Наконец соединенными усилиями заклинаний и драконьей мощи они проломились из туннеля в мраморный зал. Люди и гоблины шарахнулись в разные стороны. Здесь дракон смог как следует расправить крылья. Он повернул рогатую голову ко входу, на запах свежего воздуха, и взлетел. Неся на спине Гарри, Рона и Гермиону, он сорвал с петель металлические двери, вывалился в Косой переулок и поднялся в небо.

Глава 27
ПОСЛЕДНИЙ ТАЙНИК

Управлять драконом было невозможно. Он не видел, куда летит, и Гарри понимал, что, если дракон вдруг перекувырнется в воздухе, им не удержаться на его широкой спине. И все-таки Гарри был ему бесконечно благодарен за чудесное спасение.

Дракон взлетал все выше. Лондон расстилался внизу, словно серо-зеленая карта. Гарри припал к шее зверя, цепляясь за твердые, как металл, чешуи. Ветер приятно холодил обожженную кожу, крылья дракона размеренно бились позади, как лопасти ветряной мельницы. Рон ругался во все горло, то ли от восторга, то ли от страха, а Гермиона тихонько всхлипывала.

Минут через пять Гарри перестал бояться, что дракон их сбросит. Зверю, похоже, хотелось только одного — убраться подальше от своей подземной тюрьмы. Правда, оставался вопрос: как им спуститься на землю? Гарри понятия не имел, как долго могут драконы держаться в воздухе и каким образом этот слепой дракон будет выбирать удобное место для посадки. Гарри оглядывался по сторонам, ему мерещилось, что шрам опять покалывает.

Сколько времени пройдет, пока Волан-де-Морту станет известно, что они взломали сейф Лестрейнджей? Скоро, наверное, гринготтские гоблины известят Беллатрису. А когда выяснится, что пропала именно золотая чаша, Волан-де-Морт поймет наконец, что они охотятся за крестражами...

Дракону, как видно, хотелось туда, где похолоднее и посвежее. Он поднимался вверх, вокруг заклубились промозглые облака, и Гарри уже не различал крошечные точки автомобилей на шоссе, ведущих из столицы. Они летели над сельской местностью в зеленых и коричневых заплатках, над реками и дорогами, которые вились внизу то блестящими, то матовыми лентами. Они летели на север.

— Как вы думаете, чего он ищет? — прокричал Рон.

— Без понятия! — крикнул Гарри в ответ.

Руки у него закоченели от холода, но он не решался ослабить хватку. Уже какое-то время назад ему пришло в голову: а что они станут делать, если внизу покажется побережье и дракон направится в открытое море? Гарри замерз, руки и ноги онемели. Ко всему прочему, он ужасно проголодался и умирал от жажды. Интересно, а когда дракон в последний раз ел? Надо думать, ему скоро захочется подкрепиться. А если он вдруг заметит, что на спине у него сидят трое вполне съедобных человечков?

Небо стало густо-синим, цвета индиго. Солнце опускалось ниже, а дракон все летел и летел. Внизу проплывали большие и малые города, громадная тень скользила по земле, словно темная туча. У Гарри все болело, он с трудом цеплялся за чешую.

— Мне показалось или мы снижаемся? — крикнул Рон после довольно долгой паузы.

Гарри посмотрел вниз и увидел темно-зеленые склоны гор и озера, отливающие медью в лучах заката. Пейзаж как будто приблизился и стал более подробным. Возможно, дракон понял по блеску, что здесь есть вода.

Он снижался, описывая широкие круги. Похоже, дракон нацелился на одно из озер поменьше.

Гарри крикнул:

— Прыгайте, когда я скажу! Прямо в воду, пока он нас не заметил!

Друзья согласились; голос Гермионы прозвучал довольно слабо. Гарри уже видел в воде искаженное рябью отражение огромного желтоватого брюха.

— ПРЫГАЙ!

Гарри сполз по чешуйчатому боку и полетел, ногами вперед, прямо в озеро. Прыгать оказалось выше, чем он рассчитывал. Гарри сильно ударился о воду и камнем ушел в глубину ледяного, зеленого, заросшего тростниками мира. Он оттолкнулся ногами, вынырнул, задыхаясь, и увидел круги, расходящиеся в том месте, где упали Рон и Гермиона. Дракон как будто ничего не заметил. Он был уже футах в пятидесяти от них — летел на бреющем полете, зачерпывая воду пастью. Когда Рон и Гермиона, пыхтя и отплевываясь, показались на поверхности, дракон взвился вверх и полетел дальше, тяжело взмахивая крыльями. В конце концов он приземлился на противоположном берегу озера.

Гарри, Рон и Гермиона направились к ближнему берегу. Озеро было неглубоким, приходилось не столько плыть, сколько продираться через ил и тростники. Наконец мокрые, запыхавшиеся, измученные, они повалились на скользкую траву.

Гермиона заходилась кашлем и вся дрожала. Гарри сейчас с удовольствием лег бы и заснул, но он заставил себя встать, вытащил волшебную палочку и начал наводить все положенные защитные заклинания.

Закончив, он подошел к Рону и Гермионе. Гарри в первый раз после бегства из банка хорошенько их рассмотрел. Лица и руки у обоих были в ярко-красных ожогах и волдырях, одежда местами прогорела насквозь. Они морщились, смазывая многочисленные раны снадобьем из бадьяна. Гермиона протянула Гарри пузырек с лекарством и достала из сумочки три бутылки тыквенного сока и чистую сухую одежду — все это она захватила из коттеджа «Ракушка». Они переоделись и дружно принялись за сок.

— Ну что, — подвел итоги Рон, глядя, как восстанавливается кожа на руках, — в плюсе у нас — крестраж. В минусе...

— Остались без меча, — сквозь зубы закончил за него Гарри, капая бадьяном на ожог сквозь дыру в джинсах.

— Остались без меча, — повторил Рон. — Ух, и хитрый поганец...

Гарри вытащил крестраж из кармана сброшенной мокрой куртки и поставил перед собой на траву. Сверкающая на солнце чаша притягивала взгляд. Все трое сидели и смотрели на нее, прихлебывая тыквенный сок.

— По крайней мере, на шею это не повесишь, — заметил Рон, утирая рот тыльной стороной ладони.

Гермиона взглянула через озеро. Дракон все еще пил воду на дальнем берегу.

— Как вы думаете, с ним все будет хорошо? — спросила она.

— Ты прямо как Хагрид! — фыркнул Рон. — Это же дракон, Гермиона! Уж как-нибудь он о себе позаботится. Ты лучше о нас беспокойся.

— А что?

— Не знаю даже, как тебе сказать, — отозвался Рон. — Понимаешь, кто-нибудь мог заметить, что мы ограбили «Гринготтс»!

Все трое покатились со смеху и никак не могли остановиться. У Гарри ныли ребра, голова кружилась от голода, но он лежал на траве под пламенеющим закатным небом и хохотал, пока в горле не заболело.

— А все-таки, что нам делать? — спросила, проикавшись, Гермиона. — Он ведь теперь понял. Сами-Знаете-Кто наверняка понял, что мы знаем о крестражах!

— Может, они побоятся ему рассказывать? — с надеждой сказал Рон. — Отговорятся как-нибудь...

Небо, запах озерной воды, звук голоса Рона — все исчезло. Боль полоснула Гарри голову, словно удар меча. Он стоял в слабо освещенной комнате, напротив застыли полукругом волшебники, а на полу у ног скорчилась жалкая, дрожащая фигурка.

— Что ты сказал? — Голос был высокий и холодный, а внутри бушевали ярость и страх. То единственное, чего он боялся... Да может ли это быть? Он не понимал, как такое могло случиться.

Гоблин трясся, не в силах посмотреть в его багровые глаза.

— Повтори! — прошептал Волан-де-Морт. — *Повтори!*

— М-мой господин, — залепетал гоблин, запинаясь и таращa черные глаза, полные ужаса. — М-мой господин... мы ст-тарались ост-тановить об-обманщиков... они... ог-грабили... сейф... Лестрейнджей...

— Обманщики? Какие обманщики? Я полагал, что в «Гринготтсе» умеют разоблачить любой обман! Кто это был?

— Это были... это были... м-мальчишка П-поттер и двое... двое сообщников...

— И что они взяли? — Голос сделался пронзительным. Его охватил ледяной страх. — Что они взяли?! Говори!

— М-маленькую... золотую ч-чашу... м-мой господин...

Он словно со стороны услышал свой бешеный крик — крик неверия и ярости. Он обезумел от злобы — неправда, не может быть, никто не знал об этом! Как мог мальчишка открыть его тайну?

Бузинная палочка хлестнула воздух. Комнату озарила вспышка зеленого света. Стоявший на коленях гоблин повалился на бок — мертвый. Волшебники в страхе кинулись кто куда. Беллатриса и Люциус Малфой расшвыривали всех, прорываясь к двери. Снова и снова взлетала Бузинная палочка, и те, кто не успел убежать, были убиты, все до одного, за эту ужасную новость, за известие о золотой чаше...

Он метался взад и вперед среди мертвецов. Перед ним проходили видения: его бесценные сокровища, его хранители, якоря, которыми он держался за бессмертие. Дневник уничтожен, чаша украдена. Что, если... Что, если мальчишка знает об остальных? Неужели он знает, неужели он действует, неужели он уже обнаружил другие? Уж не кроется ли за этим Дамблдор? Дамблдор, который всегда его подозревал, который умер по его приказу, чья палочка была теперь его, все-таки дотянулся из забвения — через мальчишку...

Но если бы мальчишка уничтожил один из крестражей, он, лорд Волан-де-Морт, несомненно, узнал бы об этом! Он, величайший среди волшебников, он, самый могущественный из всех, он, убивший Дамблдора и множество других никчемных, безымянных людишек, как он мог не заметить, если его самого, любимого и несравненного, кто-то ранил, изувечил?

Правда, когда погибал дневник, он ничего не почувствовал. Он объяснял это тем, что был тогда лишен тела — меньше чем призрак... Нет, остальные крестражи в безопасности... Их никто не касался...

И все же он должен проверить, должен убедиться... Он пинком отшвырнул с дороги труп гоблина. В его воспаленном мозгу роились образы: озеро, лачуга, Хогвартс...

Ярость его немного поутихла. Откуда мальчишке знать, что он спрятал перстень в лачуге Мраксов? Никто не подозревает о его родстве с ними, он скрыл все следы, никто не связал его с убийствами. Кольцо, безусловно, в безопасности.

А откуда знать мальчишке или кому угодно другому о том, что хранится в пещере? Кто мог бы преодолеть ее защиту? Нелепо даже думать, что медальон могли похитить!

Что касается школы... Только он один знает, где в Хогвартсе срятан крестраж, ведь только он один сумел проникнуть в самые глубокие тайны замка...

К тому же есть еще Нагайна. Теперь она всегда должна быть при нем. Нельзя больше посылать ее с поручениями, пусть остается под его защитой...

Но для полной уверенности нужно посетить каждый из тайников, удвоить защитные чары... И сделать это он должен один — так же как добывал Бузинную палочку.

Какой из тайников проверить первым? Которому угрожает наибольшая опасность? В нем шевельнулся застарелый страх. Дамблдор знал его второе имя... Дамблдор мог догадаться о его родстве с Мраксами... Их брошенный дом, пожалуй, самое ненадежное убежище. Туда нужно наведаться прежде всего...

Озеро? Нет, невозможно! Впрочем, есть малая доля вероятности, что Дамблдор разнюхал в приюте кое-какие его прошлые грешки.

И наконец, Хогвартс... Но тот крестраж в безопасности, Поттер не может незамеченным появиться в Хогсмиде. А все-таки имеет смысл предупредить Снегга, что мальчишка может попытаться вновь проникнуть в замок... Разумеется, было бы глупо открыть Снеггу причину. Довериться Беллатрисе и Малфою было серьезной ошибкой. Они глупы и легкомысленны, на них ни в коем случае нельзя было полагаться.

Стало быть, прежде всего он побывает в лачуге Мраксов и Нагайну возьмет с собой. Теперь уж он с ней не расстанется...

Он вышел из комнаты, пересек просторную прихожую и вступил в темный сад, где плескал фонтан. Он позвал на змеином языке, и Нагайна приползла к нему, тенью скользнув по траве...

Гарри распахнул глаза, рывком возвращаясь в настоящее. Он лежал на берегу озера, в небе низко стояло заходящее солнце. Рон и Гермиона смотрели на Гарри. Судя по их встревоженным лицам и по дергающей боли в шраме, его внезапная отлучка в сознание Волан-де-Морта не прошла незамеченной. Гарри сел, дрожа, и смутно удивился, что все еще мокрый до костей. Перед ним на траве валялась чаша, такая безобидная с виду. Темно-синяя вода в озере искрилась золотом в лучах заходящего солнца.

— Он знает. — Собственный голос показался ему чужим и странно тихим после пронзительных криков Волан-де-Морта. — Он знает и решил проверить остальные крестражи, а последний из них, — Гарри был уже на ногах, — находится в Хогвартсе. Я знал, я так и знал!

— Что?

Рон таращил глаза, перепуганная Гермиона привстала на колени.

— Что ты видел? Откуда ты знаешь?

— Я видел, как он узнал про чашу. Я... я был в его голове, а он... — Гарри вспомнил об убийствах. — Он здорово разозлился и струсил к тому же, он не может понять, откуда мы узнали, и теперь он собрался проверить, целы ли другие крестражи, и в первую очередь — перстень. Он думает, что хогвартский тайник — самый надежный, потому что там Снегг и очень трудно пробраться туда незаметно. Я думаю, его он проверит последним, но все равно он может туда явиться уже через несколько часов...

— А ты видел, где этот хогвартский тайник? — спросил Рон, тоже вскакивая на ноги.

— Нет, он сосредоточился на том, чтобы предупредить Снегга, и не думал, в каком точно месте...

— Стойте, стойте! — вскрикнула Гермиона, увидев, что Рон подхватил крестраж, а Гарри вытащил мантию-невидимку. — Нельзя же вот так сразу, нужно составить план...

— Нужно туда попасть как можно скорее, — твердо сказал Гарри.

Он так надеялся выспаться! Просто мечтал о том, как они заберутся в новую палатку, но теперь было не до того.

— Ты представляешь себе, что он сделает, когда поймет, что перстень и медальон пропали? Вдруг он захочет перепрятать хогвартский крестраж? Решит, что там все-таки недостаточно надежно!

— А как же мы туда попадем?

— Сначала переместимся в Хогсмид, — ответил Гарри, — а там что-нибудь придумаем. Нужно посмотреть, какая вокруг школы защита. Давай под мантию, Гермиона! На этот раз будем держаться все вместе.

— Не поместимся...

— Там уже темно, никто наши ноги не заметит.

Над черной водой захлопали огромные крылья — дракон наконец напился и взлетел. Трое друзей бросили свои приготовления и провожали взглядом черный силуэт на фоне быстро темнеющего неба, пока он не пропал за ближайшей горой.

Гермиона встала между Гарри и Роном. Гарри как мог натянул на всех троих мантию, и они все разом повернулись на месте, проваливаясь в давящую тьму.

Глава 28

ПРОПАВШЕЕ ЗЕРКАЛО

Ноги Гарри коснулись дороги. Он увидел до боли знакомую Главную улицу в Хогсмиде: темные витрины магазинов, черные силуэты гор за деревней, а впереди — поворот дороги, ведущей в Хогвартс. Из окон «Трех метел» пробивался свет. Сердце Гарри болезненно сжалось: он вспомнил с мучительной точностью, как приземлился здесь почти год назад, поддерживая безнадежно слабеющего Дамблдора — все это промелькнуло перед ним за один миг приземления, — и тут, не успел он выпустить руки Рона и Гермионы...

Воздух разорвал вопль, похожий на тот, что издал Волан-де-Морт, когда понял, что чаша похищена. Каждая жилка у Гарри затрепетала. Он мгновенно понял, что вопль этот вызван их появлением. Он переглянулся с друзьями под мантией, и в ту же минуту дверь «Трех метел» распахнулась, выплеснув на улицу с десяток Пожирателей смерти в плащах с капюшонами и с волшебными палочками наготове.

Рон поднял палочку. Гарри успел перехватить его руку. Врагов слишком много для Оглушающего заклятия, а попытка сразу выдала бы их. Один из Пожирателей смерти взмахнул палочкой, и вопль прекратился. Лишь эхо продолжало отзываться в дальних горах.

— *Акцио, мантия!* — проревел Пожиратель.

Гарри крепко вцепился в ее складки, однако мантия и не пыталась ускользнуть: Манящие чары на нее не действовали.

— Что, без покрышки нынче, а, Поттер? — выкрикнул тот, что пробовал чары, и продолжил, обращаясь к своим товарищам: — Вперед! Он где-то здесь.

Шестеро Пожирателей смерти бежали прямо на них: Гарри, Рон и Гермиона поспешно отступили в ближайший переулок, и преследователи пронеслись в двух шагах от них. Трое друзей ждали в темноте, прислушиваясь к топоту то приближающихся, то удаляющихся ног, жмурясь от лучей света, пронизывавших переулок, пока Пожиратели смерти обшаривали его лучами волшебных палочек.

— Бежим отсюда! — прошептала Гермиона. — Трансгрессируем сию минуту!

— Отличная мысль, — сказал Рон.

Не успел Гарри ответить, как раздался возглас одного из Пожирателей смерти:

— Мы знаем, что ты здесь, Поттер, сбежать тебе не удастся! Мы тебя найдем!

— Они подготовились к нашему приходу, — прошептал Гарри. — Установили специальные чары, оповестившие, что мы здесь. Я думаю, они позаботились и о том, чтобы мы отсюда не ушли.

— Как насчет дементоров? — спросил другой Пожиратель. — Давайте выпустим их, они мигом отыщут мальчишку!

— Темный Лорд хочет убить мальчишку своими руками...

— Так дементоры его и не убьют! Темному Лорду нужна жизнь Поттера, а не его душа. А убить его будет только легче после поцелуя!

Раздался гул одобрения. Гарри похолодел: чтобы отразить дементоров, нужно вызвать Патронусов, а это выдаст их в ту же секунду.

— Надо попытаться трансгрессировать, Гарри! — шепнула Гермиона.

Но в ту же минуту Гарри почувствовал стелющийся по улице неестественный холод. Вдруг стало совсем темно, и даже звезды погасли. В сгустившемся мраке

Гарри почувствовал, как Гермиона ухватилась за его руку. Вместе они обернулись.

Воздух, через который им предстояло лететь, словно загустел. Трансгрессировать было невозможно. Пожиратели смерти хорошо рассчитали свои чары. Холод все сильнее пронизывал Гарри. Вместе с Роном и Гермионой он вернулся в переулок, крадясь вдоль стены, стараясь не издать ни звука. И вот из-за угла показались бесшумно скользящие дементоры, не меньше дюжины; их было видно потому, что их чернота была гуще окружающей тьмы. За их спинами развевались черные мантии, виднелись покрытые гнойными струпьями руки. Чуют ли они страх вблизи от себя? Гарри был уверен, что да: теперь они двигались быстрее, шумно втягивая воздух — как он ненавидел эти звуки! — вынюхивая страх, надвигаясь...

Он поднял волшебную палочку: поцелуй дементора его не коснется, что бы там ни было потом! Гарри думал о Роне и Гермионе, когда шептал:

— *Экспекто патронум!*

Серебряный олень вырвался из его палочки и взмыл в воздух. Дементоры бросились врассыпную, а откуда-то из мрака раздался торжествующий вопль:

— Это он, вон там, там, я видел его Патронуса, это олень!

Дементоры отступили, в небе снова загорелись звезды, а шаги Пожирателей смерти стали громче. Гарри в панике не знал, на что решиться, как вдруг позади громыхнул засов, одна из дверей на левой стороне переулка отворилась, и грубый голос сказал:

— Поттер, сюда, скорее!

Гарри без колебаний повиновался. Втроем они протиснулись в приоткрытую дверь.

— Идите наверх, мантию не снимать, тихо! — проговорил высокий человек, проходя мимо них на улицу и захлопывая за собой дверь.

Гарри не сразу сообразил, куда они попали, но сейчас, в тусклом свете единственной свечи, разглядел неопрятный, засыпанный опилками зал в «Кабаньей голове». Ребята бросились за стойку, ко второй двери, за которой вела наверх скрипучая деревянная лестница. Со всех ног взбежав по ней, они оказались в гостиной с потертым ковром и камином, над которым висела большая картина маслом — портрет светловолосой девочки, глядевшей в пространство рассеянными ласковыми глазами.

Снизу, с улицы, послышались громкие голоса. Не снимая мантии-невидимки, они подползли к запыленному окну и поглядели вниз. Их спаситель, в котором Гарри узнал теперь владельца «Кабаньей головы», был единственной фигурой без капюшона.

— И что? — выкрикивал он в одно из закрытых капюшонами лиц. — И что? Вы посылаете дементоров в мой переулок. Я и еще раз Патронуса на них напущу! Я не потерплю их рядом с собой, слышите? Не потерплю!

— Это был не твой Патронус! — ответил Пожиратель смерти. — Это был олень — Патронус Поттера!

— Олень! — проревел трактирщик, доставая волшебную палочку. — Олень, как же, кретин ты этакий. *Экспекто патронум!*

Из палочки вырвалось что-то огромное и рогатое, сломя голову пронеслось по направлению к Главной улице и скрылось из виду.

— Нет, тот был другой... — проговорил Пожиратель смерти неуверенно.

— Кто-то нарушил комендантский час, ты ведь слышал, какой поднялся вой, — сказал один из его товарищей, обращаясь к трактирщику. — Кто-то вышел на улицу, несмотря на запрет...

— Если мне нужно выпустить на улицу кошку, я ее выпущу, и плевать мне на ваш комендантский час.

— Так это *ты* запустил Воющие чары?

— А если и я? Вы отправите меня в Азкабан? Казните за то, что я высунул нос из-за собственной двери? Давайте, приступайте, раз вам так неймется. Я только надеюсь ради вашего же блага, что вы еще не похватались за свои Черные Метки и не вызвали его. Ему не понравится, что его гоняют туда-сюда ради меня и моей старой кошки, а, как вы думаете?

— За нас не беспокойся! — сказал один из Пожирателей смерти. — Побеспокойся лучше о себе, нарушитель комендантского часа!

— И где же вы станете сбывать свои зелья и отравы, если мой трактир закроется? Что станется с вашим приработком?

— Ты нам угрожаешь?

— Я держу язык за зубами, поэтому вы сюда и приходите, правда?

— А все-таки я видел Патронуса-оленя! — громко заявил первый Пожиратель смерти.

— Оленя? — просипел трактирщик. — Это *козел*, кретин!

— Ладно, мы обознались, — сказал второй Пожиратель смерти. — Попробуй только еще раз нарушить комендантский час — уж тогда ты так легко не отделаешься!

И Пожиратели смерти зашагали обратно к Главной улице. Гермиона даже застонала от облегчения, выбралась из-под мантии и села на колченогий стул. Гарри поплотнее задернул занавески и сбросил мантию с себя и Рона. Они слышали, как трактирщик внизу задвигает засов, потом ступеньки заскрипели под его шагами.

Гарри вдруг бросился в глаза предмет на каминной полке: маленькое прямоугольное зеркало, стоявшее прямо под портретом девочки.

Трактирщик вошел в комнату.

— Идиоты безмозглые! — сказал он сердито, переводя взгляд с одного на другого. — Зачем вас сюда принесло?

— Спасибо, — ответил Гарри. — Нет слов, чтобы выразить нашу благодарность. Вы спасли нам жизнь.

Трактирщик фыркнул. Гарри подошел к нему, глядя прямо в лицо и стараясь мысленно отвлечься от длинных спутанных седых волос и бороды. Очки. Глаза за помутневшими линзами светились пронзительной, яркой синевой.

— Это ваш глаз я видел в зеркале.

В комнате стало тихо. Гарри и трактирщик глядели друг на друга.

— Вы послали Добби.

Трактирщик кивнул и поискал глазами эльфа.

— Я думал, он с вами. Где вы его оставили?

— Он погиб, — сказал Гарри. — Беллатриса Лестрейндж убила его.

Ни одна черточка не двинулась в лице трактирщика. Несколько мгновений он молчал, потом проговорил:

— Жаль. Мне нравился этот эльф.

Он отвернулся и стал зажигать лампы взмахами волшебной палочки, не глядя на своих гостей.

— Вы — Аберфорт, — произнес Гарри ему в спину.

Трактирщик не ответил. Нагнувшись, он зажигал огонь в камине.

— Откуда это у вас? — спросил Гарри, подходя к зеркалу Сириуса, двойнику того, что он разбил два года назад.

— Купил у Наземникуса с год назад, — ответил Аберфорт. — Альбус объяснил мне, что это такое. Я старался приглядывать за вами.

Рон ахнул.

— Серебряная лань! — взволнованно воскликнул он. — Это тоже были вы?

— О чем ты говоришь? — спросил Аберфорт.

— Кто-то послал нам Патронуса-лань.

— С такими мозгами тебе только в Пожиратели смерти идти, сынок. Ты что, не видел пять минут назад, что мой Патронус — козел?

— М-м... — произнес Рон. — Да... Очень есть хочется, — добавил он обиженно, и в животе у него страшно заурчало.

— Еда у меня есть, — сказал Аберфорт и вышел из комнаты, чтобы минуту спустя вернуться с буханкой хлеба, сыром и оловянным кувшином медовухи. Все это он расставил на столике у камина. Оголодавшие ребята набросились на еду, и некоторое время слышно было только потрескивание дров в камине, звон кубков и звук жующих челюстей.

— Ну что ж, — сказал Аберфорт, когда все наелись и Гарри с Роном сонно откинулись на спинки стульев. — Теперь надо подумать, как вам лучше выбраться отсюда. Ночью это сделать невозможно — вы сами слышали, что происходит, если кто-то высовывается на улицу с наступлением темноты: включены Воющие чары, так что эти ребята вас схамкают, как лукотрусы — яйца докси. Боюсь, что второй раз выдать оленя за козла мне не удастся. Дождитесь рассвета, когда снимут комендантский час, и тогда вы сможете потихоньку уйти под мантией. Поскорее выбирайтесь из Хогсмида, идите наверх, в горы — оттуда вы сможете трансгрессировать. Авось и

Хагрида встретите — он прячется там в пещере вместе с Гроххом с того самого дня, как его пытались арестовать.

— Мы не собираемся уходить, — сказал Гарри. — Нам нужно проникнуть в Хогвартс.

— Не дури, парень, — откликнулся Аберфорт.

— Мы должны это сделать, — пояснил Гарри.

— Если вы что и должны, — Аберфорт наклонился вперед на своем стуле, — так это драпать отсюда как можно дальше.

— Вы не понимаете. Времени уже нет. Нам нужно проникнуть в замок. Дамблдор, то есть ваш брат, хотел, чтобы мы...

Отблеск пламени на мгновение заслепил мутные линзы в очках Аберфорта, они полыхнули яркой непроницаемой белизной, и Гарри вспомнил незрячие глаза гигантского паука Арагога.

— Мой брат Альбус много чего хотел, — сказал Аберфорт, — и, как правило, люди страдали ради исполнения его великих задач. Держись подальше от этой школы, Поттер, а по возможности и вовсе уезжай из страны. Забудь моего брата и его умные планы. Он ушел туда, где ему уже ничто не причинит огорчений, и ты ему ничего не должен.

— Вы не понимаете, — повторил Гарри.

— Да? — спокойно переспросил Аберфорт. — Ты думаешь, я не понимал родного брата? Думаешь, ты знал Альбуса лучше, чем я?

— Вовсе нет, — сказал Гарри. Мозг его работал с трудом от усталости и от обильной еды и вина. — Просто... он поручил мне одно дело.

— Да неужели? — откликнулся Аберфорт. — Хорошее дело, надеюсь? Приятное? Легкое? Такое, что его можно поручить еще не кончившим школу волшебства детишкам и они с ним справятся, не надрываясь?

Рон мрачновато хмыкнул. Гермионе было явно не по себе.

— Я... Нет, оно не легкое, — сказал Гарри. — Но я должен...

— «Должен»? Почему «должен»? Его ведь нет в живых, так? — резко произнес Аберфорт. — Бросай это, парень, пока и с тобой не случилось того же! Спасайся!

— Не могу.

— Почему?

— Я... — Гарри растерялся. Объяснить он не мог, поэтому перешел в наступление. — Но вы ведь и сами участвуете в борьбе, вы — член Ордена Феникса...

— Я им был, — ответил Аберфорт. — Ордена Феникса больше нет. Сам-Знаешь-Кто победил, борьба окончена, а кто говорит иначе — сам себя обманывает. Тебе здесь покоя не будет, Поттер, ему слишком хочется до тебя добраться. Поэтому уезжай за границу, спрячься, спасайся! И этих двоих лучше возьми с собой. — Он указал большим пальцем на Рона и Гермиону. — Они не будут здесь в безопасности до самой смерти, ведь теперь все знают, что они работали с тобой...

— Я не могу, — сказал Гарри. — У меня здесь дело...

— Поручи его кому-нибудь другому!

— Не могу. Это могу сделать только я, Дамблдор объяснил...

— Вот как? Он действительно объяснил тебе все, он был честен с тобой?

Гарри всем сердцем хотел ответить «да», но почему-то это простое слово не желало сходить с его губ. Аберфорт, похоже, угадал его мысли.

— Я хорошо знал своего брата, Поттер. Он научился скрывать и утаивать еще на руках нашей матери. Утайки и ложь — мы выросли на этом, и Альбус... у него был природный талант.

Глаза старика скользнули к картине над каминной полкой. Гарри заметил теперь, что это единственный портрет в комнате. Ни фотографии Альбуса, ни еще чьей-нибудь здесь не было.

— Мистер Дамблдор, — робко спросила Гермиона, — это ваша сестра? Ариана?

— Да, — отрезал Аберфорт. — Вы, видно, начитались Риты Скитер, мисс?

Даже в красноватых отблесках огня видно было, как залилась краской Гермиона.

— Мы слышали о ней от Элфиаса Дожа, — сказал Гарри, пытаясь выгородить подругу.

— Старый дурак! — буркнул Аберфорт, прихлебывая медовуху. — Всерьез верил, что мой братец весь так и лучился светом! Что ж, он не один такой, вот и вы трое в это верили, судя по всему.

Гарри молчал. Ему не хотелось выказывать сомнения и неуверенность, терзавшие его в последние месяцы по поводу Дамблдора. Свой выбор он сделал, когда копал могилу для Добби. Он решил идти дальше по извилистой, опасной тропе, указанной Альбусом Дамблдором, смириться с тем, что ему сказали не все, что он хотел знать, решил не проверять, а просто верить. Ему не нужны были новые сомнения, он не желал слышать ничего, что могло отвлечь его от цели. Он встретил взгляд Аберфорта, так разительно сходный с взглядом его брата: ярко-синие глаза словно рентгеновскими лучами пронизывали собеседника, и Гарри казалось, что Аберфорт читает его мысли и презирает за них.

— Профессор Дамблдор очень любил Гарри, — тихо сказала Гермиона.

— Вот как? — откликнулся Аберфорт. — Забавно, большинство из тех, кого мой брат очень любил, кончили хуже, чем если бы ему вовсе не было до них дела.

— Что вы хотите этим сказать? — выдохнула Гермиона.

— Не обращайте внимания, — ответил Аберфорт.

— Но вы говорите очень серьезные вещи! — не отступала Гермиона. — Вы имеете в виду вашу сестру?

Аберфорт уставился на нее. Несколько секунд губы его шевелились, словно он пережевывал слова, которые хотел проглотить. Потом он заговорил:

— Когда моей сестре было шесть лет, на нее напали трое магловских мальчишек. Они увидели, как она колдует — подглядели через садовую изгородь. Она ведь была ребенком и не умела еще это контролировать — ни один волшебник в этом возрасте не умеет. То, что они увидели, их, надо думать, испугало. Они перебрались через изгородь, а когда она не смогла показать им, в чем тут фокус, маленько увлеклись, пытаясь заставить маленькую ведьму прекратить свои странные дела.

Глаза Гермионы расширились. По виду Рона похоже было, что его мутит. Аберфорт поднялся во весь рост, высокий, как и Альбус. Он стал вдруг страшен в своей ярости и безысходной боли.

— То, что они сделали, сломало ее: она никогда уже не оправилась. Она не хотела пользоваться волшебством, но не могла от него избавиться. Оно повернулось внутрь и сводило ее с ума, порой вырываясь помимо ее воли. Тогда она бывала странной... и опасной. Но по большей части она была ласковой, испуганной и покорной.

Мой отец погнался за подонками, погубившими Ариану, и наказал их. Его заточили в Азкабан. Он так и не признался, что заставило его пойти на это, — ведь если бы Министерство узнало, что сталось с Арианой, ее бы навсегда заперли в больнице святого Мунго. В ней увидели бы серьезную угрозу для Международного статута о секретности, поскольку она не владела собой и волшебство невольно вырывалось из нее, когда она не могла больше сдерживаться.

Нам нужно было спасать и укрывать ее. Мы переехали и распустили слух, что она больна. Мама ходила за ней и старалась, чтобы девочке жилось хорошо и спокойно.

Меня Ариана любила больше всех. — При этих словах за морщинами и клочковатой бородой Аберфорта вдруг проступил чумазый подросток. — Не Альбуса — он, когда бывал дома, вечно сидел у себя в комнате, обложившись книгами и наградными дипломами и поддерживая переписку с «самыми знаменитыми волшебниками того времени». — Аберфорт фыркнул. — Ему некогда было с ней возиться. А я был ее любимцем. Я мог уговорить ее поесть, когда у мамы это не получалось. Я умел успокоить ее, когда на нее находили приступы ярости, а в спокойном состоянии она помогала мне кормить коз.

А потом, когда ей было четырнадцать... понимаете, меня не было дома. Будь я дома, я бы ее успокоил. На нее накатил очередной приступ ярости, а мама была уже не так молода, и... это был несчастный случай. Ариана сделала это не нарочно. Но мама погибла.

Гарри испытывал мучительную смесь жалости и отвращения. Он не хотел больше ничего слышать, но Аберфорт продолжал рассказывать, и Гарри спросил себя, когда старик в последний раз говорил об этом, и говорил ли он об этом вообще когда-нибудь.

— Так Альбусу не удалось отправиться в кругосветное путешествие с Элфиасом Дожем. Они вместе приехали на мамины похороны, а потом Дож уехал, а Альбус остался дома главой семьи. Ха! — Аберфорт сплюнул в огонь. — Я бы за ней присмотрел, я ему так и сказал, наплевать мне на школу, я бы остался дома и справился со всем. Но он заявил, что я должен закончить образование, а он займет место матери. Конечно, это было крупное понижение для нашего вундеркинда — присматривать за полусумасшедшей сестрицей, которая, того гляди, разнесет весь дом, и наград за это не предусмотрено. Но месяц-другой он справлялся... пока не появился тот. — Лицо Аберфорта стало теперь по-настоящему страшным. — Грин-де-Вальд. Наконец-то мой брат встретил равного собеседника, такого же блестяще одаренного, как он сам. И уход за Арианой отошел на второй план, пока они строили планы нового Ордена волшебников, искали Дары Смерти и занимались прочими интересными вещами. Великие планы во благо всех волшебников! А что при этом недосмотрели за одной девчушкой, так что с того, раз Альбус трудился во имя общего блага?

Спустя несколько недель мне это надоело. Мне уже пора было возвращаться в Хогвартс, и тогда я сказал им, тому и другому, прямо в лицо, вот как сейчас тебе. — Аберфорт взглянул на Гарри, и сейчас очень легко было увидеть в старике взъерошенного, злого подростка, бросавшего вызов старшему брату. — Я сказал им: кончайте все это. Вы не можете увозить ее из дома, она не в том состоянии; вы не можете тащить ее за собой, куда бы вы там ни собрались, чтобы произносить умные речи и вербовать себе сторонников. Ему это не понравилось. — Отблеск огня отразился от линз Аберфорта, и они снова полыхнули белой слепой вспышкой. — Грин-де-Вальду это совсем не понравилось. Он рассердился. Он сказал мне, что я глупый мальчишка, пытающийся встать на пути у него и у моего блистательного брата... Неужели я не понимаю, что мою бедную сестру не придется больше прятать, когда они изменят мир, выведут волшебников из подполья и укажут маглам их настоящее место?

Потом он сказал еще кое-что... и я выхватил свою палочку, а он — свою, и вот лучший друг моего брата применил ко мне заклятие Круциатус. Альбус попытался его остановить, мы все трое стали сражаться, и от вспышек огня и громовых ударов Ариана совсем обезумела, она не могла этого выносить... — Краска сбежала с лица Аберфорта, как будто его смертельно ранили. — Она, наверное, хотела помочь, но сама не понимала, что делает. И я не знаю, кто из нас это был, это мог быть любой из троих — она вдруг упала мертвой.

Голос его оборвался на последнем слове, и он опустился на ближайший стул. Лицо Гермионы было мокро от слез, а Рон побледнел почти так же, как сам Аберфорт. Гарри испытывал только отвращение: он хотел бы никогда не слышать этого, выкинуть это из головы.

— Мне так... так жаль, — прошептала Гермиона.

— Ее не стало, — прохрипел Аберфорт. — Навсегда. — Он утер нос рукавом и откашлялся. — Конечно, Грин-де-Вальд поспешил смыться. За ним уже тянулся кой-какой след из его родных мест, и он не хотел, чтобы на него повесили еще Ариану. А Альбус получил свободу, так ведь? Свободу от сестры, висевшей камнем у него на шее, свободу стать величайшим волшебником во всем...

— Он никогда уже не получил свободы, — сказал Гарри.

— Как ты сказал? — переспросил Аберфорт.

— Никогда, — продолжал Гарри. — В ту ночь, когда ваш брат погиб, он выпил зелье, лишающее разума. И стал стонать, споря с кем-то, кого не было рядом. *Не тронь их, прошу тебя... Ударь лучше в меня.*

Рон и Гермиона глядели на Гарри во все глаза. Он никогда не вдавался в подробности того, что произошло на острове посреди озера. Случившееся с ним и Дамблдором по возвращении в Хогвартс полностью затмило все предшествовавшие события.

— Ему казалось, что он снова там с вами и Грин-де-Вальдом, я знаю. — Гарри вновь слышал мольбы и рыдания Дамблдора. — Ему казалось, что перед ним Грин-де-Вальд, разящий вас и Ариану... Это была для него пытка. Если бы вы видели его тогда, вы не говорили бы, что он освободился.

Аберфорт сосредоточенно рассматривал свои узловатые руки с набухшими венами. После долгой паузы он произнес:

— Откуда ты знаешь, Поттер, что мой брат не заботился больше об общем благе, чем о тебе? Откуда ты знаешь, что он не считал возможным пренебречь и тобой, как нашей сестренкой?

Сердце Гарри словно пронзила ледяная игла.

— Не думаю. Дамблдор любил Гарри, — сказала Гермиона.

— Тогда почему он не приказал ему скрыться? — выпалил Аберфорт. — Почему не сказал: спасайся? Вот что надо делать, чтобы выжить.

— Потому что, — ответил Гарри, опережая Гермиону, — иногда действительно нужно думать не только о своем спасении! Иногда нужно думать об общем благе! Мы на войне!

— Тебе семнадцать лет, парень!

— Я совершеннолетний, и я буду бороться дальше, даже если вы уже сдались.

— Кто тебе сказал, что я сдался?

— «Ордена Феникса больше нет», — повторил Гарри. — «Сам-Знаешь-Кто победил, борьба окончена, а кто говорит иначе — сам себя обманывает».

— Я не говорю, что мне это нравится, но это правда!

— Нет, это неправда, — сказал Гарри. — Ваш брат знал, как покончить Сами-Знаете-с-Кем, и передал мне это знание. Я буду бороться дальше, пока не одержу победу или не погибну. Не думайте, что я не знаю, чем это может кончиться. Я много лет это знаю.

Он ждал, что Аберфорт станет насмехаться или спорить, но тот молчал, сердито глядя из-под насупленных бровей.

— Нам нужно проникнуть в Хогвартс, — повторил Гарри. — Если вы не можете нам помочь, на рассвете мы уйдем и попробуем отыскать дорогу сами. Если вы можете помочь — что ж, самое время сказать об этом.

Аберфорт сидел все так же неподвижно, сверля Гарри глазами, так невероятно похожими на глаза его брата. Наконец он откашлялся, встал, обошел вокруг стола и остановился у портрета Арианы.

— Ты знаешь, что делать, — сказал он.

Она улыбнулась, повернулась и пошла прочь — не так, как это обычно делали люди на портретах, выходя сбоку из рамы, а назад, словно бы по длинному туннелю, уводившему за ее спиной в глубь картины. Они глядели вслед удаляющейся хрупкой фигурке, пока она не скрылась во мраке.

— М-м... что... — начал было Рон.

— Путь в замок сейчас только один, — сказал Аберфорт. — Вы, наверное, знаете, что они закрыли все старые тайные ходы с обоих концов, поставили дементоров по всему периметру стен и регулярно патрулируют внутри школы. Никогда еще Хогвартс не окружали такой охраной. Как вы собираетесь действовать, когда директором там — Снегг, а его заместители — Кэрроу... Ладно, это уж ваше дело. Ты ведь сказал, что готов к смерти.

— Но что... — Гермиона взглянула на портрет Арианы.

В конце уходящего в картину туннеля появилась маленькая белая точка, и вот уже Ариана движется обратно к ним, увеличиваясь по мере приближения. Но теперь она была не одна — с ней шел еще кто-то, выше ее ростом, прихрамывая и явно волнуясь. Гарри никогда не видел у него таких длинных волос. Лицо его было изранено, изорванная одежда висела клочьями. Обе фигуры становились все больше, так что в раму помещались уже только лица и плечи. И тут картина распахнулась, словно дверца в стене, и за ней открылся настоящий туннель. Оттуда выбрался обросший, израненный и оборванный настоящий Невилл Долгопупс и с воплем восторга бросился к Гарри:

— Я знал, что ты придешь! Я знал, Гарри!

Глава 29

ИСЧЕЗНУВШАЯ ДИАДЕМА

— Невилл... Как... Откуда...

Но Невилл уже заметил Рона и Гермиону и с радостными возгласами бросился их обнимать. Чем дольше Гарри смотрел на Невилла, тем больше ужасался его виду: один глаз заплыл лилово-желтым синяком, лицо было испещрено шрамами, и каждая деталь в его внешности указывала на постоянные невзгоды и лишения. И все же его измочаленное лицо сияло от счастья, когда он наконец выпустил из объятий Гермиону и повторил:

— Я знал, что ты придешь. Все время твердил Симусу: надо только подождать!

— Невилл, что с тобой было?

— Что? Это? — Невилл небрежно отмахнулся. — Да это ерунда! Симус выглядит гораздо хуже. Вы увидите. Ну что, пошли? Да, — он повернулся к Аберфорту, — Аб, к нам тут, наверное, еще пара-тройка подвалит.

— Пара-тройка? — мрачно повторил Аберфорт. — Что значит пара-тройка, Долгопупс? Здесь комендантский час и Воющие чары над всей деревней!

— Я знаю, поэтому они трансгрессируют прямо к вам в трактир, — отозвался Невилл. — Посылайте их сразу в туннель, ладно? Большое спасибо.

Невилл подал руку Гермионе и помог ей взобраться на камин, а оттуда в туннель. За ней последовал Рон, а за ним Невилл. Гарри повернулся к Аберфорту:

— Не знаю, как вас благодарить. Вы дважды спасли нам жизнь.

— Вот и будь поосторожнее впредь, — угрюмо фыркнул Аберфорт. — Третий раз у меня может и не получиться.

Гарри вскарабкался на камин и в отверстие за портретом Арианы. С другой стороны были гладкие каменные ступени. Похоже, проход находился здесь уже много лет. Со стен свисали медные лампы, земляной пол был плотно утоптан. Они шли, а за ними по стенам скользили, колеблясь, их тени.

— И как давно он существует, этот проход? — спросил Рон. — Его ведь нет на Карте Мародеров, правда, Гарри? Я думал, есть только семь тайных путей в школу и из школы.

— Они опечатали их все перед началом учебного года, — сказал Невилл. — Теперь через них не пройдешь — вход защищен заклятиями, а на выходе поджидают Пожиратели смерти и дементоры. — Он пошел спиной вперед, глядя на них, сияя, впитывая долгожданные лица. — Не думайте обо всей этой ерунде... А правда, что вы прорвались в «Гринготтс»? И сбежали оттуда на драконе? Все это знают, только и разговору что об этом. Кэрроу избил Терри Бута, потому что Терри кричал об этом в Большом зале за обедом.

— Да, все это правда, — сказал Гарри.

Невилл ликующе засмеялся.

— А что вы сделали с драконом?

— Отпустили на волю, — сказал Рон. — Гермиона, правда, хотела оставить его себе вместо котенка...

— Не надо преувеличивать, Рон...

— Что вы делали все это время? Говорят, будто вы просто скрывались, но я так не думаю, Гарри. Я думаю, у вас есть план.

— Ты прав, — сказал Гарри. — Но расскажи лучше о Хогвартсе, Невилл, мы же ничего не знаем.

— Хогвартс... Знаете, на Хогвартс тут теперь совсем не похоже. — Улыбка гасла на лице Невилла, пока он произносил эти слова. — Вы слыхали о Кэрроу?

— Это те двое Пожирателей смерти, которые теперь тут преподают?

— Они не только преподают, — сказал Невилл. — Они отвечают за дисциплину. Большие любители наказывать, эти Кэрроу.

— Вроде Амбридж?

— Ну, Амбридж рядом с ними — кроткая овечка. Все остальные учителя должны доносить Кэрроу о каждом нашем проступке. Однако они этого не делают, если есть хоть малейшая возможность. Похоже, они ненавидят их так же сильно, как мы. Эта скотина Амикус преподает то, что раньше было защитой от Темных искусств. Правда, теперь это Темные искусства в чистом виде. От нас требуют тренировать заклятие Круциатус на тех, кто оставлен после уроков за провинность...

— *Что?!*

Голоса Гарри, Рона и Гермионы в унисон прокатились по туннелю.

— Да-а, — протянул Невилл. — Так я и получил вот эту отметину. — Он показал на особенно глубокий порез на щеке. — Я отказался это делать. Зато Крэббу и Гойлу очень нравится — наконец и они хоть в чем-то первые! Алекто, сестра Амикуса, преподает магловедение — это теперь обязательный предмет для всех. Все мы должны слушать, что маглы — вроде животных, тупые, грязные, и как они своим коварством загнали волшебников в подполье, и что нормальный порядок скоро будет восстановлен. Вот это, — он показал на другую вмятину на лице, — я получил за то, что спросил, сколько магловской крови в ней и в ее братце.

— Черт подери, Невилл! — воскликнул Рон. — Неужто нельзя было придержать язык за зубами?

— Ты бы слышал, как она говорит, — отозвался Невилл. — Ты бы тоже не выдержал. И потом, когда им противоречишь, — это полезно. Это во всех вселяет надежду. Я это заметил, когда ты так поступал, Гарри.

— Но они же сделали из тебя заточку для ножей! — возразил Рон, слегка вздрогнув, когда они проходили под лампой, ярко высветившей увечья Невилла.

Невилл дернул плечом.

— Плевать. Они сами не рвутся разбазаривать чистую кровь, поэтому пытают нас помаленьку, если мы вякаем, но убивать не убивают.

Гарри не знал, что хуже — страшные вещи, о которых говорил Невилл, или будничный тон, которым он о них рассказывал.

— Настоящая опасность грозит лишь тем, чьи друзья и родные за пределами замка доставляют новой власти неприятности. Этих берут в заложники. Старик Ксено Лавгуд слишком много себе позволял в своем «Придире», и Полумну сняли прямо с поезда, когда она ехала на рождественские каникулы.

— С ней все в порядке, Невилл, мы ее видели...

— Я знаю, она сумела прислать мне весточку.

Он достал из кармана золотую монету, и Гарри сразу опознал один из тех фальшивых галеонов, которыми пользовался Отряд Дамблдора, чтобы передавать сообщения.

— Потрясающая штука, — сказал Невилл, радостно улыбаясь Гермионе. — Кэрроу так и не просекли, как мы сообщаемся друг с другом, — они на этом чуть ума не решились. Мы вылезали по ночам и делали надписи на стенах: «Отряд Дамблдора: мобилизация продолжается», и всякое такое. То-то Снегг злился.

— Вылезали? — Гарри обратил внимание на прошедшее время.

— Ну, со временем это стало труднее, — пояснил Невилл. — На Рождество мы остались без Полумны, после Пасхи не вернулась Джинни, а зачинщиками-то были как раз мы трое. Кэрроу, похоже, догадались, что без меня тут не обошлось, и круто за меня взялись. А тут еще Майкла Корнера поймали, когда он освобождал первокурсников, которых они заковали в цепи. Его пытали очень жестоко. Это отпугнуло народ.

— Еще бы, — пробормотал Рон.

Проход постепенно пошел вверх.

— Не мог же я просить людей пройти через то, что вытерпел Майкл, — так что эти забавы мы бросили. Но мы продолжали борьбу, вели подпольную работу... еще пару недель назад. И тогда они, видать, решили, что есть только один способ меня остановить, и пришли за бабушкой.

— Они — *что*? — хором спросили Гарри, Рон и Гермиона.

— Да. — Невилл слегка запыхался, потому что туннель поднимался теперь круто вверх. — Ну, ход их мыслей легко понять. Похищать детей, чтобы родители вели себя смирно, оказалось очень действенно, так что они довольно быстро догадались, что можно и наоборот. Но дело в том, — Невилл обернулся к ним, и Гарри с удивлением обнаружил ухмылку на его лице, — что с бабушкой они маленько просчитались. Старушка-волшебница, живет одна... они, видно, решили, что тут особого могущества не нужно. Ну и... — Невилл рассмеялся. — Долиш до сих пор в больнице святого Мунго, а бабушка сбежала. Она прислала мне письмо, — он хлопнул себя по нагрудному карману, — о том, что гордится мною, что я настоящий сын своих родителей и так держать!

— Здорово, — сказал Рон.

— Ага, — весело отозвался Невилл. — Но только когда они осознали, что узды на меня теперь нет, они решили, что Хогвартс может обойтись и без меня. Уж не знаю, собирались они отправить меня в Азкабан или просто убить, только я понял, что пора сматывать удочки.

— Но, — сказал Рон, совершенно сбитый с толку, — разве мы идем сейчас не прямо в Хогвартс?

— Ну конечно, — сказал Невилл. — Сейчас увидишь. Мы уже почти пришли.

Они повернули за угол и оказались у выхода из туннеля. Несколько ступенек вели к двери, точно такой же, как за портретом Арианы. Невилл распахнул ее и вышел наружу. Поднимаясь вслед за ним, Гарри услышал, как Невилл кричит кому-то:

— Глядите, кто пришел! Я же вам говорил!

Гарри ступил в помещение, открывавшееся за дверью, и навстречу ему поднялись ликующие голоса:

— ГАРРИ!

— Это Поттер, ПОТТЕР!

— Рон!

— Гермиона!

Перед его глазами замелькали, смешиваясь, цветастые гобелены, лампы и множество лиц. В следующую минуту его, Рона и Гермиону обступили, обнимая, хлопая по спине, ероша волосы, пожимая руки, человек двадцать, не меньше. Казалось, они только что выиграли чемпионат по квиддичу.

— Эй, ребята, уймитесь! — крикнул Невилл, и толпа отхлынула, давая Гарри возможность осмотреться.

Комната показалась ему совсем незнакомой. Она была огромная и напоминала какой-то необычайно роскошный шалаш или невероятных размеров пароходную каюту. Разноцветные гамаки свисали с потолка и навесной галереи, вившейся вдоль сплошных, без окон, стен, обшитых темными деревянными панелями и украшенных яркими гобеленами. Гарри увидел золотого льва на алом фоне — герб Гриффиндора, черного барсука Пуффендуя, вышитого на желтом, и бронзового орла Когтеврана на лазоревой ткани. Не видно было лишь серебра и зелени Слизерина. Здесь были битком набитые книжные полки, несколько метел, прислоненных к стене, а в углу — большой радиоприемник в деревянном корпусе.

— Где мы?

— В Выручай-комнате, конечно! — сказал Невилл. — На этот раз она превзошла самое себя, правда? Кэрроу сидели у меня на хвосте, и я понял, что спасение только в одном. Я ухитрился пройти в эту дверь, и смотри, что я тут обнаружил! Конечно, когда я вошел, она была не такая, намного меньше, всего с одним гамаком и одним гобеленом с гербом Гриффиндора. Но по мере того как прибывали новые члены Отряда Дамблдора, она становилась все просторнее.

— И Кэрроу не могут сюда войти? — Гарри оглянулся в поисках двери.

— Нет, — ответил Симус Финниган, которого Гарри не узнал, пока тот не заговорил: его разбитое лицо совсем заплыло. — Это настоящее укрытие: пока хоть один из нас находится внутри, они не могут нас достать, дверь не откроется. Все благодаря Невиллу. Он действительно *понимает* эту комнату. Здесь ведь нужно попросить в точности то, что тебе нужно, например: «Хочу, чтобы никто из тех, кто поддерживает Кэрроу, не смог сюда войти» — и она сделает, как ты просил. Главное — не оставить никакой лазейки! Невилл молодец!

— Тут никакой особой хитрости нет, — сказал Невилл скромно. — Я пробыл здесь дня полтора, страшно проголодался и пожелал себе добыть откуда-нибудь еды — и тут открылся проход в «Кабанью голову». Я пошел по нему и оказался у Аберфорта. Он снабжает нас провизией, потому что это единственное, чего комната по каким-то причинам не делает.

— Потому что еда — одно из пяти исключений к закону Гэмпа об элементарных трансфигурациях, — заявил Рон, к всеобщему изумлению.

— Так что мы прячемся здесь уже около двух недель, — сказал Симус. — И если нам нужны новые гамаки, они тут же оказываются на месте, а еще вдруг образовался отменный туалет с душем, когда появились девчонки...

— И очень захотели помыться, ты только подумай! — подхватила Лаванда Браун, которую Гарри до сих пор не заметил.

Приглядевшись получше, он увидел много знакомых лиц. Тут были близнецы Патил, Терри Бут, Эрни Макмиллан, Энтони Голдстейн и Майкл Корнер.

— Ну, расскажите же нам, что с вами было, — сказал Эрни. — Каких только не ходило слухов! Мы старались следить за вами, слушая «Поттеровский дозор». — Он показал на приемник. — Так вы не врывались в «Гринготтс»?

— Врывались! — выкрикнул Невилл. — И про дракона все правда!

Раздались громовые аплодисменты и вопли «ура!». Рон поклонился.

— А что вам там понадобилось? — с любопытством спросил Симус.

Ни один из троих не успел ответить вопросом на вопрос, как шрам Гарри пронзила страшная жгучая боль. Гарри поспешно повернулся спиной к веселым заинтересованным лицам вокруг, Выручай-комната исчезла, и вот он стоит в каменной развалине, потрескавшиеся плиты пола у его ног раздвинуты, у разверстой дыры валяется извлеченная из земли пустая золотая шкатулка с откинутой крышкой, и яростный вопль Волан-де-Морта отдается в его раскалывающейся голове.

Огромным усилием он вырвался из мыслей Волан-де-Морта и вернулся обратно, в Выручай-комнату, где стоял, пошатываясь, обливаясь потом, опираясь на подоспевшего на помощь Рона.

— Тебе нехорошо, Гарри? — донесся до него голос Невилла. — Хочешь присесть? Ты, наверное, устал, да?

— Нет, — ответил Гарри.

Он посмотрел на Рона и Гермиону, пытаясь без слов сообщить им, что Волан-де-Морт только что обнаружил пропажу очередного крестража. Времени оставалось немного. Если Волан-де-Морт решит теперь отправиться в Хогвартс, то их шанс упущен.

— Мы должны идти дальше, — сказал он и понял по выражению их лиц, что друзья обо всем догадались.

— А что мы будем делать, Гарри? — спросил Симус. — В чем твой план?

— План? — машинально повторил Гарри.

Он напрягал сейчас всю силу воли, чтобы не поддаться снова ярости Волан-де-Морта: шрам на лбу по-прежнему жгло.

— В общем, у нас — у меня, Рона и Гермионы — есть одно дело, поэтому нам пора уходить отсюда.

Теперь никто не смеялся и не кричал «ура!». Невилл выглядел сбитым с толку.

— Что значит «уходить отсюда»?

— Мы вернулись не за тем, чтобы остаться здесь. — Гарри потирал свой шрам, пытаясь смягчить боль. — У нас есть важное дело...

— Какое?

— Я... я не могу вам сказать.

Раздался глухой ропот. Невилл сдвинул брови.

— Почему ты не можешь нам сказать? Речь ведь идет о борьбе с Сам-Знаешь-Кем, правда?

— Ну да...

— Тогда мы тебе поможем.

Остальные члены Отряда Дамблдора закивали, одни с энтузиазмом, другие с торжественной важностью. Несколько человек вскочили со стульев, демонстрируя готовность к немедленному действию.

— Вы не понимаете. — Похоже, за последние несколько часов Гарри слишком часто приходилось повторять эту фразу. — Мы... мы не можем сказать вам. Мы должны исполнить это... одни.

— Почему? — спросил Невилл.

— Потому что...

Гарри так хотелось скорее броситься на поиски крестража или хотя бы обсудить наедине с Роном и Гермионой, откуда начинать поиски, что он никак не мог сосредоточиться. Шрам у него все еще горел.

— Дамблдор поручил нам троим одно дело, — сказал он осторожно. — И не велел рассказывать... Он поручил его именно нам, нам троим.

— Мы — Отряд Дамблдора, — ответил Невилл. — Мы все время держались вместе, сохраняли наш Отряд, пока вы трое где-то скитались.

— Не то чтобы это была увеселительная прогулка, приятель, — откликнулся Рон.

— Я ничего такого и не говорю, но мне непонятно, почему вы нам не доверяете. Каждый находящийся в этой комнате боролся и оказался здесь потому, что его преследовали Кэрроу. Каждый из нас доказал на деле свою верность Дамблдору — верность тебе, Гарри.

— Подумай, — начал Гарри, сам не зная, что собирается сказать, но это оказалось не важно: дверь туннеля за его спиной распахнулась.

— Мы получили твое письмо, Невилл! Привет всей троице, я так и думала, что вы здесь!

Это были Полумна и Дин. Симус вскрикнул от радости и бросился обнимать своего лучшего друга.

— Всем привет, ребята! — весело сказала Полумна. — Как же здорово вернуться домой!

— Полумна, — встревоженно спросил Гарри, — что ты здесь делаешь? Как ты...

— Я послал за ней. — Невилл высоко поднял фальшивый галеон. — Я обещал ей и Джинни, что извещу их, если вы появитесь. Мы все думали, что ваше возвращение будет означать революцию. Что тогда мы сбросим Снегга и Кэрроу.

— Конечно, именно это оно и означает, — сияя, сказала Полумна. — Правда, Гарри? Теперь-то мы их выбьем из Хогвартса?

— Послушайте... — В Гарри нарастала паника. — Мне очень жаль, но мы вернулись не за этим. Нам нужно сделать одно дело, а потом...

— Вы собираетесь бросить нас в этом дерьме? — спросил Майкл Корнер.

— Нет! — воскликнул Рон. — То, что мы хотим сделать, пойдет, в конце концов, на пользу всем, ведь это затем, чтобы избавиться от Сами-Знаете-Кого...

— Тогда возьмите нас в помощь! — сердито крикнул Невилл. — Мы тоже хотим в этом участвовать!

Гарри обернулся на новый шум у них за спиной. Сердце его упало: теперь из отверстия в стене появилась Джинни, а за ней — Фред, Джордж и Ли Джордан. Джинни приветствовала Гарри сияющей улыбкой. Он уже забыл, а может быть, никогда раньше не замечал как следует, до чего она красива, и никогда не был меньше рад ее видеть.

— Аберфорт уже начинает сердиться. — Фред помахал рукой, отвечая на приветственные возгласы. — Он хотел соснуть, а тут его трактир превратили в вокзал.

У Гарри отвисла челюсть. Сразу за Ли Джорданом в отверстии появилась Чжоу Чанг, его бывшая подружка, и улыбнулась ему.

— Я получила известие, — сказала она, показывая свой фальшивый галеон, прошла и села рядом с Майклом Корнером.

— Так в чем ваш план, Гарри? — спросил Джордж.

— Да нет никакого плана, — ответил Гарри, совершенно сбитый с толку внезапным появлением всех этих людей и неспособный соображать из-за жгучей боли в шраме.

— То есть мы будем составлять его по ходу? О, это я люблю! — сказал Фред.

— Послушай, прекрати это все! — крикнул Гарри Невиллу. — Зачем ты всех их сюда созвал? Это же безумие...

— Мы ведь на войне, правда? — Дин достал свой фальшивый галеон. — Пришло известие, что Гарри вернулся и мы готовимся к бою! Мне бы, конечно, волшебную палочку...

— У тебя нет *палочки*?! — удивился Симус.

Рон вдруг обернулся к Гарри:

— Почему они не могут помочь?

— Что?

— Они могут нам помочь. — Он понизил голос и сказал так тихо, что слышать его могла только стоявшая между ними Гермиона: — Мы ведь не знаем, где он. Нам нужно найти его побыстрее. Не обязательно говорить всем, что это крестраж.

Гарри перевел взгляд с Рона на Гермиону, которая шепнула совсем тихо:

— Я думаю, Рон прав. Мы ведь даже не знаем, что мы ищем, нам нужна помощь. — И, видя, что Гарри все еще не убежден, добавила: — Ты не должен все делать в одиночку, Гарри.

Гарри напряженно думал, хотя шрам по-прежнему щипало, а голова раскалывалась. Дамблдор просил его не говорить о крестражах никому, кроме Рона и Гермионы. *Утайки и ложь — мы выросли на этом, и Альбус... у него был природный талант...* Уж не превращается ли он в Дамблдора, и после смерти хранящего свои тайны прижатыми к груди, страшащегося довериться людям? Но вот Снегу Дамблдор доверял, и к чему это привело? К убийству на вершине самой высокой из башен замка...

— Ладно, — спокойно сказал он Рону и Гермионе. — Хорошо, — обратился Гарри к собравшимся в комнате, и тут же наступила полная тишина. Фред и Джордж, развлекавшие шуточками тех, кто сидел поблизости, замолкли на полуслове, и все уставились на него с взволнованной готовностью. — Нам нужно найти одну вещь, — сказал Гарри. — Одну вещь... которая поможет нам одержать победу над Сами-Знаете-Кем. Она находится здесь, в Хогвартсе, но мы не знаем где. Возможно, она принадлежала Кандиде Когтевран. Слышал кто-нибудь о подобном предмете? Например, о вещи, отмеченной ее орлом?

Он с надеждой посмотрел на маленькую группу когтевранцев: Падму, Майкла, Терри и Чжоу, однако ответила ему Полумна, присевшая к Джинни на подлокотник кресла.

— Ну, есть ведь ее потерянная диадема. Я рассказывала тебе о ней, Гарри, помнишь? Исчезнувшая диадема Кандиды Когтевран. Мой отец пытался создать ее копию.

— Да, Полумна, но исчезнувшая диадема, — сказал Майкл Корнер, закатывая глаза, — она именно что *исчезла.* Вот в чем загвоздка.

— Когда она исчезла? — спросил Гарри.

— Говорят, много веков назад, — откликнулась Чжоу, и сердце у Гарри упало. — Профессор Флитвик рассказывал, что она исчезла вместе с самой Кандидой. Диадему искали, но, — она обратилась к остальным когтевранцам, — никаких следов обнаружить не удалось. Или я ошибаюсь?

Все покачали головами.

— Простите, а что вообще такое «диадема»? — спросил Рон.

— Что-то вроде венца или короны, — ответил Терри Бут. — Говорят, что диадема Кандиды Когтевран обладала магическими свойствами — она придавала ума тому, кто ее наденет.

— Да. Сифоны для мозгошмыгов, которые мой отец...

Но Гарри не дал Полумне договорить.

— И никто из вас никогда не видел ничего, что было бы на нее похоже?

Все снова покачали головами. Гарри взглянул на Рона и Гермиону и увидел в их глазах отражение собственной растерянности. Вещь, исчезнувшая так давно и, судя по всему, бесследно, вряд ли могла быть крестражем, спрятанным в замке... Но не успел он сформулировать следующий вопрос, как снова раздался голос Чжоу:

— Гарри, если хочешь посмотреть, как эта штука должна была выглядеть, я могу отвести тебя в нашу общую гостиную и показать. Там у нас статуя Кандиды с этой диадемой на голове.

Гарри снова почувствовал боль в шраме. На мгновение Выручай-комната расплылась у него перед глазами, и он увидел черную землю далеко внизу и почувствовал вокруг плеч кольца огромной змеи. Волан-де-Морт снова летел куда-то, то ли к подземному озеру, то ли сюда, к замку — этого Гарри не мог сказать. Но в любом случае времени оставалось немного.

— Он в пути, — спокойно сказал Гарри Рону и Гермионе. Потом перевел глаза на Чжоу и снова на них. — Слушайте, я понимаю, что толку от этого немного, и все же я пойду и взгляну на статую, чтобы знать хотя бы, как эта диадема выглядит. Ждите меня здесь и берегите... вы знаете... ту вещь.

Чжоу поднялась, чтобы идти, но тут Джинни резко сказала:

— Нет, вот Полумна может проводить Гарри. Правда, Полумна?

— С удовольствием! — радостно откликнулась Полумна, и Чжоу опустилась обратно в кресло. Вид у нее был расстроенный.

— Как нам выйти из комнаты? — спросил Гарри Невилла.

— Сюда. — Он подвел Гарри и Полумну к углу, где из небольшого чулана открывался выход на крутую лестницу. — Выход оказывается каждый раз в другом месте, поэтому они и не могут его найти, — пояснил Невилл. — Плохо только, что мы никогда не знаем, где очутимся, когда выйдем. Осторожнее, Гарри, по ночам коридоры патрулируют.

— Ничего, — сказал Гарри. — До скорого, Невилл.

Они с Полумной быстро зашагали по лестнице — длинной, освещенной факелами и делающей резкие повороты в самых неожиданных местах. Наконец перед ними выросла сплошная стена.

— Залезай сюда, — сказал Гарри Полумне. Он достал мантию-невидимку и набросил ее на них обоих. Потом легонько толкнул стену.

Она раздвинулась от его прикосновения, и они выскользнули наружу. Гарри оглянулся и увидел, что стена мгновенно сомкнулась обратно. Они стояли в темном коридоре. Гарри порылся в мешочке, висевшем у него на шее, и вытащил Карту Мародеров. Держа ее у самого носа, он определил, где они находятся.

— Мы на пятом этаже, — прошептал он, глядя на удаляющуюся фигуру Филча в следующем отсеке коридора. — Пойдем, нам сюда.

Они двинулись по коридору.

Гарри не раз случалось красться по замку среди ночи, но никогда еще у него так бешено не колотилось сердце, никогда еще не было так важно добраться до цели незамеченным. Они с Полумной шли, сверяясь с Картой Мародеров в каждом сколько-нибудь освещенном месте, по квадратам лунного света на полу, мимо доспехов, чьи шлемы позвякивали от их тихих шагов, проскальзывали в повороты, за которыми могло ожидать что угодно; дважды им пришлось остановиться, чтобы дать дорогу призраку, не привлекая его внимания. Гарри каждую минуту ожидал неприятной встречи, больше всего он боялся наткнуться на Пивза и все время прислушивался, пытаясь уловить первые сигналы, предваряющие появление полтергейста.

— Сюда, Гарри, — чуть слышно выдохнула Полумна, беря его за рукав и подталкивая к винтовой лестнице.

Они стали подниматься по головокружительной спирали. Гарри никогда раньше не приходилось здесь бывать. Наконец они добрались до двери. На ней не было ни ручки, ни замочной скважины: сплошное полотно из старинного дерева и бронзовый молоток в форме орла.

Полумна протянула бледную руку, казавшуюся в полумраке призраком, отдельным от тела, и один раз стукнула по двери. Этот тихий стук прозвучал в ушах Гарри пушечным выстрелом. Клюв орла открылся, но вместо птичьего клекота оттуда раздался нежный мелодичный голос:

— Что было раньше, феникс или огонь?

— М-м... Как ты думаешь, Гарри? — спросила Полумна.

— Что? Разве тут нужен не просто пароль?

— Нет, — отозвалась Полумна. — Нужно ответить на вопрос.

— А если ответишь неправильно?

— Что ж, тогда придется подождать кого-нибудь, кто сумеет ответить правильно, — сказала Полумна. — Так вот и учишься, понимаешь?

— М-м-да... Беда в том, что нам сейчас некогда дожидаться других, Полумна.

— Я понимаю, — серьезно ответила Полумна. — Думаю, ответ такой: круг не имеет начала.

— Верное рассуждение, — сказал голос, и дверь распахнулась.

Общая гостиная Когтеврана оказалась большой круглой комнатой, полной воздуха, Гарри никогда не видел в Хогвартсе такого просторного помещения. Стены прорезывали изящные арочные окна с шелковыми занавесями, переливавшимися синевой и бронзой. Днем когтевранцам, должно быть, открывается отсюда чудесный вид на окружающие горы. Куполообразный потолок был расписан звездами, такими же, как на ультрамариновом полу. Здесь были столы, кресла, книжные шкафы, а в нише напротив входа стояла статуя из белого мрамора.

Гарри узнал Кандиду Когтевран по гипсовому слепку, который видел дома у Полумны. Статуя стояла у двери, которая вела, вероятно, к спальням этажом выше. Он зашагал прямо к мраморной женщине, глядевшей на него с загадочной полуулыбкой; в ее красоте было что-то слегка пугающее. Голову статуи венчало воспроизведенное в мраморе изящное украшение, напомнившее ему диадему, которая была на Флер в день ее свадьбы. На нем что-то было выгравировано мелкими буквами. Гарри сбросил мантию-невидимку и взобрался на постамент, чтобы прочесть надпись.

Ума палата дороже злата.

— Так что ты, похоже, беднее последнего нищего, дурак безмозглый, — насмешливо прокаркал хрипловатый голос.

Гарри резко повернулся, сорвался с постамента и упал на пол. Над ним выросла сутулая фигура Алекто Кэрроу, и, прежде чем Гарри успел направить на нее волшебную палочку, Алекто прижала мясистый палец к черепу и змее, выжженным на ее запястье.

Глава 30

СЕВЕРУСА СНЕГГА СМЕЩАЮТ С ДОЛЖНОСТИ

В то мгновение, когда ее палец коснулся Метки, Гарри почувствовал страшное жжение в шраме, украшенная звездами комната исчезла из его глаз, и вот он уже стоит на каменистой площадке под нависшим утесом, море плещется у его ног, а в сердце разливается торжество — *они поймали мальчишку.*

Громкий хлопок вернул Гарри к действительности. Сбитый с толку, он поднял палочку, но стоявшая над ним волшебница уже падала лицом вперед. Она так тяжело ударилась об пол, что стекла в книжных шкафах зазвенели.

— Раньше я применяла Оглушающее заклятие только на тренировках в ОД, — раздался удивленный голос Полумны. — Не ожидала такого шума.

И правда, потолок над их головами затрясся. За дверью, ведущей в спальни, послышался торопливый топот множества ног: заклятие Полумны разбудило спавших наверху когтевранцев.

— Полумна, где ты? Мне нужно спрятаться под мантию!

Из ниоткуда на полу появились ноги. Он метнулся туда, и не успела Полумна набросить мантию на них обоих, как дверь распахнулась и в гостиную устремилась толпа перепуганных когтевранцев в пижамах. При виде бесчувственной Алекто на полу раздались охи и возгласы удивления. Потом ученики медленно подошли ближе — как к дикому зверю, который может в любой момент проснуться и наброситься на них. Наконец какой-то храбрый первокурсник подбежал к Алекто и ткнул в спину ногой.

— По-моему, она мертвая! — радостно закричал он.

— Нет, ты только посмотри! — весело зашептала Полумна, глядя на толпящихся вокруг Алекто когтевранцев. — Они рады!

— М-да... здорово...

Гарри закрыл глаза и, ощутив, как пульсирует шрам на лбу, решил снова погрузиться в мысли Волан-де-Морта... Тот двигался по туннелю в первую пещеру... решил убедиться, что медальон на месте, прежде чем явиться сюда... Но много времени это у него не займет...

В дверь гостиной постучали, и когтевранцы застыли на месте. До Гарри донесся мелодичный голос, звучавший из дверного молотка:

— Куда деваются исчезнувшие предметы?

— Почем я знаю? Заткнись! — рявкнул грубый голос, и Гарри узнал второго Кэрроу, Амикуса. — Алекто! *Алекто!* Ты здесь? Ты его поймала? Открой!

Когтевранцы в ужасе перешептывались. Потом раздалась, без всякого предупреждения, целая очередь громких хлопков, как будто кто-то стрелял по двери из ружья.

— АЛЕКТО! Если он явится, а Поттера у нас нет... Ты что, хочешь, чтобы с нами случилось то же, что с Малфоями? ОТКЛИКНИСЬ! — завыл Амикус, тряся дверь изо всех сил, однако она не поддавалась. Все когтевранцы отступили назад, а самые трусливые начали взбираться обратно по лестнице в свои спальни. Гарри уже подумывал распахнуть дверь и оглушить Амикуса заклятием, пока Пожиратели смерти не предприняли еще чего-нибудь, как вдруг раздался другой, хорошо знакомый голос.

— Чем вы занимаетесь, позвольте вас спросить, профессор Кэрроу?

— Пытаюсь открыть треклятую дверь! — завопил Амикус. — Сходите за Флитвиком! Пусть немедленно откроет!

— Но разве там нет вашей сестры? — спросила профессор Макгонагалл. — Разве профессор Флитвик не пропустил ее туда сегодня вечером по вашей настоятельной просьбе? Может быть, она могла бы открыть вам дверь? Тогда не пришлось бы будить среди ночи половину замка!

— Да не отзывается она, старая ты хрычовка! А ну давай сама открывай! Живо, кому говорят!

— Пожалуйста, если вам угодно, — произнесла профессор Макгонагалл убийственно холодным тоном.

Раздался мягкий удар дверного молотка, и мелодичный голос снова спросил:

— Куда деваются исчезнувшие предметы?

— В небытие, то есть во всё, — ответила профессор Макгонагалл.

— Изящная формулировка, — откликнулся орлиный клюв, и дверь распахнулась.

Немногие когтевранцы, еще остававшиеся в гостиной, завидев на пороге размахивающего палочкой Амикуса, со всех ног бросились к лестнице. Сгорбленный, как и его сестра, с рыхлым бледным лицом и маленькими глазками, он мигом увидел распростертое на полу неподвижное тело Алекто и издал вопль страха и ярости.

— Что натворили эти щенки? — завопил он. — Я буду пытать их всех Круциатусом, пока они не признаются, кто это сделал... А что скажет Темный Лорд? — взвизгнул он, ударяя себя кулаком по лбу. — Поттера мы не поймали, а эти свиньи убили Алекто и смылись!

— Ваша сестра всего лишь под действием Оглушающего заклятия, — с раздражением сказала профессор Макгонагалл, склонившаяся над Алекто. — С ней все будет в порядке.

— Не будет, разрази тебя гром! — рявкнул Амикус. — Ничего с ней не будет в порядке, когда сюда явится Темный Лорд! Она вызвала его, я знаю, я чувствовал жжение в Метке, и теперь он думает, что мы поймали Поттера!

— Поймали Поттера? — резко переспросила профессор Макгонагалл. — Что значит «поймали Поттера»?

— Он сказал нам, что Поттер, возможно, попытается проникнуть в башню Когтеврана, и велел вызвать его, если мы поймаем мальчишку!

— Зачем Поттеру проникать в башню Когтеврана? Он на моем факультете!

В ее голосе звучала, помимо раздражения и недоверия, и еле уловимая нота гордости, и Гарри почувствовал, что его просто распирает от нежности к Минерве Макгонагалл.

— Нам сказано, могёт такое быть, что он сюда припрется! — ответил Кэрроу. — Я почем знаю!

Профессор Макгонагалл выпрямилась и обвела комнату своими блестящими глазами. Дважды они скользнули прямо по тому месту, где стояли Гарри и Полумна.

— Мы можем свалить энто дело на детей, — сказал Амикус, и его туповатое лицо вдруг приобрело хитрое выражение. — Ага, так мы и сделаем. Скажем, на Алекто напала здешняя детвора, — он посмотрел на звездчатый потолок, над которым располагались спальни, — и заставила ее тронуть Метку, поэтому вышла ложная тревога... И пусть он с ними разбирается. Парой ребят больше или меньше — какая разница?

— Всего лишь разница между правдой и ложью, отвагой и трусостью, — сказала профессор Макгонагалл, бледнея. — В общем, как раз та разница, которой вам с вашей сестрой не понять. Но есть одна вещь, которую вам понять придется. Вам не удастся сваливать свои вечные глупости на учеников Хогвартса. Я вам этого не позволю!

— Чего-чего?

Амикус подошел угрожающе близко к профессору Макгонагалл и придвинул свою поросячью морду вплотную к ее лицу. Она не отодвинулась и только смотрела на него сверху вниз с таким выражением, как будто обнаружила какую-то гадость, прилипшую к стульчаку в уборной.

— А никто вашего позволения не спрашивает, Минерва Макгонагалл! Ваше времечко прошло. Теперь мы тут распоряжаемся, и вы меня прикроете, или вам придется дорого за это заплатить!

И он плюнул ей в лицо.

Гарри скинул мантию, поднял волшебную палочку и сказал:

— А вот это вы зря!

Амикус обернулся, как ужаленный, и Гарри выкрикнул:

— *Круцио!*

Пожирателя смерти подбросило вверх. Он барахтался в воздухе, как утопающий, корчась и воя от боли, а потом с грохотом и звоном разбитого стекла врезался в книжный шкаф и замертво шлепнулся на пол.

— Теперь я понимаю, что имела в виду Беллатриса, — сказал Гарри, чувствуя, как гудит кровь в висках. — Тут важно действительно захотеть.

— Поттер! — прошептала профессор Макгонагалл, хватаясь за сердце. — Поттер... вы... здесь! Но как... — Она тщетно пыталась взять себя в руки. — Поттер, но это же глупо!

— Он плюнул на вас, — ответил Гарри.

— Поттер, я... это было очень... очень рыцарственно с вашей стороны... Но неужели вы не понимаете...

— Понимаю, — заверил ее Гарри. Страх Минервы почему-то придал ему сил. — Профессор Макгонагалл, сюда движется Волан-де-Морт.

— Его теперь можно называть по имени? — заинтересованно спросила Полумна, сбрасывая мантию-невидимку.

При виде второй изгнанницы профессор Макгонагалл не выдержала, отступила на несколько шагов и упала в ближайшее кресло, вцепившись рукой в воротник своего старого клетчатого халата.

— Думаю, теперь уже все равно, как его называть, — ответил Гарри Полумне. — Он знает, где я.

Отдаленной частью мозга, той, что была связана с яростно пылающим шрамом, он увидел, как Волан-де-Морт быстро правит призрачно зеленую лодку по темному озеру... Вот он уже причаливает к острову, где стоит каменная чаша...

— Вам нужно бежать, — прошептала профессор Макгонагалл. — Скорее, Поттер, не медлите!

— Не могу, — ответил Гарри. — Я должен сделать одну вещь. Профессор, вы не знаете, где находится диадема Кандиды Когтевран?

— Д-диадема Кандиды Когтевран? Нет, конечно, она же исчезла много веков назад. — Макгонагалл выпрямилась в кресле. — Поттер, но это же безумие, чистое безумие, что вы явились в замок...

— Нельзя было иначе, — сказал Гарри. — Профессор, я должен найти здесь одну спрятанную вещь, и очень может быть, что это та самая диадема. Нельзя ли мне поговорить с профессором Флитвиком...

Раздался шум и звон стекла: Амикус начал приходить в себя. Прежде чем Гарри и Полумна успели что-нибудь предпринять, профессор Макгонагалл вскочила с кресла, направила свою палочку на пошатывающегося Пожирателя смерти, и произнесла:

— *Империо!*

Амикус встал на ноги, шагнул к лежащей без чувств сестре, взял у нее из рук волшебную палочку и, подойдя к профессору Макгонагалл, послушно протянул ей сестрину палочку вместе со своей собственной, после чего улегся на пол рядом с Алекто. Профессор Макгонагалл снова подняла палочку: в воздухе возник моток блестящей серебряной веревки и стал кольцами обвивать обоих Кэрроу, накрепко привязывая их друг к другу.

— Поттер, — обернулась к нему профессор Макгонагалл, тут же позабыв о лежащих на полу Кэрроу, — если Тот-Кого-Нельзя-Называть действительно знает, где вы...

При этих словах ярость, подобная физической боли, заполыхала в Гарри, воспламенив его шрам, и мгновение он смотрел в каменную чашу со ставшим прозрачным зельем и видел, что на дне ее нет золотого медальона...

— Поттер, что с тобой? — спросил чей-то голос, и Гарри вернулся обратно: оказывается, он вцепился в плечо Полумны, чтобы удержаться на ногах.

— Время уходит, Волан-де-Морт приближается. Профессор, я действую по приказу Дамблдора, я должен найти то, что он поручил мне найти. Но мы должны эвакуировать учеников Хогвартса, пока я веду свои поиски в замке. Волан-де-Морт ищет именно меня, но не остановится перед тем, чтобы убить всякого, кто встретится ему на пути, особенно сейчас... «Сейчас, когда он знает, что я уничтожаю крестражи», — закончил он про себя.

— Вы действуете по приказу Дамблдора? — повторила Минерва Макгонагалл с изумлением и выпрямилась во весь рост. — Мы не допустим в школу Того-Кого-Нельзя-Называть, пока вы ищете это... эту вещь.

— Разве это в ваших силах?

— Думаю, что да, — сухо ответила профессор Макгонагалл. — Видите ли, ваши преподаватели неплохо владеют волшебством. Я думаю, что, если все мы очень постараемся, наших соединенных усилий хватит, чтобы задержать его на некоторое время. Конечно, нужно что-то сделать с профессором Снеггом...

— Позвольте...

— И если Хогвартс переходит на осадное положение, а у наших ворот — Темный Лорд, следует эвакуировать как можно больше невинных людей. Поскольку Сеть летучего пороха под наблюдением, а трансгрессия на территории замка невозможна...

— Выход есть, — поспешно сказал Гарри и рассказал о проходе, ведущем в «Кабанью голову».

— Поттер, речь идет о сотнях учеников...

— Я знаю, профессор, но если Волан-де-Морт и Пожиратели смерти сосредоточатся на границах школы, им будет не до тех, кто трансгрессирует из «Кабаньей головы».

— Пожалуй, в этом что-то есть, — согласилась она и снова направила палочку на Кэрроу.

Серебряная сеть опустилась на связанные тела, оплела их и подняла в воздух, где они зависли под сине-золотым потолком, точно два уродливых морских чудища.

— Пойдемте. Нужно предупредить остальных деканов. Вам лучше снова надеть мантию.

Она шагнула к двери, на ходу поднимая палочку. От ее мановения возникли три серебряные кошки с очковой раскраской вокруг глаз. Патронусы наполнили мрак винтовой лестницы серебристым светом. Профессор Макгонагалл, Гарри и Полумна стали быстро спускаться вслед за ними.

Они бежали по коридорам, и Патронусы один за другим покидали их. Клетчатый халат профессора Макгонагалл шуршал по полу, а Гарри и Полумна трусили за ней, скрытые мантией.

Они спустились еще на два этажа, когда услышали звук других, спокойных шагов. Гарри, которому по-прежнему не давал покоя шрам, услышал их первым. Он полез было в мешочек на шее за Картой Мародеров, но не успел ее вытащить, как и Макгонагалл заметила, что они не одни. Она остановилась, взяла волшебную палочку на изготовку и спросила:

— Кто здесь?

— Я, — ответил низкий голос.

Из-за стоявших в коридоре рыцарских доспехов вышел Северус Снегг.

При виде его в Гарри вскипела ненависть. За тяжестью преступлений Снегга он забыл подробности его внешности: эти жирные черные волосы, патлами свисающие по сторонам худого лица, мертвый, холодный взгляд черных глаз. Он был не в пижаме, а в обычной своей черной мантии и тоже держал палочку на изготовку.

— Где Кэрроу? — спокойно спросил он.

— Я думаю, там, где вы велели им быть, Северус, — ответила профессор Макгонагалл.

Снегг подошел ближе, обшаривая взглядом воздух позади и вокруг профессора Макгонагалл, как будто знал, что Гарри здесь. Гарри тоже вскинул палочку, готовясь к борьбе.

— Я полагал, — сказал Снегг, — что Алекто захватила человека, незаконно проникшего на нашу территорию.

— Вот как? — удивилась профессор Макгонагалл. — На каком же основании вы так полагали?

Снегг слегка согнул левую руку, на которой возле локтя была выжжена Черная Метка.

— Ах да, конечно! — фыркнула профессор Макгонагалл. — У вас, Пожирателей смерти, свои особые каналы связи — как я могла забыть!

Снегг сделал вид, что не слышит. Он все еще пристально всматривался в воздух вокруг нее и постепенно подступал ближе, как будто сам не замечая, что делает.

— Я не знал, что сегодня ваша очередь патрулировать коридоры, Минерва.

— У вас есть возражения?

— Мне хотелось бы знать, что подняло вас с постели в столь поздний час.

— Мне послышался подозрительный шум.

— Вот как? Но здесь вроде бы совсем тихо. — Снегг взглянул ей прямо в глаза. — Минерва, вы видели Гарри Поттера? Если да, то я вынужден настаивать...

Профессор Макгонагалл сделала молниеносный выпад — Гарри никогда бы не поверил, что она способна на такое. Ее волшебная палочка рассекла воздух, и мгновение Гарри ожидал, что Снегг сейчас упадет замертво.

Однако его Щитовые чары сработали так стремительно, что Макгонагалл слегка покачнулась. Она направила палочку на факел на стене, и он вылетел из подставки. Гарри, собиравшемуся наслать на Снегга заклятие, пришлось оттащить в сторону Полумну, чтобы на нее не упало пламя, тут же превратившееся в огненное кольцо, которое заполонило коридор и полетело на Снегга, точно лассо...

Теперь это был уже не огонь, а огромная черная змея, Макгонагалл превратила ее в столб дыма, который в мгновение ока сгустился и обернулся роем разящих кинжалов. Снегга спасло от них лишь то, что он укрылся за стоявшими тут же доспехами, и кинжалы со звоном вонзились один за другим в нагрудные латы...

— Минерва! — произнес визгливый голос.

Обернувшись — и по-прежнему заслоняя Полумну от мечущихся по коридору заклятий, — Гарри увидел профессоров Флитвика и Стебль, бегущих к ним в пижамах, и толстяка Слизнорта, переваливающегося в их кильватере.

— Нет! — взвизгнул Флитвик, поднимая волшебную палочку. — Больше вы в Хогвартсе никого не убьете!

Заклятие Флитвика ударилось в доспехи, которые Снегг сделал своим прикрытием. Они с грохотом ожили. Снегг вырвался из сокрушительных железных объятий и послал доспехи влет на своих противников. Гарри с Полумной едва успели отскочить, когда они врезались в стену и разбились на куски. Когда Гарри снова поднял глаза, Снегг уже спасался бегством, а Макгонагалл, Флитвик и Стебль дружно метали ему вслед молнии. Снегг влетел в дверь классной комнаты, и в следующее мгновение Гарри услышал крик Макгонагалл:

— Трус! *ТРУС!*

— Что там такое? Что случилось? — волновалась Полумна.

Гарри помог ей подняться на ноги, и они помчались по коридору, волоча за собой мантию-невидимку. Забежав в пустой класс, они обнаружили профессоров Макгонагалл, Флитвика и Стебль стоящими у разбитого окна.

— Он выпрыгнул! — сказала профессор Макгонагалл Гарри с Полумной.

— Вы хотите сказать, что он *мертв*? — Гарри рванулся к окну, не обращая внимания на потрясенные восклицания, вырвавшиеся у Флитвика и Стебль при его внезапном появлении.

— Нет, куда там, — с горечью сказала Макгонагалл. — В отличие от Дамблдора, он имел при себе волшебную палочку... ну и выучился, видать, кой-каким штукам от своего хозяина.

Гарри пронизала дрожь ужаса: он увидел вдали огромную, похожую на летучую мышь фигуру, летевшую сквозь тьму к наружным стенам замка.

За их спинами раздались тяжелые шаги и одышливое дыхание: Слизнорт наконец догнал остальных.

— Гарри! — воскликнул он, потирая широченную грудь под изумрудной пижамой. — Мальчик мой дорогой... Какой сюрприз... Минерва, объясни, пожалуйста... Северус... что...

— Наш директор взял кратковременный отпуск, — сказала профессор Макгонагалл, указывая на дыру в оконном стекле, имевшую очертания Снегга.

— Профессор! — закричал Гарри, прижимая руки ко лбу. Он видел под собой озеро, полное инферналов, чувствовал, как призрачная зеленая лодка утыкается носом в подземный берег и из нее выходит Волан-де-Морт, жаждущий убийства. — Профессор, нужно срочно забаррикадировать школу, он летит сюда!

— Отлично! Сюда летит Тот-Кого-Нельзя-Называть! — сообщила Макгонагалл остальным преподавателям. Стебль и Флитвик ахнули. Слизнорт издал тихий стон. — Поттеру нужно кое-что сделать в замке по приказу Дамблдора. Мы должны пустить в ход все доступные нам способы защиты, пока Поттер будет выполнять задание.

— Вы, конечно, понимаете, что никакие наши усилия не способны отражать Сами-Знаете-Кого до бесконечности? — пропищал Флитвик.

— Однако задержать его мы можем, — откликнулась профессор Стебль.

— Спасибо, Помона, — сказала профессор Макгонагалл, и волшебницы обменялись мрачно-понимающим взглядом. — Я предлагаю установить сперва базовую защиту по нашим границам, затем собрать каждому своих учеников и встретиться в Большом зале. Большинство из них нужно будет эвакуировать, но если среди совершеннолетних найдутся такие, что захотят остаться и бороться вместе с нами, им, я полагаю, не следует чинить препятствий.

И она удалилась быстрым шагом, бормоча:

— Тентакула. Дьявольские силки. Дремоносные бобы... Да, посмотрю я, как Пожиратели смерти с ними справятся.

— Я могу действовать прямо отсюда, — сказал Флитвик и направил волшебную палочку на разбитое окно, хотя из-за малого роста вряд ли мог что-нибудь через него увидеть. Он принялся бормотать сложнейшие заклинания, и до Гарри донесся странный порывистый шум, как будто Флитвик выпустил вихри разгуливать по территории замка.

— Профессор, — сказал Гарри, подходя к маленькому преподавателю заклинаний, — профессор, простите, что прерываю вас, но это очень важно. Вы не знаете, где находится диадема Кандиды Когтевран?

— *Протего хоррибилис...* Диадема Кандиды Когтевран? — визгливо пропищал Флитвик. — Конечно, прибавка ума никогда не помешает, Поттер, но боюсь, что в *этой* ситуации толку от нее будет не много!

— Я просто спросил... Вы не знаете, где она? Вы ее когда-нибудь видели?

— Видел? Никто из ныне живущих ее не видел! Она же исчезла в незапамятные времена, мальчик мой!

Гарри почувствовал смесь отчаянного разочарования и паники. А что же тогда крестраж?

— Мы встретимся с вами и вашими когтевранцами в Большом зале, Филиус! — сказала профессор Макгонагалл, жестом приглашая Гарри и Полумну следовать за собой.

Они были уже у двери, когда Слизнорт разразился речью.

— Честное слово, — выдохнул он, весь бледный и потный, и его моржовые усы задрожали, — ну и суматоха! Не уверен, Минерва, что это разумно. Он уж сумеет проложить себе путь в школу, не сомневайтесь, и все, кто пытался его задержать, окажутся в ужаснейшей опасности...

— Я ожидаю вас и ваших слизеринцев в Большом зале через двадцать минут, — сказала профессор Макгонагалл. — Если вы хотите эвакуироваться вместе с учениками, мы вас не задерживаем. Но при любой попытке саботировать наше сопротивление или поднять на нас оружие внутри замка мы, Гораций, будем сражаться с вами не на жизнь, а на смерть.

— Минерва! — в ужасе ахнул он.

— Факультету Слизерин пора определиться, на чьей он стороне, — отрезала профессор Макгонагалл. — Отправляйтесь будить ваших учеников, Гораций.

Гарри не слышал, что там дальше фыркал возмущенный Слизнорт: они с Полумной побежали за профессором Макгонагалл. Она остановилась посреди коридора и подняла волшебную палочку:

— *Пиертотум...* О боже мой, Филч, только не сейчас...

Старый смотритель на всех парах ковылял по коридору с криками:

— Ученики не в постелях! Ученики в коридорах!

— Потому что им так велено, идиот безмозглый! — рявкнула Макгонагалл. — Идите сделайте, наконец, что-нибудь полезное! Найдите Пивза!

— П-пивза? — пролепетал Филч, как будто впервые слышал это имя.

— Да, Пивза, болван, Пивза! Как будто вы не жалуетесь на него непрерывно уже четверть века! Приведите его сию минуту!

Филч явно подумал, что профессор Макгонагалл сошла с ума, однако послушно захромал прочь, опустив голову и что-то тихо бормоча.

— А теперь — *Пиертотум локомотор!* — крикнула профессор Макгонагалл.

По всему коридору статуи и доспехи соскочили со своих постаментов. По стуку и треску над головой и под ногами Гарри понял, что то же самое происходит на всех этажах замка.

— Хогвартс в опасности! — воскликнула профессор Макгонагалл. — Охраняйте границы, защищайте нас, выполняйте свой долг перед школой!

С громом и скрежетом толпа движущихся статуй прошествовала мимо Гарри. Некоторые были меньше, некоторые больше натуральной величины. Среди них были и животные, а лязгающие доспехи потрясали мечами и размахивали медными шарами на цепях.

— А теперь, Поттер, — сказала Макгонагалл, — вам и мисс Лавгуд стоит сходить за вашими друзьями и привести их в Большой зал. А я пойду подниму остальных гриффиндорцев.

Они расстались на ближайшей лестничной площадке, и Гарри с Полумной побежали к тайному входу в Выручай-комнату. По дороге им попадались толпы школьников, по большей части в дорожных мантиях поверх пижам; учителя и старосты вели их в Большой зал.

— Это был Поттер!

— *Гарри Поттер!*

— Это был он, честное слово, я его видел!

Но Гарри не оборачивался. Наконец они добрались до Выручай-комнаты. Гарри прислонился к волшебной стене, и она открылась, пропуская их. Гарри с Полумной быстро спустились по крутым ступеням.

— Чт...

Гарри остолбенел, увидев, что творилось в Выручай-комнате. Она была битком набита — народу оказалось намного больше, чем когда он отсюда уходил. На него смотрели Кингсли и Люпин, Оливер Вуд, Кэти Белл, Анджелина Джонсон и Алисия Спиннет, Билл и Флер, мистер и миссис Уизли.

— Что там происходит, Гарри? — Люпин встретил его у подножия лестницы.

— Волан-де-Морт летит сюда, преподаватели баррикадируют школу... Снегг сбежал... Что вы все здесь делаете? Как вы узнали?

— Мы разослали весть всем членам Отряда Дамблдора, — объяснил Фред. — Кто же согласится упустить такое развлечение, Гарри? А ОД известил Орден Феникса, и все покатилось, как снежный ком.

— С чего начнем, Гарри? — окликнул его Джордж. — Что происходит?

— Идет эвакуация несовершеннолетних, и всех ждут в Большом зале на организационное собрание, — сказал Гарри. — Война началась.

Поднялась суматоха. Все бросились к ступенькам. Гарри вжался в стену и смотрел, как они пробегают мимо него, торопясь в главное здание: члены Ордена Феникса и Отряда Дамблдора и игроки бывшей команды Гарри по квиддичу, все с палочками на изготовку.

— Идем, Полумна, — позвал на ходу Дин, протягивая свободную руку. Полумна ухватилась за нее и поспешила за Дином к ступенькам.

Толпа редела. В Выручай-комнате осталось всего несколько человек, и Гарри подошел к ним. Миссис Уизли бранилась с Джинни. Вокруг стояли Люпин, Фред, Джордж, Билл и Флер.

— Ты несовершеннолетняя! — кричала миссис Уизли на дочь. — Я не разрешаю! Мальчики — ладно, но ты... ты должна вернуться домой.

— Не пойду! — Джинни вырвалась из рук матери, волосы у нее растрепались. — Я — член Отряда Дамблдора!

— Шайка подростков!

— Эта шайка подростков собирается сразиться с ним, а больше на это пока никто не решился! — сказал Фред.

— Ей шестнадцать лет! — кричала миссис Уизли. — Она еще маленькая! О чем вы думали, когда брали ее с собой...

Вид у Фреда и Джорджа был слегка смущенный.

— Мама права, Джинни, — мягко сказал Билл. — Тебе нельзя здесь оставаться. Всех несовершеннолетних эвакуируют, и это правильно.

— Не могу я пойти домой! — Слезы ярости хлынули из глаз Джинни. — Вся моя семья здесь. Я не могу сидеть там одна, не зная... — Она впервые подняла глаза на Гарри и умоляюще посмотрела на него, но он покачал головой, и Джинни обиженно отвернулась. — Хорошо, — сказала она, глядя на отверстие туннеля, ведущего в «Кабанью голову». — Что ж, тогда до свидания всем и...

Послышалось шарканье ног и глухой стук: еще кто-то выбирался из туннеля, споткнулся на ступеньках и упал. Кое-как поднявшись, новоприбывший плюхнулся на ближайший стул, посмотрел вокруг сквозь съехавшие очки в роговой оправе и спросил:

— Я опоздал? Уже началось? Я только что узнал, поэтому...

Перси смолк. Очевидно, он не ожидал, что попадет сразу на семейное собрание. На некоторое время все остолбенели. Наконец Флер повернулась к Люпину и с мужеством отчаяния попыталась нарушить неловкое молчание:

— Как поживает малыш Тедди?

Люпин удивленно посмотрел на нее. Молчание семейства Уизли сгущалось, превращаясь в прочный лед.

— Он... хорошо, спасибо! — громко сказал Люпин. — Тонкс сейчас с ним — у матери.

Перси и остальные Уизли продолжали неподвижно смотреть друг на друга.

— У меня есть фотография! — закричал Люпин, доставая из кармана карточку и протягивая ее Флер и Гарри; они увидели малыша с пучком ярко-бирюзовых волос, машущего толстыми кулачками.

— Я был дураком! — воскликнул Перси так громко, что Люпин чуть не выронил фотографию. — Я был полным идиотом, самодовольным кретином, я был...

— Обожающим Министерство, предавшим свою семью, жадным до власти дебилом, — закончил Фред.

Перси тяжело вздохнул:

— Да, так и есть.

— Что ж, зато честнее некуда, — сказал Фред, протягивая руку Перси.

Миссис Уизли разрыдалась. Она бросилась вперед, оттолкнула Фреда и так крепко обняла Перси, что тот чуть не задохнулся. Перси поглаживал ее по спине, глядя на отца.

— Папа, прости!

Мистер Уизли быстро сморгнул и тоже поспешил обнять сына.

— Что же заставило тебя одуматься, Перси? — поинтересовался Джордж.

— Это началось уже давно, — сказал Перси, утирая глаза под очками полой своей дорожной мантии. — Но мне нужно было как-то выбраться, а в Министерстве это не просто, они только и делают, что отправляют предателей в тюрьму. Мне удалось установить связь с Аберфортом, и десять минут назад он мне передал, что Хогвартс готовится вступить в борьбу. Вот я и явился.

— Разумеется, все мы надеемся, что наши старосты возьмут на себя руководство в такое трудное время, как сейчас! — сказал Джордж, очень похоже передразнивая витиеватую манеру Перси. — Что ж, пошли скорее наверх сражаться, а то всех стоящих Пожирателей смерти разберут.

— Так вы теперь моя невестка? — Перси на ходу пожал руку Флер, торопливо шагая к ступенькам вместе с Биллом, Фредом и Джорджем.

— Джинни! — рявкнула миссис Уизли.

Джинни попыталась под шумок семейного примирения проскользнуть наверх вместе со всеми.

— Молли, у меня есть предложение, — сказал Люпин. — Пусть Джинни останется здесь. Тогда она будет вместе с нами и в то же время не в самой гуще схватки.

— Я...

— Отличная идея, — твердо сказал мистер Уизли. — Джинни, ты остаешься в этой комнате, слышишь?

Джинни, похоже, была не в восторге, но под непривычно суровым взглядом отца послушно кивнула. Мистер и миссис Уизли вместе с Люпином тоже отправились к лестнице.

— Где Рон? — спросил Гарри. — И Гермиона?

— Наверное, они уже в Большом зале, — бросил через плечо мистер Уизли.

— Я не видел, чтобы они проходили мимо меня, — ответил Гарри.

— Они что-то говорили о туалете, — сказала Джинни. — Вскоре после твоего ухода.

— О туалете?

Гарри прошел через комнату к открытой двери и заглянул в туалет за ней. Там никого не было.

— Ты уверена, что они говорили о ту...

Но тут его шрам пронзила нестерпимая боль, и Выручай-комната исчезла: он смотрел сквозь высокие кованые ворота с крылатыми вепрями на столбах на темную территорию, за которой пылал огнями замок. Нагайна обвивалась вокруг его плеч. Им владела холодная, жестокая сосредоточенность — предвестница убийства.

Глава 31

БИТВА ЗА ХОГВАРТС

Волшебный потолок Большого зала темнел, усыпанный звездами. Под ним за четырьмя длинными столами факультетов сидели растрепанные школьники — кто в дорожной мантии, кто в халате. Среди них мелькали жемчужно-белые фигуры школьных призраков. Все глаза, живые и мертвые, были устремлены на профессора Макгонагалл, выступавшую с возвышения в центре Зала. Позади нее стояли остальные учителя, в том числе и белокурый кентавр Флоренц, а также члены Ордена Феникса, прибывшие для битвы.

— Эвакуацией будут руководить мистер Филч и мадам Помфри. Старосты, по моему сигналу вы организуете свои факультеты и в порядке доставите порученные вам группы к месту эвакуации.

Многие ученики сидели в полном оцепенении. Однако пока Гарри пробирался вдоль стены, высматривая за столом Гриффиндора Рона и Гермиону, за столом Пуффендуя поднялся Эрни Макмиллан и громко спросил:

— А если мы хотим остаться и принять участие в битве?

Раздались бурные аплодисменты.

— Совершеннолетним можно остаться, — сказала профессор Макгонагалл.

— А как быть с нашими вещами? — спросила какая-то девочка за столом Когтеврана. — С чемоданами, с совами?

— У нас нет времени паковать имущество, — ответила профессор Макгонагалл. — Наша задача — в целости эвакуировать отсюда вас самих.

— Где профессор Снегг? — выкрикнула девочка за столом Слизерина.

— Он, простите за вульгарное выражение, сделал ноги, — ответила профессор Макгонагалл, и за столами Гриффиндора, Пуффендуя и Когтеврана раздался дружный громкий смех.

Гарри шел по Залу вдоль гриффиндорского стола и искал глазами Рона и Гермиону. Все головы поворачивались ему вслед, и до него доносился сзади громкий шепот.

— Мы уже установили вокруг замка защитные заклинания, — говорила профессор Макгонагалл, — но вряд ли они продержатся долго, если мы не примем дополнительных мер. Поэтому прошу вас двигаться быстро и организованно и слушаться старост...

Ее последние слова потонули в раскатах другого голоса, разнесшегося по Большому залу. Голос был высокий, холодный и ясный. Невозможно было определить, откуда он исходит: казалось, говорят сами стены. Как чудовище, которым он некогда повелевал, этот голос, возможно, дремал в стенах веками.

— Я знаю, что вы готовитесь к битве.

Из-за столов раздались испуганные вскрики, школьники в ужасе прижимались друг к другу и затравленно озирались, пытаясь понять, откуда доносится голос.

— Ваши усилия тщетны. Вы не можете противостоять мне. Я не хочу вас убивать. Я с большим уважением отношусь к преподавателям Хогвартса. Я не хочу проливать чистую кровь волшебников.

В Зале царила теперь полная тишина, та тишина, что давит на барабанные перепонки и распирает стены.

— Отдайте мне Гарри Поттера, — сказал голос Волан-де-Морта, — и никто из вас не пострадает. Отдайте мне Гарри Поттера, и я оставлю школу в неприкосновенности. Отдайте мне Гарри Поттера, и вы получите награду. Даю вам на раздумье время до полуночи.

И снова Зал погрузился в тишину. Все головы повернулись, все глаза обратились на Гарри, приковав его к месту тысячей невидимых лучей. Потом из-за стола Слизерина кто-то поднялся. Он узнал Пэнси Паркинсон. Она замахала руками, крича:

— Да он же здесь! Поттер *здесь*! Хватайте его!

Гарри не успел произнести и слова, как началось общее движение. Гриффиндорцы перед ним вскочили и, как один, повернулись — но не к Гарри, а к слизеринцам. За ними поднялись пуффендуйцы, и почти в ту же минуту когтевранцы. Все они стояли спиной к Гарри, глядя не на него, а на Пэнси, и он, пораженный и благодарный, увидел, как взвиваются волшебные палочки, извлекаемые из-под мантий и из рукавов.

— Благодарю вас, мисс Паркинсон, — сказала профессор Макгонагалл ровным голосом. — Вы первая покинете этот зал в сопровождении мистера Филча. За вами пойдут остальные ученики вашего факультета.

Гарри услышал шум отодвигаемых скамеек, а затем топот слизеринцев, толпой выходящих в дверь на другой стороне зала.

— Когтевранцы, ваша очередь! — крикнула профессор Макгонагалл.

Постепенно пустели скамьи у всех четырех столов. За столом Слизерина не осталось никого, но несколько старших когтевранцев продолжали сидеть, когда их товарищи отправились на выход. Еще больше осталось пуффендуйцев, а за столом Гриффиндора по-прежнему сидела половина факультета, так что профессору Макгонагалл пришлось сойти с возвышения и лично выставлять из зала несовершеннолетних.

— Криви, речи быть не может, уходите! И вы, Пикс!

Гарри торопливо подошел к Уизли, сидевшим вместе за столом Гриффиндора.

— Где Рон и Гермиона?

— Ты их не нашел... — начал мистер Уизли встревоженно.

Но ему пришлось прерваться на полуслове, потому что Кингсли поднялся на возвышение и обратился к оставшимся в зале:

— До полуночи всего полчаса, поэтому нужно действовать быстро! Преподаватели Хогвартса и Орден Феникса согласовали план битвы. Профессора Флитвик,

Стебль и Макгонагалл поведут группы бойцов на три самые высокие башни: Когтеврана, Астрономическую и Гриффиндора — оттуда открывается прекрасный обзор, отличная позиция для применения заклятий. Тем временем Римус, — он указал на Люпина, — Артур, — он махнул в сторону мистера Уизли, сидевшего за столом Гриффиндора, — и я поведем свои группы на территорию вокруг замка. Нам нужны люди, которые организуют оборону проходов в школу...

— Это, похоже, работка для нас, — сказал Фред, показывая на себя и Джорджа, и Кингсли кивнул в знак согласия.

— Прекрасно, все предводители в сборе, давайте разделим наше войско.

— Поттер, — сказала профессор Макгонагалл, торопливо подходя к нему, пока ученики, хлынувшие к возвышению, получали назначения и инструкции. — Вы ведь, кажется, искали что-то?

— Что? Да! — сказал Гарри. — Да, конечно!

Он почти забыл о крестраже, забыл, что битва будет дана для того, чтобы он мог его отыскать. Необъяснимое исчезновение Рона и Гермионы на время оттеснило все другие мысли.

— Так идите, Поттер! За дело!

— Да, я иду...

Выбегая из Большого зала в вестибюль, где толпились эвакуируемые ученики, он спиной чувствовал провожавшие его взгляды. Гарри позволил движению толпы увлечь себя по мраморной лестнице, но, дойдя до площадки, рванулся прочь по пустынному коридору. Панический страх не давал ему сосредоточиться. Он пытался успокоиться, сосредоточиться на поисках крестража, но мысли бились в голове бесцельно и бестолково, как осы в стеклянной банке. Похоже, без помощи Рона и Гермионы он не способен был в них разобраться. Гарри замедлил шаги, остановился посреди пустого коридора и, присев на опустевший постамент какой-то ушедшей на битву статуи, достал из мешочка на шее Карту Мародеров. Он не нашел на ней имен Рона и Гермионы; плотные ряды точек, двигавшихся сейчас к Выручай-комнате, могли, казалось ему, заслонить друзей. Он убрал Карту, прижал ладони к лицу и закрыл глаза, пытаясь собраться с мыслями...

Волан-де-Морт думал, что я отправлюсь в башню Когтеврана.

Вот оно: несомненный факт, точка отсчета. Волан-де-Морт велел Алекто дожидаться в общей гостиной Когтеврана, и этому могло быть только одно объяснение: Волан-де-Морт опасался, что Гарри уже известно о связи крестража с этим факультетом.

Однако другого предмета, связанного с Когтевраном, кроме исчезнувшей диадемы, похоже, нет... Может ли диадема быть крестражем? Возможно ли, что Волан-де-Морт, слизеринец, отыскал диадему, которую не могли найти столько поколений когтевранцев? Кто мог указать ему ее местонахождение, если никто из ныне живущих ее не видел?

Никто из ныне живущих...

Глаза Гарри широко открылись под прижатыми пальцами. Он вскочил с постамента и вихрем помчался обратно за последней своей надеждой. Звук сотен шагов, направлявшихся к Выручай-комнате, зазвучал громче — Гарри снова был неподалеку от мраморной лестницы. Старосты выкрикивали инструкции, стараясь не упускать из виду учеников своего факультета. Было много суматохи и толкотни. Гарри увидел Захарию Смита, расталкивавшего первокурсников, чтобы попасть к голове очереди. Многие младшие ученики плакали, а старшие отчаянно звали друзей, братьев и сестер...

Гарри увидел жемчужно-белую фигуру, двигавшуюся через вестибюль внизу, и крикнул во всю мочь, перекрывая шум:

— Ник! НИК! Мне нужно с тобой поговорить!

Он протиснулся через толпу школьников и наконец добрался до площадки, где стоял, поджидая его, Почти Безголовый Ник, привидение башни Гриффиндора.

— Гарри! Милый мой мальчик!

Ник радостно взял руки Гарри в свои. Гарри показалось, что его кисти окунули в ледяную воду.

— Ник, ты должен мне помочь. Кто у нас привидение башни Когтеврана?

Почти Безголовый Ник посмотрел на него с удивлением и легкой обидой.

— Серая Дама, конечно; но если тебе нужны услуги призрака...

— Мне нужна именно она. Ты знаешь, где ее искать?

— Надо посмотреть...

Голова Ника закачалась на воротнике, он крутил ею туда-сюда, вглядываясь в толпу школьников.

— Вон она, Гарри, вон та молодая женщина с длинными волосами.

Гарри проследил глазами за прозрачным пальцем Ника и увидел высокую призрачную фигуру, которая, почувствовав, что на нее глядят, приподняла брови и удалилась сквозь сплошную стену.

Гарри помчался за ней. Вбежав в коридор, куда она просочилась, он увидел Серую Даму на другом конце; она все так же тихо скользила прочь.

— Эй... подождите... не уходите!

Привидение остановилось, паря над полом. Гарри подумал, что она, наверное, была красавицей со своими волосами до пояса и развевающейся до самой земли мантией, но вид у нее был высокомерный и неприступный. Подойдя ближе, он узнал привидение, которое не раз встречал в коридорах, но никогда с ним не разговаривал.

— Вы — Серая Дама?

Она молча кивнула.

— Привидение башни Когтеврана?

— Верно.

Тон у нее был не слишком ободряющий.

— Прошу вас... мне нужна ваша помощь. Расскажите мне все, что знаете об исчезнувшей диадеме.

Ее губы искривились в холодной улыбке.

— Боюсь, — сказала она, поворачиваясь, чтобы уйти, — что ничем не могу вам помочь.

— ПОДОЖДИТЕ!

Гарри не собирался кричать, но не мог больше сдерживать раздражение и панику. Когда Серая Дама остановилась перед ним, он взглянул на часы — было без четверти двенадцать.

— Это очень срочно, — горячо заговорил он. — Если диадема в Хогвартсе, я должен найти ее, и как можно быстрее.

— Вы не первый школьник, возмечтавший о диадеме, — презрительно откликнулась Серая Дама. — Уже много поколений здешних учеников не дают мне покоя...

— Речь не о том, чтобы получить оценки получше! — закричал на нее Гарри. — Речь о Волан-де-Морте, о том, чтобы его победить. Или вы в этом не заинтересованы?

Она не могла покраснеть, однако ее прозрачные щеки слегка помутнели, а голос зазвучал сердито:

— Разумеется, я... как вы посмели предположить...

— Тогда помогите мне.

Вся ее самоуверенность исчезла.

— Дело не... не в том... — пробормотало привидение. — Диадема моей матери...

— Вашей *матери*?

Серая Дама, похоже, сердилась на себя за откровенность.

— При жизни, — сказала она холодно, — я была Еленой Когтевран.

— Вы ее дочь? Тогда вы должны знать, что случилось с диадемой!

— Диадема придает ума, — ответило привидение, явно пытаясь набраться храбрости. — Не думаю, чтобы она была вам очень полезна в борьбе с волшебником, который называет себя Властелином...

— Я же сказал вам: я не собираюсь ее носить! — горячо заговорил Гарри. — Сейчас нет времени для объяснений, но если вам дорог Хогвартс, если вы хотите увидеть, как покончат с Волан-де-Мортом, вы должны сказать мне все, что знаете об этой диадеме!

Серая Дама замерла в воздухе, глядя на него, и на Гарри нахлынуло чувство безнадежности. Если бы она что-то знала, то, уж конечно, рассказала бы об этом Флитвику или Дамблдору, которые, надо думать, задавали ей этот вопрос. Он покачал головой и уже готов был уйти, как вдруг она тихо сказала:

— Я украла диадему у матери.

— Вы... что вы сделали?

— *Я украла диадему,* — шепотом повторила Елена Когтевран. — Я хотела стать умнее матери, значительнее, чем она. Я сбежала с диадемой.

Гарри не знал и не спрашивал, чем заслужил ее доверие. Он просто слушал, а она продолжала:

— Говорят, моя мать отказывалась признать, что диадема исчезла, и уверяла всех, что она по-прежнему у нее. Она скрыла свою потерю и мое страшное предательство даже от остальных основателей Хогвартса. А потом моя мать заболела... смертельно заболела. Хотя я ее предала, она очень хотела еще раз увидеться со мной. Она послала на поиски человека, который долго был в меня влюблен, хотя я отвергала его ухаживания. Мать знала, что он не успокоится, пока не выполнит поручение.

Гарри ждал. Серая Дама глубоко вздохнула и откинула голову.

— Он выследил меня в лесу, где я скрывалась. Когда я отказалась вернуться с ним, он пришел в ярость. У Барона всегда был бешеный темперамент. В ярости от моего отказа, ревнуя к моей свободе, он ударил меня кинжалом.

— *Барон*? Тот самый?..

— Да, Кровавый Барон, — сказала Серая Дама и слегка раздвинула мантию, показав темную рану на своей белой груди. — Когда он увидел, что натворил, его обуяло раскаяние. Он схватил оружие, лишившее меня жизни, и нанес себе смертельный удар. И сейчас, столько веков спустя, он носит на себе цепи в знак покаяния... И поделом, — добавила она горько.

— А... а диадема?

— Она осталась там, где я ее спрятала, заслышав приближение Барона. В дупле старого дерева.

— В дупле старого дерева? — переспросил Гарри. — Какого дерева? Где это было?

— В лесах Албании. В безлюдном месте, где, как я надеялась, мать меня не найдет.

— В Албании, — повторил Гарри.

За путаницей стал чудесным образом проглядывать смысл. Теперь Гарри понимал, почему она рассказала ему то, что не захотела открыть Дамблдору и Флитвику.

— Вы уже однажды рассказывали эту историю, правда? Другому школьнику?

Она прикрыла глаза и кивнула.

— Я... понятия не имела... он был так... любезен. Казалось, он понимает меня... сочувствует...

«Да, — подумал Гарри, — Том Реддл, конечно, понимал желание Елены Когтевран завладеть сокровищем, на которое у нее не было права».

— Что ж, вы не первая, у кого Реддл выманил принадлежащие им вещи, — пробормотал Гарри. — Он умел быть обаятельным, когда хотел...

Значит, Волан-де-Морту удалось выведать у Серой Дамы, где находится исчезнувшая диадема. И он отправился в этот далекий лес и забрал сокровище из тайника; наверное, он сделал это сразу по окончании Хогвартса, прежде чем начать работать у «Горбина и Бэркеса».

И не эти ли безлюдные албанские леса стали отличным укрытием, когда спустя немало времени Волан-де-Морту понадобилось место, где он мог бы залечь на дно, никем не тревожимый, на десять долгих лет?

Но диадема, превращенная в драгоценный крестраж, уже не могла оставаться в каком-то дупле... Нет, диадема была тайно возвращена на свою подлинную родину. Наверное, Волан-де-Морт принес ее сюда...

— В ту ночь, когда он явился просить места! — Гарри закончил свою мысль вслух.

— Что вы сказали?

— Он спрятал диадему здесь, в замке, в ту ночь, когда приходил к Дамблдору просить место преподавателя! — сказал Гарри. Произнеся это вслух, он вдруг все понял. — Видимо, он спрятал диадему, когда поднимался к Дамблдору... или спускался от него! Конечно, попытаться получить место тоже стоило, а ведь мог еще представиться шанс стащить меч Гриффиндора... Спасибо вам, спасибо!

Гарри оставил призрак парить в воздухе с выражением крайнего недоумения. По дороге обратно в вестибюль он снова взглянул на часы. До полуночи оставалось пять минут, и хотя он знал теперь, *что* представляет из себя последний крестраж, он понятия не имел, *где* он может быть...

Многие поколения школьников тщетно искали диадему. Это наводило на мысль, что вряд ли она находится в башне Когтеврана. Но где же тогда? Какой тайник мог найти Том Реддл в Хогвартсе, чтобы надеяться на вечную ее сохранность?

Погруженный в безнадежные раздумья, Гарри свернул за угол, но не успел пройти по очередному коридору и нескольких шагов, как слева от него с оглушительным звоном разбилось окно. Гарри едва успел отскочить в сторону — в оконный проем влетело огромное тело, врезавшись в противоположную стену. Что-то большое и мохнатое, скуля, отделилось от новоприбывшего и бросилось к Гарри.

— Хагрид! — завопил Гарри, уворачиваясь от собачьих нежностей Клыка. — Какого...

Огромная бородатая фигура наконец поднялась на ноги.

— Гарри, ты здеся! Ты *здеся*!

Хагрид нагнулся, быстро обнял Гарри, так что у того захрустели ребра, и бросился обратно к разбитому окну.

— Молодец, Грошик! — крикнул он в проем. — Я сейчас к тебе спущусь, будь умницей!

Через голову Хагрида Гарри увидел в темноте за окном отдаленные вспышки и услышал странный, воющий звук. Он взглянул на часы: полночь. Битва началась.

— Батюшки-светы, Гарри, — ахнул Хагрид. — Это оно, а? Началась заварушка?

— Хагрид, откуда ты взялся?

— Мы услыхали Сам-Знаешь-Кого из нашей пещеры, — мрачно ответил Хагрид. — Во голосок-то, а? До полночи, мол, жду, а потом гоните мне Поттера. Я понял, что ты, стало быть, туточки, понял, какие дела творятся. Отвяжись, Клык. Ну мы и пришли тебе подсобить — с Грошиком и с Клыком. Прорвались сквозь границу лесом, Грошик нас тащил, меня и Клыка. Я сказал ему, что мне надо в замок, вот он и запустил меня в окно, дай ему Бог здоровья. Не совсем то, что я хотел, ну да... А где же Рон и Гермиона?

— Хороший вопрос, — сказал Гарри. — Пойдем.

Вместе они торопливо зашагали по проходу, за ними трусил Клык. Гарри слышал движение во всех коридорах: топот бегущих ног, крики, в потемневших окнах отражались все новые вспышки на территории замка.

— Куда мы идем? — спросил запыхавшийся Хагрид, тяжело ступая вслед за Гарри по стонущим половицам.

— Не знаю точно, — ответил Гарри, снова сворачивая куда-то наудачу. — Но Рон и Гермиона должны быть где-то тут.

В конце коридора уже лежали первые жертвы начавшейся битвы — двух каменных горгулий, обычно охранявших вход в учительскую, раскололо на куски заклятием, влетевшим в другое разбитое окно. Их останки слабо шевелились на полу. Когда Гарри склонился над одной из отвалившихся голов, она слабо произнесла:

— Не обращайте на меня внимания... Я буду просто лежать тут и крошиться...

Ее уродливое каменное лицо вдруг напомнило Гарри виденный в доме Ксенофилиуса мраморный бюст Кандиды с ее нелепым головным убором, а потом статую в башне Когтеврана с каменной диадемой на беломраморных кудрях...

Дойдя до конца коридора, он вспомнил еще одно каменное изваяние: уродливого колдуна, которому сам Гарри нахлобучил на голову парик и старую помятую корону. У Гарри вдруг зашумело в ушах, как от огненного виски, и он чуть не споткнулся.

Теперь он знал, где дожидается его последний крестраж...

Том Реддл, не доверявший никому и действовавший всегда в одиночку, имел наглость думать, что он и только он один проник в глубочайшие тайны Хогвартского замка. Конечно, такие примерные ученики, как Дамблдор и Флитвик, никогда не заходили в это место, но он-то, Гарри, не всегда держался проторенных путей во время своей учебы в школе. Наконец-то нашелся секрет, известный ему и Волан-де-Морту, о котором даже не подозревал Дамблдор!

Его спугнула профессор Стебль, прошедшая мимо в сопровождении Невилла и дюжины других учеников, все в наушниках-заглушках и с большими цветочными горшками в руках.

— Мандрагоры! — крикнул Невилл через плечо, пробегая мимо Гарри. — Мы будем бросать их через стены — посмотрим, как это понравится приспешникам Волан-де-Морта.

Гарри знал теперь, куда идет. Он ускорил шаги, а за ним припустились Хагрид и Клык. Они шли мимо длинного ряда портретов и видели, как изображения — волшебники и волшебницы в кружевных воротниках и камзолах, доспехах и мантиях — сходили со своих мест и перебирались в рамы друг к другу, выкрикивая новости о происходившем в других частях замка. Гарри с Хагридом добрались уже до конца коридора, когда внезапно весь замок содрогнулся. Глядя, как слетает со своего постамента огромная ваза, Гарри понял, что над Хогвартсом сгустились чары более страшные, чем те, которыми владели его преподаватели и Орден Феникса.

— Не бойся, Клык, не бойся! — уговаривал Хагрид, но огромный пес пустился наутек от осколков фарфора, разлетавшихся по воздуху, как шрапнель, и Хагрид бросился вдогонку за перепуганной собакой, оставив Гарри в одиночестве.

Гарри побрел по сотрясающимся переходам, держа палочку наготове. В одном из коридоров позади него перебегал от портрета к портрету маленький нарисованный рыцарь, сэр Кэдоган, бряцая доспехами; он подбадривал остальных воинственными криками, а за ним трусил рысцой его жирный пони.

— Мошенники, негодяи, псы, подлое отродье! Задай им, Гарри Поттер, гони их всех!

Гарри поспешно повернул за угол и увидел там Фреда с маленькой группой школьников — он узнал Ли Джордана и Ханну Аббот; они стояли у другого опустевшего постамента, чья статуя раньше заслоняла тайный проход. Держа палочки наготове, ребята приложили уши к замаскированному отверстию.

— Веселая ночка! — крикнул Фред, когда замок вновь сотрясся, и Гарри промчался мимо, подстегиваемый смесью ужаса и восторга. Он влетел в следующий коридор и увидел мечущихся по нему сов. Миссис Норрис отчаянно мяукала и пыталась ударить их лапами, видимо желая загнать на место...

— Поттер!

Дорогу ему преградил Аберфорт Дамблдор с палочкой на изготовку.

— Через мой трактир сигают сотни детишек, Поттер!

— Я знаю, мы эвакуируем их, — сказал Гарри. — Волан-де-Морт...

— Напал на школу, потому что они отказались тебя выдать, ну да, — сказал Аберфорт. — Я не глухой, весь Хогсмид слышал его голос. Неужели никому из вас не пришло в голову оставить несколько слизеринцев заложниками? Вы отправили в безопасное место потомство Пожирателей смерти. Разве не умнее было оставить их здесь?

— Волан-де-Морта это не остановило бы, — сказал Гарри. — И ваш брат никогда бы так не поступил.

Аберфорт фыркнул, повернулся и пошел в другую сторону.

Ваш брат никогда бы так не поступил... Что ж, это была правда. Дамблдор, столько лет защищавший Снегга, ни за что бы не согласился использовать учеников как живое прикрытие...

Наконец Гарри свернул в последний коридор и издал вопль облегчения и ярости: перед ним стояли Рон и Гермиона и оба держали в охапке что-то желтое, большое, изогнутое и грязное. Под мышкой у Рона торчала метла.

— Где вас только носило? — закричал Гарри.

— Тайная комната, — ответил Рон.

— *Какая*... комната? — Гарри резко затормозил перед ними.

— Это Рон, это его идея! — захлебываясь, рассказывала Гермиона. — Полный блеск, правда? Когда ты ушел, я спросила Рона, а если мы найдем следующую штуку, как мы с ней покончим? Мы ведь до сих пор ничего не сделали с чашей. И тут его осенило! Василиск!

— При чем тут...

— Что-то, способное уничтожить крестраж, — просто сказал Рон.

Гарри снова взглянул на странные предметы, которые держали Рон и Гермиона: большие, изогнутые клыки, вырванные, как он теперь понимал, из головы мертвого василиска.

— Но как вы туда проникли? — спросил он, переводя глаза с клыков на Рона. — Ведь для этого нужно говорить по-змеиному!

— Он и говорил! — прошептала Гермиона. — Покажи ему, Рон!

Рон издал странное приглушенное шипение.

— Я ведь слышал, как ты открывал медальон, — сказал он Гарри извиняющимся тоном. — У меня получилось не с первого раза, но, — он смущенно пожал плечами, — в конце концов мы туда вошли.

— Он был просто великолепен! — сказала Гермиона. — Великолепен!

— Так вы... — Гарри из всех сил старался понять. — Вы...

— Мы уничтожили очередной крестраж. — Рон достал из-под куртки искореженные остатки чаши Пуффендуя. — Гермиона разбила ее клыком василиска. Я решил, что должен уступить ей, — у нее еще не было случая получить это удовольствие.

— Ты гений! — закричал Гарри.

— Ерунда, — сказал Рон, хотя выглядел очень довольным собой. — А у тебя что новенького?

В это время наверху раздался взрыв. С потолка посыпалась пыль. Вся троица посмотрела наверх и услышала отдаленный крик.

— Я знаю, как выглядит диадема, и я знаю, где она, — быстро проговорил Гарри. — Он спрятал ее там же, где я когда-то спрятал свой старый учебник по зельеварению, там, где все веками прятали всякий хлам. Он думал, что, кроме него, ее никто там не найдет. Пошли.

Стены снова задрожали. Он повел Рона и Гермиону через замаскированный вход и лестницу обратно в Выручай-комнату. Теперь здесь никого не было, кроме трех женщин: Джинни, Тонкс и пожилой волшебницы в траченной молью шляпе. Гарри сразу узнал в ней бабушку Невилла.

— А, Поттер, — решительно произнесла она, как будто ожидала его появления. — Расскажите нам, что происходит.

— Все целы? — хором спросили Джинни и Тонкс.

— Вроде да, — ответил Гарри. — Остались еще люди в проходе в «Кабанью голову»?

Он знал, что комната не может изменяться, пока в ней остаются люди.

— Я прошла по нему последняя, — сказала миссис Долгопупс, — и запечатала вход, потому что, мне кажется, сейчас небезопасно оставлять его открытым. Аберфорт покинул свой трактир. Ты видел моего внука?

— Он сражается, — ответил Гарри.

— Разумеется, — гордо сказала старая леди. — Простите, я должна идти к нему на помощь. — И она с поразительной быстротой зашагала к ступенькам.

Гарри взглянул на Тонкс:

— А я думал, вы у матери с малышом Тедди.

— Я не могла вынести неизвестность... — У Тонкс был подавленный вид. — Ты не видел Римуса?

— Он собирался вести группу бойцов на территорию замка...

Тонкс без дальних слов бросилась вон.

— Джинни, — сказал Гарри. — Прости, но нам придется попросить и тебя выйти. Совсем ненадолго. Потом можешь заходить обратно.

Джинни, судя по всему, страшно обрадовалась, что ее выпускают из укрытия.

— Потом ты должна будешь вернуться в Выручай-комнату! — крикнул он ей вслед, пока она бежала по ступенькам вслед за Тонкс. — *Ты должна будешь зайти обратно!*

— Погоди минуту, — резко сказал Рон. — Мы кое-кого забыли!

— Кого? — спросила Гермиона.

— Эльфов-домовиков, они ведь все внизу, в кухне, так?

— Ты думаешь, нам стоит поднять их на борьбу? — спросил Гарри.

— Нет, — сказал Рон серьезно. — Я думаю, что мы должны предложить им эвакуацию. Мы ведь не хотим, чтобы повторилась история с Добби? Мы не имеем права заставлять их гибнуть за нас...

Раздался грохот — это Гермиона выронила клыки василиска. Подбежав к Рону, она закинула руки вокруг его шеи и поцеловала прямо в губы. Рон бросил на пол клыки и зажатую под мышкой метлу и ответил на ее объятие с такой горячностью, что даже оторвал Гермиону от пола.

— Нашли время! — негромко сказал Гарри. Никакой реакции: Рон и Гермиона только крепче прижались друг к другу. — Эй, — сказал Гарри уже громче. — Мы ведь на войне!

Рон и Гермиона оторвались друг от друга, не размыкая объятий.

— Я знаю, друг. — Рон выглядел так, будто его только что ударили по затылку бладжером. — Поэтому сейчас или никогда, понимаешь?

— Хорошо-хорошо, а как же быть с крестражем? — крикнул Гарри. — Вы не могли бы... немного подождать, пока мы не отыщем диадему?

— Да... ты прав... прости, — сказал Рон.

Они с Гермионой стали подбирать клыки василиска, оба залившись густым румянцем.

Когда они втроем вышли в коридор, стало ясно, что за несколько минут, проведенных ими в Выручай-комнате, положение значительно ухудшилось: стены и потолок ходили ходуном, воздух был наполнен пылью, а в окнах мелькали красные и зеленые вспышки, долетавшие до подножия замка. Он понял, что Пожиратели смерти вот-вот будут здесь. Внизу Гарри увидел великана Грохха, петлявшего по территории, громко крича и размахивая чем-то вроде каменной горгульи, сорванной с крыши.

— Будем надеяться, что он наступил на кого-то из них! — сказал Рон, услышав неподалеку крик.

— Если только это не кто-нибудь из наших, — раздался голос у них за спиной.

Гарри обернулся и увидел Джинни и Тонкс, направивших палочки на соседнее окно, стекла которого были выбиты. Джинни как раз метко пустила заклятие в толпившихся внизу Пожирателей.

— Молодец! — крикнул кто-то, пробираясь к ним сквозь тучи поднятой пыли. Гарри узнал Аберфорта, его седые волосы развевались; он вел по коридору группу школьников. — Похоже, они сейчас проломят северную стену — они привели с собой великанов!

— Вы не видели Римуса? — крикнула ему вслед Тонкс.

— Он сражался с Долоховым, — ответил Аберфорт. — А с тех пор я его не видел.

— Тонкс, — сказала Джинни, — с ним все в порядке, вот увидишь.

Но Тонкс уже бежала сквозь пыльную мглу вслед за Аберфортом.

Джинни растерянно повернулась к Гарри, Рону и Гермионе.

— Все будет хорошо, — сказал Гарри, хотя и понимал, что это пустые слова. — Джинни, мы сейчас вернемся — побудь тут в уголке, никуда не ходи... Пошли, — обратился он к Рону и Гермионе. И они побежали обратно к той стене, за которой Выручай-комната дожидалась новых просьб.

«Мне нужно место, где все спрятано», — взмолился Гарри про себя, и, когда они пробегали мимо в третий раз, в стене появилась дверь.

Едва они переступили порог и закрыли за собой дверь, шум битвы смолк: их обступила полная тишина. Они оказались в помещении размером с большой собор и похожем на город. Его башни состояли из предметов, спрятанных здесь тысячами давно покинувших Хогвартс школьников.

— Неужели он не понял, что сюда может войти любой? — спросил Рон. Его голос гулко разнесся под сводами.

— Он думал, что он один такой, — ответил Гарри. — Ему просто не повезло, что и мне в свое время нужно было кое-что спрятать... Сюда, — добавил он. — Я думаю, он там...

Он прошел мимо чучела тролля и Исчезательного шкафа, который Драко Малфой починил в прошлом году с такими печальными последствиями, и заколебался, обводя глазами проходы между грудами хлама. Он не мог вспомнить, куда теперь идти...

— *Акцио, диадема!* — в отчаянии воскликнула Гермиона, но ничего не произошло.

Похоже, Выручай-комната, как и подвалы «Гринготтса», не выдавала так легко вверенные ей предметы.

— Давайте разойдемся, — предложил Гарри. — Ищите каменный бюст старика в парике и короне! Он стоял на буфете, это должно быть где-то поблизости...

Они двинулись по проходам. Гарри слышал, как раздаются шаги его друзей за грудами бутылок, шляп, коробок, стульев, книг, оружия, метл, бит для квиддича...

— Где-то здесь, — бормотал Гарри себе под нос. — Где-то... где-то...

Он углублялся все дальше в лабиринт, ища предметы, которые видел в свое предыдущее посещение. Кровь загудела у него в ушах, сердце дрогнуло: вот он, справа — потрепанный старинный буфет, в который он спрятал когда-то свой старый учебник по зельеварению. Наверху стоял щербатый каменный бюст волшебника в пыльном обтрепанном парике и чем-то вроде потускневшей старинной короны.

Он вытянул руку, не дойдя еще десяти шагов, как вдруг за его спиной раздался голос:

— Поттер, стой!

Он резко затормозил и обернулся. За его спиной стояли плечом к плечу Крэбб и Гойл, наставив на него волшебные палочки. А потом в узкий просвет между их глумливыми рожами он увидел Драко Малфоя.

— У тебя в руках моя палочка, Поттер! — Малфой наставил на него свою через щель между Крэббом и Гойлом.

— Нет, уже не твоя, — ответил Гарри, крепче сжимая палочку из боярышника. — Я получил ее в честном бою, Малфой. А кто одолжил тебе эту?

— Моя мать, — ответил Малфой.

Гарри рассмеялся, хотя ситуация была не из веселых. Рон и Гермиона словно пропали куда-то. Похоже, в поисках диадемы они ушли за пределы слышимости.

— А что это вы трое не с Волан-де-Мортом? — спросил Гарри.

— Хотим получить награду, — ответил Крэбб. У него был удивительно нежный голос для такого огромного тела. Гарри вообще, кажется, не случалось прежде слышать, чтобы он открывал рот. Крэбб блаженно улыбался, как маленький ребенок, которому пообещали мешок конфет. — Мы остались тут, Поттер. Решили не эвакуироваться. Решили доставить тебя к нему.

— Отличный план! — сказал Гарри с насмешливым восхищением.

Он не мог поверить, что Малфой, Крэбб и Гойл задержат его в двух шагах от цели. Медленно, спиной, он стал отступать к каменному бюсту со съехавшим на бок крестражем. Успеть бы схватить его прежде, чем начнется борьба...

— А как вы сюда попали? — поинтересовался он, чтобы отвлечь их.

— Я весь прошлый год только что не ночевал в Комнате Спрятанных Вещей, — откликнулся Малфой ломким голосом. — Я знаю, как сюда попасть.

— Мы прятались в коридоре снаружи, — хрюкнул Гойл. — Мы теперь умеем выполнять Маскирующие чары. А тут ты выскочил из-за угла прямо перед нами, — его лицо расплылось в тупой ухмылке, — и бормочешь, что тебе нужна диа-дама. Что еще за диа-дама?

— Гарри? — раздался голос Рона из-за стены справа от Гарри. — С кем это ты там разговариваешь?

Крэбб сделал быстрый выпад волшебной палочкой в сторону высоченной стены из старой мебели, помятых чемоданов, книг, одежды и всякой не поддающейся опознанию рухляди и крикнул:

— *Десцендо!*

Стена задрожала и обрушилась в соседний проход, где стоял Рон.

— Рон! — завопил Гарри, и тут где-то вдали раздался вскрик Гермионы. Гарри увидел, как лавина предметов катится на пол с другой стороны от полуразрушенной стены. Он направил палочку на ее остатки, крикнул: — *Фините!* — и лавина остановилась.

— Нет! — крикнул Малфой, перехватывая руку Крэбба, собиравшегося повторить заклятие. — Если ты обрушишь комнату, мы уже не найдем под обломками эту диадему!

— Ну и что? — сказал Крэбб, вырываясь. — Темный Лорд просил Поттера, а не диа-даму!

— Поттер пришел сюда за ней, — сказал Малфой с плохо скрытой досадой на тупость своих товарищей. — А это должно означать...

— Должно означать? — набросился Крэбб на Малфоя с откровенной яростью. — Кого тут интересуют твои рассуждения? Я не собираюсь больше выслушивать от тебя приказы, Драко. Ты и твой папаша — конченые люди.

— Гарри! — снова крикнул Рон из-за стены хлама. — Что происходит?

— Гарри! — передразнил Крэбб. — Что происходит... Нет, Поттер! *Круцио!*

Гарри протянул руку за короной. Заклятие Крэбба не попало в него, а ударилось в каменный бюст, подлетевший в воздух. Диадема соскользнула с его верхушки и скрылась из глаз в нагромождении рухляди внизу.

— Прекрати! — закричал Малфой на Крэбба, и крик его разнесся по всему огромному помещению. — Темный Лорд хочет получить его живым...

— А что, я убиваю его, что ли? — рявкнул Крэбб, сбрасывая удерживающую руку Малфоя. — Хотя, если получится, я его все же убью. Темный Лорд так или иначе хочет его смерти, так не все ли равно?..

Совсем рядом с Гарри полыхнуло алое пламя: позади них из-за угла выбежала Гермиона и метнула Оглушающее заклятие прямо в голову Крэбба. Она не попала только потому, что Малфой успел оттолкнуть Крэбба в сторону.

— Грязнокровка! *Авада Кедавра!*

Гарри увидел, как Гермиона пригнулась, уворачиваясь, и бешенство на Крэбба, покусившегося на убийство, затмило в нем все другие чувства и мысли. Он выстрелил Оглушающим заклятием в Крэбба, который, отскочив, выбил волшебную палочку из рук Малфоя. Она тут же исчезла из глаз в груде поломанной мебели и коробок.

— Не убивайте его! НЕ УБИВАЙТЕ ЕГО! — крикнул Малфой Крэббу и Гойлу, нацелившим палочки на Гарри. Гарри сумел воспользоваться их секундным колебанием.

— *Экспеллиармус!*

Палочка Гойла вырвалась из рук хозяина и исчезла в завалах за его спиной. Гойл бестолково затоптался на месте, пытаясь отыскать ее. Малфой увернулся от второго Оглушающего заклятия Гермионы, а Рон, внезапно появившийся в конце прохода, пальнул в Крэбба полновесным Заклятием окаменения, но немного промахнулся.

Крэбб круто обернулся и снова выкрикнул:

— *Авада Кедавра!*

Рон пригнулся, уклоняясь от струи зеленого пламени. Малфой, оставшийся без палочки, спрятался за трехногим гардеробом, и тут на них налетела Гермиона, на ходу поразив Гойла Оглушающим заклятием.

— Она где-то здесь! — крикнул ей Гарри, показывая на кучу хлама, в которую упала диадема. — Поищи, а я пока помогу Ро...

— ГАРРИ! — крикнула она.

За его спиной раздался звук, напоминающий шум прибоя. Он обернулся и увидел, что Рон и Крэбб со всех ног бегут к ним по проходу.

— А горяченького не хочешь, тварь? — проревел Крэбб, подбегая.

Но, похоже, он потерял контроль над своими чарами. Огромные языки пламени гнались за ними, облизывая по краям завалы рухляди, рассыпавшиеся сажей.

— *Агуаменти!* — заорал Гарри, но струя воды, хлынувшая с конца его волшебной палочки, тут же испарилась.

— БЕЖИМ!

Малфой подхватил оглушенного заклятием Гойла и потащил за собой. Крэбб опередил их всех. Вид у него был до смерти испуганный. Гарри, Рон и Гермиона бежали за ним, а по пятам гнался огонь. Это был не простой огонь. Крэбб применил заклятие, неизвестное Гарри: когда они свернули за угол, языки пламени припустили за ними, как одушевленные, мыслящие, стремящиеся убить их существа. Огонь стал принимать разнообразные формы, превратившись в гигантскую стаю огненных зверей: пылающие змеи, химеры и драконы взмывали ввысь, опускались и снова подымались, и вековые завалы, питавшие их, падали в клыкастые пасти, взлетали вверх под ударами когтистых лап и исчезали в огненной преисподней.

Малфой, Крэбб и Гойл скрылись из виду. Гарри, Рон и Гермиона замерли на месте. Огненные чудища теснили их, придвигаясь все ближе и ближе, выставив рога и когти и колотя хвостами; жар окружил друзей прочной стеной.

— Что делать? — крикнула Гермиона через гудение пламени. — Что нам делать?

— Держи!

Гарри выхватил из ближайшей кучи хлама две тяжелые метлы и бросил одну Рону. Тот оседлал ее и посадил позади себя Гермиону. Гарри сел на вторую, и, с силой оттолкнувшись ногами, они взмыли в воздух; пламя лязгало страшной огненной пастью, совсем немного не дотягиваясь до них. Дым и жар были невыносимы. Под ними заклятый огонь пожирал контрабанду, спрятанную от бдительных глаз поколениями школьников, бесчисленные последствия запрещенных экспериментов, тайны множества душ, искавших здесь укрытия. Как ни вглядывался Гарри, Малфоя, Крэбба и Гойла нигде видно не было. Гарри спустился так низко, как позволяли разверстые пасти огненных чудищ, но не обнаружил ничего, кроме бушующего повсюду пламени. Какая страшная смерть... он этого не хотел...

— Гарри, давай на выход, на выход! — крикнул Рон, хотя найти дверь в густом черном дыму было невозможно.

И тут до Гарри сквозь гудение и треск огромного пожара донесся тихий, жалобный стон.

— Это слишком опасно! — закричал ему Рон, но Гарри уже развернулся в воздухе. Очки немного защищали его глаза от едкого дыма, и он нырнул в огненную бурю внизу, пытаясь разглядеть что-нибудь живое, не почерневшее от пламени...

И он их увидел: Малфой, стоя на хрупкой пирамиде обугленных столов, держал в объятиях потерявшего сознание Гойла. Гарри нырнул вниз. Малфой увидел его и протянул руку, но, схватив ее, Гарри сразу понял, что это бесполезно: Гойл был слишком тяжел, и мокрая от пота рука Малфоя мгновенно выскользнула из ладони Гарри.

— ЕСЛИ МЫ ПОГИБНЕМ ИЗ-ЗА НИХ, Я УБЬЮ ТЕБЯ, ГАРРИ! — раздался рядом голос Рона. Огромная пылающая химера прыгнула на них, но Рон и Гермиона уже втащили Гойла на свою метлу и взмыли вверх, а Малфой вскарабкался позади Гарри.

— Дверь! Скорее к двери! — простонал Малфой в ухо Гарри.

Гарри рванул метлу ввысь, вслед за Роном, Гермионой и Гойлом, тяжелый густой дым не давал вздохнуть. Вокруг них взлетали в воздух последние предметы, еще не пожранные огнем, как будто чудища заклятого пламени, ликуя, подбрасывали их: чаши и щиты, блестящее ожерелье и старую потускневшую диадему...

— *Что ты делаешь? Что ты делаешь, дверь там!* — крикнул Малфой, но Гарри резко развернулся и пошел на снижение. Диадема медленно падала, крутясь и поблескивая, в широко раскрытую змеиную пасть, однако он успел подхватить ее, надеть себе на запястье...

Змея кинулась на него, но он увернулся, направил метлу вверх и рванулся туда, где надеялся найти открытую дверь. Рон, Гермиона и Гойл скрылись из виду, а Малфой вцепился так крепко, что Гарри было больно. Наконец Гарри увидел сквозь дым прямоугольную полосу на стене и послал метлу прямо туда. Спустя мгновение его легкие наполнил чистый воздух, и они с Малфоем врезались в стену коридора.

Малфой свалился с метлы и лежал ничком, задыхаясь и кашляя до рвоты. Гарри перекатился на спину и сел. Дверь в Выручай-комнату исчезла, на полу сидели, тяжело дыша, Рон и Гермиона, а рядом с ними Гойл, по-прежнему без сознания.

— К-крэбб, — выдавил Малфой, когда смог наконец говорить. — К-крэбб...

— Его больше нет, — жестко сказал Рон.

Наступила тишина, нарушаемая лишь тяжелым дыханием и кашлем.

Потом замок сотрясся от страшного грохота, и длинная кавалькада прозрачных всадников галопом промчалась мимо, их зажатые под мышкой головы издавали кровожадные клики. Гарри вскочил на ноги, провожая глазами Клуб обезглавленных охотников, и осмотрелся. Вокруг по-прежнему шла битва. Слышались крики — и это был не только боевой клич отступающих призраков. Страх затопил Гарри ледяной волной.

— Где Джинни? — резко спросил он. — Она была здесь. Мы ей велели возвращаться в Выручай-комнату.

— Ты что, думаешь, Выручай-комната кому-нибудь откроется после такого пожара? — спросил Рон, однако тоже вскочил, потирая грудь и обводя глазами коридор. — Может, разойдемся в разные стороны и поищем?

— Нет, — сказала Гермиона, тоже поднимаясь. Малфой и Гойл беспомощно лежали на полу; ни у того ни у другого не было волшебной палочки. — Давайте держаться вместе. По-моему, надо пойти... Гарри, что это у тебя на руке?

— Что? Ах да...

Он снял диадему с запястья и поднес к глазам. Она была все еще горячая, почерневшая от копоти, но, вглядевшись, Гарри разобрал выгравированные по ободку мелкие буквы: *ума палата дороже злата.*

Из диадемы сочилась жидкость, похожая на кровь, темная и липкая. И вдруг Гарри почувствовал, как металлический ободок задрожал в его руках и распался на куски. В ту же минуту до него донесся отдаленный, еле слышный крик боли, раздававшийся не с территории замка, а из предмета, который он держал в руках.

— Видимо, это было адское пламя, — сказала Гермиона, глядя на осколки диадемы.

— Что?

— Адское пламя — заклятый огонь, одно из тех веществ, которые уничтожают крестражи. Но я бы никогда, ни за что не решилась им воспользоваться, потому что он невероятно опасен. Откуда Крэбб знал, как...

— Видать, научился у Кэрроу, — мрачно сказал Гарри.

— Жаль, что он, видать, плохо слушал, когда они объясняли, как его остановить, — заметил Рон, у которого, как и у Гермионы, волосы обгорели, а лицо было покрыто копотью. — Если бы он не пытался нас убить, я был бы очень огорчен его смертью.

— Ребята, вы что, не понимаете? — прошептала Гермиона. — Значит, нам только осталось добраться до змеи...

Но ее прервали шум борьбы, вопли и стоны, наполнившие коридор. Гарри оглянулся, и сердце у него упало: Пожиратели смерти ворвались в Хогвартс. В проходе возникли Фред и Перси, мечущие заклятия в противника в масках и капюшонах.

Гарри, Рон и Гермиона бросились на помощь. Вспышки заклятий летали во всех направлениях, и наконец тот, что сражался с Перси, резко отступил. Капюшон соскользнул с него, открывая высокий лоб и волосы с проседью...

— Добрый день, господин министр! — крикнул Перси, ловко метнув в Толстоватого заклятие. Министр выронил волшебную палочку и схватился за воротник, явно борясь с дурнотой. — Я не говорил вам, что подаю в отставку?

— Перси, да ты, никак, шутишь! — воскликнул Фред.

Пожиратель смерти, с которым он дрался, рухнул под тяжестью трех Оглушающих заклятий, выпущенных одновременно с разных сторон. Толстоватый упал на пол, весь покрывшись тонкими шипами, похоже, он на глазах превращался во что-то вроде морского ежа. Фред с восторгом посмотрел на Перси.

— Ты *и правда* шутишь, Перси... По-моему, я не слышал от тебя шуток с тех пор, как...

Раздался взрыв. Все они в этот момент стояли рядом: Гарри, Рон, Гермиона, Фред, Перси и двое Пожирателей смерти у их ног, пораженных один Оглушающим, другой Трансфигурирующим заклятием. И в тот самый миг, когда непосредственная опасность отступила, мир вдруг распался на куски. Гарри почувствовал, что летит по воздуху; все, что он мог сделать, — это крепче вцепиться в тоненькую деревянную палочку, свое единственное оружие, и закрыть голову руками. Он слышал крики и вопли своих товарищей, но не знал, что с ними случилось.

А потом мир превратился в боль и полумрак. Он лежал, полузасыпанный щебенкой, в развалинах коридора. Холодный воздух подсказывал, что стену замка с этой стороны разнесло вдребезги, а липкая горячая струя, сбегавшая по щеке, — что он ранен. Потом он услышал страшный крик, от которого внутри у него все оборвалось, — крик боли, какую не могли вызвать ни пламя, ни заклятие, и он поднялся, шатаясь, охваченный ужасом, какого еще не испытывал в этот день, а может быть, и никогда в жизни...

Гермиона тоже поднялась на ноги среди развалин, а у того места, где стена обрушилась, виднелись три копны рыжих волос. Гарри взял Гермиону за руку, и они, пошатываясь и спотыкаясь, стали карабкаться через завалы камня и дерева.

— Нет! Нет! Нет! — кричал чей-то голос. — Нет! Фред! Нет!

Перси тряс брата за плечи, Рон стоял на коленях позади них, а Фред глядел перед собой неподвижными невидящими глазами, и на его губах еще витал призрак его отзвучавшего смеха.

Глава 32
БУЗИННАЯ ПАЛОЧКА

Мир кончился — так почему же битва не прекратилась, замок не застыл в молчаливом ужасе, все бойцы не сложили оружие? Гарри потерял контроль над своими мыслями, парившими в странной невесомости, не в силах понять невозможное — ведь Фред Уизли не мог быть мертв, чтобы ни говорили Гарри глаза и уши...

И тут в дыру в стене, проделанную взрывом, гулко шлепнулось чье-то тело, и из мрака в них полетели заклятия, врезаясь в стену за их головами.

— Ложись! — крикнул Гарри. Они с Роном с двух сторон схватили за руки Гермиону и потянули на пол, а Перси так и лежал, закрывая собой тело Фреда, защищая его от новых повреждений.

— Перси, пошли, надо уходить отсюда! — крикнул Гарри.

Перси покачал головой.

— Перси!

На копоти, покрывавшей лицо Рона, Гарри увидел светлые дорожки слез. Рон схватил старшего брата за плечи и потянул, но Перси не тронулся с места.

— Перси, ты ему уже ничем не поможешь! Надо идти...

Гермиона вскрикнула. Гарри обернулся — и уже ни о чем не спрашивал. Через дыру в стене лез огромный паук, размером с небольшой автомобиль. Это вступило в битву потомство Арагога.

Рон и Гарри заговорили в один голос. Их чары сплелись в воздухе, чудовище отпрянуло, страшно дергая омерзительными ногами, и пропало в мраке.

— Он привел друзей! — крикнул Гарри остальным, выглядывая через дыру на стену замка: по ней карабкалось множество гигантских пауков, бежавших из Запретного леса, куда, видимо, прорвались Пожиратели смерти. Гарри пальнул Оглушающим заклятием в переднее чудовище, и оно свалилось на своих товарищей; пауки скатились по стене вниз и исчезли из виду. Над самой головой Гарри просвистело еще несколько заклятий, растрепав ему волосы. — Пошли, СКОРЕЕ!

Толкнув вперед Гермиону с Роном, Гарри наклонился к телу Фреда и взял его под мышки. Перси, поняв намерения Гарри, разжал судорожную хватку на теле брата и стал помогать. Пригибаясь до самого пола, чтобы уклониться от летевших из двора замка заклятий, они оттащили Фреда с дороги.

— Сюда, — сказал Гарри, и они положили его в нишу, где прежде стояли доспехи. Гарри не мог заставить себя смотреть на Фреда ни мгновения дольше, чем необходимо. Убедившись, что тело хорошо спрятано, он помчался за Роном и Гермионой. Малфой и Гойл куда-то пропали, но в конце коридора, сквозь пелену пыли, завалы осыпавшейся кладки, осколки стекла из разбитых окон, он увидел бегающие взад-вперед фигуры — друзей или врагов, отсюда было не разобрать. Повернув за угол, Перси взревел:

— РУКВУД! — и помчался за высоким человеком, гнавшимся за горсткой школьников.

— Гарри, сюда! — крикнула Гермиона.

Она потащила Рона за гобелен. Рон и Гермиона как будто сплелись вместе, и на один безумный миг Гарри показалось, что они снова обнимаются. В следующую минуту он понял, что Гермиона пытается удержать Рона, не дать ему броситься вслед за Перси.

— Послушай, ПОСЛУШАЙ МЕНЯ, РОН!

— Я хочу в битву... хочу убивать Пожирателей смерти...

Его искаженное лицо было покрыто пылью и копотью, он весь дрожал от ярости и горя.

— Рон, мы единственные, кто может покончить с ним! Рон, прошу тебя... Рон, нам нужна змея, мы должны убить змею! — твердила Гермиона.

Гарри понимал чувства Рона. Гоняться за очередным крестражем казалось мало для возмущенного чувства мести. Ему тоже хотелось броситься в битву, отомстить убийцам Фреда и отыскать остальных Уизли, а главное, убедиться, что Джинни... Нет, нельзя об этом думать...

— Мы *будем* сражаться! — сказала Гермиона. — А как иначе мы доберемся до змеи! Но давайте не забывать, зачем мы здесь! Только мы можем ее прикончить!

Она тоже плакала, утирая лицо рваным, измазанным копотью рукавом, потом сделала несколько глубоких вдохов, чтобы остановить рыдания, и, не выпуская Рона, повернулась к Гарри:

— Ты должен узнать, где сейчас Волан-де-Морт — змея ведь с ним, верно? Давай, Гарри, загляни в его мысли!

Почему это было так легко? Потому что шрам горел уже много часов, страстно желая показать ему мысли Волан-де-Морта? Подчиняясь приказу Гермионы, он закрыл глаза; взрывы и вопли, весь нестройный шум битвы мгновенно стих и отодвинулся, как будто он находился очень далеко отсюда...

Он стоял посреди заброшенной, но странно знакомой комнаты с облупившимися обоями и заколоченными окнами. Грохот сражения доносился сюда приглушенно, как бы издалека. В единственном не зашитом досками окне мелькали огненные вспышки со стороны замка, но в самой комнате было темно, ее освещала лишь тусклая масляная лампа.

Он крутил между пальцев волшебную палочку, глядя на нее невидящими глазами. Мыслями он был в замке, в той единственной, тайной комнате, известной лишь ему одному, в укрытии, которое могли обнаружить лишь ум, отвага и изобретательность... Он был уверен, что мальчишка не найдет диадему... хотя выкормыш Дамблдора зашел куда дальше, чем он ожидал... слишком далеко...

— Повелитель! — произнес тоскливый хриплый голос.

Он обернулся: в самом темном углу сидел Люциус Малфой, в лохмотьях, со страшными следами наказания за последний побег мальчишки. Один глаз у него заплыл и не открывался.

— Повелитель! Умоляю... Мой сын...

— Если твой сын погиб, я в этом не виноват, Люциус. Он не явился ко мне с другими слизеринцами. Может быть, он переметнулся к Гарри Поттеру?

— Нет... никогда в жизни... — прошептал Малфой.

— Да, для тебя было бы лучше, если это не так.

— А вы... вы не боитесь, повелитель, что Поттер может погибнуть не от вашей руки? — Голос Малфоя дрожал. — Может быть... простите меня... может быть, стоило бы остановить битву... чтобы вы наведались в замок и отыскали его са-сами?

— Не пытайся обманывать меня, Люциус. Ты хочешь остановить битву, чтобы узнать, что там с твоим сыном. А мне нет нужды искать Поттера. Еще до рассвета он сам явится сюда ко мне.

Волан-де-Морт снова опустил глаза на волшебную палочку, которую вертел в руках. Что-то в ней ему не нравилось. А когда лорду Волан-де-Морту что-то не нравилось, он немедленно принимал меры...

— Пойди приведи Снегга.

— Снегга, п-повелитель?

— Снегга. Сию минуту. Он мне нужен. Я хочу, чтобы он... кое-что для меня сделал. Иди.

Напуганный Малфой побрел прочь из комнаты, спотыкаясь в полумраке. Волан-де-Морт по-прежнему стоял неподвижно и крутил между пальцев палочку, неотрывно глядя на нее.

— Другого способа нет, Нагайна, — прошептал он, оборачиваясь.

В воздухе парила огромная змея, свернувшись изящными кольцами в особом волшебном пространстве, которое он для нее создал, — прозрачном шаре, напоминавшем то ли сияющую клетку, то ли аквариум.

Гарри сделал глубокий вдох и открыл глаза. И в ту же секунду слух его снова заполонили скрежет, крики, удары и взрывы.

— Он в Визжащей хижине. Змея с ним. Он окружил ее магической защитой. Он только что послал Люциуса Малфоя за Снеггом.

— Волан-де-Морт отсиживается в Визжащей хижине? — возмущенно спросила Гермиона. — Он даже... даже не участвует в битве?

— Он считает, что ему не за чем участвовать в битве, — ответил Гарри. — Он ждет, что я сам приду к нему.

— Почему?

— Он знает, что я охочусь за крестражами. Нагайну он держит у себя — значит, мне придется прийти к нему, чтобы до нее добраться...

— Вот именно, — сказал Рон, расправляя плечи. — Значит, тебе нельзя туда идти, потому что он только того и дожидается. Ты останешься здесь и позаботишься о Гермионе, а я пойду и добуду ее...

Гарри оборвал Рона:

— Вы оба остаетесь здесь, а я спрячусь под мантию и вернусь, как только...

— Нет, — сказала Гермиона. — Будет гораздо лучше, если мантию надену я, и...

— И думать не смей! — рявкнул на нее Рон.

— Рон, я не хуже вас могу... — завела было Гермиона, но тут кто-то оборвал гобелен, за которым они стояли.

— ПОТТЕР!

Перед ними стояли двое Пожирателей смерти в масках. Но не успели они поднять волшебные палочки, Гермиона воскликнула:

— *Глиссео!*

Ступени под ногами у Гарри, Рона и Гермионы превратились в покатую горку, и они заскользили по ней вниз, не имея возможности затормозить, зато так быстро, что Оглушающие заклятия Пожирателей смерти пролетели высоко над их головами. Они проскочили сквозь гобелен у входа на нижний этаж и влетели в коридор, ударившись о противоположную стену.

— *Дуро!* — крикнула Гермиона, направив волшебную палочку на гобелен. Ткань с громким противным хрустом обратилась в камень, и гнавшиеся за ними Пожиратели смерти со всего размаху налетели на неожиданное препятствие.

— Назад! — крикнул Рон, и все трое вжались в стену.

Мимо них по коридору промчалась толпа оживших парт, подгоняемых бегущей Макгонагалл. Она, похоже, не заметила ребят. Волосы у нее растрепались, на щеке зияла рана. Из-за угла донесся ее голос:

— ПЛИ!

— Гарри, надевай мантию, — сказала Гермиона. — Не обращай на нас внимания.

Но он набросил ее на всех троих. Правда, так она не доставала до земли, но Гарри подумал, что в густой пыли, окутавшей здание, среди падающих камней и вспышек заклятий вряд ли кто заметит их торчащие ноги.

Они сбежали вниз еще на этаж и попали в коридор, где шли ожесточенные поединки. Портреты по обеим сторонам были битком набиты нарисованными фигурами, громко подбадривавшими защитников Хогвартса. Пожиратели смерти в масках и без масок сражались с преподавателями и школьниками. Дин, видимо, сумел раздобыть себе палочку, и теперь бился с Долоховым, а Парвати — с Трэверсом. Гарри, Рон и Гермиона одновременно подняли палочки, готовясь ударить, но противники кружились и перемещались так быстро, что заклятие легко могло попасть в кого-нибудь из своих. Пока они стояли, прижавшись друг к другу и ожидая возможности вмешаться, над их головами раздалось громкое *«у-ю-ю!»*. Гарри поднял глаза и увидел летящего под потолком Пивза. Полтергейст сбрасывал плоды цапня на головы Пожирателям смерти, и в их волосах начинали копошиться, сползая к шее, извивающие зеленые отростки, похожие на жирных червей.

Чпок!

Пригоршня цапней упала на мантию над головой Рона. Склизкие зеленые корешки неправдоподобно зависли в воздухе.

— Здесь невидимка! — закричал Пожиратель смерти с закрытым маской лицом, указывая на странное зрелище.

Дин воспользовался тем, что противник на секунду отвлекся, и ударил его Оглушающим заклятием. Долохов попытался отомстить за товарища, но Парвати запустила в него Петрификус тоталус.

— БЕЖИМ! — крикнул Гарри, и они с Роном и Гермионой, крепко вцепившись в мантию, пригибаясь, оскальзываясь в лужицах цапневого сока, побежали сквозь гущу сражающихся по мраморной лестнице в вестибюль.

— Я — Драко Малфой, я Драко, я на вашей стороне!

Драко наверху лестницы молил пощады у черной фигуры в маске. Гарри, пробегая мимо, ударил в Пожирателя смерти Оглушающим заклятием. Малфой оглянулся в поисках своего спасителя, и тут Рон наподдал ему из-под мантии. Малфой упал на Пожирателя смерти и с ошарашенным видом утер кровь с разбитой губы.

— Мы второй раз за ночь спасли тебе жизнь, подонок двуличный! — рявкнул Рон.

Повсюду, на лестницах и в вестибюле, шли поединки. Пожиратели смерти заполонили все здание. Вот у входной двери Яксли сражается с Флитвиком, а прямо за ними Пожиратель смерти в маске дерется с Кингсли. Школьники разбегались кто куда, многие несли или волокли за собой раненых друзей. Гарри послал Оглушающее заклятие в Пожирателя с закрытым маской лицом, но промахнулся и чуть не угодил в Невилла, который внезапно возник из ниоткуда, разбрасывая пригоршнями ядовитую тентакулу; растение тут же зацепилось за ближайшего Пожирателя смерти и принялось обвивать его своими усиками.

Гарри, Рон и Гермиона бежали вниз по мраморной лестнице. Слева раздался звон бьющегося стекла, и часы Слизерина, отмечавшие очки факультета, рассыпали по всему полу свои изумруды, на которых тут же стали оскальзываться и падать бегущие мимо. Когда друзья вбежали в вестибюль, с верхней галереи упали два тела. Неясная серая тень, которую Гарри принял за животное, пронеслась по залу на четырех ногах, готовясь вонзить зубы в одного из упавших.

— НЕТ! — взвизгнула Гермиона, и оглушительный хлопок ее волшебной палочки отбросил Фенрира Сивого от слабо шевелящегося тела Лаванды Браун. Он ударился о мраморные перила и попытался подняться на ноги. Но тут на голову ему упал с яркой вспышкой и громким треском хрустальный шар. Фенрир грохнулся об пол и больше не шевелился.

— У меня еще есть! — кричала профессор Трелони с вершины мраморной лестницы. — Сколько хотите! Вот...

Как подавальщик мячей на теннисе, она извлекла из сумки еще одну огромную хрустальную сферу и пустила ее через зал в окно. В ту же минуту тяжелые деревянные двери распахнулись, и в вестибюль ворвались гигантские пауки.

Раздались крики ужаса. Сражающиеся — как Пожиратели смерти, так и защитники Хогвартса — бросились врассыпную, и в надвигающихся чудовищ полетели красные и зеленые вспышки, пауки дергались и вставали на дыбы, устрашающие, как никогда.

— Как будем выбираться? — крикнул Рон сквозь общий визг и вой, но не успели Гарри и Гермиона ответить, как их откинуло в сторону: вниз по лестнице мчался Хагрид, меча молнии из своего цветастого розового зонтика.

— Не трогайте их, не трогайте! — кричал он.

— НЕТ, ХАГРИД!

Гарри забыл обо всем на свете: он выскочил из-под мантии и помчался, согнувшись в три погибели, уворачиваясь от мечущихся по вестибюлю заклятий.

— ХАГРИД, ВЕРНИСЬ!

Но он не успел пробежать и половины пути, как Хагрид исчез среди пауков; мерзкая масса закопошилась, повернулась и стала быстро отступать под натиском заклятий, унося в своей гуще Хагрида.

— ХАГРИД!

Гарри слышал голос, зовущий его по имени, но не оглянулся посмотреть, друг это или враг. Он сбежал по ступеням крыльца на темную территорию, по которой пауки уносили свою добычу, но разглядеть Хагрида так и не смог.

— ХАГРИД!

Гарри показалось, что он видит огромную руку, машущую из середины паучьей стаи. Он рванулся вслед, но дорогу ему преградила колоссальная нога, вдруг опустившаяся из темноты, так что земля качнулась у Гарри под ногами. Гарри поднял глаза: над ним стоял великан футов двадцати ростом. Его голова скрывалась во мраке, видны были только похожие на деревья волосатые голени, на которые падал свет из дверей замка. Внезапно он с силой ткнул огромным кулаком в окно верхнего этажа.

На Гарри градом посыпались осколки, так что ему пришлось отскочить обратно на крыльцо.

— О господи! — взвизгнула Гермиона. Они с Роном метнулись к Гарри и посмотрели вверх, на окно, через которое великан пытался достать находящихся внутри людей.

— СТОЙ! — Рон перехватил руку Гермионы, поднявшей волшебную палочку. — Если ты его оглушишь, он завалит ползамка...

— ХАГГИ?

Из-за угла замка появился Грохх. Гарри впервые заметил, что для великана Грохх был маленького роста. Колоссальное чудище, крушившее окна, обернулось и взревело. Каменное крыльцо задрожало, когда великан шагнул к своему мелкому сородичу. Перекошенный рот Грохха широко открылся, обнажая желтые зубы размером с мелкий кирпич, и они кинулись друг на друга с воем, как два свирепых льва.

— БЕЖИМ! — проревел Гарри.

Темнота полнилась чудовищными звуками великаньей борьбы — криками и ударами. Гарри схватил Гермиону за руку и мигом слетел с крыльца во двор. Рон прикрывал тыл. Гарри не оставлял надежду отыскать и спасти Хагрида. Он бежал так быстро, что они были уже на полпути к Заветному лесу, когда возникло новое препятствие.

Воздух вокруг них внезапно смерзся. У Гарри перехватило дыхание. Из темноты появились тени, движущиеся фигуры темнее самого мрака, с капюшонами на головах; шумно дыша, они огромной волной надвигались на замок...

Рон и Гермиона встали вплотную к Гарри, шум борьбы за их спиной вдруг замер, смолк, растворился, потому что ночную тьму густо окутала тишина, какую создают только дементоры.

— Давай, Гарри! — донесся словно издалека голос Гермионы. — Патронусы! Гарри, ну давай же!

Он поднял палочку, но в тот же миг его охватила тупая безнадежность: Фреда больше нет, Хагрид наверняка умирает или уже умер, а о скольких погибших он еще не знает. Ему казалось, будто душа уже покинула его тело...

— ГАРРИ, ЖИВЕЕ! — крикнула Гермиона.

Сотня дементоров надвигалась на них, плавно скользя по воздуху, чуя отчаяние Гарри, обещавшее им славный пир...

Он увидел, как поднялся ввысь серебряный терьер Рона, слабо замерцал и погас. Выдра Гермионы на мгновение закачалась в воздухе и растаяла. У самого Гарри волшебная палочка задрожала в руках, и он почти обрадовался надвигающемуся забытью, обещанию небытия, бесчувствия.

И вдруг над головами Гарри, Рона и Гермионы пролетели серебряный заяц, кабан и лис. Дементоры отступили при их появлении. Из темноты возникли три новые фигуры и остановились с вытянутыми палочками, продолжая посылать своих Патронусов. Это были Полумна, Эрни и Симус.

— Все в порядке, — ободряюще сказала Полумна, как будто они просто собрались в Выручай-комнате поупражняться в защите от Темных искусств. — Все в порядке, Гарри... Давай-ка подумай о чем-нибудь приятном...

— О чем-нибудь приятном? — хрипло повторил он.

— Мы еще здесь, — прошептала она. — Битва продолжается. Ну давай же...

Мелькнула серебряная искра, потом волна света, и наконец с трудом, какого это ему еще никогда не стоило, Гарри выпустил из своей палочки оленя. Тот резво скакнул вперед, и дементоры в самом деле обратились в бегство. И ночь снова стала теплой, а звуки битвы вокруг — громкими.

— Не знаю, как вас благодарить, — дрожащим голосом сказал Рон, поворачиваясь к Полумне, Эрни и Симусу. — Вы спасли нам...

Раздался грохот, земля сотряслась у них под ногами: со стороны Леса шел, размахивая дубиной, еще один великан, выше всех прежних.

— БЕЖИМ! — снова крикнул Гарри, но никто не дожидался его указаний: все уже бросились врассыпную, и как раз вовремя — мгновением позже нога чудовища опустилась как раз на то место, где они только что стояли. Гарри оглянулся: Рон и Гермиона бежали за ним, а трое остальных снова исчезли в гуще сражения.

— Надо спрятаться куда-то, где он нас не достанет! — завопил Рон, когда великан снова махнул дубиной и заревел так, что гулкое эхо прокатилось по всей территории, где красные и зеленые вспышки поминутно прорезывали ночной мрак.

— Гремучая ива! — отозвался Гарри. — Побежали!

Тем временем ему как-то удалось отгородить в мозгу уголок и наглухо замуровать там все мысли, которых сейчас нельзя было себе позволить: о Фреде и Хагриде, о смертном страхе за всех, кого он любил, разбросанных сейчас по этажам замка и его насквозь простреливаемой территории — все это подождет, потому что сейчас им надо бежать, добраться до змеи и до Волан-де-Морта, потому что, как сказала Гермиона, нет другого способа покончить с этим...

Он несся вперед, чувствуя, что может сейчас обогнать саму смерть, не обращая внимания на вспышки огня, прорезывающие окружающую тьму, на шум озера, гудевшего, точно море, на странный скрип деревьев Запретного леса при полном безветрии; он бежал по земле, которая, казалось, сама участвует в битве, бежал так быстро, как никогда в жизни, и первым увидел огромное дерево, иву, оборонявшую гибкими, похожими на хлысты ветвями тайну, скрытую у ее корней.

Задыхаясь, Гарри остановился, уворачиваясь от хлещущих веток и вглядываясь в темноте в толстый ствол в поисках того единственного нароста, на который нужно надавить, чтобы парализовать извивающееся дерево. Рон и Гермиона подбежали к нему. Гермиона так запыхалась, что не могла говорить.

— А... как мы... дотуда дотянемся? — выдохнул Рон. — Я вижу этот нарост... Живоглота бы сюда...

— Живоглота? — с трудом прохрипела согнувшаяся пополам Гермиона, держась за сердце. — Ты вообще волшебник или как?

— Да... правда...

Рон огляделся, потом направил палочку на лежавший на земле прутик и произнес:

— *Вингардиум левиоза!*

Прутик взлетел с земли и закружился в воздухе, словно подхваченный порывом ветра, а потом нацелился прямо в ствол сквозь хлещущие ветви. Он ударил по наросту у самых корней, и корчащееся дерево мгновенно застыло.

— Отлично! — выдохнула Гермиона.

— Погодите.

На какое-то мгновение, прислушиваясь к треску и грохоту битвы, Гарри заколебался. Волан-де-Морт хотел, чтобы он это сделал, хотел, чтобы он пришел... Что, если он ведет Рона и Гермиону в ловушку?

Но тут перед ним снова встала простая и жестокая реальность: их следующий шаг — убить змею, Волан-де-Морт носит змею с собой, и Волан-де-Морт ждет их в конце туннеля...

— Гарри, мы за тобой, заходи! — Рон толкнул его вперед.

Гарри нырнул в подземный ход, скрытый у корней дерева. Протиснуться в него стало куда труднее, чем когда они были здесь в последний раз. Потолок был низкий: четыре года назад они сгибались пополам, а теперь приходилось двигаться ползком. Гарри полз впереди, освещая путь волшебной палочкой и на каждом шагу ожидая препятствий, но их не было. Они двигались молча. Гарри не сводил глаз со слабого, дрожащего огонька на конце зажатой в кулаке палочки.

Наконец туннель пошел вверх, и Гарри увидел впереди полоску света. Гермиона потянула его за щиколотку.

— Мантия! — прошептала она. — Надень мантию!

Он протянул назад свободную руку, и Гермиона вложила в нее скользкий тряпичный сверток. Гарри с трудом развернул его над собой, прошептал: *«Нокс!»* — гася свечение палочки, и пополз дальше на четвереньках, стараясь не производить ни малейшего шума, напрягая все чувства, каждую секунду ожидая, что его обнаружат, что раздастся ясный холодный голос и полыхнет зеленая вспышка.

И тут прямо перед собой он услышал голоса из хижины, чуть приглушенные от того, что вход в туннель был заставлен чем-то вроде старого ящика. Боясь вздохнуть, Гарри подполз прямо к входу и заглянул в узкую щелку между ящиком и стеной.

В комнате было полутемно, но он сразу увидел Нагайну, свернувшуюся кольцами в сверкающем волшебном шаре, парящем в воздухе без всякой поддержки. Еще ему был виден угол стола и бледная рука с длинными пальцами, поигрывающая волшебной палочкой. Тут раздался голос Снегга, и Гарри вздрогнул: Снегг стоял в шаге от ящика, за которым он притаился.

— Повелитель, их сопротивление сломлено...

— Без твоей помощи, — отозвался Волан-де-Морт высоким, ясным голосом. — Ты, Северус, искусный волшебник, но не думаю, что сейчас ты нам особо нужен... Мы почти у цели... почти.

— Позвольте, я найду вам мальчишку. Позвольте мне доставить вам Гарри Поттера. Я знаю, как его найти. Прошу вас.

Снегг прошел мимо щели, и Гарри слегка отпрянул, не спуская глаз с Нагайны. Он спрашивал себя, какими чарами можно разбить сверкающую защитную сферу, но не мог ничего придумать. Одна неудачная попытка — и все пропало...

Волан-де-Морт встал. Теперь Гарри видно было его плоское змеиное лицо, красные глаза, бледность, матово светившуюся в полумраке.

— Я в затруднении, Северус, — мягко сказал Волан-де-Морт.

— В чем дело, повелитель? — откликнулся Снегг.

Волан-де-Морт поднял Бузинную палочку изящным отточенным движением дирижера.

— Почему она не слушается меня, Северус?

В тишине Гарри послышался тихий шип змеи, свивавшей и развивавшей кольца. А может быть, это медленно угасал в воздухе свистящий вздох Волан-де-Морта?

— По-повелитель? — недоуменно спросил Снегг. — Я не понимаю. Вы совершали этой палочкой непревзойденные чудеса волшебства.

— Нет, — ответил Волан-де-Морт. — Я совершал этой палочкой обычное для меня волшебство. Я — непревзойденный волшебник, но эта палочка... нет. Она не оправдала моих ожиданий. Я не заметил никакой разницы между этой палочкой и той, что я приобрел у Олливандера много лет назад.

Темный Лорд говорил задумчиво и спокойно, но Гарри ощутил горячую пульсацию в шраме. Голова начала болеть, и он почувствовал, как подымается сдерживаемая ярость в душе Волан-де-Морта.

— Никакой разницы, — повторил Волан-де-Морт.

Снегг молчал. Гарри не видно было его лица. Наверное, он чует опасность, подыскивает нужные слова, надеется успокоить своего хозяина.

Волан-де-Морт зашагал по комнате. На несколько секунд Гарри потерял его из виду и слышал только тот же размеренный голос. Однако внутри Гарри ощущал боль и ярость.

— Я думал долго и напряженно, Северус... Ты знаешь, почему я отозвал тебя из битвы?

На мгновение перед Гарри мелькнул профиль Снегга: тот неподвижно смотрел на змею в заколдованном шаре.

— Нет, повелитель, не знаю, но умоляю вас: позвольте мне туда вернуться. Позвольте мне отыскать Поттера.

— Ты говоришь совсем как Люциус. Вы оба не понимаете Поттера — в отличие от меня. Его не нужно искать. Поттер сам придет ко мне. Я знаю его слабость, его, так сказать, врожденный дефект. Он не сможет смотреть, как другие сражаются и гибнут, зная, что все это из-за него. Он захочет прекратить это любой ценой. Он придет.

— Но, повелитель, его может случайно убить кто-нибудь другой...

— Я дал Пожирателям смерти совершенно ясные указания. Схватить Поттера. Убивать его друзей — чем больше, тем лучше, — но только не его самого. Однако я хотел поговорить о тебе, Северус, а не о Гарри Поттере. Ты был мне очень полезен. Очень.

— Повелитель знает, что услужить ему — мое единственное стремление. Но позвольте мне пойти и отыскать мальчишку, повелитель. Я уверен, что сумею...

— Я уже сказал: нет! — Гарри увидел красный отблеск в глазах Волан-де-Морта, когда тот обернулся. Мантия Темного Лорда шуршала, как подползающая змея, а его раздражение отзывалось жжением в шраме Гарри. — Сейчас меня волнует другое, Северус: что произойдет, когда я наконец встречусь с мальчишкой?

— Но какие тут могут быть вопросы, повелитель, ведь вы...

— Тут *есть* вопрос, Северус. Есть.

Волан-де-Морт остановился, и Гарри снова видел его целиком. Темный Лорд поигрывал Бузинной палочкой в белых пальцах, неотрывно глядя на Снегга.

— Почему обе палочки, которые у меня были, отказались служить, когда я направил их на Гарри Поттера?

— Я... я не знаю ответа на этот вопрос, повелитель.

— Правда?

Ярость Волан-де-Морта пылающим гвоздем вонзилась в мозг Гарри. Он вцепился зубами в свой кулак, чтобы не закричать от боли. Гарри закрыл глаза, и вдруг стал Волан-де-Мортом, глядящим в бледное лицо Снегга.

— Моя тисовая палочка, Северус, исполняла все мои приказы, кроме одного, — убить Гарри Поттера. Она дважды не смогла этого сделать. Олливандер под пыткой рассказал мне об одинаковой сердцевине, сказал, чтобы я взял другую палочку. Я так и сделал, но палочка Люциуса раскололась при встрече с Гарри Поттером.

— Я... я не знаю, как объяснить это, повелитель.

Снегг не смотрел на Волан-де-Морта. Его темные глаза были по-прежнему прикованы к змее, свернувшейся в магическом шаре.

— Я нашел третью палочку, Северус. Бузинную палочку, Смертоносную палочку, Жезл Смерти. Я забрал ее у прежнего хозяина. Я забрал ее из гробницы Альбуса Дамблдора.

Теперь Снегг смотрел в глаза Волан-де-Морту, а лицо его застыло, как посмертная маска. Оно было мраморно-белым и таким неподвижным, что Гарри вздрогнул, услышав звук его голоса: казалось невероятным, что за этими невидящими глазами теплится жизнь.

— Повелитель, позвольте мне привести мальчишку...

— Я просидел здесь всю эту долгую ночь перед самой победой, — почти шепотом произнес Волан-де-Морт, — неотрывно думая о том, почему Бузинная палочка отказывается выполнять то, для чего она предназначена, отказывается сделать то, что она должна, по легенде, сделать для своего законного владельца... и мне кажется, я нашел ответ.

Снегг молчал.

— Может быть, ты уже догадался? Ты ведь вообще-то умный человек, Северус. Ты был мне хорошим и верным слугой, и я сожалею о том, что сейчас произойдет.

— Повелитель...

— Бузинная палочка не повинуется мне по-настоящему, Северус, потому что я не законный ее владелец. Бузинная палочка принадлежит тому волшебнику, который убил ее предыдущего хозяина. Ты убил Альбуса Дамблдора. Пока ты жив, Бузинная палочка не может по-настоящему принадлежать мне.

— Повелитель! — воскликнул Снегг, подымая свою палочку.

— Иначе быть не может, — сказал Волан-де-Морт. — Я должен получить власть над этой палочкой, Северус. Власть над палочкой — а значит, и власть над Гарри Поттером.

И Волан-де-Морт взмахнул Бузинной палочкой. Ничего не произошло, и на какое-то мгновение Снегг, наверное, подумал, что он помилован. Но тут намерение Волан-де-Морта прояснилось. Шар со змеей закружился в воздухе, и не успел Снегг даже вскрикнуть, как его голова и плечи оказались внутри сверкающей сферы, а Волан-де-Морт сказал на змеином языке:

— *Убей!*

Раздался страшный крик. Гарри видел, как последняя краска сбежала с лица Снегга, как расширились его глаза, как зубы змеи вонзились ему в шею, как он судорожно рванулся, пытаясь сбросить шар, как подогнулись его колени и он опустился на пол.

— Жаль, — холодно сказал Волан-де-Морт.

И отвернулся. В нем не было ни печали, ни раскаяния. Пора было уходить из этой хижины и заняться делом — теперь, когда волшебная палочка действительно ему повинуется. Он навел ее на блестящий шар со змеей, и тот взмыл вверх, оторвавшись от Снегга, который боком завалился на пол; из раны на шее хлестала кровь. Волан-де-Морт вышел из комнаты, не оглянувшись, и змея в своем защитном шаре поплыла по воздуху вслед за ним.

Гарри, вернувшийся в туннель и в собственный разум, открыл глаза. Оказывается, он в кровь искусал себе костяшки пальцев, удерживая крик. Теперь он смотрел в узкую щель между ящиком и стеной и видел подрагивающую на полу ногу в черном ботинке.

— Гарри! — прошептала за его спиной Гермиона, но он уже навел палочку на ящик, загораживавший проход. Ящик приподнялся над полом и тихо отплыл в сторону. Гарри собрал все свое мужество и заставил себя войти в хижину.

Приближаясь к умирающему, он сам не знал, зачем делает это. Он сам не знал, что чувствует, глядя на белое как полотно лицо Снегга и его пальцы, пытающиеся зажать кровавую рану на шее. Гарри снял мантию-невидимку и смотрел сверху вниз на ненавистного ему человека. Расширенные черные глаза Снегга остановились на Гарри, и он попытался что-то сказать. Гарри нагнулся к нему. Снегг схватил его за край одежды и притянул ближе.

Из его горла вырвался страшный булькающий звук:

— Собери... собери...

Из Снегга текла не только кровь. Серебристо-голубое вещество, не газ и не жидкость, хлынуло из его рта, ушей и глаз. Гарри понял, что это такое, но не знал, что делать...

Гермиона вложила в его дрожащую руку наколдованный из воздуха флакон. Мановением палочки Гарри направил серебристое вещество в его горлышко. Когда флакон наполнился до краев, а в жилах Снегга не осталось, похоже, ни капли крови, его судорожная хватка ослабела.

— Взгляни... на... меня... — прошептал он.

Зеленые глаза встретились с черными, но мгновение спустя в глубине черных что-то погасло, взгляд их стал пустым и неподвижным. Рука, державшая одежду Гарри, упала на пол, и больше Снегг не шевелился.

Глава 33

ИСТОРИЯ ПРИНЦА

Гарри все еще стоял на коленях возле Снегга, просто глядя на него, как вдруг совсем рядом зазвучал высокий холодный голос, Гарри вскочил на ноги, крепко сжимая в руках флакон, уверенный, что это Волан-де-Морт вернулся в хижину.

Голос Волан-де-Морта разносился от стен и пола, и Гарри наконец понял, что Темный Лорд обращается к Хогвартсу и его окрестностям, чтобы и обитатели Хогсмида, и уцелевшие защитники замка слышали его так ясно, будто он стоит рядом с ними, дыша им в спину, готовясь нанести смертельный удар.

— Вы храбро сражались, — говорил этот голос. — Лорд Волан-де-Морт умеет ценить мужество. Однако вы понесли тяжелые потери. Если вы будете и дальше сопротивляться мне, вы все погибнете один за другим. Я этого не хочу. Каждая пролитая капля волшебной крови — утрата и расточительство. Лорд Волан-де-Морт милостив. Я приказываю своим войскам немедленно отступить. Я даю вам час. Достойно проститесь с вашими мертвецами. Окажите помощь вашим раненым.

А теперь я обращаюсь прямо к тебе, Гарри Поттер. Ты позволил друзьям умирать за тебя, вместо того чтобы встретиться со мной лицом к лицу. Весь этот час я буду ждать тебя в Запретном лесу. Если по истечении часа ты не явишься ко мне и не отдашься в мои руки, битва начнется снова. На этот раз я сам выйду в бой, Гарри Поттер, и отыщу тебя, и накажу всех до единого — мужчин, женщин и детей, — кто помогал тебе скрываться от меня. Итак, один час.

Рон и Гермиона яростно замотали головами, глядя на Гарри.

— Не слушай его, — сказал Рон.

— Все обойдется, — горячо заговорила Гермиона. — Давайте... давайте вернемся в замок. Раз он отправился в Лес, нам нужно придумать новый план.

Она покосилась на тело Снегга и торопливо нырнула обратно в туннель. Рон последовал за ней. Гарри подобрал мантию-невидимку и снова посмотрел на Снегга. Он сам не понимал своих чувств, за исключением ужаса от того, как и с какой целью Снегг был убит...

В полном молчании они ползли обратно по туннелю. Интересно, думал Гарри, отдаются ли слова Волан-де-Морта непрерывным эхом в головах Рона и Гермионы, как в его собственной?

Ты позволил друзьям умирать за тебя, вместо того чтобы встретиться со мной лицом к лицу. Весь этот час я буду ждать тебя в Запретном лесу... Один час...

Лужайка перед замком была как будто усеяна небольшими свертками. До рассвета не могло оставаться больше часа, однако тьма стояла кромешная. Гарри, Рон и Гермиона бежали к каменным ступеням. На дороге валялся одинокий башмак размером с небольшую лодку — и больше никаких следов Грохха или его противника.

В замке было неестественно тихо. Ни огненных вспышек, ни выстрелов, ни стонов, ни криков. На каменном полу в опустевшем вестибюле виднелись пятна крови. Изумруды раскатились по всей комнате вперемешку с осколками мрамора и щепками. Часть перил была снесена.

— Где же все? — прошептала Гермиона.

Они двинулись к Большому залу. Рон шел впереди. Гарри застыл в дверях.

Столы факультетов исчезли. Зал был полон людей. Выжившие стояли группами, обнимая друг друга. Раненых перевязывала на возвышении мадам Помфри с группой помощников. Среди раненых был и Флоренц.

На боку у него зияла рана, он лежал, не в силах держаться на ногах.

Мертвые лежали в ряд посередине Зала. Тела Фреда было не видно, потому что вокруг него собралась вся семья. Джордж стоял на коленях у изголовья, миссис Уизли лежала у Фреда на груди, сотрясаясь от рыданий. Мистер Уизли гладил ее по голове, и по его щекам градом катились слезы.

Не сказав Гарри ни слова, Рон и Гермиона отошли от него. Гарри видел, как Гермиона подошла к Джинни, стоявшей тут же с опухшим, пятнистым лицом, и обняла ее. Рон направился к Биллу, Флер и Перси. Перси обнял его за плечи. Когда Джинни и Гермиона передвинулись ближе к остальным, Гарри стали видны тела, лежащие рядом с Фредом. Это были Римус и Тонкс, бледные, спокойные и умиротворенные, словно спящие под темным магическим потолком.

Большой зал поплыл перед глазами, уменьшился, съежился... Гарри, пошатываясь, отступил от входа. Он не мог вздохнуть. У него не было сил взглянуть на другие тела, узнать, кто еще погиб за него. Он не мог подойти к Уизли, не мог смотреть им в глаза — ведь если бы он сразу отправился к Волан-де-Морту, Фред бы не погиб...

Он повернулся и помчался вверх по мраморной лестнице. Люпин и Тонкс... Как бы ему хотелось лишиться чувств... Если бы он мог вырвать свое сердце, все свои внутренности, все, что заходилось рыданиями у него внутри...

Замок был совершенно пуст. Видимо, даже привидения отправились в Большой зал оплакивать погибших. Гарри бежал, не останавливаясь, сжимая хрустальный флакон с последними мыслями Снегга, и замедлил шаг только у каменной горгульи, охранявшей вход в кабинет директора.

— Пароль?

— Дамблдор, — машинально сказал Гарри, просто потому, что стремился увидеть именно его. К его изумлению, горгулья отодвинулась, и за ней открылась винтовая лестница.

Но, вбежав в круглый кабинет, Гарри обнаружил, что все изменилось. Портреты, висевшие по стенам, опустели. Ни один директор или директриса не дожидался его тут. Похоже, все они отправились непосредственно наблюдать за событиями, переходя из рамы в раму по длинным рядам портретов, развешанных по всему замку.

Гарри с тоской посмотрел на пустую раму портрета Дамблдора, висевшую прямо за директорским креслом, и повернулся к ней спиной. Омут памяти стоял на своем обычном месте. Гарри поставил его на письменный стол и вылил воспоминания Снегга в глубокий сосуд с рунами по ободку. Погрузиться в чужую память — какое это будет облегчение... даже то, что осталось от Снегга, не может быть хуже его собственных мыслей. Воспоминания закружились странным серебристо-белым водоворотом, и Гарри без колебаний, с полной, беззаветной готовностью, как будто это могло облегчить терзавшее его горе, погрузил голову в каменный сосуд.

Он оказался на ярком солнце, и земля под его ногами была теплой. Распрямившись, он увидел, что стоит на почти пустой детской площадке. Вдали на горизонте виднелась одинокая труба. Две девочки качались на качелях, а из-за кустов за ними наблюдал худенький мальчик. Его черные волосы были давно не стрижены, а одежду как будто нарочно подбирали не по размеру: джинсы были коротки, зато широченная потрепанная куртка сгодилась бы взрослому мужчине; рубашка под ней была чудна́я, с чем-то вроде жабо.

Гарри подошел к мальчику поближе. Снеггу было на вид лет девять-десять — бледный жилистый заморыш. Он жадными глазами смотрел на младшую из девочек, которая раскачивалась все выше — выше, чем сестра.

— Лили, перестань! — крикнула старшая.

Но девочка пустила качели на полную высоту, и оттуда взлетела в воздух — взлетела совершенно буквально, взмыла в небо с громким хохотом, а потом, вместо того чтобы упасть на шершавый асфальт, спланировала по воздуху, как акробатка. Она парила в воздухе невероятно долго и приземлилась невероятно легко.

— Мама не разрешила тебе так делать! — Петунья затормозила свои качели, со скрипом проведя по асфальту подошвами сандалий, и соскочила вниз, руки в боки. — Мама ведь говорила тебе, что так нельзя, Лили!

— Но ведь ничего не случилось, — рассмеялась в ответ Лили. — Тунья, гляди. Смотри, как я умею!

Петунья огляделась. На площадке никого не было, кроме них и Снегга, но о нем девочки не знали. Лили сорвала увядший цветок с куста, за которым прятался Снегг. Петунья медленно двинулась к ней, явно разрываясь между любопытством и неодобрением. Лили подождала, пока сестра подойдет поближе, чтобы ясно все видеть, и раскрыла ладонь. Цветок лежал на ней, открывая и закрывая лепестки, как странная многогубая устрица.

— Прекрати! — взвизгнула Петунья.

— Тебе же от этого не больно! — откликнулась Лили, однако сомкнула ладонь и бросила цветок на землю.

— Так нельзя, — сказала Петунья, но глаза ее продолжали следить за упавшим на землю цветком. — Как ты это делаешь? — спросила она с явной завистью в голосе.

— Все понятно, правда? — Снегг не мог больше сдерживаться и выскочил из-за кустов. Петунья завизжала и бросилась назад к качелям, а Лили, хотя явно испугалась, не тронулась с места. Снегг, видимо, пожалел о своем чересчур внезапном появлении. Он глядел на Лили, и его худые щеки заливались тусклым румянцем.

— Что понятно? — спросила Лили.

Снегг был явно взволнован. Бросив взгляд на Петунью, стоявшую довольно далеко, за качелями, он понизил голос и сказал:

— Я знаю, кто ты.

— В смысле?

— Ты... ты колдунья, — прошептал Снегг.

Девочка, похоже, обиделась.

— Обзываться нехорошо!

Она гордо задрала нос, повернулась и пошла прочь, к сестре.

— Да нет же! — крикнул Снегг ей вслед. Он весь раскраснелся, и Гарри удивило, почему он не снимет свою дурацкую широкую куртку, — наверное, стеснялся рубашки с оборочками. Он пошлепал за девочками, похожий на неуклюжую летучую мышь и на самого себя много лет спустя.

Сестры смотрели на него с дружным неодобрением, вцепившись каждая в свои качели, как будто это был «домик» в игре в пятнашки.

— Ты *правда* колдунья, — сказал Снегг Лили. — Правда. Я давно за тобой наблюдаю. Но ничего плохого в этом нет. Моя мама тоже колдунья, а сам я — волшебник.

Петунья обдала его раскатами смеха, как холодной водой.

— Волшебник! — взвизгнула она, окончательно оправившись от шока, вызванного его внезапным появлением. — Я знаю, кто ты. Ты сын этих Снеггов. Они живут у реки, в Паучьем тупике, — сказала она Лили, и по ее тону ясно было, что этот адрес — плохая рекомендация в ее глазах. — А зачем ты за нами шпионил?

— Я не шпионил! — сказал Снегг, стоя на солнцепеке, весь красный, лохматый и несчастный. — Уж за тобой-то я точно не стал бы шпионить, — добавил он презрительно. — Ты — магл.

Хотя Петунья не могла знать, что означает это слово, тон Снегга говорил сам за себя.

— Пошли, Лили, мы уходим! — резко бросила она.

Лили тут же повиновалась. Уходя, она пристально взглянула на Снегга. Он стоял и смотрел, как они выходят за ограду площадки. Гарри, единственный, кто наблюдал сейчас за ним, почувствовал его горькое разочарование и понял, что Снегг давно готовился к этому разговору и что все вышло совсем не так...

Сцена переменилась, и, не успев оглянуться, Гарри оказался в другом месте. Он был в маленькой роще. Ручей блестел на солнце, извиваясь между деревьями. Их кроны давали прохладную зеленую сень. Двое детей сидели рядышком на траве. На этот раз Снегг снял куртку, в сумраке рощи его странная рубашка не так бросалась в глаза.

— И если ты занимаешься волшебством вне школы, Министерство тебя накажет — пришлет письмо.

— Но я же занималась волшебством вне школы!

— Нам можно. У нас еще нет волшебных палочек. Детьми они не интересуются — мы все равно ничего не можем с этим поделать. Но когда тебе исполняется одиннадцать, — он многозначительно кивнул, — и ты начинаешь учиться, тут уже надо быть осторожным.

Они помолчали. Лили подняла прутик и крутила им в воздухе. Гарри понял, что она воображает, как с его кончика сыплется сноп искр. Потом она бросила прутик, повернулась к мальчику и сказала:

— Скажи, это все правда? Ты не шутишь? Петунья говорит, что ты мне врешь и что никакого Хогвартса нет. Он *правда* есть?

— Для нас он есть, — ответил Снегг, — а для нее нет. Но мы с тобой получим по письму.

— Правда? — прошептала Лили.

— Да, — сказал Снегг, и, несмотря на безобразную прическу и нелепую одежду, он сейчас производил сильное впечатление — странная фигурка, исполненная уверенности в своем предназначении.

— И письмо правда принесет сова? — тихо спросила Лили.

— Обычно их приносят совы, — сказал Снегг. — Но ты — из семьи маглов, поэтому из школы пришлют кого-нибудь поговорить с твоими родителями.

— А это важно, что я из семьи маглов?

Снегг колебался. Его черные глаза, горевшие в зеленоватом сумраке, скользнули по бледному личику, по темно-рыжим волосам.

— Нет, — сказал он. — Совсем не важно.

— Это хорошо, — с облегчением сказала Лили. Видно было, что это ее беспокоило.

— В тебе прорва волшебства, — сказал Снегг. — Я видел. Я все время за тобой наблюдал...

Голос его прервался. Лили не слушала его, она растянулась на траве и смотрела на полог листьев над головой. Снегг глядел на нее так же завороженно, как на детской площадке.

— Как у тебя дома дела? — спросила Лили.

Он слегка нахмурился:

— Нормально.

— Они уже не ругаются?

— Еще как ругаются! — Снегг сорвал пригоршню листьев и стал раздирать их на кусочки, явно не замечая, что делает. — Но осталось совсем недолго, и я уеду.

— Твой отец не любит волшебства?

— Он ничего особенно не любит, — отозвался Снегг.

— Северус...

Снегг улыбнулся, когда она произнесла его имя:

— А?

— Расскажи мне еще раз про дементоров.

— Зачем тебе?

— Если я буду заниматься волшебством вне школы...

— Никто не отдаст тебя за это дементорам! Дементоры — это для настоящих преступников. Они охраняют тюрьму для волшебников, Азкабан. Но тебе совершенно не за чем попадать в Азкабан, ты слишком...

Он снова покраснел и сорвал еще несколько листьев. Тут за его спиной раздался хруст, и он обернулся. Петунья, прятавшаяся за деревом, неловко переступила с ноги на ногу.

— Тунья! — сказала Лили с радостным удивлением в голосе. Но Снегг вскочил.

— И кто из нас шпионит? — закричал он. — Чего тебе тут надо?

Петунья потеряла дар речи от страха, что ее обнаружили. Гарри видел, что она изо всех сил старается придумать что-нибудь пообиднее.

— Что это на тебе надето, а? — спросила она, показывая пальцем на рубашку Снегга. — Мамина блузка?

Раздался треск: над головой Петуньи обломился толстый сук. Лили вскрикнула: сук ударил Петунью по плечу. Она качнулась назад и залилась слезами.

— Тунья! — Лили набросилась на Снегга: — Это ты сделал?

— Нет! — Вид у него был одновременно вызывающий и испуганный.

— Это ты! — Она отшатнулась от него. — Ты! Ты сделал ей больно!

— Нет, это не я!

Но Лили не поверила этой лжи. Она бросила на него последний укоризненный взгляд и побежала вслед за сестрой. А Снегг остался стоять с несчастным и смущенным видом...

Сцена снова сменилась. Гарри огляделся вокруг: он был на платформе девять и три четверти, неподалеку стоял Снегг, слегка сутулясь, а рядом — худая, бледная женщина с кислым выражением лица, очень похожая на него. Глаза Снегга были устремлены на семью из четырех человек тут же на платформе. Две девочки стояли чуть поодаль от родителей. Лили, похоже, пыталась в чем-то убедить сестру. Гарри подошел поближе и прислушался.

— Тунья, не сердись, прости меня, пожалуйста! Послушай... — Она взяла сестру за руку и не выпускала, хотя Петунья пыталась вырваться. — Может быть, когда я там окажусь... нет, послушай, Тунья! Может быть, когда я там окажусь, я смогу пойти к профессору Дамблдору и уговорить его изменить решение!

— Я не хочу туда! — отчеканила Петунья и вырвала руку. — С чего ты взяла, что я хочу ехать в какой-то дурацкий замок и учиться на... на...

Ее глаза скользнули по платформе, по кошкам, мяучащим на руках владельцев, по совам в клетках, бьющим крыльями и уханьем приветствующим друг друга, по школьникам, некоторые из которых уже надели длинные черные одежды, грузившим чемоданы на ярко-красный паровоз и приветствующим друг друга радостными возгласами после долгой летней разлуки.

— Думаешь, я хочу стать... уродкой?

Глаза Лили наполнились слезами.

— Я не уродка, — ответила она. — Это ужасное слово!

— Туда-то ты и едешь, — с наслаждением повторила Петунья. — В спецшколу для уродов. Ты и этот снегговский мальчишка... вы оба натуральные уроды. Хорошо, что вас будут держать отдельно от нормальных людей. Это делается для нашей безопасности.

Лили взглянула на родителей, внимательно оглядывавших платформу с видом самого сердечного удовольствия. Потом перевела глаза обратно на сестру и сказала тихо и зло:

— Вряд ли ты думала, что это школа для уродов, когда писала директору и клянчила, чтобы тебя приняли.

Петунья покраснела до ушей:

— Клянчила? Я не клянчила!

— Я видела его ответ — очень милый.

— Кто тебе разрешил читать... — прошептала Петунья. — Это мое личное... Как ты могла?..

Лили выдала себя, взглянув в сторону Снегга, стоявшего неподалеку. Петунья ахнула.

— Так вот кто нашел мое письмо! Ты рылась в моей комнате вместе с этим мальчишкой!

— Нет, мы не рылись... — Лили перешла на оборонительную позицию. — Северус увидел конверт и не поверил, что магл мог завязать переписку с Хогвартсом, вот и все! Он сказал, что, видимо, на почте тайно работают волшебники, которые...

— Волшебники, видимо, суют свой нос во все! — Петунья побледнела теперь так же сильно, как перед этим вспыхнула. — Уродка! — бросила она в лицо сестре и метнулась к родителям...

Сцена снова переменилась. Снегг шел торопливым шагом по коридору «Хогвартс-экспресса», мчавшегося через сельский ландшафт. Он уже переоделся в школьное платье, наверное, воспользовался первой же возможностью отделаться от своей уродливой магловской одежды. Снегг остановился перед купе, где болтали между собой несколько шумных мальчишек. В уголке у окна сидела Лили, прижав лицо к оконному стеклу.

Снегг проскользнул в купе и сел напротив. Она взглянула на него и снова отвернулась к окну. Она плакала.

— Я с тобой не разговариваю, — сказала она сдавленным голосом.

— Почему?

— Тунья меня не-ненавидит. За то, что мы прочли письмо от Дамблдора.

— И что?

Она посмотрела на него с глубоким отвращением:

— А то, что она моя сестра!

— Она всего лишь... — Снегг вовремя остановился. Лили, занятая тем, как бы незаметно утереть слезы с глаз, его не услышала. — Но мы ведь едем! — Он не мог скрыть ликования в голосе. — Мы едем в Хогвартс!

Она кивнула сквозь слезы и невольно улыбнулась.

— Тебе лучше поступать в Слизерин, — сказал Снегг, ободренный этим проблеском.

— В Слизерин?

Один из мальчиков, сидевших в купе, который до сих пор не обращал на Лили и Снегга никакого внимания, теперь уставился на них. Гарри, до этого не замечавший никого, кроме пары у окна, узнал своего отца: худенький, черноволосый, как и Снегг, но совсем другой. По каким-то неуловимым признакам было сразу видно, что об этом мальчике заботятся, его любят и носят на руках — так же как по Снеггу было заметно, что с ним все обстоит наоборот.

— Кто это тут хочет в Слизерин? Да я бы сразу из школы ушел, а ты? — спросил Джеймс мальчика, сидевшего напротив. Гарри вздрогнул, узнав в нем Сириуса. Тот не улыбнулся.

— Вся моя семья училась в Слизерине, — сказал он.

— Елки-палки! — воскликнул Джеймс. — А ты мне показался таким приличным человеком!

Сириус усмехнулся:

— Возможно, я нарушу семейную традицию. А ты куда собираешься, если тебе позволят выбирать?

Джеймс поднял невидимый меч.

— *Гриффиндор, славный тем, что учатся там храбрецы.* Как мой отец.

Снегг презрительно фыркнул. Джеймс обернулся к нему:

— Тебе это не нравится?

— Да нет, почему? — ответил Снегг, хотя его фырканье было недвусмысленным ответом. — Если кто предпочитает быть храбрецом, чем умником...

— А ты-то куда пойдешь, если ты ни то, ни другое? — вмешался Сириус.

Джеймс расхохотался. Лили сидела прямо, вся красная, и переводила неприязненный взгляд с Джеймса на Сириуса.

— Северус, пойдем поищем другое купе.

— Оооо...

Джеймс и Сириус передразнили ее высокомерный тон. Джеймс попытался поставить Снеггу подножку.

— До скорого, Нюниус! — раздалось из купе, когда дверь захлопывалась.

И сцена снова переменилась...

Гарри стоял за спиной Снегга перед освещенными множеством свечей столами факультетов, глядя на длинные ряды взволнованных лиц. Профессор Макгонагалл произнесла:

— Эванс, Лили!

Он видел, как его мать на дрожащих ногах вышла вперед и села на расшатанный табурет. Профессор Макгонагалл надела ей на голову Распределяющую шляпу. Едва коснувшись темно-рыжих волос, Шляпа провозгласила:

— *Гриффиндор!*

Гарри слышал, как у Снегга вырвался тихий стон. Лили сняла Шляпу, протянула ее профессору Макгонагалл и заспешила к весело аплодирующим гриффиндорцам. Проходя мимо, она с грустной улыбкой оглянулась на Снегга. Гарри видел, как Сириус подвинулся, давая ей место на скамье. Она взглянула на него, узнала соседа по купе и решительно повернулась к нему спиной.

Перекличка продолжалась. Гарри видел, как Люпин, Петтигрю и его отец присоединились к Лили и Сириусу за столом Гриффиндора. Наконец, когда ожидающих распределения оставалась лишь небольшая кучка, профессор Макгонагалл произнесла фамилию Снегга.

Гарри вместе с ним пошел к табурету и смотрел, как он надевает шляпу.

— *Слизерин!* — объявила Шляпа.

И Северус Снегг отправился на другую сторону Большого зала, прочь от Лили, к приветствующим его слизеринцам. Люциус Малфой со сверкающим значком старосты на груди похлопал его по спине и усадил рядом с собой...

Сцена переменилась...

Лили и Снегг шли по двору замка, горячо споря о чем-то. Гарри заспешил к ним, чтобы послушать. Подойдя ближе, он заметил, насколько выше они стали. Видимо, с распределения прошло несколько лет.

— Я-то думал, мы друзья, — говорил Снегг. — Лучшие друзья.

— Мы и есть друзья, Сев, но мне не нравятся люди, с которыми ты связался. Прости, но я не выношу Эйвери и Мальсибера. *Мальсибер!* Ну что ты в нем нашел, Сев? Он же подонок! Ты знаешь, что он на днях пытался сделать с Мэри Макдональд?

Лили остановилась у колонны и прислонилась к ней, глядя в худое, бледное лицо.

— Да ерунда это, — сказал Снегг. — Он хотел просто посмеяться, и все..

— Это Темная магия, и если ты считаешь, что это смешно...

— Ну а то, чем занимаются Поттер и его дружки? — спросил Снегг. Щеки у него порозовели при этих словах, он был не в силах сдержать досаду.

— При чем тут Поттер? — сказала Лили.

— Они где-то шляются по ночам. И с Люпином этим что-то странное творится. Куда это он постоянно уходит?

— Он болен, — ответила Лили. — Говорят, он очень болен.

— Ага, заболевает каждый месяц в день полнолуния?

— Я знаю твою теорию, — холодно откликнулась Лили. — Но почему это тебя так волнует? Тебе-то какое дело, чем они занимаются по ночам?

— Я просто хочу показать тебе, что не такие уж они замечательные, какими их, похоже, все считают.

Лили покраснела под его настойчивым взглядом.

— По крайней мере они не применяют Темную магию. — Лили понизила голос. — А ты просто неблагодарный. Я знаю, что случилось прошлой ночью. Ты полез в тот туннель под Гремучей ивой, и Джеймс Поттер спас тебя от того, что там подстерегало...

Лицо Снегга исказилось, теперь он захлебывался словами:

— Спас? Спас? Думаешь, он разыгрывал героя? Он спасал свою шею и своих друзей! Ты ведь не... Я... Я тебе не позволю...

— Не позволишь? Мне?

Ярко-зеленые глаза Лили сузились. Снегг мгновенно сбавил тон.

— Я не то хотел сказать... Просто я не желаю, чтобы тебя дурачили... Он за тобой увивается, Джеймс Поттер за тобой увивается! — Похоже, эти слова вырвались у Снегга помимо его воли. — А он вовсе не то... что все думают... чемпион по квидддичу... — Обида и неприязнь рвались из Снегга сбивчивыми словами, и Лили все выше и выше подымала брови.

— Я знаю, что Джеймс Поттер — безмозглый задавака, — прервала она Снегга. — Можешь не трудиться мне это объяснять. Но юмор Мальсибера и Эйвери — это безобразие. *Безобразие*, Сев. Не понимаю, как ты можешь с ними дружить.

Гарри показалось, что выпадов Лили против Мальсибера и Эйвери Снегг уже просто не слышал. Стоило ей отозваться пренебрежительно о Джеймсе Поттере, его напряжение как рукой сняло, и теперь он шагал рядом с ней совсем другим, упругим шагом...

И эта сцена исчезла...

Гарри снова смотрел, как Снегг выходит из Большого зала, сдав СОВ по защите от Темных искусств, бредет прочь от замка и случайно оказывается рядом с местом, где сидят под буком Джеймс, Сириус, Люпин и Петтигрю. Но на этот раз Гарри не стал подходить ближе. Он и так знал, что произошло после того, как Джеймс заклинанием поднял Северуса в воздух и насмеялся над ним; он знал, кто что сказал и сделал, и ему не хотелось слышать все это снова. Он видел, как к группе приблизилась Лили и бросилась на защиту Снегга. И слышал издали, как Снегг, вне себя от унижения и ярости, бросил ей непоправимое слово:

— *Грязнокровка!*

Сцена переменилась...

— Прости меня.

— Отвяжись.

— Прости меня!

— Можешь не трудиться.

Это было ночью. Лили в халатике стояла, обхватив себя руками, перед портретом Полной Дамы у входа в башню Гриффиндора.

— Я пришла только потому, что Мэри сказала, будто ты грозишься проторчать здесь всю ночь...

— Да. Я бы так и сделал. Я вовсе не хотел обзывать тебя грязнокровкой, это у меня просто...

— Сорвалось с языка? — В голосе Лили не было жалости. — Слишком поздно. Я много лет находила тебе оправдания. Никто из моих друзей не понимает, почему я вообще с тобой разговариваю. Ты и твои дружки — Пожиратели смерти... Ага, ты этого даже не отрицаешь. Ты даже не отрицаешь, что сам собираешься стать таким же. Тебе не терпится присоединиться к Сам-Знаешь-Кому, да?

Он открыл было рот, но так ничего и не сказал.

— Я больше не могу закрывать глаза. Ты выбрал свою дорогу, я — свою.

— Нет... послушай, я не хотел...

— Обзывать меня грязнокровкой? Но ведь всех, кто родом из таких семей, ты именно так и зовешь, Северус. Почему же я должна быть исключением?

Он пытался что-то объяснить, но Лили бросила на него презрительный взгляд, повернулась и скрылась в проходе за портретом...

Вход в башню Гриффиндора исчез, а новая сцена появилась не сразу. Гарри словно летел сквозь сменяющиеся цвета и формы, пока мир вокруг него вновь не принял ясные очертания. Он стоял в темноте на пустынной, холодной вершине холма, и ветер свистел в голых ветвях деревьев. Взрослый Снегг тяжело дышал и беспокойно крутился на месте, крепко сжимая волшебную палочку, явно в ожидании чего-то или кого-то. Страх Снегга передался Гарри, хотя он знал, что бояться ему нечего, и он поглядел через плечо, пытаясь догадаться, чего ждет здесь Снегг...

В воздухе мелькнула ослепительная вспышка белого света. Гарри подумал, что это молния, но Снегг упал на колени, и палочка вылетела у него из рук.

— Не убивайте меня!

— Я и не собирался.

Дамблдор появился внезапно — шум ветра заглушил звук трансгрессии. Он стоял перед Снеггом в развевающейся мантии. Его лицо было освещено снизу светом волшебной палочки.

— Итак, Северус, что за весть шлет мне лорд Волан-де-Морт?

— Нет... никакой вести... Я пришел по собственному почину! — Снегг заламывал руки. Черные волосы развевались на ветру вокруг его головы, и вид у него был немного безумный. — Я пришел с предостережением... нет, с просьбой... пожалуйста...

Дамблдор взмахнул палочкой. Листья по-прежнему летели по ветру, но там, где стояли они со Снеггом, стало совсем тихо.

— Какая же просьба ко мне может быть у Пожирателя смерти?

— Пророчество... предсказание Трелони...

— Ах да, — откликнулся Дамблдор. — И что из этого вы доложили лорду Волан-де-Морту?

— Все... все, что слышал! — ответил Снегг. — И поэтому... из-за этого... он думает, что пророчество относится к Лили Эванс!

— В пророчестве ничего не сказано о женщине, — сказал Дамблдор. — Речь там шла о мальчике, который родился в конце июля...

— Вы понимаете, о чем я говорю! Он думает, что речь идет о ее сыне... Он собирается отправиться к ней... убить их всех...

— Если она так много для вас значит, — сказал Дамблдор, — то лорд Волан-де-Морт, несомненно, пощадит ее. Разве не могли вы попросить его пощадить мать в обмен на сына?

— Я... я просил...

— Вы мне отвратительны, — сказал Дамблдор. Гарри никогда не слышал такого презрения в его голосе. Снегг слегка отпрянул. — Значит, вам плевать, что ее муж и сын погибнут? Пусть гибнут, лишь бы вы получили то, что хотите?

Снегг молчал, не спуская глаз с Дамблдора.

— Ну так спрячьте их всех, — прохрипел он. — Спасите ее... их. Прошу вас.

— А что я получу взамен, Северус?

— Взамен? — Снегг ошеломленно глядел на Дамблдора, и какое-то мгновение Гарри ожидал, что он будет спорить, однако после недолгого молчания Снегг сказал: — Все что угодно.

Вершина холма исчезла, и Гарри оказался в кабинете Дамблдора. В нем раздавались странные звуки, похожие на вой раненого животного. Снегг скорчился в кресле, подавшись вперед, а Дамблдор с мрачным видом стоял над ним. Спустя мгновение Снегг поднял лицо. Казалось, он прожил сто очень несчастливых лет с тех пор, как стоял на вершине холма.

— Я думал... вы... спасете ее...

— Они с Джеймсом доверились не тому человеку, — сказал Дамблдор. — Как и вы, Северус. Вы ведь тоже надеялись, что лорд Волан-де-Морт ее пощадит?

Снегг задыхался.

— Ее сын выжил.

Снегг мотнул головой, словно отгоняя назойливую муху.

— Ее сын жив. У него ее глаза, такие же точно. Вы ведь помните глаза Лили Эванс?

— ПРЕКРАТИТЕ! — выкрикнул Снегг. — Умерла... навсегда...

— Вас мучает совесть, Северус?

— Лучше бы... лучше бы *я* умер...

— И какая от этого была бы польза? — холодно спросил Дамблдор. — Если вы любили Лили Эванс, если вы действительно любили ее, то ваш дальнейший путь ясен.

Глаза Снегга были затуманены болью, и слова Дамблдора дошли до него не сразу.

— Что... что вы хотите этим сказать?

— Вы знаете, как и почему она погибла. Сделайте так, чтобы это было не зря. Помогите мне защитить сына Лили.

— Ему не нужна защита. Темный Лорд ушел...

— Темный Лорд вернется, и тогда Гарри Поттер окажется в страшной опасности.

Наступило долгое молчание. Снегг постепенно брал себя в руки, его дыхание стало ровнее. Наконец он произнес:

— Хорошо. Ладно. Но только — ни слова никому, Дамблдор! Это должно остаться между нами. Поклянитесь! Я не вынесу... тем более сын Поттера... Дайте мне слово!

— Дать слово, Северус, что я никому никогда не расскажу о самом лучшем, что в вас есть? — Дамблдор вздохнул, глядя в злое, измученное лицо Снегга. — Ну, если вы настаиваете...

Кабинет исчез, но тут же снова вернулся.

Снегг ходил взад-вперед перед столом Дамблдора.

— Бездарный, самовлюбленный, как и его отец, любитель нарушать правила, жадный до славы и внимания, нахальный...

— Вы видите то, что хотите видеть, Северус, — ответил Дамблдор, не отрывая глаз от журнала «Трансфигурация сегодня». — Другие преподаватели говорят, что мальчик скромен, приятен в обращении и не лишен дарований. Лично мне он кажется симпатичным ребенком. — Дамблдор перевернул страницу и сказал, не подымая глаз: — Приглядывайте за Квиррелом, ладно?

Снова радужный водоворот, и вот краски померкли, и Снегг с Дамблдором стоят немного в сторонке в вестибюле Хогвартса, а мимо них расходятся по своим спальням последние участники Святочного бала.

— Так что же? — тихо спросил Дамблдор.

— Метка Каркарова тоже потемнела. Он в панике, опасается возмездия. Вы ведь знаете, какую помощь он оказал Министерству после падения Темного Лорда. — Снегг посмотрел сбоку на профиль Дамблдора с кривоватым носом. — Каркаров собирается бежать, если почувствует жжение в Метке.

— Вот как? — мягко сказал Дамблдор. Мимо шли, хихикая, Флер Делакур и Роджер Дэвис. — А вам не хочется к нему присоединиться?

— Нет. — Снегг проводил глазами удаляющихся Роджера и Флер. — Я не такой трус.

— Нет, — согласился Дамблдор. — Вы несравненно храбрее Игоря Каркарова. Вы знаете, я иногда думаю, что мы проводим распределение слишком рано...

И пошел прочь, не глядя на онемевшего Снегга...

И вот Гарри снова стоит в директорском кабинете. Ночь. Дамблдор в своем высоком кресле за письменным столом завалился на бок. Похоже, он в полубессознательном состоянии. Его правая рука, почерневшая и обугленная, бессильно повисла. Снегг бормочет заклинания, направляя палочку на запястье Дамблдора, а левой рукой вливает ему в горло густой золотой напиток. Спустя несколько мгновений веки Дамблдора дрогнули и приоткрылись.

— Зачем? — сказал Снегг без всяких предисловий. — Зачем вы надели это кольцо? На него наложено заклятие, вы не могли этого не знать... Зачем вам вообще понадобилось его трогать?

Кольцо Марволо Мракса лежало на столе перед Дамблдором. Оно было разбито. Рядом лежал меч Гриффиндора.

Дамблдор поморщился:

— Я... сделал глупость. Не устоял перед искушением...

— Каким искушением?

Дамблдор не ответил.

— Чудо, что вам удалось вернуться сюда! — В голосе Снегга звучало бешенство. — На это кольцо наложено заклятие исключительной силы. Самое большее, на что мы можем надеяться, — это ограничить его действие одним участком. Пока мне удалось запереть его в одну руку.

Дамблдор приподнял свою почерневшую, ни на что уже не годную руку и осмотрел ее с таким выражением, как будто ему показали любопытнейший экспонат.

— Вы отлично справились, Северус. Сколько мне осталось, как вы думаете?

Дамблдор говорил обычным тоном, как будто спрашивал прогноз погоды. После недолгого колебания Снегг ответил:

— Не могу сказать. Может быть, год. Сдержать такие чары навсегда невозможно. Постепенно они начнут распространяться, это из тех заклятий, которые со временем только усиливаются.

Дамблдор улыбнулся. Похоже, его не очень взволновало, что жить ему остается меньше года.

— Как мне повезло, как невероятно повезло, что у меня есть вы, Северус.

— Если б только вы позвали меня чуть раньше, я, возможно, мог бы сделать больше, выиграть для вас больше времени, — с болью сказал Снегг. Он посмотрел на разбитое кольцо и на меч. — Вы что, думали, что, разбив кольцо, вы разобьете чары?

— Что-то в этом духе... Я, видимо, был просто не в себе... — сказал Дамблдор, с усилием выпрямляясь в кресле. — Ну что ж, это сильно упрощает дело.

Снегг посмотрел на него в полном недоумении. Дамблдор улыбнулся:

— Я имею в виду тот план, который выстроил вокруг меня лорд Волан-де-Морт. План заставить этого бедного мальчика, Малфоя, убить меня.

Снегг опустился в кресло, где так часто сидел сам Гарри, напротив стола Дамблдора. Гарри понял, что он хотел сказать еще что-то о заклятой руке Дамблдора, но тот приподнял ее, вежливо отказываясь продолжать разговор на эту тему. Снегг сказал хмуро:

— Темный Лорд и не ждет, что Драко добьется успеха. Это просто наказание за недавние промахи Люциуса. Медленная пытка для родителей Драко, вынужденных наблюдать его провал и наказание.

— Короче говоря, мальчику вынесен смертный приговор, как, разумеется, и мне, — сказал Дамблдор. — Ну а естественный преемник по этому заданию, после провала Драко, будете вы, если я правильно понимаю?

Настала короткая пауза.

— Да, таков, я думаю, план Темного Лорда.

— Лорд Волан-де-Морт полагает, следовательно, что в ближайшем будущем ему больше не нужен будет соглядатай в Хогвартсе?

— Да, он думает, что школа скоро будет в его руках.

— А если она и правда окажется в его руках, — сказал Дамблдор таким тоном, как будто речь шла о чем-то постороннем, — вы даете мне слово сделать все, что в ваших силах, чтобы защитить учеников Хогвартса?

Снегг медленно кивнул.

— Отлично. Теперь вот что. Ваша главная задача сейчас — выяснить, что собирается делать Драко. Напуганный пятнадцатилетний мальчишка опасен и для самого себя, и для окружающих. Предложите ему помощь и руководство, он их, наверное, примет — вы ему очень нравитесь...

— Уже гораздо меньше, с тех пор как его отец вышел из фавора. Драко осуждает меня, он думает, что я занял место Люциуса.

— И все-таки попробуйте. Я беспокоюсь не столько за себя, сколько за случайных жертв — мало ли какие планы придут мальчику в голову. Но в конечном счете есть только одно средство, чтобы спасти его от гнева лорда Волан-де-Морта.

Снегг поднял брови и спросил саркастически:

— Вы намерены позволить ему вас убить?

— Нет, конечно. Меня должны убить *вы*.

Наступило долгое молчание. В тишине раздавался лишь странный щелкающий звук: феникс Фоукс клевал скорлупу каракатицы.

— Вы хотите, чтобы я сделал это прямо сейчас? — ироническим тоном спросил Снегг. — Или дать еще несколько минут, чтобы составить эпитафию?

— Нет-нет, это не так срочно, — ответил Дамблдор, улыбаясь. — Я полагаю, случай представится в свое время. С учетом того, что произошло сегодня, — он показал на свою обугленную руку, — можно не сомневаться, что это произойдет в течение года.

— Если вы не против умереть, — резко сказал Снегг, — почему бы не предоставить это Драко?

— Душа мальчика еще не настолько повреждена, — сказал Дамблдор. — Я бы не хотел, чтобы она раскололась из-за меня.

— А моя душа, Дамблдор? Моя?

— Только вам известно, потерпит ли ваша душа ущерб от того, что вы поможете старику избавиться от боли и унижения, — ответил Дамблдор. — Я прошу вас об этой великой услуге, Северус, потому что моя смерть — такое же решенное дело, как то, что «Пушки Педдл» займут в этом сезоне последнее место в лиге. Признаюсь, я предпочел бы быстрый, безболезненный конец долгим мукам, которые мне предстоят, если будет задействован, например, Сивый. Я слышал, Волан-де-Морт его завербовал? Или наша милая Беллатриса, которая любит поиграть с мышкой, прежде чем ее съесть.

Он говорил легким тоном, но его синие глаза пронизывали Снегга насквозь, как нередко пронизывали и Гарри, словно душа собеседника была видна ему как на ладони. И Снегг снова коротко кивнул.

На лице Дамблдора выразилось удовлетворение.

— Спасибо, Северус...

Кабинет исчез. Теперь Снегг и Дамблдор прогуливались в сумерках по опустевшей территории замка.

— Чем вы занимаетесь каждый вечер, запираясь с Поттером? — внезапно спросил Снегг.

Дамблдор устало посмотрел на него:

— Почему вас это интересует? Надеюсь, Северус, вы не хотите прибавить ему сидения после уроков? Мальчик, по-моему, скоро будет проводить взаперти больше времени, чем на свободе.

— Он — вылитый отец...

— На вид — может быть, но в глубине сердца он гораздо больше похож на свою мать. Я провожу с Гарри много времени, потому что есть вещи, которые мне нужно с ним обсудить, кое-какая информация, которую я должен ему передать, пока не поздно.

— Информация, — повторил Снегг. — Ему вы доверяете... а мне нет.

— Дело не в доверии. Как мы оба знаем, время мое ограничено. Мальчик должен — это крайне важно — получить от меня достаточно информации, чтобы выполнить свою задачу.

— А почему мне нельзя получить ту же информацию?

— Я предпочитаю не складывать все мои тайны в одну корзину — тем более в корзину, которая большую часть времени болтается на руке лорда Волан-де-Морта.

— Но я делаю это по вашему распоряжению!

— Да, и делаете непревзойденно. Не думайте, Северус, что я недооцениваю постоянную опасность, которой вы себя подвергаете. Поставлять Волан-де-Морту информацию, которая кажется ему ценной, и при этом скрывать самое главное — такую работу я не мог бы поручить никому, кроме вас.

— И все же вы куда больше доверяете мальчишке, неспособному к окклюменции, посредственному волшебнику, и к тому же имеющему прямую связь с мыслями Темного Лорда!

— Волан-де-Морт боится этой связи, — сказал Дамблдор. — Не так давно он попробовал — так, слегка, — что значит для него по-настоящему проникнуть в мысли Гарри. Это была такая боль, что подобной он не испытывал никогда в жизни. Он не станет больше пытаться завладеть Гарри, я уверен. По крайней мере таким способом.

— Не понимаю.

— Искалеченная душа лорда Волан-де-Морта не может вынести соприкосновения с такой душой, как у Гарри. Она чувствует себя, как язык, лизнувший ледяное железо, как живая плоть в огне...

— Души? Мы ведь говорили о мыслях!

— В случае Гарри и лорда Волан-де-Морта это одно и то же.

Дамблдор посмотрел по сторонам, чтобы убедиться, что они одни.

Они дошли почти до Запретного леса, и, похоже, рядом действительно никого не было.

— После того как вы убьете меня, Северус...

— Вы отказываетесь быть со мной откровенным и тем не менее ожидаете от меня этой маленькой услуги! — проворчал Снегг. Его худое лицо выражало сейчас настоящую злость. — Как многое для вас разумеется само собой, Дамблдор! А что, если я передумал?

— Вы дали мне слово, Северус. Раз уж мы заговорили об услугах, которых я от вас жду, — вы ведь, помнится, согласились приглядеть за нашим юным другом из Слизерина?

Снегг посмотрел на него сердито, с вызовом. Дамблдор вздохнул:

— Северус, приходите сегодня вечером, к одиннадцати, в мой кабинет — и вы больше не будете жаловаться, что я вам не доверяю...

И вот они снова в кабинете Дамблдора. За окнами темно. Фоукс ведет себя тихо, и Снегг тоже сидит молча и неподвижно, а Дамблдор ходит по кабинету и говорит:

— Гарри не должен знать, до самого последнего момента, до тех пор, пока не будет необходимо, а то разве хватит у него сил сделать то, что он должен сделать?

— А что он должен сделать?

— Это наш с Гарри секрет. А теперь слушайте внимательно, Северус. Настанет время — после моей смерти — не спорьте, не перебивайте меня! Настанет время, когда лорд Волан-де-Морт начнет опасаться за жизнь своей змеи.

— Нагайны? — удивленно переспросил Снегг.

— Именно. Настанет время, когда лорд Волан-де-Морт перестанет посылать змею выполнять свои приказы, а станет держать в безопасности рядом с собой, окружив магической защитой. Вот тогда, я думаю, можно будет сказать Гарри.

— Сказать Гарри что?

Дамблдор набрал в грудь воздуха и закрыл глаза.

— Сказать ему, что в ту ночь, когда Лили поставила между ними свою жизнь, словно щит, Убивающее заклятие отлетело назад, ударив в лорда Волан-де-Морта, и осколок его души, оторвавшись от целого, проскользнул в единственное живое существо, уцелевшее в рушащемся здании. Часть лорда Волан-де-Морта живет в Гарри, и именно она дает мальчику способность говорить со змеями и ту связь с мыслями лорда Волан-де-Морта, которую он сам не понимает. И пока этот осколок души, о котором и сам Волан-де-Морт не догадывается, живет в Гарри, под его защитой, Волан-де-Морт не может умереть.

Гарри казалось, что он смотрит на собеседников из конца длинного туннеля — они были очень далеко от него, и их голоса странно отдавались в его ушах.

— Значит, мальчик... мальчик должен умереть? — спросил Снегг очень спокойным голосом.

— И убить его должен сам Волан-де-Морт, Северус. Это самое важное.

Опять настало долгое молчание. Потом Снегг сказал:

— Все эти годы... я думал... что мы оберегаем его ради нее. Ради Лили.

— Мы оберегали его, потому что было очень важно обучить его, вырастить, дать ему испробовать свою силу. — Дамблдор по-прежнему не поднимал плотно сомкнутых век. — Тем временем связь между ними все крепнет, болезненно разрастается. Порой мне кажется, что Гарри сам это подозревает. Если я не ошибся в нем, он устроит все так, что, когда он выйдет навстречу своей смерти, это будет означать настоящий конец Волан-де-Морта.

Дамблдор открыл глаза. Снегг смотрел на него с ужасом:

— Так вы сохраняли ему жизнь, чтобы он мог погибнуть в нужный момент?

— Вас это шокирует, Северус? Сколько людей, мужчин и женщин, погибло на ваших глазах?

— В последнее время — только те, кого я не мог спасти. — Снегг поднялся. — Вы меня использовали.

— То есть?

— Я шпионил ради вас, лгал ради вас, подвергал себя смертельной опасности ради вас. И думал, что делаю все это для того, чтобы сохранить жизнь сыну Лили. А теперь вы говорите мне, что растили его как свинью для убоя...

— Это прямо-таки трогательно, Северус, — серьезно сказал Дамблдор. — Уж не привязались ли вы, в конце концов, к мальчику?

— К *мальчику*? — выкрикнул Снегг. — *Экспекто патронум!*

Из кончика его палочки вырвалась серебряная лань, спрыгнула на пол, одним прыжком пересекла кабинет и вылетела в раскрытое окно. Дамблдор смотрел ей вслед. Когда серебряное свечение погасло, он обернулся к Снеггу, и глаза его были полны слез.

— Через столько лет?

— Всегда, — ответил Снегг.

И сцена снова переменилась. Гарри увидел, как Снегг разговаривает с портретом Дамблдора, висящим над письменным столом.

— Вы назовете Волан-де-Морту правильный день отъезда Гарри из дома его родственников, — говорил Дамблдор. — Если вы этого не сделаете, это вызовет подозрения, потому что Волан-де-Морт считает вас прекрасно информированным. Но при этом проведите идею двойников — я думаю, это обеспечит безопасность Гарри. Попытайтесь применить Конфундус к Наземникусу Флетчеру. И прошу вас, Северус, если вас заставят участвовать в ловле, играйте свою роль убедительно... Я очень надеюсь, что вы еще долго не выйдете из доверия у лорда Волан-де-Морта, иначе Хогвартс останется на растерзание Кэрроу...

Теперь Снегг сидел с Наземникусом в каком-то незнакомом трактире. Они беседовали, сдвинув головы. Лицо

Наземникуса было странно пустым, Снегг сосредоточенно хмурился.

— Ты посоветуешь Ордену Феникса, — шептал Снегг, — использовать двойников. Оборотное зелье. Неразличимые Поттеры. Это единственный способ. Забудь, что это я тебе подсказал. Скажи им, что это твоя собственная идея. Понял?

— Понял, — пробормотал Наземникус, рассеянно глядя вдаль...

Теперь Гарри летел рядом со Снеггом на метле сквозь ясную темную ночь. Рядом летели другие Пожиратели смерти в капюшонах, а впереди мчались Люпин и Гарри, который на самом деле был Джорджем... Один из Пожирателей смерти обогнал Снегга и поднял волшебную палочку, целясь прямо в спину Люпина...

— *Сектумсемпра!* — выкрикнул Снегг.

Но заклятие промахнулось — вместо держащей палочку руки Пожирателя смерти оно попало в Джорджа...

Следующая сцена: Снегг стоит на коленях в бывшей спальне Сириуса. Слезы стекают по его крючковатому носу: он читает старое письмо Лили. На втором листе — всего лишь несколько слов:

...мог дружить с Геллертом Грин-де-Вальдом. Я лично думаю, что Батильда просто помешалась!

С любовью,

Лили

Снегг взял листок с подписью Лили и ее любовью и спрятал себе под мантию. Потом он разорвал надвое фотографию, которую держал в руках, оставив себе смеющуюся Лили и отбросив другую половинку с Джеймсом и Гарри на пол, под комод...

И вот Снегг снова стоит в директорском кабинете, а Финеас Найджелус торопливо возвращается в свой портрет.

— Директор! Они разбили палатку в лесу Дин! Грязнокровка...

— Я не желаю слышать это слово!

— В общем, эта Грейнджер назвала местность, когда открывала сумку, я слышал!

— Прекрасно. Очень хорошо! — воскликнул Дамблдор с портрета за директорским креслом. — Теперь берите меч, Северус! Не забывайте, что он дается лишь отважному и в крайней нужде и Гарри не должен знать, что даете его вы! Если Волан-де-Морт прочтет мысли Гарри и увидит, что вы действуете в пользу мальчика...

— Знаю, — коротко сказал Снегг. Он подошел к портрету Дамблдора и потянул за него. Портрет выдвинулся из стены, открывая тайник. Снегг достал меч Гриффиндора. — И вы по-прежнему не хотите сказать мне, почему Гарри непременно должен получить меч? — спросил Снегг, надевая дорожную мантию.

— Пожалуй, нет, — ответил портрет Дамблдора. — Он сам разберется, что с ним делать. Будьте очень осторожны, Северус, боюсь, они вас могут плохо встретить после истории с Джорджем Уизли...

Снегг обернулся с порога.

— Не беспокойтесь, Дамблдор, — сказал он холодно. — У меня есть план...

И вышел из комнаты. Гарри вынырнул из Омута памяти и оказался на ковре в том же кабинете: казалось, Снегг только что прикрыл за собой дверь.

Глава 34

СНОВА В ЛЕСУ

Вот она наконец, правда. Уткнувшись лицом в пыльный ковер кабинета, где он недавно прилежно учился тому, что считал секретами победы, Гарри наконец понял, что ему не предназначено остаться в живых. Его задачей было спокойно идти в широко раскрытые объятия смерти. По дороге он должен был разрушать последние связи Волан-де-Морта с жизнью, чтобы, когда их пути снова пересекутся и Гарри не поднимет палочку на свою защиту, конец наступил немедленно, и задача, которая осталась невыполненной в Годриковой Впадине, была наконец завершена: ни один из них не останется в живых, ни того ни другого больше не будет на свете.

Он чувствовал, как бешено бьется о ребра сердце. Как странно, что под действием смертного страха оно колотится все сильнее, мужественно поддерживая жизнь. Но все же ему придется остановиться, и очень скоро. Его удары сочтены. Сколько останется времени, после того как он, Гарри, встанет и последний раз пройдет через замок на территорию, а оттуда в Запретный лес?

Волна ужаса накрыла Гарри, лежавшего на полу под эту траурную барабанную дробь в груди. Интересно, умирать — больно? Сколько раз он был на волосок от смерти, ускользал от нее — и ни разу не думал при этом о ней самой. Воля к жизни была в нем всегда намного сильнее страха смерти. Однако ему и в голову не приходило уклониться, сбежать от Волан-де-Морта. Все было кончено, он это знал, и несделанным оставалось только само это дело: смерть.

Ах, если бы ему дано было погибнуть в ту летнюю ночь, когда он в последний раз вышел из дома номер четыре по Тисовой улице и благородная палочка с пером феникса спасла ему жизнь! Если бы ему дано было умереть, как Букля, мгновенно, не успев даже понять, что происходит! Или броситься навстречу Убивающему заклятию, спасая близкого человека... Он завидовал сейчас даже смерти своих родителей. Ему потребуется мужество другого рода — он должен хладнокровно шагать навстречу собственному уничтожению. Гарри почувствовал, что пальцы у него слегка дрожат, и попытался унять их, хотя увидеть его здесь никто не мог: все портреты были пусты.

Он стал медленно подниматься, сел и сразу почувствовал себя живым как никогда, с небывалой силой ощутил собственное живое тело. Почему он не замечал прежде, какое это чудо: мозг, мускулы, колотящееся в груди сердце? И от всего этого ничего не останется... по крайней мере, ничто из этого не останется с ним. Он дышал глубоко и медленно, рот и горло были совершенно сухие, но и глаза тоже.

Предательство Дамблдора — почти пустяк. Конечно, его план был шире. Гарри был просто слишком глуп, чтобы это осознать, но теперь все стало ясно. Он ни разу не усомнился в собственном предположении, что Дамблдор не хочет его смерти. Теперь он понял, что жизни ему было отведено столько, сколько требовалось на уничтожение всех крестражей. Дамблдор поручил ему уничтожать их, и он послушно разрубал нити, связывающие с жизнью не только Волан-де-Морта, но и его самого! Какой четкий, изящный план — не губить лишних жизней, а поручить опасную задачу мальчику, все равно обреченному на заклание, чья смерть будет не потерей, а очередным ударом по Волан-де-Морту.

Дамблдор знал и то, что Гарри не станет уклоняться, что он пойдет до конца, несмотря на то что это *его* конец. Ради этого директор и взял на себя труд познакомиться с мальчиком поближе. Дамблдор знал не хуже Волан-де-Морта, что Гарри не позволит другим умирать за себя, когда узнает, что в его власти это прекратить. Образы Фреда, Люпина и Тонкс, лежавших мертвыми в Большом зале, снова возникли перед его внутренним взором, и на мгновение у него перехватило дыхание: смерть нетерпелива...

Но Дамблдор его переоценил. Гарри не выполнил свою задачу — змея еще жива. Еще один крестраж будет привязывать Волан-де-Морта к земле, даже после гибели Гарри. Конечно, он сильно облегчил задачу своему преемнику. Гарри задумался, кто мог бы это сделать... Рон и Гермиона, конечно, знают, что нужно... Поэтому Дамблдор и велел ему посвятить своих друзей в тайну... чтобы, если он слишком рано встретит свою истинную судьбу, было кому продолжить его дело...

Все эти мысли ложились, как ледяные узоры на оконное стекло, на твердую поверхность неопровержимой истины: он должен умереть. *Я должен умереть.* Это должно прекратиться.

Рон и Гермиона казались ему сейчас страшно далекими, как будто они находились в какой-то заморской стране. Ему казалось, что он расстался с ними давным-давно. Никаких прощаний и объяснений, это он решил твердо. В этот путь они не могут отправиться вместе, а их попытки его удержать означали бы трату драгоценного времени. Он взглянул на помятые золотые часы, подаренные ему на семнадцатилетие. Прошла уже почти половина часа, отведенного ему Волан-де-Мортом.

Гарри встал. Сердце колотилось о ребра, как обезумевшая птица. Наверное, оно знало, что времени осталось мало, и хотело наверстать удары за целую жизнь. Не оглянувшись, он закрыл за собой дверь кабинета.

Замок был пуст. Идя по нему в одиночестве, он чувствовал себя призраком, словно он уже умер. Рамы портретов по-прежнему были пусты. Повсюду царила призрачная тишина, как будто все дыхание жизни, еще оставшееся здесь, стеклось в Большой зал, где выжившие оплакивали своих мертвецов.

Гарри набросил мантию-невидимку и пошел вниз, и вскоре он уже спускался по мраморной лестнице в вестибюль. Может быть, какая-то частичка его души хотела, чтобы его заметили, увидели, остановили, но мантия-невидимка была, как всегда, непроницаема, и он беспрепятственно вышел на крыльцо.

И тут на него чуть не налетел Невилл. Вдвоем с кем-то еще он вносил в замок мертвое тело. Гарри вгляделся, и ему чуть не стало дурно: Колин Криви, несовершеннолетний, видимо, пробрался обратно, как это сделали Малфой, Крэбб и Гойл. Умерший казался совсем маленьким.

— Знаешь что, Невилл? Я его и один донесу, — сказал Оливер Вуд. Он поднял Колина на плечо захватом пожарного и понес в Большой зал.

Невилл на мгновение прислонился к дверному косяку и утер лоб тыльной стороной ладони. Вид у него был сейчас, как у старика. Передохнув минуту, он двинулся по ступенькам обратно в темноту — отыскивать других павших.

Гарри оглянулся на Большой зал. Там толпились люди, утешая друг друга, подавая воду, стоя на коленях перед мертвыми, но никого из тех, кто был ему дорог, Гарри не увидел. Ни Гермионы, ни Рона, Джинни или еще кого-нибудь из Уизли, ни Полумны. Ему казалось, что он отдал бы все время, которое у него еще оставалось, за возможность взглянуть на них в последний раз. Но смог ли бы он тогда оторваться? Нет, так даже лучше.

Он спустился с крыльца в темноту. Было около четырех часов утра, и во дворе замка стояла мертвая тишина. Казалось, трава и деревья, затаив дыхание, ждали, сумеет ли он выполнить свой долг.

Гарри подошел к Невиллу, склонившемуся над очередным телом:

— Невилл...

— Господи, Гарри, у меня чуть сердце не выскочило!

Гарри скинул мантию-невидимку. У него внезапно возникла идея — он ведь хотел быть совершенно уверен...

— Куда это ты собрался один? — подозрительно спросил Невилл.

— Так нужно по плану, — ответил Гарри. — Я должен кое-что сделать. Послушай, Невилл...

— Гарри! — Невилл вдруг испугался. — Гарри, ты ведь не собираешься сдаваться?

— Нет, — с легкостью солгал Гарри. — Нет, конечно... Я иду не за этим. Но мне придется пока отлучиться. Невилл, ты знаешь змею Волан-де-Морта? У него есть огромная змея... он зовет ее Нагайна...

— Да, я слыхал... и что?

— Ее нужно убить. Рон и Гермиона знают об этом, но если вдруг...

Ужас этого предположения на мгновение сдавил ему горло, лишив дара речи. Но Гарри взял себя в руки: это слишком важно, нужно делать, как Дамблдор, сохранять трезвую голову, оставить дублеров, тех, кто сможет продолжить его дело. Дамблдор знал, умирая, что оставляет троих, посвященных в тайну крестражей. Теперь Невилл займет место Гарри, и посвященных по-прежнему останется трое.

— Если вдруг они... не смогут... а тебе представится случай...

— Убить змею?

— Убить змею, — повторил Гарри.

— Ладно, Гарри. Сам-то ты как?

— Нормально. Спасибо, Невилл.

Гарри двинулся дальше, но Невилл схватил его за руку:

— Мы все будем сражаться дальше, Гарри, понимаешь?

— Да, я...

Он задохнулся, не в силах закончить фразу. Похоже, Невилла это не удивило. Он похлопал Гарри по плечу, выпустил его руку и пошел дальше отыскивать тела.

Гарри снова накинул мантию и зашагал быстрее. Неподалеку мелькнул еще силуэт, склоненный над другой фигурой, лежащей на земле. Он был в шаге от них, когда понял, что это Джинни.

Она нагнулась над девочкой, с плачем звавшей маму.

— Ничего, — говорила Джинни, — все хорошо. Мы сейчас отнесем тебя в замок.

— Я хочу *домой*, — прошептала девочка. — Я не хочу больше сражаться.

— Я понимаю, — сказала Джинни, и голос ее пресекся. — Все будет хорошо.

У Гарри мороз пробежал по коже. Ему хотелось кричать, хотелось, чтобы Джинни знала, что он здесь, чтобы она знала, куда он идет. Ему хотелось, чтобы его остановили, потащили прочь, отослали домой...

Но он и так *дома*. Хогвартс был его первым и лучшим домом. Он, Волан-де-Морт и Снегг, все эти мальчики, лишенные семьи, обрели здесь родной дом...

Джинни опустилась на колени возле раненой девочки и взяла ее за руку. Огромным усилием воли Гарри заставил себя идти дальше. Ему показалось, что Джинни обернулась, когда он проходил; ему хотелось знать, почувствовала ли она его присутствие, но он не произнес ни слова и не обернулся.

В темноте проступила хижина Хагрида. В окнах не было света, Клык не скребся у двери, приветствуя проходящих громким лаем. Вечера в гостях у Хагрида, блеск медного чайника на плите, печенье и великанья еда, огромное бородатое лицо, Рон, изрыгающий слизняков, Гермиона, помогающая спасти Норберта...

Гарри двинулся дальше, дошел до опушки Леса и остановился.

Между деревьев скользили дементоры. Он чувствовал исходящий от них холод и не был уверен, что сумеет пройти сквозь него невредимым. Вызвать Патронуса у него не было сил. Он больше не мог удерживать дрожь. Это все же не просто — умереть. Каждый вздох, запах травы, прохладный воздух, овевающий лицо, — какие сокровища! Подумать только, что у людей в запасе годы и годы, время, которое некуда девать, так много времени, что оно порой тянется слишком медленно, а он цепляется за каждую секунду. Он чувствовал, что не в силах идти дальше, и в то же время знал, что должен. Долгая игра окончилась, снитч пойман, пора покидать поле...

Снитч... Гарри порылся негнущимися пальцами в мешочке на шее и достал его оттуда.

Я открываюсь под конец.

Он глядел на снитч, дыша тяжело и быстро. Теперь, когда ему хотелось, чтобы время шло как можно медленнее, оно, похоже, набрало скорость. Понимание пришло мгновенно, словно в обход мысли. Вот он, конец. Время настало.

Он прижал золотой шар к губам и прошептал:

— Я скоро умру.

Металлическая оболочка раскрылась. Гарри опустил дрожащую руку, вытащил из-под мантии палочку Драко и сказал:

— *Люмос!*

Черный камень с зубчатым разломом посередине засел в обеих половинках снитча. Воскрешающий камень треснул по вертикальной линии, изображавшей Бузинную палочку. Треугольник и круг — символы Мантии и Камня — остались нетронутыми.

И вновь Гарри все понял, не размышляя. Дело не в том, чтобы вернуть их, — ведь он скоро к ним присоединится. Это не он их звал — они звали его.

Он закрыл глаза и трижды повернул камень на ладони.

Гарри знал, что волшебство подействовало, потому что слышал тихие шорохи, шаги легких ног по глинистой, усыпанной хворостом опушке Запретного леса. Гарри открыл глаза и посмотрел кругом.

Они были не призраками и не живой плотью — это было видно. Больше всего они были похожи на Реддла, вышедшего из дневника в те давние дни, — этот Реддл был памятью, ставшей почти осязаемой. Они спешили к нему, не столь вещественные, как живые тела, но гораздо ощутимее, чем призраки, — все с одинаковой приветливой улыбкой.

Джеймс был такого же роста, как Гарри. На нем была та же одежда, что в день смерти, непокорные волосы взъерошены, очки немного на сторону, как у мистера Уизли.

Сириус, высокий и красивый, был сейчас намного моложе, чем Гарри видел его в жизни. Он шагал с непринужденным изяществом, руки в карманы, слегка улыбаясь.

Люпин тоже казался моложе, совсем не таким потрепанным, и его волосы были темнее и гуще. Он был явно рад оказаться в знакомых местах, где так много бродил в юности.

Улыбка Лили сияла ярче, чем у всех остальных. Подойдя к нему, она откинула свои длинные волосы, а ее зеленые глаза, так похожие на его собственные, впивали его лицо с такой жадностью, будто вовек не смогут на него наглядеться.

— Ты был таким молодцом!

Гарри не мог вымолвить ни слова. Он любовался ею и думал, что хотел бы вечно стоять, не сводя с нее глаз, и больше ему ничего не нужно.

— Ты почти у цели, — сказал Джеймс. — Осталось чуть-чуть. Мы... мы так гордимся тобой!

— Это больно?

Ребяческий вопрос сорвался с уст Гарри прежде, чем он успел подумать.

— Умирать? Нет, нисколько, — ответил Сириус. — Быстрее и легче, чем засыпать.

— Тем более что он хочет побыстрее. Он мечтает покончить с этим, — сказал Люпин.

— Я не хотел, чтобы вы умирали, — сказал Гарри. Эти слова вырвались у него помимо воли. — Никто из вас. Мне так жаль...

Он обращался прежде всего к Люпину, умоляющим тоном.

— ...когда у вас только что родился сын... Римус, мне так жаль...

— Мне тоже, — ответил Люпин. — Жаль, что я с ним так и не познакомлюсь... Но он узнает, за что я погиб, и, надеюсь, поймет. Я старался сделать более счастливым мир, в котором ему предстоит жить.

Прохладный ветерок, веявший, казалось, из самой чащи Леса, растрепал волосы на лбу у Гарри. Он понимал, что они не скажут ему «пора!» — он должен сам принять решение.

— Вы будете со мной?

— До самого конца, — сказал Джеймс.

— И они вас не увидят? — спросил Гарри.

— Мы — часть тебя, — ответил Сириус. — И видны только тебе.

Гарри взглянул на мать.

— Не отходи от меня, — сказал он тихо.

И пошел дальше. Холод, исходящий от дементоров, не причинил ему вреда. Он прошел сквозь него со своими спутниками, заменившими ему Патронуса. Вместе они пробирались между тесно стоящих старых деревьев с переплетенными кронами и шершавыми кряжистыми корнями, выпиравшими из земли. В темноте Гарри плотно запахнул мантию, и все дальше углублялся в Лес, не зная в точности, где искать Волан-де-Морта, но не сомневаясь, что он его найдет. Рядом с ним почти бесшумно скользили Джеймс, Сириус, Люпин и Лили, и их присутствие было его отвагой, его способностью переставлять ноги, шагая все дальше и дальше.

Ему казалось, что ум и тело у него странно разъединены: руки и ноги двигались, не получая сознательных указаний, как будто в теле, которое ему вскоре предстояло покинуть, он был пассажиром, а не водителем. Мертвые, шедшие вместе с ним через Лес, были для него сейчас куда реальнее, чем живые, оставшиеся в замке. А Рон, Гермиона, Джинни и все остальные казались ему призраками сейчас, когда он брел, спотыкаясь, навстречу своему концу, навстречу Волан-де-Морту...

Глухой стук и шепот: кто-то еще пробирался рядом. Гарри замер под мантией, вглядываясь в темноту и прислушиваясь. Его мать и отец, Люпин и Сириус замерли вместе с ним.

— Здесь кто-то есть, — раздался где-то рядом грубый голос. — В мантии-невидимке. А вдруг это...

От соседнего дерева отделились две фигуры. Гарри узнал Яксли и Долохова: они всматривались сквозь тьму как раз туда, где стояли Гарри, его родители, Сириус и Люпин, и явно ничего не видели.

— Я точно кого-то слышал, — сказал Яксли. — Может, зверь какой, а?

— Этот остолоп Хагрид кого только тут не держал, — ответил Долохов, поозиравшись по сторонам.

Яксли посмотрел на часы:

— Время почти вышло. У Поттера был час. Он не придет.

— А он был уверен, что мальчишка придет. То-то рассердится.

— Вернемся лучше, — сказал Яксли. — Узнаем, какие дальнейшие планы.

Повернувшись, они с Долоховым зашагали обратно в глубь Леса. Гарри пошел следом, поняв, что они выведут его как раз туда, куда надо. Он поглядел через плечо, и мать улыбнулась ему, а отец ободряюще кивнул.

Не прошло и нескольких минут, как Гарри увидел впереди свет. Яксли и Долохов вышли на поляну, в которой Гарри узнал прежнее обиталище чудовища Арагога. Остатки огромной паутины все еще болтались на деревьях, но страшный рой его потомства ушел с Пожирателями смерти сражаться на их стороне.

Посреди поляны горел костер. В его дрожащем свете видна была группа глухо молчащих, настороженных Пожирателей смерти. Некоторые и здесь не снимали масок и капюшонов, лица других были открыты. Чуть поодаль сидели два великана, отбрасывая на поляну огромные тени; их жестокие, грубо вытесанные лица были похожи на скалы. Гарри увидел Фенрира: он, поеживаясь, грыз свои длинные ногти. Высокий, белокурый Роул покусывал кровоточащую губу. Люциус Малфой выглядел запуганным и сломленным, в запавших глазах Нарциссы читались недобрые предчувствия.

Все взгляды были обращены на Волан-де-Морта. Он стоял с опущенной головой, держа в белых пальцах Бузинную палочку. Казалось, он молится или считает про себя, и Гарри, замершему на краю поляны, вдруг пришла нелепая мысль: так считает водящий, когда играют в прятки. Над его головой, свивая и развивая кольца, парила огромная змея Нагайна в сияющей зачарованной сфере, похожей на чудовищный нимб.

Долохов и Яксли вступили в круг, и Волан-де-Морт поднял глаза.

— Его нигде нет, повелитель, — сказал Долохов.

Ни одна черта не дрогнула в лице Волан-де-Морта. В отблесках костра его красные глаза казались горящими угольями. Он медленно крутил в длинных пальцах Бузинную палочку.

— Повелитель... — Это заговорила Беллатриса. Она сидела рядом с Волан-де-Мортом, растрепанная, с исцарапанным лицом, но целая и невредимая.

Волан-де-Морт поднял руку, останавливая ее, и она не договорила, глядя на него с почтительным обожанием.

— Я думал, он придет, — сказал Волан-де-Морт своим высоким, ясным голосом, устремив взгляд в пламя костра. — Я ожидал его прихода.

Все молчали. Казалось, они испуганы не меньше Гарри, чье сердце колотилось о ребра с такой силой, словно стремилось вырваться из тела, которым он собирался пожертвовать. Вспотевшими ладонями Гарри стащил с себя мантию-невидимку и затолкал под одежду вместе с волшебной палочкой, чтобы не было соблазна бороться.

— Я, видимо... ошибся, — сказал Волан-де-Морт.

— Нет, не ошиблись.

Гарри произнес это громко, как только мог, собрав все оставшиеся силы: он не хотел, чтобы в его голосе был слышен страх. Воскрешающий камень выскользнул из его онемевших пальцев, и, делая шаг вперед, к костру, он видел краем глаза, как тают в воздухе его родители, Сириус и Люпин. В эту минуту ему не важен был никто, кроме Волан-де-Морта. Их было сейчас здесь только двое.

Эта иллюзия рассеялась так же быстро, как появилась. Великаны зарычали, Пожиратели смерти вскочили на ноги, раздались крики, ахи и даже смех. Волан-де-Морт стоял неподвижно, но его красные глаза были устремлены на подходившего Гарри, отделенного от него лишь пламенем костра.

И тут раздался голос:

— Нет, Гарри! Нет!

Он обернулся. Хагрида, связанного по рукам и ногам, прикрутили веревками к соседнему дереву. Его огромное тело судорожно билось в безнадежных попытках освободиться, раскачивая макушку кроны.

— НЕТ! НЕТ! ГАРРИ, ЧЕГО ТЫ...

— МОЛЧАТЬ! — рявкнул Роул. Взмах его палочки — и Хагрид смолк.

Беллатриса вскочила, переводя горящий взгляд с Волан-де-Морта на Гарри. Грудь ее высоко вздымалась. Все застыли, шевелились лишь языки пламени да змея, свивавшая и развивавшая свои кольца в сияющей сфере за головой Волан-де-Морта.

Гарри ощутил на груди под рубашкой свою волшебную палочку, но не сделал попытки ее достать. Он знал, что Нагайна окружена мощной защитой, и, наставь он на нее палочку, десятки заклятий полетят в него прежде, чем он успеет сказать хоть слово. Волан-де-Морт и

Гарри неподвижно глядели друг на друга, потом Волан-де-Морт чуть склонил голову набок, рассматривая стоявшего перед ним мальчика, и странная безрадостная улыбка искривила его тонкие губы.

— Гарри Поттер, — сказал он мягко. Его голос сливался с шипением огня. — Мальчик, Который Выжил.

Пожиратели смерти не шевелились. Они ждали. Все вокруг замерло в ожидании. Хагрид бился в своих путах, Беллатриса тяжело дышала, а Гарри вдруг ни с того ни с сего вспомнил Джинни, ее сияющие глаза, вкус ее губ...

Волан-де-Морт поднял палочку. Голова его была попрежнему склонена набок, как у мальчишки, с любопытством ждущего, что будет дальше. Гарри взглянул в красные глаза, желая лишь одного: чтобы все произошло прямо сейчас, пока он еще стоит ровно, пока не утратил власти над собой, не выдал своего страха...

Он увидел шевеление тонких губ, вспышку зеленого пламени — и все исчезло.

Глава 35

КИНГС-КРОСС

Он лежал ничком, прислушиваясь к тишине. Совершенно один. Никто не наблюдал за ним. Здесь никого не было. Гарри был не вполне уверен, что он сам здесь есть.

Прошло довольно много времени — а может быть, никакого времени не проходило, — и ему пришло в голову, что он существует, что он не просто бестелесная мысль, потому что он лежит, определенно лежит на чем-то. Следовательно, у него есть чувство осязания, и к тому же существует поверхность, на которой он лежит.

Придя к этому выводу, Гарри почти тут же осознал и тот факт, что он лежит обнаженным. Поскольку он был уверен, что никого больше здесь нет, это его не смутило, но слегка заинтриговало. Он спросил себя, не сохранилось ли у него и зрение, раз есть осязание. Открывая глаза, он понял, что они по-прежнему при нем.

Он лежал в светлом тумане — правда, подобного тумана он никогда прежде не видел. Пространство вокруг не было затянуто облачной дымкой. Скорее, облачная дымка еще не оформилась в пространство. Поверхность, на которой он лежал, казалась белой, ни холодной, ни теплой — просто нечто плоское, пустое, на чем можно находиться.

Гарри сел. Тело его было, похоже, невредимо. Он ощупал лицо. Очки исчезли.

И тут сквозь окружающую бесформенность донесся звук: тихие, глухие удары, как будто что-то хлопало, билось, корчилось. Звук был жалобный, но какой-то слегка непристойный. У Гарри возникло неприятное чувство, будто он подслушивает что-то тайное, стыдное.

Ему вдруг захотелось оказаться одетым.

Не успел он пожелать этого, как рядом с ним появилась одежда. Он взял ее и надел. Одежда была мягкая, чистая и теплая. Поразительно, как это она появилась в тот самый миг, когда он подумал о ней...

Гарри встал и огляделся. Может быть, он в какой-то огромной Выручай-комнате? Чем дольше он приглядывался, тем больше видел. Высоко вверху поблескивал на солнце большой стеклянный купол. Может быть, это дворец? Все было тихо и спокойно, не считая этого стука и шебуршания где-то совсем рядом, в тумане...

Гарри медленно обернулся. Окружающее пространство, казалось, обретает форму у него на глазах. Просторное помещение, светлое и чистое, зал, намного превосходящий размерами Большой зал Хогвартса, с прозрачным стеклянным куполом вместо крыши. И совсем пустое. Он был здесь совсем один, кроме...

Гарри отшатнулся. Теперь он увидел источник шума. На полу сжалось в комок существо, похожее на маленького голого ребенка, но с грубой, шершавой, как будто ободранной кожей; дрожа, оно лежало под стулом, куда его затолкали, как ненужную вещь, чтобы убрать с глаз долой, и тяжело дышало.

Гарри боялся его. Существо было маленькое, хрупкое, израненное, и все же Гарри не хотелось подходить к нему ближе. Тем не менее он стал медленно двигаться к стулу, готовый отскочить в любую секунду. Вскоре он мог бы уже протянуть руку и дотронуться до ужасного создания, однако не было сил заставить себя сделать это. Он чувствовал себя трусом. Существо нуждалось в утешении, но Гарри испытывал непреодолимое отвращение.

— Ты не можешь ему помочь.

Он резко обернулся. К нему шел Альбус Дамблдор, высокий, стремительный, в развевающихся темно-синих одеждах.

— Гарри! — Дамблдор распростер объятия. Обе руки у него были целы — белые, без всяких повреждений. — Ты чудный мальчик! Ты храбрый, очень храбрый мужчина! Пойдем.

Гарри, как оглушенный, пошел за Дамблдором, уводившим его прочь от хнычущего ободранного ребенка, к двум креслам — Гарри не видел их раньше, — стоявшим поодаль под тем же высоким сияющим куполом. Дамблдор сел в одно из них, Гарри упал в другое, не сводя глаз с бывшего директора Хогвартса. Длинные серебряные волосы и борода, проницательные синие глаза за очками-половинками, кривоватый нос — точно таким он его помнил. И все же...

— Но вы же умерли, — сказал Гарри.

— Несомненно, — деловито подтвердил Дамблдор.

— Значит... значит, я тоже умер?

— Гм... — Дамблдор улыбался все шире. — Да, в этом, конечно, весь вопрос... В общем и целом, милый мой мальчик, мне кажется, что нет.

Они смотрели друг на друга. Старик улыбался все той же сияющей улыбкой.

— Нет? — переспросил Гарри.

— Нет, — сказал Дамблдор.

— Но... — Гарри невольно поднес руку к шраму на лбу. Похоже, его там не было. — Но ведь я должен был умереть — я не защищался! Я хотел, чтобы он меня убил.

— Вот это-то, — сказал Дамблдор, — видимо, все и изменило.

Дамблдор лучился счастьем, как светом, как огнем. Гарри никогда не видел человека так явно, так ощутимо счастливого.

— Объясните, — попросил Гарри.

— Но ведь ты уже понял, — сказал Дамблдор, складывая ладони с вытянутыми пальцами.

— Я дал ему убить себя, — сказал Гарри. — Так ведь?

— Да. — Дамблдор утвердительно кивнул. — Дальше!

— Значит, та часть его души, что была во мне...

Дамблдор кивнул с еще большей горячностью, ободряюще улыбаясь.

— ...погибла?

— Несомненно! — сказал Дамблдор. — Да, он ее уничтожил. Твоя душа теперь полностью и безраздельно принадлежит тебе, Гарри.

— Но тогда... — Гарри взглянул через плечо на крошечное искалеченное существо под стулом.

— Что это, профессор?

— Этому ни ты, ни я не можем помочь, — ответил Дамблдор.

— Но ведь если Волан-де-Морт применил Убивающее заклятие, — снова начал Гарри, — и на этот раз никто не погиб вместо меня, как же я могу быть жив?

— Я думаю, ты понимаешь, — сказал Дамблдор. — Вернись мысленно назад. Вспомни, что он сделал по своему невежеству, алчности и жестокости.

Гарри задумался, обводя глазами окружающее пространство. Если это и впрямь дворец, то какой-то странный, с рядами кресел, с рельсами там и сям — и при этом здесь не было никого, кроме его самого, Дамблдора и корчащегося существа под стулом. А потом ответ пришел сам, без малейшего усилия.

— Он взял мою кровь, — сказал Гарри.

— Именно! — ответил Дамблдор. — Он взял твою кровь и восстановил с ее помощью свое тело! Твоя кровь в его жилах, Гарри, Защитные чары Лили внутри вас обоих! Он вынудил тебя жить, пока жив он сам!

— Я жив... пока жив он сам? Но я-то думал... что все как раз наоборот! Я думал, мы оба должны умереть. Или это одно и то же?

Тут его внимание отвлекли стоны и судороги несчастного существа под стулом, и он снова покосился на него.

— Вы уверены, что мы ничего не можем сделать?

— Здесь ничем не поможешь.

— Тогда объясните... еще, — сказал Гарри.

Дамблдор улыбнулся:

— Ты был седьмым крестражем, Гарри, крестражем, который он создал невольно. Волан-де-Морт сделал свою душу до того хрупкой, что она разбилась вдребезги, когда он совершал эти несказанные злодейства — убийство твоих родителей, покушение на убийство ребенка. И он унес из вашего дома даже меньше, чем сам он думал. Он оставил там не только свое тело. Он оставил часть самого себя в тебе, намеченной жертве, которая выжила против всякого ожидания.

А его знания, Гарри, отличались ужасающей неполнотой! Волан-де-Морт не дал себе труда понять то, что не представляло для него ценности. О домовых эльфах, детских сказках, любви, верности и невинности Волан-де-Морт не имеет ни малейшего понятия. *Ни малейшего*! А что все это обладает силой, превосходящей его собственную, силой, недоступной никакому волшебству, — эту истину он проглядел.

Он взял твою кровь, полагая, что она придаст ему сил. Он принял в свое тело крошечную часть тех чар, которыми защитила тебя мать, умирая за тебя. Его тело хранит ее самопожертвование, и пока эти чары живы, жив ты и жива последняя надежда Волан-де-Морта на спасение.

Дамблдор улыбнулся Гарри. Гарри уставился на него:

— И вы это знали? Знали все это время?

— Я только догадывался. Но мои догадки, как правило, подтверждаются, — весело сказал Дамблдор.

Они сидели молча, наверное, довольно долго, а существо у них за спиной продолжало скулить и трястись.

— Вот еще что, — сказал Гарри. — Еще один вопрос. Почему моя палочка сломала ту палочку, которая была у него?

— Этого я точно не знаю.

— Тогда догадайтесь! — попросил Гарри.

Дамблдор рассмеялся:

— Ты должен понимать, Гарри, что ты и лорд Волан-де-Морт побывали вместе в дотоле неведомых областях магии. Но случилось, я думаю, вот что: прецедентов этому не бывало, и, конечно, ни один изготовитель волшебных палочек не мог ни предсказать, ни объяснить этого Волан-де-Морту...

Волан-де-Морт, как ты теперь знаешь, сам того не желая, вдвойне упрочил связь между вами, возвратившись в человеческий образ. Часть его души по-прежнему находилась внутри твоей, а, желая придать себе сил, он принял в себя частицу самопожертвования твоей матери. Если бы он хоть немного понимал настоящую страшную силу этих чар, он бы, конечно, никогда не посмел и притронуться к твоей крови... Но если бы он мог понять эту силу, он не был бы лордом Волан-де-Мортом и, вероятно, был бы вовсе не способен на убийство.

И вот, связанный с тобой двойной связью, соединивший ваши судьбы так прочно, как еще никогда в истории не были связаны между собой двое волшебников, Волан-де-Морт нападает на тебя с помощью палочки, имевшей ту же сердцевину, что и твоя. И тут, как мы знаем, произошло нечто очень странное. Сердцевины отреагировали друг на друга совершенно неожиданным для лорда Волан-де-Морта образом, при том что он и не подозревал, что ваши палочки — близнецы.

В ту ночь он испугался больше, чем ты, Гарри. Ты ждал смерти со смирением, и даже с готовностью. На это Волан-де-Морт никогда не был способен. Твоя отвага победила, твоя палочка оказалась сильнее, чем его. При этом между двумя волшебными палочками произошло нечто, перекликающееся с отношениями их хозяев.

Я думаю, твоя палочка впитала в ту ночь часть силы и свойств палочки Волан-де-Морта, то есть в ней появилась как бы крошечная частица самого Волан-де-Морта. И потому твоя палочка узнала его, когда он тебя преследовал, узнала человека, который был одновременно родней и смертельным врагом, и выпалила в него его собственным волшебством, волшебством такой силы, какой никогда не было в палочке Люциуса. Ведь в твоей палочке была заключена сила твоей невероятной отваги и сила смертоносных умений Волан-де-Морта. Что же могла противопоставить этому бедная палочка Люциуса Малфоя?

— Но если моя палочка обладает такой силой, как же Гермионе удалось ее сломать? — спросил Гарри.

— Мой мальчик, все ее поразительные качества были направлены только на лорда Волан-де-Морта, так неразумно игравшего с глубочайшими тайнами волшебства. Только против него палочка обладала сверхъестественной силой. В остальном же это была самая обыкновенная волшебная палочка... но, несомненно, очень хорошая, — доброжелательно закончил Дамблдор.

Гарри долго сидел в задумчивости — а может быть, прошло лишь несколько секунд. Такие вещи, как время, здесь очень трудно было уловить.

— Он убил меня вашей палочкой.

— Он *не смог* убить тебя моей палочкой, — поправил Дамблдор. — Мы ведь, кажется, согласились, что ты не умер... Хотя, конечно, — добавил он, словно опасаясь быть невежливым, — я не хочу преуменьшать твоих страданий: они были, несомненно, велики.

— Сейчас я чувствую себя отлично. — Гарри поглядел на свои безупречно чистые руки. — А где мы находимся?

— Да, я как раз хотел спросить тебя об этом, — ответил Дамблдор, озираясь. — Как ты думаешь, где мы?

Пока Дамблдор не спросил, Гарри этого не знал. Теперь, однако, оказалось, что ответ у него готов.

— Похоже, — медленно произнес он, — на вокзал Кингс-Кросс. Только намного чище, и пустой, и поездов вроде тоже нет.

— Вокзал Кингс-Кросс! — Дамблдор расхохотался. — Бог ты мой, неужели?

— А вы как думаете, где мы? — спросил Гарри немного обиженно.

— Понятия не имею, мой мальчик. Это, как говорится, вопрос *к тебе*.

Гарри совершенно ничего не понял. Дамблдор может с ума свести! Он посмотрел на него и вспомнил еще одну вещь, гораздо более важную, чем их нынешнее местонахождение.

— Дары Смерти, — произнес он и с удовлетворением увидел, как улыбка исчезает с лица Дамблдора.

— Да-да, — ответил директор. Вид у него был слегка обеспокоенный.

— И что же?

Впервые за все время, что Гарри знал Дамблдора, тот утратил свой обычный вид величавого старца. Какое-то мгновение он выглядел мальчишкой, которого поймали на нехорошей проделке.

— Ты можешь меня простить? — спросил он. — Сумеешь ли ты простить меня за то, что я не доверял тебе? Скрывал от тебя? Гарри, я ведь просто боялся, что ты оступишься там же, где и я. Я опасался, что ты повторишь мои ошибки. Я умоляю тебя о прощении, Гарри. Ведь я уже довольно давно понял, что ты намного лучше меня.

— О чем вы говорите? — спросил Гарри, пораженный тоном Дамблдора и слезами, внезапно выступившими у него на глазах.

— Дары, эти Дары, — пробормотал Дамблдор. — Греза отчаявшегося человека!

— Но ведь они существуют на самом деле!

— Они существуют, они опасны, они — приманка для глупцов, — сказал Дамблдор. — И я был одним из таких глупцов. Но ты-то понял, правда? От тебя у меня больше нет секретов. Ты понял.

— Что я понял?

Дамблдор всем корпусом повернулся к Гарри, в его сверкающих синих глазах стояли слезы.

— Повелитель смерти, Гарри, повелитель смерти! Чем я, в конечном счете, был лучше Волан-де-Морта?

— Вы всем были лучше, — ответил Гарри. — Как вы можете такое спрашивать? Вы никогда не убивали, если этого можно было избежать!

— Это правда, — сказал Дамблдор тоном ребенка, ищущего утешения. — Но и я искал способ победить смерть, Гарри.

— Но не так, как Волан-де-Морт, — сказал Гарри. Он так долго сердился на Дамблдора — и как странно было сидеть теперь рядом с ним под этим высоким куполом и защищать старика от него самого. — Дары, а не крестражи.

— Дары, — пробормотал Дамблдор. — А не крестражи. Вот именно.

Наступило молчание. Существо у них за спиной продолжало скулить, но на этот раз Гарри не обернулся.

— Грин-де-Вальд тоже их искал? — спросил он.

Дамблдор на мгновение прикрыл глаза и кивнул.

— Из-за этого нас и потянуло друг к другу, — тихо сказал он. — Двое умных, заносчивых мальчишек, одержимых одной и той же страстью. В Годрикову Впадину он пришел, как ты, я думаю, догадался, из-за могилы Игнотуса Певерелла. Он хотел обыскать место, где умер третий из братьев.

— Так это правда? — спросил Гарри. — Все — правда? Братья Певерелл...

— Это три брата из сказки, — сказал Дамблдор, кивая. — Да, я уверен, что это так. Что они встретились со Смертью на пустынной дороге... Мне скорее думается, что братья Певерелл были просто высокоодаренными, опасными волшебниками и сумели создать эти сильнодействующие предметы. А история, будто это Дары самой Смерти, по-моему, просто легенда, какие всегда складываются вокруг подобных творений. Мантия, как тебе известно, веками передавалась из поколения в поколение, от отца к сыну, от матери к дочери, вплоть до последнего живущего ныне потомка Игнотуса, который, как и сам Игнотус, родился в Годриковой Впадине.

Дамблдор с улыбкой посмотрел на Гарри.

— Это я?

— Ты. Я думаю, ты уже догадался, почему мантия была у меня в ту ночь, когда погибли твои родители. Джеймс показал мне ее за несколько дней до этого. Стало понятно, как ему удавались разные проказы в школе, на которых его не могли изловить! Увидев ее, я не поверил своим глазам и попросил Джеймса одолжить мне ненадолго, чтобы изучить получше. К тому времени я давно уже отказался от мысли воссоединить Дары Смерти, однако не мог удержаться, не мог устоять перед искушением рассмотреть мантию поближе... Я никогда не видел ничего подобного этой мантии — невероятно древняя, совершенная во всех отношениях... и вот твой отец погиб, а я остался единственным обладателем двух Даров Смерти.

Дамблдор говорил с невыносимой горечью.

— Мантия все равно бы их не спасла, — поспешно сказал Гарри. — Волан-де-Морт знал, где скрываются мама и папа. Мантия не защитила бы их от заклятий.

— Это верно, — сказал Дамблдор. — Верно.

Гарри ждал продолжения, но Дамблдор молчал. Гарри поторопил его:

— Значит, когда вы увидели мантию, вы уже перестали искать Дары?

— Перестал, конечно, — чуть слышно сказал Дамблдор. Похоже, ему стоило больших усилий взглянуть Гарри в глаза. — Ты ведь знаешь, что произошло. И все же ты не можешь презирать меня сильнее, чем я сам себя презираю.

— Но я вас не презираю...

— А должен бы. — Дамблдор набрал в грудь побольше воздуху. — Ты ведь знаешь тайну болезни моей сестры, что сделали с ней эти маглы, во что она превратилась. Ты знаешь, как мой бедный отец отомстил им, и поплатился за это смертью в Азкабане. Ты знаешь, что моя мать отдала свою жизнь ради больной Арианы. Меня это бесило, Гарри. — Дамблдор сказал это жестко, холодно. Теперь его взгляд был направлен в пространство над головой Гарри. — Я был одаренным, выдающимся юношей. Мне хотелось свободы. Я хотел блистать. Хотел славы. Не пойми меня неправильно. — Боль исказила его лицо, и он снова выглядел древним старцем. — Я их любил. Я любил родителей, любил брата и сестру, но я был эгоистичен, куда эгоистичнее, чем такой лишенный эгоизма человек, как ты, Гарри, может себе вообразить. Поэтому, когда мать умерла и на мне повисла ответственность за больную сестру и непослушного брата, я вернулся к себе в деревню злой и несчастный. Мне казалось, что меня поймали в ловушку, моя жизнь загублена! И тут, конечно, появился он... — Дамблдор снова глядел прямо в глаза Гарри. — Грин-де-Вальд. Ты не можешь себе представить, Гарри, как захватили, как воспламенили меня его идеи. Заставить маглов подчиниться. Торжество волшебников. Мы с Грин-де-Вальдом — блистательные юные вожди революции. Конечно, кое-какие сомнения у меня были. Но я успокаивал свою совесть пустыми словами. Ведь все это будет делаться во имя общего блага, и всякий причиненный ущерб возместится сторицей. Понимал ли я в глубине души, кто такой Геллерт Грин-де-Вальд? Думаю, что да, но закрывал на это глаза. Если бы наши планы осуществились, исполнились бы все мои мечты.

Все наши замыслы были основаны на Дарах Смерти! Как они завораживали его, завораживали нас обоих! Непобедимая волшебная палочка — оружие, которое приведет нас к власти! Воскрешающий камень — для него, хоть я и делал вид, что ничего не понимаю, это означало армию инферналов! А для меня, признаюсь тебе, — возвращение моих родителей, которые сняли бы груз ответственности с моих плеч.

А мантия... О мантии мы почему-то почти не говорили, Гарри. Мы оба неплохо умели становиться невидимыми и без мантии, чья подлинная волшебная сила, конечно, в том, что она способна укрывать и защищать не одного своего владельца, но и тех, кто с ним. Я думал, что, если мы ее найдем, она может пригодиться, чтобы прятать Ариану, но в целом мантия интересовала нас только потому, что дополняла набор, ведь в сказке говорилось, что настоящим Повелителем смерти — то есть, как мы это тогда понимали, непобедимым — будет тот человек, который соберет у себя все три предмета.

Непобедимые повелители смерти, Грин-де-Вальд и Дамблдор! Два месяца безумия, жестоких грез и пренебрежения братом и сестрой, оставленными на мое попечение.

А потом... Ты знаешь, что произошло потом. Действительность ворвалась ко мне в облике моего грубого, неотесанного и несравненно лучшего брата. Я не желал слушать правду, которую он выкрикивал мне в лицо. Я не желал слышать, что не могу отправиться на поиски Даров Смерти, волоча за собой больную, неуправляемую сестру. Спор перешел в сражение. Грин-де-Вальд вышел из себя. То, что я всегда в нем чувствовал, но старался не замечать, вдруг чудовищным образом вышло наружу. И вот Ариана... которую наша мать так долго, такой ценой укрывала и берегла... лежала на полу мертвая.

Дамблдор судорожно вздохнул и по-настоящему заплакал.

Гарри протянул руку и с радостью обнаружил, что может коснуться его. Он крепко сжал руку Дамблдора, и тот постепенно овладел собой.

— Грин-де-Вальд сбежал, как мог бы предвидеть всякий, кроме меня. Он исчез со своими планами захвата власти и пыток для маглов, с мечтами о Дарах Смерти, мечтами, в которых я поддерживал его и помогал ему. Он сбежал, а я остался хоронить сестру и жить дальше со своей виной и горем, расплатой за мое постыдное поведение... Прошли годы. О нем ходили разные слухи. Говорили, что он добыл себе волшебную палочку необыкновенной силы. Мне тем временем предлагали пост министра магии, причем неоднократно. Я, конечно, отказывался. Я-то знал, что меня нельзя наделять властью.

— Но вы были бы лучше, намного лучше, чем Фадж и Скримджер! — выпалил Гарри.

— Ты так думаешь? — медленно произнес Дамблдор. — Я в этом не уверен. Еще юношей я показал, что власть — моя слабость и мое искушение. Это может показаться странным, Гарри, но, может быть, для власти лучше всего приспособлены те, кто никогда к ней не стремился. Такие, как ты, принимающие руководство, потому что им его поручили, надевающие генеральский мундир по необходимости, а потом с удивлением обнаруживающие, что он сидит на них неплохо... Мне лучше было оставаться в Хогвартсе. Мне кажется, я был неплохим учителем...

— Вы были лучшим из учителей!

— Ты очень добр, Гарри. Но пока я занимался обучением юных волшебников, Грин-де-Вальд собирал армию. Говорят, что он боялся меня. Возможно, так оно и было, но думаю, что я боялся его больше. Нет, не смерти, — ответил Дамблдор на вопросительный взгляд Гарри. — Не того, что он мог со мной сделать как волшебник. Я знал, что наши силы равны, а может быть, я даже немного искуснее. Я боялся правды. Понимаешь, я так и не знал, кто же из нас в ту страшную ночь выпустил заклятие, убившее мою сестру. Можешь назвать меня трусом — ты будешь прав. Гарри, больше всего на свете я боялся узнать, что это я убил ее — не только своей заносчивостью и глупостью, но и прямо, ударом, унесшим ее жизнь... Я думаю, Грин-де-Вальд это понимал, понимал, чего я боюсь. Я откладывал встречу с ним до тех пор, пока уклоняться не стало позором. Люди гибли, он неудержимо наступал, и я должен был сделать наконец то, что в моих силах. Что было дальше, ты знаешь. Я выиграл поединок. Волшебная палочка досталась мне.

И снова настало молчание. Гарри не спросил, выяснил ли Дамблдор, кто убил Ариану. Он не хотел этого знать, а еще меньше ему хотелось вынуждать Дамблдора говорить об этом. Теперь-то ему было известно, что увидел бы Дамблдор, если бы взглянул в зеркало Еиналеж, и почему он так хорошо понимал очарование, которое зеркало имело для Гарри.

Они долго сидели в молчании, и поскуливание у них за спиной уже почти не беспокоило Гарри.

Потом Гарри сказал:

— Грин-де-Вальд пытался отвлечь Волан-де-Морта от поисков палочки. Он солгал, будто у него никогда ее не было.

Дамблдор кивнул, глядя в пол. Слезы все еще поблескивали на его крючковатом носу.

— Говорят, в последние годы в своей одиночной камере в Нурменгарде он выказывал раскаяние. Надеюсь, что это правда. Мне хочется верить, что он почувствовал ужас и постыдность своих деяний. Может быть, эта ложь Волан-де-Морту была попыткой искупления... попыткой помешать Волан-де-Морту завладеть Дарами...

— И осквернить вашу гробницу? — предположил Гарри.

Дамблдор прикрыл глаза.

После недолгого молчания Гарри сказал:

— Вы попытались использовать Воскрешающий камень.

Дамблдор кивнул:

— Когда через столько лет я нашел в покинутом доме Мраксов тот из Даров, который мне больше всего хотелось заполучить (хотя в юности я мечтал о нем по совсем другим причинам), я просто потерял голову, Гарри. Я забыл, что теперь это крестраж, что на кольцо, несомненно, наложено заклятие. Я просто взял его и надел на палец. Какое-то мгновение я воображал, что сейчас увижу Ариану, мать, отца и смогу наконец попросить у них прощения... Я был таким глупцом, Гарри! За столько лет я ничему не научился. Я был недостоин соединить у себя Дары Смерти. Я доказывал это уже не раз, и это было последнее доказательство.

— Почему? — спросил Гарри. — Это же естественно! Вам хотелось их увидеть. Что тут плохого?

— Наверное, один человек из миллиона способен соединить у себя Дары Смерти, Гарри. Я годился лишь на то, чтобы обладать самым низшим из них, самым простым, я годился на то, чтобы обладать Бузинной палочкой, и не хвастать этим, и не убивать с ее помощью. Мне было позволено владеть и пользоваться ею, потому что я взял ее не ради выгоды, а для того, чтобы спасти от нее других. Зато мантию я взял из пустого любопытства, и поэтому она никогда не служила мне так, как служила тебе, своему настоящему хозяину. А камнем я воспользовался, пытаясь вызвать к себе тех, кто давно покоится в мире, а не для того, чтобы справиться с назначенным мне самопожертвованием, как это сделал ты. Ты действительно достоин владеть Дарами Смерти.

Дамблдор погладил руку Гарри. Гарри поднял на старика глаза и улыбнулся. А что ему было делать? Разве мог он теперь сердиться на Дамблдора?

— Но зачем было устраивать все так сложно?

Дамблдор смущенно улыбнулся:

— Признаться, я надеялся, что мисс Грейнджер будет сдерживать тебя, Гарри. Я боялся, что твоя горячая голова возобладает над добрым сердцем. Я боялся, что, если просто рассказать тебе всю правду об этих искусительных предметах, ты можешь завладеть Дарами Смерти, как я, — в недолжное время, по недолжной причине. Я хотел, чтобы, когда они достанутся тебе, они были действительно твоими. Ты — настоящий Повелитель смерти, потому что настоящий повелитель не убегает от нее. Он сознает, что должен умереть, и понимает, что в жизни есть вещи намного худшие, чем смерть.

— А Волан-де-Морт так никогда и не узнал о Дарах Смерти?

— Думаю, что нет. Ведь он не узнал Воскрешающий камень, когда превращал его в крестраж. Но даже узнай он о них, Гарри, я сомневаюсь, что его заинтересовало бы что-нибудь, кроме палочки. Он подумал бы, что не нуждается в мантии-невидимке, а что до камня, кого он стал бы возвращать из царства мертвых? Он боится мертвых. Он ведь никого не любит.

— Но вы знали, что он погонится за Бузинной палочкой?

— Я был уверен, что он попытается ее раздобыть, после того как твоя палочка на кладбище Литтл-Хэнглтона одержала победу над его. Сперва он испугался, что ты одолел его превосходящей силой волшебства. Но, похитив Олливандера, он узнал о сердцевинах-близнецах.

Ему показалось, что это все объясняет. Однако одолженная им чужая палочка снова не смогла справиться с твоей! Тогда Волан-де-Морт — вместо того чтобы спросить себя, что в тебе есть такого, от чего твоя палочка обретает непобедимую силу, каким недоступным ему даром ты обладаешь, — разумеется, отправился на поиски волшебной палочки, перед которой якобы не устоит никакая другая. Бузинная палочка стала для него наваждением не меньшим, чем ты сам. Он убежден, что Бузинная палочка избавит его от нынешней слабости и сделает его по-настоящему непобедимым. Бедняга Северус...

— Когда вы со Снеггом планировали вашу смерть, вы хотели, чтобы Бузинная палочка досталась ему?

— Да, именно так, — ответил Дамблдор. — Но получилось не по моему.

— Да, — сказал Гарри. — Это у вас не получилось.

Существо за их спинами скулило и ныло. Гарри и Дамблдор дольше прежнего сидели в молчании. И в эти долгие минуты до Гарри медленно, как мягко падающий снег, доходило осознание следующего шага.

— А теперь я должен вернуться, да?

— Как хочешь.

— У меня есть выбор?

— Конечно, — улыбнулся Дамблдор. — Мы ведь на вокзале Кингс-Кросс, говоришь? Я думаю, если ты решишь не возвращаться, ты сумеешь... так сказать... сесть в поезд.

— И куда он меня повезет?

— Вперед, — просто сказал Дамблдор.

Снова молчание.

— Бузинная палочка у Волан-де-Морта.

— Да. Бузинная палочка досталась Волан-де-Морту.

— Но вы хотите, чтобы я вернулся?

— Я думаю, — сказал Дамблдор, — что, если ты вернешься, есть шанс, что с ним будет покончено навсегда. Обещать я не могу. Я только знаю, Гарри, что возвращения сюда тебе нужно бояться куда меньше, чем ему.

Гарри снова взглянул на ободранное существо, дрожащее и задыхающееся в полумраке под стулом.

— Не жалей умерших, Гарри. Жалей живых, и в особенности тех, кто живет без любви. Твое возвращение, может быть, послужит тому, чтобы стало меньше искалеченных душ, меньше разбитых семей. Если это кажется тебе достойной целью, то сейчас нам пора проститься.

Гарри со вздохом кивнул. Конечно, уйти отсюда не так трудно, как отправиться на смерть в Запретный лес, но все же здесь было тепло, светло и уютно, а впереди его ждали, он знал это, боль и новые потери. Он встал, Дамблдор тоже поднялся, и они долго глядели друг другу в лицо.

— Скажите мне напоследок, — сказал Гарри, — это все правда? Или это происходит у меня в голове?

Дамблдор улыбнулся ему сияющей улыбкой, и голос его прозвучал в ушах Гарри громко и отчетливо, хотя светлый туман уже окутывал фигуру старика, размывая очертания.

— Конечно, это происходит у тебя в голове, Гарри, но кто сказал тебе, что поэтому оно не должно быть правдой?

Глава 36
ИЗЪЯН В ПЛАНЕ

Он снова лежал на земле ничком. Ноздри наполнял запах леса. Он чувствовал под щекой холодную твердую землю, а дужка очков, съехавших набок, впивалась ему в висок. Все тело у него болело, а то место, куда ударило Убивающее заклятие, саднило, как ушиб от удара кастетом. Он лежал, не шевелясь, прямо там, где упал; левая рука вывернулась под неестественным углом, рот раскрыт.

Он ожидал услышать крики восторга и торжества по случаю своей смерти, но вместо этого слышались торопливые шаги, перешептывания и встревоженный ропот.

— Повелитель... мой повелитель...

Голос Беллатрисы звучал так, будто она обращалась к возлюбленному. Открыть глаза Гарри не смел и пытался оценить положение с помощью всех остальных чувств. Он знал, что волшебная палочка по-прежнему у него под одеждой, потому что чувствовал ее между грудной клеткой и землей. Ощущение тонкой подушки под животом подсказывало, что и мантия-невидимка тоже с ним, скрытая от посторонних глаз.

— *Мой повелитель...*

— Довольно, — сказал голос Волан-де-Морта.

Снова шаги: несколько человек отступают из одного и того же места. Отчаявшись понять, что происходит и почему, Гарри чуть-чуть приоткрыл глаза.

Волан-де-Морт, судя по всему, подымался на ноги. Несколько Пожирателей смерти бежали от него прочь, присоединяясь к толпе, окаймлявшей поляну. Только Беллатриса не ушла, а по-прежнему стояла на коленях рядом с Темным Лордом.

Гарри снова закрыл глаза, обдумывая то, что увидел. Пожиратели смерти, видимо, столпились вокруг упавшего Волан-де-Морта. Когда он ударил Гарри Убивающим заклятием, что-то произошло. Может быть, Волан-де-Морт тоже упал замертво? Похоже на то. Они оба лежали некоторое время без сознания, а теперь оба вернулись...

— Повелитель, позвольте мне...

— Я не нуждаюсь в поддержке, — холодно сказал Волан-де-Морт, и Гарри, даже не видя, ясно представил себе, как Беллатриса отдергивает протянутую на помощь руку. — Мальчишка... мертв?

На поляне воцарилась полная тишина. Никто не приблизился к Гарри, но он чувствовал, как все они пристально смотрят на него, словно вдавливая взглядами в землю; Гарри боялся, что у него дернется палец или веко.

— Ты, — раздался голос Волан-де-Морта, а за ним щелчок и вскрик боли. — Осмотри его. Доложи мне, мертв он или нет.

Гарри не знал, кого послали его освидетельствовать. Ему ничего не оставалось, как лежать неподвижно, с предательски колотящимся сердцем, и ждать осмотра; и все же, как ни слабо было это утешение, он отметил, что Волан-де-Морт боится приблизиться к нему, Волан-де-Морт подозревает, что не все получилось по его плану.

Лица Гарри коснулись руки — неожиданно мягкие; они приподняли ему веко, потом скользнули под рубашку, отыскивая сердце. Он слышал частое дыхание женщины, ее длинные волосы щекотали ему лицо. Он знал, что она слышит упорное биение жизни о его ребра.

— Драко жив? Он в замке?

Еле слышный шепот в дюйме от его уха. Длинные волосы спустились ему на лицо, закрывая его от посторонних взглядов.

— Да, — выдохнул он.

Он почувствовал, как сжалась рука на его груди. Ее ногти впились ему в кожу. Потом рука убралась. Женщина выпрямилась.

— Он мертв! — громко объявила Нарцисса Малфой.

Вот теперь они зашумели, издавая восторженные крики, затопали ногами, и Гарри видел сквозь опущенные веки, как взлетали в воздух торжественным салютом красные и серебряные вспышки.

Гарри, по-прежнему притворявшийся мертвым, понял, в чем дело. Нарцисса знала, что только в составе штурмующей армии она сможет попасть в замок на поиски сына. Ей было теперь все равно, победил Волан-де-Морт или нет.

— Вы видели? — Голос Волан-де-Морта перекрыл шум толпы. — Гарри Поттер пал от моей руки, и отныне на земле нет человека, представляющего для меня угрозу! Глядите! *Круцио!*

Гарри ожидал этого. Он знал, что его тело не оставят неоскверненным в Запретном лесу. Над ним будут издеваться, чтобы доказать победу Волан-де-Морта. Гарри подбросило в воздух, и он собрал всю свою волю, чтобы не дать телу напрячься, но боль, которой он ждал, так и не пришла. Его подкинули второй раз, потом третий. Очки слетели с него, волшебная палочка под одеждой перекатилась на бок, но он не шевельнул ни одним мускулом, вися, как тряпичная кукла. Когда он упал на землю в третий раз, поляна огласилась веселыми криками и взрывами хохота.

— А теперь, — сказал Волан-де-Морт, — мы отправимся в замок и продемонстрируем им, что осталось от их героя. Кто потащит тело? Нет... Подождите...

Раздался новый взрыв хохота, а потом Гарри почувствовал, что земля под ним задрожала.

— Ты понесешь его, — сказал Волан-де-Морт. — Он будет хорошо смотреться у тебя на руках, да и видно издалека. Ну, подбирай своего маленького дружка, Хагрид. И наденьте на него очки — мальчишка должен быть узнаваем для всех.

Кто-то напялил на Гарри очки, нарочно прихлопнув посильнее, зато огромные руки, поднявшие его в воздух, действовали удивительно нежно. Гарри чувствовал, как дрожат от рыданий плечи Хагрида, крупные слезы шлепнулись ему на плечи, когда лесничий приподнял его на руках... а Гарри не смел ни жестом, ни словом дать Хагриду понять, что еще не все потеряно.

— Вперед! — скомандовал Волан-де-Морт, и Хагрид зашагал через Лес, круша на своем пути тесно стоящие деревья. Ветки сыпались на волосы и одежду Гарри, но он лежал неподвижно, с открытым ртом, закрыв глаза, и в темноте никто — ни теснящиеся вокруг Пожиратели смерти, ни рыдающий Хагрид — не заметил, как бьется жилка на обнаженной шее Гарри Поттера...

Два великана шли позади Пожирателей смерти. Гарри слышал, как трещат и падают деревья на их пути. Они подняли такой шум, что птицы с криком взвились в небо, и даже ликующие крики Пожирателей смерти потонули в треске и топоте. Торжествующая процессия направлялась к опушке, и вскоре по проблескам света над закрытыми веками Гарри понял, что Лес становится реже.

— БЕЙН! — Неожиданный рык Хагрида чуть не заставил Гарри открыть глаза. — Ну что, довольнехоньки таперича, что не пошли драться, трусливое стадо? Довольны, что Гарри Поттера у-у-убили?..

Хагрид не мог продолжать, снова залившись слезами. Интересно, сколько кентавров наблюдают сейчас за их шествием? Гарри не решался приоткрыть глаза и посмотреть. Пожиратели смерти, оставив кентавров позади, оборачивались и выкрикивали грубые ругательства. Вскоре Гарри почувствовал свежее дуновение ветра и понял, что они вышли на опушку.

— Стой!

Он подумал было, что Хагрида принуждают исполнить команду, потому что исполин слегка качнулся. Но тут Гарри ощутил пронизывающий холод и услышал хриплое дыхание дементоров, патрулировавших край Леса. Сейчас они ему ничего не смогут сделать. Пылавшее в Гарри сознание, что он жив, служило ему талисманом, как будто отцовский серебряный олень стоял на часах в его сердце.

Кто-то прошел совсем рядом с Гарри, и он понял, что это был сам Волан-де-Морт, потому что спустя мгновение услышал усиленный магией голос, разносившийся далеко вокруг, круша барабанные перепонки Гарри.

— Гарри Поттер мертв. Он был убит при попытке к бегству. Он пытался спасти свою жизнь, пока вы тут погибали за него. Мы принесли вам его тело, чтобы вы убедились, что ваш герой мертв. Битва выиграна. Вы потеряли половину бойцов. Мои Пожиратели смерти превосходят вас числом, а Мальчика, Который Выжил больше нет. Воевать дальше не имеет смысла. Всякий, кто продолжит сопротивление, будь то мужчина, женщина или ребенок, будет убит, и то же случится с членами его семьи. Выходите из замка, преклоните предо мной колени, и я пощажу вас. Ваши родители и дети, ваши братья и сестры будут жить, все будет прощено, и вместе мы приступим к строительству нового мира.

Из замка не доносилось ни звука. Волан-де-Морт стоял так близко к Гарри, что тот не решался приоткрыть глаза.

— За мной, — сказал Волан-де-Морт, и Гарри слышал, как он шагнул вперед.

Хагриду пришлось следовать за ним. Теперь Гарри чуть приоткрыл глаза и увидел, что Волан-де-Морт идет впереди с Нагайной на плечах, вокруг змеи не было теперь зачарованной сферы. Но Гарри не мог достать палочку из-под одежды, потому что с обеих сторон от него шагали в постепенно светлеющем мраке Пожиратели смерти...

— Гарри, — всхлипывал Хагрид. — Гарри... Гарри...

Гарри снова плотно закрыл глаза. Он понял, что они приближаются к замку, и пытался различить сквозь топот и крики Пожирателей смерти хоть какой-нибудь звук со стороны Хогвартса.

— Стой!

Пожиратели смерти остановились. Гарри слышал, как они выстраиваются в шеренгу напротив распахнутых дверей школы. Даже сквозь закрытые веки он видел розовые отблески — свет, падавший из вестибюля. Он ждал. Сейчас те, ради кого он хотел умереть, увидят его мертвым на руках у Хагрида.

— НЕТ!

Этот крик был потрясением — ведь Гарри и во сне не могло присниться, что профессор Макгонагалл способна издавать такие звуки. Он услышал рядом женский смех и понял, что Беллатриса наслаждается отчаянием Макгонагалл. Он снова чуть приоткрыл глаза и увидел, как дверной проем наполняется людьми, как выходят на крыльцо уцелевшие защитники замка, чтобы встретить победителей и своими глазами убедиться в гибели Гарри. Чуть впереди он увидел Волан-де-Морта, поглаживавшего Нагайну по голове длинным белым пальцем. Он снова закрыл глаза.

— Нет!

— *Нет*!

— Гарри! ГАРРИ!

Голоса Рона, Гермионы и Джинни — это еще хуже, чем вопль Макгонагалл. Гарри хотелось сейчас только одного — откликнуться, но он заставил себя лежать неподвижно. Их крики послужили сигналом, теперь вся толпа уцелевших вопила, выкрикивая проклятия Пожирателям смерти, пока...

— МОЛЧАТЬ! — крикнул Волан-де-Морт. Раздался хлопок, мелькнула яркая вспышка — и все смолкло. — Игра окончена. Клади его сюда, Хагрид, к моим ногам — здесь ему место!

Гарри почувствовал, как его опускают на траву.

— Видите? — сказал Волан-де-Морт. Гарри слышал, как он ходит взад-вперед позади его лежащего тела. — Гарри Поттер мертв! Поняли вы теперь, что вас обманули? Он был всего лишь мальчишкой, требовавшим от других, чтобы они жертвовали жизнью ради него!

— Он уже столько раз тебя бил! — выкрикнул Рон, и чары развеялись. Защитники Хогвартса снова зашумели и закричали, но тут второй, более мощный хлопок заглушил их голоса.

— Он был убит при попытке сбежать с территории замка, — сказал Волан-де-Морт, явно наслаждаясь этой ложью. — Убит при попытке спасти свою жизнь...

Но тут речь Волан-де-Морта оборвалась. Гарри услышал звуки борьбы, крик, потом еще один хлопок, вспышку и вскрик боли. Он чуть приоткрыл глаза. Кто-то вырвался из толпы и выстрелил в Волан-де-Морта. Гарри видел падающую на землю фигуру, искры Разоружающего заклятия и Волан-де-Морта, со смехом бросающего в сторону палочку своего обидчика.

— И кто же это? — спросил он своим мягким змеиным голосом. — Кто сам вызвался продемонстрировать, что бывает, когда пытаешься продолжать проигранную битву?

Беллатриса залилась счастливым смехом:

— Это Невилл Долгопупс, повелитель! Мальчишка, который доставлял Кэрроу столько неприятностей! Сын мракоборцев, помните?

— Ах, да, припоминаю. — Волан-де-Морт взглянул сверху вниз на Невилла, безоружного, без всякой защиты, отчаянно пытавшегося подняться на ноги на нейтральной полосе между защитниками замка и Пожирателями смерти. — Но ты ведь чистой крови, мой храбрый мальчик? — обратился он к Невиллу, который стоял теперь к нему лицом, сжав в кулаки пустые руки.

— А если и так — что из этого? — громко ответил Невилл.

— Ты проявил отвагу и мужество, и в твоих жилах течет благородная кровь. Ты будешь отменным Пожирателем смерти. Нам нужны такие, как ты, Невилл Долгопупс!

— Скорее в аду станет холодно, чем я к вам перейду! — сказал Невилл. — Отряд Дамблдора! — выкрикнул он, и толпа ответила шумом, которого не могли сдержать даже Заглушающие чары Волан-де-Морта.

— Что ж, — сказал Волан-де-Морт ласково, и Гарри почувствовал, что в этом шелковом голосе больше угрозы, чем в самом мощном заклятии. — Раз таков твой выбор, Долгопупс, вернемся к первоначальному плану. На твою голову, — негромко добавил он, — пусть падет.

Сквозь щелочки приоткрытых глаз Гарри увидел мановение руки Волан-де-Морта. В следующую секунду из разбитого окна замка вылетело что-то, похожее на уродливую птицу, и приземлилось в полумраке на ладонь Волан-де-Морту. Он приподнял пахнущий плесенью предмет за острый конец и встряхнул. И вот она закачалась у всех на глазах, пустая и потрепанная — Распределяющая шляпа.

— В школе Хогвартс больше не будет распределения, — объявил Волан-де-Морт. — Факультеты отменяются. Эмблема, герб и цвета моего благородного предка, Салазара Слизерина, отныне обязательны для всех, понятно, Невилл Долгопупс?

Он направил палочку на Невилла, и тот застыл, словно окаменев. Волан-де-Морт нахлобучил на него шляпу, так что она закрыла Невиллу глаза. В толпе стоящих перед замком началось движение, и Пожиратели смерти, как один, вскинули палочки, не давая защитникам Хогвартса пошевелиться.

— Невилл сейчас наглядно покажет вам, что будет со всяким, у кого достанет глупости мне сопротивляться, — сказал Волан-де-Морт.

Взмах его палочки — и Распределяющая шляпа вспыхнула ярким пламенем.

Страшный крик разорвал предрассветный полумрак — Невилл горел, прикованный к месту, неспособный шевельнуть ни рукой, ни ногой. Гарри не мог этого вынести: нужно действовать...

И тут случилось сразу несколько вещей.

С отдаленной границы школы послышался шум, как будто сотни людей перебирались через не видные отсюда стены и рвались к замку с громкими воинственными кликами. В ту же минуту из-за угла замка показался запыхавшийся Грохх с воплем: «ХАГГИ!» В ответ ему раздался рык великанов Волан-де-Морта: они ринулись на Грохха, как боевые слоны, и земля затряслась под их топотом. Потом раздалось цоканье копыт, звук натягиваемой тетивы — и на Пожирателей смерти внезапно обрушился град стрел. Люди Волан-де-Морта закричали от неожиданности, ломая строй. Гарри вытащил из-под одежды мантию-невидимку, набросил ее на себя, вскочил на ноги — и вдруг Невилл тоже стал двигаться.

Быстрым, еле уловимым движением Невилл освободился от Цепенящего заклятия, пылающая шляпа слетела с его головы, и он вытянул из нее что-то серебряное, со сверкающей рубинами рукояткой.

Удар серебряного лезвия не был слышен за шумом надвигающейся толпы, ревом дерущихся великанов, стуком копыт бросившихся в схватку кентавров — и все же все глаза обратились на блеснувший меч. Одним ударом Невилл снес голову огромной змее. Голова подлетела высоко в воздух, сверкнув в лучах света, лившегося из вестибюля. Рот Волан-де-Морта раскрылся в яростном крике, которого никто не услышал, и тело змеи с глухим стуком упало на землю к его ногам.

Гарри, скрытый под мантией-невидимкой, опустил Щитовые чары между Невиллом и Волан-де-Мортом, прежде чем Темный Лорд успел поднять волшебную палочку. И тут все крики, шум, удары и топот перекрыл вопль Хагрида.

— ГАРРИ! — кричал он. — ГАРРИ! ГДЕ ГАРРИ?

Начался хаос. Стрелы кентавров рассеивали Пожирателей смерти, все, кто мог, бежали от топчущих вслепую великаньих ног, и все ближе и ближе громыхало подкрепление, явившееся неизвестно откуда: Гарри увидел огромных крылатых чудищ, парящих над головами великанов Волан-де-Морта. Фестралы и гиппогриф Клювокрыл выцарапывали великанам глаза, а Грохх мутузил их кулаками. Волшебникам — как защитникам Хогвартса, так и Пожирателям смерти — пришлось отступить обратно в замок. Гарри метал заклятия и чары во всех Пожирателей смерти подряд. Они падали, не понимая, откуда пришел удар, а их тела топтала отступающая толпа.

Гарри, все еще скрытый под мантией-невидимкой, протолкался в вестибюль в поисках Волан-де-Морта. Он увидел Темного Лорда на другом конце помещения: отступая в Большой зал, тот направо и налево метал заклятия из волшебной палочки, продолжая в то же время раздавать приказания своим сторонникам. Гарри снова применил Щитовые чары, и намеченные Волан-де-Мортом жертвы, Симус Финниган и Ханна Аббот, прорвались мимо него в Большой зал, где уже разгоралось сражение.

Все больше и больше людей взбегало по ступеням крыльца. Гарри увидел, как Чарли Уизли обгоняет Горация Слизнорта, на котором по-прежнему была изумрудного цвета пижама. Они, похоже, шли во главе целого отряда друзей и родных тех учеников Хогвартса, которые остались защищать школу, а за ними двигались лавочники и домовладельцы Хогсмида. Кентавры Бейн, Ронан и Магориан, громко стуча копытами, ворвались в вестибюль — и тут за спиной у Гарри сорвалась с петель дверь, ведущая к кухням.

Эльфы-домовики Хогвартса толпой хлынули в вестибюль, громко крича и размахивая ножами и топорами для мяса. Ими предводительствовал Кикимер с медальоном Регулуса Блэка на груди, и его квакающий голос перекрывал даже царивший здесь шум:

— Все на битву! На битву! На битву за моего хозяина, надежду и оплот эльфов-домовиков! Бей Темного Лорда во имя отважного Регулуса! На битву!

С горящими злобой личиками они рубили топорами и кололи ножами икры и щиколотки Пожирателей смерти. Куда ни глянь, Пожиратели смерти отступали, подавленные численным превосходством противника, сражаемые несущимися отовсюду заклятиями, стрелами из луков кентавров, корчась от втыкающихся в ноги ножей, напрасно пытаясь бежать под натиском все прибывающей толпы.

И все же битва еще не кончилась. Гарри, продираясь между сражающимися и пленными, прорвался наконец в Большой зал.

Волан-де-Морта он увидел в самой гуще схватки. Тот в ярости крушил все, что попадалось ему на пути. Гарри не мог прямо подступиться к нему и с трудом прокладывал себе путь под мантией-невидимкой. В Большом зале стало совсем тесно — все, кто еще мог держаться на ногах, рвались внутрь.

Гарри видел, как Джордж и Ли Джордан повалили на пол Яксли, как Долохов пал от руки Флитвика, как Хагрид швырнул через всю комнату Уолдена Макнейра и тот врезался в противоположную стену и мешком упал на пол. Он видел, как Рон и Невилл сбили с ног Фенрира Сивого, как Аберфорт ударил Оглушающим заклятием Руквуда, как Артур и Перси одолели Толстоватого, а Люциус и Нарцисса Малфой, даже не пытаясь сражаться, бежали сквозь толпу, выкрикивая имя своего сына.

Волан-де-Морт сражался разом с Макгонагалл, Слизнортом и Кингсли. С холодной ненавистью он смотрел, как они, пригибаясь, мечутся вокруг него и никак не могут нанести решающий удар...

Беллатриса продолжала борьбу в нескольких шагах от Волан-де-Морта. Как и ее повелитель, она в одиночку сражалась с тремя за раз: Гермиона, Джинни и Полумна напрягали все силы, но не могли одолеть Беллатрису. Гарри совсем потерял голову, увидев, как Убивающее заклятие просвистело в дюйме от Джинни, так что она чудом осталась жива.

Гарри сменил направление — вместо Волан-де-Морта он бросился к Беллатрисе. Но не успел он пробежать и нескольких шагов, его отбросило в сторону.

— НЕ ТРОНЬ МОЮ ДОЧЬ, МЕРЗАВКА!

Миссис Уизли на бегу сбрасывала мантию, освобождая руки. Беллатриса резко повернулась — и расхохоталась при виде новой противницы.

— С ДОРОГИ! — крикнула миссис Уизли трем девушкам, выхватила палочку и бросилась в бой. С ужасом и восторгом Гарри смотрел, как хлещет и крутится волшебная палочка в руках Молли Уизли и как исчезает улыбка с лица Беллатрисы Лестрейндж, превращаясь в злобную гримасу. Потоки пламени лились с обеих палочек, пол под ногами волшебниц раскалился и покрылся трещинами; обе дрались не на жизнь, а на смерть.

— Нет! — крикнула миссис Уизли бросившимся ей на помощь школьникам. — Уйдите! *Прочь отсюда!* Она моя!

Сотни зрителей стояли теперь вдоль стен, наблюдая за двумя сражающимися группами: Волан-де-Мортом и его тремя противниками и Беллатрисой и Молли. Гарри, невидимый под мантией, замер, не зная, в какую сторону кинуться, разрываясь между стремлением атаковать Темного Лорда и потребностью защитить миссис Уизли и к тому же боясь попасть в невинного.

— Что станется с твоими детьми, когда я тебя убью? — дразнила Беллатриса, безумная, как и ее повелитель, уворачиваясь от пляшущих вокруг нее заклятий Молли. — Когда мамочка отправится вслед за Фреддичкой?

— Ты больше никогда не тронешь наших детей! — выкрикнула миссис Уизли.

Беллатриса засмеялась исступленным смехом — точно такой Гарри слышал от ее кузена Сириуса за миг перед тем, как тот упал вперед спиной сквозь занавес... И вдруг Гарри понял, что сейчас произойдет, еще раньше, чем это случилось.

Заклятие Молли пронеслось под вытянутой рукой Беллатрисы и ударило ее в грудь, прямо над сердцем.

Злорадная улыбка замерла на губах Беллатрисы, глаза словно выкатились из орбит. Еще мгновение она понимала, что случилось, а потом медленно опрокинулась навзничь, и толпа зрителей зашумела, а Волан-де-Морт вскрикнул.

Гарри казалось, что он видит все в замедленной съемке: Макгонагалл, Кингсли и Слизнорт отлетели прочь, вертясь в воздухе, как сухие листья. Ярость Волан-де-Морта при виде гибели последней, лучшей его сторонницы взорвалась с силой многотонной бомбы. Волан-де-Морт поднял палочку и направил ее на Молли Уизли.

— *Протего!* — крикнул Гарри.

Щитовые чары разделили Большой зал пополам. Волан-де-Морт оглянулся в поисках пославшего их, и Гарри наконец сбросил с себя мантию-невидимку.

Вопль изумления, приветственные возгласы, крики с обеих сторон: «Гарри!» и «ОН ЖИВ!» — стихли почти мгновенно. Толпа испугалась. Внезапно наступила полная тишина. Волан-де-Морт и Гарри, встретившись взглядом, одновременно начали двигаться по кругу.

— Пусть никто не пытается мне помочь, — громко сказал Гарри. В мертвом молчании его слова раскатились по Залу, как трубный глас. — Так нужно. Нужно, чтобы это сделал я.

Волан-де-Морт зашипел, расширив красные глаза:

— Поттер, конечно, шутит. Это ведь совсем не в его стиле. Кто сегодня послужит тебе щитом, а, Поттер?

— Никто, — просто ответил Гарри. — Крестражей больше нет. Остались только я и ты. Ни один из нас не может жить, пока жив другой, и один из нас должен уйти навсегда...

— Один из нас? — насмешливо повторил Волан-де-Морт. Все его тело напряглось, взгляд красных глаз стал неподвижным — змея перед броском. — Ты ведь понимаешь, что это будешь ты, Мальчик, Который Выжил благодаря случайности и козням Дамблдора?

— Ты думаешь, когда моя мать погибла, спасая меня, это была случайность? — спросил Гарри. Оба они попрежнему двигались боком, по идеальной окружности, сохраняя равное расстояние друг от друга. Гарри видел сейчас только одно лицо — Волан-де-Морта. — Ты думаешь, случайность, что я решился сразиться с тобой тогда на кладбище? Случайность, что минувшей ночью я не стал защищаться и все же остался жив и снова вернулся в битву?

— *Случайность!* — крикнул Волан-де-Морт, однако все еще не наносил удара. Толпа зрителей застыла, словно окаменев, и казалось, что среди сотен людей, заполнивших Большой зал, дышат только эти двое. — Случайность, везение и то, что ты увиливал и прятался за спинами тех, кто лучше тебя — мужчин и женщин, — позволяя мне убивать их вместо тебя!

— Сегодня ты никого больше не убьешь, — сказал Гарри, пока они продолжали кружить по Залу, глядя друг другу в глаза. — Ты никогда больше не сможешь никого из них убить. Понял? Я готов был умереть, чтобы ты прекратил мучить этих людей...

— Однако не умер!

— Я был готов, и этого оказалось достаточно. Я сделал то же, что моя мать. Они защищены от тебя. Разве ты не заметил, как легко они сбрасывают твои заклятия? Ты не можешь их мучить. Ты не можешь до них добраться. Не пора ли тебе учиться на ошибках, а, Реддл?

— *Ты посмел...*

— Да, я посмел, — ответил Гарри. — Я знаю многое, чего ты не знаешь, Том Реддл. Много очень важных вещей, тебе неизвестных. Хочешь, я расскажу тебе часть из них, пока ты не сделал новую большую ошибку?

Волан-де-Морт ничего не ответил, продолжая скользить по кругу. Гарри понял, что на время его противник заворожен, выведен из строя; даже призрачная возможность, что Гарри и в самом деле знает последнюю тайну, удерживала его от удара...

— Что, опять любовь? — сказал Волан-де-Морт с насмешливым выражением на змеином лице. — *Любовь,* вечная присказка Дамблдора: он утверждал, что она побеждает смерть. Хотя любовь не помешала ему сверзиться с башни и разбиться, как восковая кукла. Любовь не помешала мне раздавить твою грязнокровку-мать, как таракана, Поттер, и, похоже, никто здесь не пылает к тебе такой любовью, чтобы броситься вперед и принять на себя мое заклятие. Так что же помешает тебе погибнуть, когда я ударю?

— Только одно, — сказал Гарри. Они продолжали кружить друг за другом, и лишь последняя тайна не давала им сойтись в схватке.

— Если не любовь должна спасти тебя на этот раз, — сказал Волан-де-Морт, — то, значит, ты думаешь, что владеешь волшебством, которое мне недоступно, или обладаешь более мощным оружием?

— И то и другое, — сказал Гарри и увидел панический страх, мелькнувший на змеином лице, хотя оно тут же приняло прежнее выражение.

Волан-де-Морт рассмеялся; его смех звучал страшнее, чем крик. Холодный и безумный, он эхом разнесся по замершему залу.

— И *ты* думаешь, что знаешь неизвестное мне волшебство? — сказал он. — Неизвестное *мне*, лорду Волан-де-Морту, владеющему такими чарами, какие Дамблдору и не снились?

— Сниться они ему снились, — сказал Гарри, — но только он знал больше тебя, он знал достаточно, чтобы не делать того, что сделал ты.

— Ты хочешь сказать, что он был слаб! — воскликнул Волан-де-Морт. — Слишком слаб, чтобы дерзнуть, слишком слаб, чтобы протянуть руку за тем, что могло бы принадлежать ему, но достанется мне!

— Нет, он был просто умнее тебя, — ответил Гарри. — Он был лучшим волшебником, чем ты, и лучшим человеком.

— Я подстроил гибель Альбуса Дамблдора!

— Это тебе так казалось, — сказал Гарри. — Но ты ошибался.

— *Дамблдор мертв!* — Волан-де-Морт швырнул эти слова в лицо Гарри, словно надеясь причинить ему невыносимую боль. — Его тело разлагается в мраморной гробнице здесь, возле замка, я видел его, Поттер, — для него нет возврата.

— Да, Дамблдор мертв, — спокойно откликнулся Гарри. — Но не ты убил его. Он сам выбрал свою смерть, выбрал ее за много месяцев до того, как это случилось, обговорил во всех деталях с человеком, которого ты считал своим слугой.

— Это что еще за ребяческие россказни? — спросил Волан-де-Морт, однако по-прежнему не наносил удара и не сводил с лица Гарри своих красных глаз.

— Северус Снегг служил не тебе, — сказал Гарри. — Он был на стороне Дамблдора с той самой минуты, как ты стал преследовать мою мать. А ты так ничего и не заметил, потому что это как раз то, чего ты не понимаешь. Ты видел когда-нибудь, как Снегг вызывает Патронуса?

Волан-де-Морт не ответил. Они кружили друг за другом, как волки, собирающиеся вцепиться друг другу в глотку.

— Патронус Снегга — лань, — сказал Гарри, — как у моей матери, потому что он любил ее всю жизнь, с самого детства. Ты мог бы догадаться. — Гарри увидел, как затрепетали ноздри Волан-де-Морта. — Разве он не просил тебя пощадить ее?

— Он хотел ее, вот и все, — насмешливо сказал Волан-де-Морт. — Когда ее не стало, он согласился со мной, что есть и другие женщины, притом чистокровные, более достойные его...

— Разумеется, он с тобой согласился, — ответил Гарри. — Но он стал шпионом Дамблдора с той минуты, как ты начал ей угрожать, и с тех пор неустанно работал против тебя! Дамблдор был уже при смерти, когда Снегг прикончил его.

— Какая разница! — выкрикнул Волан-де-Морт, до этого жадно впивавший каждое слово, и разразился раскатами безумного хохота. — Какая разница, служил Снегг мне или Дамблдору, или какие палки эти людишки пытались ставить мне в колеса! Я раздавил их, как раздавил твою мать, эту пресловутую великую *любовь* Снегга. О, здесь все было не зря, Поттер, просто ты этого не понимаешь! Дамблдор пытался не подпустить меня к Бузинной палочке! Он хотел, чтобы ее настоящим хозяином стал Снегг! Но я опередил тебя, малыш, — я добрался до палочки раньше, чем ты успел ею завладеть. Я все понял раньше тебя. Три часа назад я убил Северуса Снегга, и теперь Бузинная палочка, Жезл Смерти, Смертоносная палочка по праву принадлежит мне! План Дамблдора не удался, Гарри Поттер!

— Да, не удался, — сказал Гарри. — Ты прав. Но прежде чем ты попытаешься меня убить, я призываю тебя подумать о том, что ты сделал... Подумай и попытайся почувствовать хоть немного раскаяния, Реддл...

— О чем это ты?

Ничто из того, что говорил ему Гарри — ни разоблаченные тайны, ни насмешки, — не поражало Волан-де-Морта так, как эти слова. Гарри увидел, как его зрачки сузились в тонкие щелочки, как побелела кожа вокруг глаз.

— Это твой последний шанс, — сказал Гарри. — Все, что тебе остается... Я видел, во что ты иначе превратишься... будь мужчиной... попытайся... попытайся раскаяться...

— Ты посмел... — снова сказал Волан-де-Морт.

— Да, я посмел, — сказал Гарри. — Потому что провал последнего плана Дамблдора ударил вовсе не по мне. Он ударил по тебе, Реддл.

Рука Волан-де-Морта, сжимавшая Бузинную палочку, задрожала. Гарри крепче вцепился в палочку Драко. Он понимал, что остается лишь несколько мгновений.

— Эта палочка по-прежнему не слушается тебя, потому что ты убил не того человека. Северус Снегг никогда не был настоящим хозяином Бузинной палочки. Он никогда не одерживал победы над Дамблдором.

— Он убил...

— Ты слушаешь, что я говорю? *Снегг не побеждал Дамблдора!* Смерть Дамблдора была обговорена между ними! Дамблдор хотел умереть непобежденным, подлинным хозяином Бузинной палочки! Если бы все получилось по его плану, сила палочки умерла бы вместе с ним, потому что никто не отнял ее у него!

— Раз так, Поттер, Дамблдор все равно что сам отдал мне палочку! — Голос Волан-де-Морта дрожал от злобной радости. — Я похитил палочку из гробницы ее последнего хозяина! Против его желания! Сила палочки принадлежит мне!

— Нет, Реддл, она тебе не принадлежит. Обладать палочкой недостаточно! От того, что ты держишь ее в руках и отдаешь ей приказы, она не становится по-настоящему твоей. Разве ты не слышал, что сказал тебе Олливандер? *Палочка выбирает волшебника...* Бузинная палочка еще до смерти Дамблдора признала своего нового хозяина в человеке, который и не думал завладевать ею. Новый хозяин забрал палочку у Дамблдора против его воли, так и не поняв, что он сделал, и самая опасная волшебная палочка на свете признала его власть над собой...

Грудь Волан-де-Морта тяжело вздымалась, и Гарри чувствовал, как зреет заклятие, как оно растет внутри палочки, направленной ему в лицо.

— Настоящим хозяином Бузинной палочки был Драко Малфой.

На мгновение в глазах Волан-де-Морта мелькнул слепой ужас — и исчез.

— Но если и так, — сказал он мягко. — Даже если ты прав, Поттер, что это меняет для нас с тобой? Палочки с пером феникса у тебя уже нет. Наш поединок решит чистое умение... А убив тебя, я смогу заняться Драко Малфоем...

— Ты опоздал, — сказал Гарри. — Ты упустил свой шанс. Я тебя опередил. Много недель назад я победил Драко и отобрал у него волшебную палочку. — Гарри помахал палочкой из боярышника и почувствовал, что глаза всех присутствовавших в Большом зале устремлены на нее. — Так что теперь, — прошептал Гарри, — все сводится к одному: знает ли Бузинная палочка у тебя в руках, что на ее последнего хозяина наслали Разоружающее заклятие. Потому что если она это знает, то... я — настоящий хозяин Бузинной палочки.

Красно-золотое сияние внезапно разлилось по зачарованному потолку над их головами: это ослепительный краешек восходящего солнца проник в Большой зал через восточное окно. Свет ударил им в глаза одновременно, так что лицо Волан-де-Морта вдруг превратилось в пылающее пятно. Гарри услышал крик высокого голоса и тоже выкрикнул в небо всю свою надежду, взмахнув палочкой Драко.

— *Авада Кедавра!*

— *Экспеллиармус!*

Хлопок был подобен пушечному выстрелу. Золотое пламя взвилось в самом центре круга, по которому они двигались, — это столкнулись их заклятия. Гарри видел, как зеленая вспышка Волан-де-Морта слилась с его собственной и как Бузинная палочка взмыла ввысь, чернея на фоне рассвета, закружилась под зачарованным потолком, точно голова Нагайны, и пронеслась по воздуху к хозяину, которого не пожелала убивать, чтобы полностью подчиниться его власти. Гарри, тренированный ловец, поймал ее свободной рукой — и в ту же минуту Волан-де-Морт упал навзничь, раскинув руки, и узкие зрачки его красных глаз закатились. На полу лежали смертные останки Тома Реддла — слабое, сморщенное тело, безоружные белые руки, пустое, отсутствующее выражение на змеином лице. Волан-де-Морт погиб, убитый собственным обратившимся вспять заклятием, а Гарри стоял с двумя волшебными палочками в руке и глядел на опустевшую оболочку своего врага.

Какое-то мгновение вокруг еще стояла тишина. Потом зал очнулся и взорвался шумом, криками, восклицаниями и стонами. Ослепительное солнце залило окна, все рванулись к Гарри, и первыми к нему подбежали Рон и Гермиона; это их руки обвивали его, их громкие голоса наполняли звоном уши. Потом рядом возникли Джинни, Невилл и Полумна, а потом все семейство Уизли, Хагрид, Кингсли, Макгонагалл, Флитвик, Стебль — Гарри не мог разобрать ни слова из того, что все разом кричали ему, не мог понять, чьи руки обнимают, тянут, толкают его; сотни людей теснились к нему, желая прикоснуться к Мальчику Который Выжил, благодаря которому все наконец кончилось...

Солнце стояло прямо над Хогвартсом, и Большой зал был полон жизни и света. Без Гарри не могли обойтись ни восторги, ни горе, ни празднование, ни траур. Все хотели, чтобы их лидер и знамя, спаситель и вождь был сейчас с ними; похоже, никому не приходило в голову, что он страшно устал и что ему страстно хотелось сейчас побыть лишь с несколькими близкими. Он должен был говорить с родственниками погибших, пожимать их руки, глядеть на их слезы, принимать их благодарности, он должен был выслушивать поступавшие целое утро новости о том, что по всей стране люди, пораженные заклятием Империус, пришли в себя, что Пожиратели смерти бежали или были арестованы, что невинно осужденных сию минуту отпустили из Азкабана и что Кингсли Бруствер назначен временно исполняющим обязанности министра магии...

Тело Волан-де-Морта вынесли из Большого зала и положили в другом помещении, подальше от останков Фреда, Тонкс, Люпина, Колина Криви и еще пятидесяти человек, погибших в борьбе с ним. Макгонагалл вернула на место столы факультетов, но сейчас все сидели как попало, за столами смешались преподаватели и ученики, призраки и родители, кентавры и эльфы-домовики. Выздоравливающий Флоренц лежал в углу, а Грохх просовывал огромную физиономию в разбитое окно, и ему бросали еду в смеющийся рот. Наконец совершенно измученный, выжатый как лимон, Гарри оказался на скамье рядом с Полумной.

— На твоем месте я бы мечтала сейчас о тишине и покое, — заметила она.

— Я и мечтаю, — ответил Гарри.

— Я их отвлеку, — сказала Полумна. — А ты надевай свою мантию. — И не успел он и слова сказать, она уже кричала, показывая в окно: — Ой, смотрите, морщерогий кизляк!

Все сидевшие поблизости оглянулись, а Гарри набросил мантию-невидимку и поднялся со скамьи.

Теперь он мог беспрепятственно передвигаться по залу. Джинни сидела за два стола от него, положив голову на плечо матери. С ней он успеет поговорить потом: у них будут часы, дни, а может быть, и целые годы на разговоры. Затем он увидел Невилла. Меч Гриффиндора лежал рядом с его тарелкой, и целый рой восторженных поклонников не спускал с него глаз, пока он ел. Идя по проходу между столами, он заметил троих Малфоев, жавшихся друг к другу, словно сомневаясь, позволено ли им тут находиться, но никто не обращал на них ни малейшего внимания. Повсюду Гарри видел воссоединившиеся семьи и наконец отыскал тех двоих, что были так нужны ему сейчас.

— Это я, — тихо сказал он, наклонившись к ним. — Пойдемте со мной?

Рон и Гермиона тут же поднялись и вместе с ним вышли из Большого зала. Мраморная лестница была полуразрушена, часть перил обвалилась, повсюду виднелись пятна крови и осыпавшаяся штукатурка.

Где-то в глубине коридоров раздавался голос Пивза, распевавшего победный гимн собственного сочинения:

> Наш маленький Поттер
> Умело расставил Волану капкан,
> А мы их побили —
> Поднимем за наше здоровье стакан!

— Да, начинаешь чувствовать масштаб трагедии, — заметил Рон, открывая какую-то дверь и пропуская Гарри и Гермиону.

«Сейчас я почувствую счастье», — думал Гарри. Однако усталость затмевала другие чувства, и только боль от утраты Фреда, Люпина и Тонкс пронзала его на каждой ступеньке, как входящий в тело нож. Сильнее же всего он чувствовал колоссальное облегчение и желание спать. Но прежде нужно было объяснить все Рону и Гермионе — они так долго были его верными соратниками и заслужили полную правду. Он подробно рассказал им все, что видел в Омуте памяти и что случилось в Запретном лесу. Рон и Гермиона еще не успели выразить свое потрясение и изумление, как они уже дошли до места, куда, не сговариваясь, дружно направлялись.

Горгулья, охранявшая вход в директорский кабинет, была теперь сдвинута в сторону; она стояла, скривившись набок, и вид у нее был оглушенный.

«Интересно, — подумал Гарри, — она еще способна разбирать пароли?»

— Можно нам пройти? — спросил он горгулью.

— Пожалуйста, — буркнула статуя.

Они протиснулись мимо нее на каменную винтовую лестницу, медленно двигавшуюся вверх, как эскалатор. Добравшись до верхней площадки, Гарри толкнул входную дверь.

Он скользнул быстрым взглядом по каменному Омуту памяти, так и стоявшему на столе, где он его оставил, и вскрикнул от внезапного оглушительного грохота, мгновенно вообразив заклятия, возвращение Пожирателей смерти, возрождение Волан-де-Морта...

Но это были аплодисменты. Директора и директрисы Хогвартса, глядевшие со стен, приветствовали его дружной овацией. Они махали шляпами, а иногда и париками, через рамы пожимали друг другу руки, а то и пускались в пляс. Дайлис Дервент громко всхлипывала, Декстер Фортескью приветственно размахивал слуховой трубкой, а Финеас Найджелус взывал своим тонким высоким голосом:

— Заметьте, что и факультет Слизерин сыграл положительную роль! Наш вклад не должен быть забыт!

Но Гарри глядел лишь на того, кто стоял в самой большой раме прямо над директорским креслом. Слезы текли из-под очков-половинок на длинную седую бороду. Гордость и благодарность, выраженные в них, проливались бальзамом в душу Гарри, как песня феникса.

Наконец Гарри поднял руку, и портреты почтительно притихли, улыбаясь, утирая глаза и выжидательно глядя на него. Однако он обращался только к Дамблдору, подбирая слова с величайшей тщательностью. Несмотря на усталость и туман перед глазами, он должен сделать это последнее усилие, должен в последний раз спросить совета.

— То, что было спрятано в снитче, — начал он, — я выронил в Запретном лесу. Я не запомнил места и не собираюсь отправляться на поиски. Вы согласны со мной?

— Согласен, мой мальчик, — сказал Дамблдор. Остальные портреты глядели на них с недоумением и любопытством. — Это мудрое и мужественное решение, но иного я от тебя и не ожидал. Знает ли кто-нибудь, где ты его выронил?

— Никто, — ответил Гарри, и Дамблдор удовлетворенно кивнул.

— Но я сохраню дар Игнотуса, — сказал Гарри.

Дамблдор просиял:

— Конечно, Гарри, он навсегда принадлежит тебе, пока ты не передашь его своим потомкам.

— Остается вот это.

Гарри поднял Бузинную палочку. Рон и Гермиона глядели на нее с благоговением. Даже сквозь дурманящую усталость Гарри заметил этот взгляд, и он ему не понравился.

— Мне она не нужна, — сказал Гарри.

— Что? — громко произнес Рон. — Ты с ума сошел?

— Я знаю, она многое может, — устало сказал Гарри, — но мне больше нравилась моя. Так что...

Он порылся в мешочке, висевшем у него на шее, и достал оттуда две половинки остролистовой палочки, все еще соединенные пером феникса. Гермиона сказала, что починить палочку нельзя, повреждение слишком серьезно. Он знал одно: если и это не поможет, значит, не поможет уже ничто.

Он положил обломки на директорский стол, коснулся их кончиком Бузинной палочки и произнес:

— *Репаро!*

И его палочка срослась, из ее кончика полетели красные искры. Гарри понял, что его замысел удался. Он взял палочку из остролиста с пером феникса и почувствовал неожиданное тепло в пальцах, как будто палочка и его рука радовались встрече.

— Я положу Бузинную палочку, — сказал он Дамблдору, наблюдавшему за ним с безграничной любовью и восхищением, — туда, откуда она была взята. Пусть она остается там. Если я умру своей смертью, как Игнотус, то она лишится своей силы, правда? Ее предыдущий хозяин не потерпит поражения. И ее могуществу придет конец.

Дамблдор кивнул. Они улыбнулись друг другу.

— Ты уверен? — спросил Рон. Он глядел на Бузинную палочку, и в его голосе слышался слабый отголосок подавленного желания.

— Я думаю, Гарри прав, — тихо сказала Гермиона.

— От этой палочки больше тревог, чем толку, — сказал Гарри. — А я, честно говоря, — он отвернулся от портретов и думал сейчас только о кровати с пологом, ждавшей его в башне Гриффиндора, и о том, сможет ли Кикимер принести ему туда бутербродов, — сыт тревогами до конца жизни.

Девятнадцать лет спустя

Осень в этом году настала как-то внезапно. Утро первого сентября было золотым и похрустывающим, как яблоко. Когда маленькая семья пробиралась по шумной дороге к огромному дымному вокзалу, выхлопы машин и дыхание прохожих блестели в холодном воздухе, как нити паутины. Родители толкали перед собой по нагруженной тележке с громыхающей поверх остальных вещей большой клеткой. Совы в клетках возмущенно ухали. Рыжеволосая девочка, чуть не плача, плелась позади братьев, крепко вцепившись в отцовскую руку.

— Погоди, осталось недолго, скоро и ты поедешь, — сказал ей Гарри.

— Два года, — всхлипнула Лили. — А я хочу сейчас!

Пассажиры с любопытством глазели на сов, пока семейство двигалось к разделительному барьеру между девятой и десятой платформой. Сквозь окружающий шум до Гарри донесся голос Альбуса — его сыновья продолжали спор, начатый в машине.

— *Не буду! Не буду* я в Слизерине!

— Джеймс, прекрати! — сказала Джинни.

— Да я только сказал, что он может попасть в Слизерин. — Джеймс улыбнулся младшему брату. — Что тут такого? Он правда *может* попасть в Сли...

Но мать бросила на него такой взгляд, что Джеймс замолчал. Пятеро Поттеров подошли к барьеру. Самодовольно покосившись через плечо на младшего брата, Джеймс взял у матери тележку и побежал вперед. Спустя мгновение он исчез из виду.

— Вы мне будете писать? — тут же спросил Альбус родителей, пользуясь отсутствием старшего брата.

— Каждый день — хочешь? — спросила Джинни.

— Нет, каждый день не надо, — поспешно сказал Альбус. — Джеймс говорит, что большинство ребят получают письма из дома примерно раз в месяц.

— В прошлом году мы писали Джеймсу три раза в неделю, — сказала Джинни.

— Ты, пожалуйста, не верь всему, что он наговорит тебе о Хогвартсе, — добавил Гарри. — Твой братец любит шутить.

Все вместе они толкали вперед вторую тележку, набирая скорость. У самого барьера Альбус вздрогнул, но столновения не произошло. Семья просто вдруг оказалась на платформе девять и три четверти, окутанной густыми клубами белого пара от ярко-алого «Хогвартс-экспресса». Повсюду в тумане виднелись неясные фигуры, и Джеймс уже исчез среди них.

— Где они? — с тревогой спросил Альбус, глядя на туманные очертания, мимо которых они проходили.

— Мы их найдем, — успокоила его Джинни.

Но разобрать лица в густом дыму было трудно. Голоса, чьих обладателей было не видно, звучали неестественно громко. Гарри показалось, что он слышит голос Перси, во всю глотку рассуждающего о правилах полета на метлах, и он был рад, что в тумане не обязательно останавливаться и здороваться...

— Ал, вот они, по-моему, — вдруг сказала Джинни.

Из тумана возникла группа людей, стоящих у последнего вагона. Лишь подойдя совсем близко, Гарри, Джинни, Лили и Альбус смогли ясно увидеть их лица.

— Привет! — сказал Альбус с огромным облегчением в голосе.

Роза, уже переодетая в новехонькую с иголочки форму Хогвартса, встретила его сияющей улыбкой.

— Ну что, припарковался нормально? — спросил Рон Гарри. — Я — да. Гермиона не могла поверить, что я сдам на магловские права. Она думала, что мне придется применить Конфундус к инструктору.

— Неправда, — сказала Гермиона. — Я в тебе нисколько не сомневалась.

— Вообще-то я действительно применил к нему Конфундус, — шепотом сказал Рон Гарри, когда они вместе поднимали в вагон чемодан и сову Альбуса. — Я просто забыл, что надо смотреть в боковое зеркало — по правде говоря, я могу с тем же успехом применить заклятие Сверхчувствительности.

Вернувшись на платформу, они застали Лили и Хьюго, младшего брата Розы, за оживленным спором о том, в какой факультет их распределят, когда они наконец поедут в Хогвартс.

— Если ты попадешь не в Гриффиндор, мы лишим тебя наследства, — сказал Рон. — Так что делай свой свободный выбор.

— Рон!

Лили и Хьюго засмеялись, а Альбус и Роза сохраняли торжественную серьезность.

— Он просто шутит, — хором сказали Гермиона и Джинни, но Рон уже не слушал. Поймав взгляд Гарри, он кивком указал на три фигуры ярдах в пятидесяти от них. Пар в эту минуту рассеялся, и маленькую группу было отчетливо видно.

— Смотри, кто там стоит!

Это был Драко Малфой с женой и сыном, в наглухо застегнутом черном пальто. Надо лбом у него уже появились залысины, и от этого вытянутый подбородок казался еще длиннее. Сын был похож на отца не меньше, чем Альбус на Гарри. Драко заметил смотрящих на него Гарри, Рона, Гермиону и Джинни, коротко кивнул им и отвернулся.

— А это, стало быть, маленький Скорпиус, — полушепотом сказал Рон. — Ты должна одерживать над ним верх на каждом экзамене, Роза. Слава богу, умом ты пошла в маму!

— Рон, прошу тебя, — сказала Гермиона полушутливо-полусерьезно. — Дети еще и в школу-то не пошли, а ты уже натравливаешь их друг на друга!

— Ты права, дорогая, — ответил Рон, однако удержаться не мог. — Но ты все-таки не дружи с ним *очень-то*, Роза. Дедушка Уизли не простит тебе, если ты выйдешь замуж за чистокровку!

— Привет!

Это вернулся Джеймс. Он уже отделался от чемодана, совы и тележки и явно горел желанием сообщить новость.

— Там Тедди, — запыхавшийся Джеймс показывал через плечо назад, в густые клубы дыма. — Я его только что видел! Знаете, что он делает? *Целуется с Мари-Виктуар!* — Мальчик был явно разочарован сдержанной реакцией взрослых. — Наш Тедди! *Тедди Люпин!* Целуется с *нашей* Мари-Виктуар! *Нашей* двоюродной сестрой! Я спросил Тедди, что он тут делает...

— Ты им помешал? — сказала Джинни. — Ох, Джеймс, до чего же ты похож на Рона!

— ...а он сказал, что пришел ее проводить! А потом сказал, чтобы я катился отсюда! Он с ней *целовался*! — добавил Джеймс, словно опасаясь, что его не поняли.

— Вот будет здорово, если они поженятся, — восторженно прошептала Лили. — Тогда Тедди *правда* будет членом нашей семьи.

— Он и так обедает у нас четыре раза в неделю, — заметил Гарри. — Почему бы нам просто не пригласить его жить у нас, и дело с концом?

— Да! — с энтузиазмом откликнулся Джеймс. — Я не против жить с Алом в одной комнате, а мою можно отдать Тедди.

— Нет, — твердо сказал Гарри. — Вы с Алом не будете жить в одной комнате, пока я не решу, что дом пора сносить. — Он взглянул на помятые старые часы, принадлежавшие когда-то Фабиану Пруэтту. — Почти одиннадцать. Вам пора заходить в вагон.

— Не забудь поцеловать от нас Невилла, — сказала Джинни Джеймсу, обнимая его.

— Мама! Я не могу *поцеловать* профессора!

— Но ты ведь знаком с Невиллом...

Джеймс закатил глаза.

— Так то дома, а в школе он профессор Долгопупс! Представляешь, я приду на зельеварение и скажу... — Покачивая головой над материнской глупостью, он дал выход своим чувствам, пихнув Альбуса. — Ал, пока! Берегись, не просмотри фестралов!

— Но они же невидимые? Ты говорил, что они невидимые!

Джеймс в ответ только рассмеялся, подставил щеку под поцелуй матери, на бегу обнял отца и вскочил в быстро заполняющийся вагон. Они увидели, как он помахал им из окна и побежал по коридору отыскивать друзей.

— Фестралов нечего бояться, — сказал Гарри Альбусу. — Они очень добрые и совсем не страшные. И потом, вас повезут до школы не в каретах, а на лодках.

Джинни поцеловала Альбуса на прощание:

— Пока, до Рождества!

— Пока, Ал, — сказал Гарри, обнимая сына. — Не забудь, что Хагрид пригласил тебя на чай в пятницу. Не ругайся с Пивзом. Не затевай поединков, пока не научишься сражаться. И не давай Джеймсу тебя морочить.

— А если меня распределят в Слизерин?

Это было сказано тихим шепотом, чтобы не слышал никто, кроме отца. Гарри знал, что только миг разлуки мог вырвать у Альбуса этот вопрос, выдававший неподдельный и глубокий страх.

Гарри присел на корточки, и лицо Альбуса оказалось чуть выше его головы. Из трех детей только Альбус унаследовал глаза Лили.

— Альбус Северус, — сказал Гарри тихо, так что слышать их могла только Джинни, а у нее хватило такта увлеченно махать в этот момент глядевшей из поезда Розе, — тебя назвали в честь двух директоров Хогвартса. Один из них был выпускником Слизерина, и он был, пожалуй, самым храбрым человеком, которого я знал.

— Но если...

— Значит, факультет Слизерин приобретет отличного ученика, правда? Для нас это не важно, Ал. Но если это важно для тебя, ты сможешь выбирать между Гриффиндором и Слизерином. Распределяющая шляпа учтет твое желание.

— Правда?

— Мое она учла, — сказал Гарри.

Он никогда раньше не рассказывал об этом своим детям, и увидел изумление на лице Альбуса. Но в этот момент по всему алому поезду уже захлопали двери, смутные фигуры родителей толпой устремились вперед с прощальными поцелуями и последними наставлениями. Альбус вскочил в вагон, и Джинни закрыла за ним дверь. Из ближайших к ним окон высовывались школьники. Множество лиц, как в поезде, так и на платформе, было обращено на Гарри.

— Чего они все смотрят? — спросил Альбус, протискивая голову в окно рядом с Розой и оглядывая соседей.

— Не беспокойся, — сказал Рон. — Это все из-за меня. Я страшно знаменит.

Альбус, Роза, Хьюго и Лили рассмеялись. Поезд тронулся, и Гарри пошел рядом с ним по платформе, глядя на худенькое, горящее от возбуждения лицо сына. Гарри махал вслед и улыбался, хотя вид поезда, уносящего вдаль его дитя, наполнял сердце грустью...

— С ним все будет в порядке, — тихо сказала Джинни.

Взглянув на нее, Гарри рассеянно опустил руку и прикоснулся к шраму на лбу.

— Конечно.

Шрам не болел уже девятнадцать лет. Все было хорошо.

Оглавление

Литературно-художественное издание

Ролинг Дж. К.

ГАРРИ ПОТТЕР И ДАРЫ СМЕРТИ

Роман

Ответственный редактор Т. Н. КУСТОВА
Технический редактор А. Т. ДОБРЫНИНА
Корректор Л. А. ЛАЗАРЕВА

Подписано к печати 19.09.07.
Формат 84x108 $^1/_{32}$. Бумага Creamy. Печать офсетная.
Усл. печ. л. 33,6. Тираж 200 000 экз. Заказ № 0716402.

ЗАО «РОСМЭН-ПРЕСС».
Почтовый адрес: 125124, Москва, а/я 62. Тел.: (495) 933-71-30.
Юридический адрес: 129301, Москва, ул. Бориса Галушкина, д. 23, стр. 1.

Наши клиенты и оптовые покупатели могут оформить заказ, получить опережающую информацию о планах выхода изданий и перспективных проектах в Интернете по адресу: **www.rosman.ru**

ОТДЕЛ ОПТОВЫХ ПРОДАЖ:
все города России, СНГ: (495) 933-70-73;
Москва и Московская область: (495) 933-70-75.

Отпечатано в полном соответствии с качеством предоставленного электронного оригинал-макета в ОАО «Ярославский полиграфкомбинат»
150049, Ярославль, ул. Свободы, 97

Ролинг Дж. К.

Р67 Гарри Поттер и Дары Смерти: Роман/Пер. с англ. С. Ильина, М. Лахути, М. Сокольской. — М.: ЗАО «РОСМЭН-ПРЕСС», 2007. — 640 с.

Гарри Поттера ждет самое страшное испытание в жизни — смертельная схватка с Волан-де-Мортом. Ждать помощи не от кого — Гарри одинок как никогда. Друзья и враги Гарри предстают в совершенно неожиданном свете. Граница между Добром и Злом становится все призрачнее...

В седьмой, финальной книге Дж. К. Ролинг раскрывает все магические тайны.

ISBN 978-5-353-02907-6

УДК 821.111-93
ББК 84 (4Вел)